DAS GROSSE BUCH DER Asiatischen KÜCHE

DAS GROSSE BUCH DER

Asiatischen

KÜCHE

KÖNEMANN

Published by Murdoch Books®, a division of Murdoch Magazines Pty Ltd,
213 Miller Street, North Sydney NSW 2060

Concept and Art Direction: Marylouise Brammer
Designers: Annette Fitzgerald, Vivien Valk
Editors: Jane Bowring, Jane Price
Photographer (cover and special features): Luis Martin
Stylist (cover and special features): Rosemary Mellish
Stylist's Assistant (cover and special features): Tracey Port
Background painter (special features): Sandra Anderson from Painted Vision, Glebe NSW
Food Editors: Roslyn Anderson, Tracy Rutherford
Food Director: Jody Vassallo
Additional recipes: Roslyn Anderson, Sally Parker, Jo Richardson,
Tracy Rutherford, Jody Vassallo
Additional text: Kay Halsey, Margaret McPhee
Picture Librarian: Denise Martin

Original title: The Essential Asian Cookbook

Könemann Verlagsgesellschaft mbH, Bonner Str. 126, D-50968 Köln
Übersetzung aus dem Englischen (für Agents-Producers-Editors, Overath):
Ina Breuing (Köln), Karin Hirschmann (Gütersloh), Andreas Kellermann (Berlin),
Monire Parsia Parsi (Berlin), Susanne Stielau (München)
Redaktion & Satz der deutschen Ausgabe: Agents-Producers-Editors, Overath
Druck und Bindung: Mateu Cromo
Printed in Spain

ISBN 3–8290–0429–X

UNSER STERNE-SYSTEM ist kein Beurteilungssystem nach Qualitätskriterien, sondern klassifiziert die Gerichte danach, wie einfach oder aufwendig sie herzustellen sind.
★ Bei einem Stern ist eine schnelle und unkomplizierte Zubereitung möglich – ideal für Anfänger.
★★ Bei Gerichten mit zwei Sternen sollte man ein wenig mehr Sorgfalt und Zeit aufwenden.
★★★ Gerichte mit drei Sternen sind recht aufwendig und erfordern verhältnismäßig viel Zeit, Aufmerksamkeit und Geduld. Doch lohnt der Aufwand allemal. Anfänger: Keine Angst! Wenn Sie sich genau an die Rezeptbeschreibungen halten, gelingen die Gerichte.

NÄHRWERTANGABEN: Die Nährwertangaben am Ende der Rezepte enthalten nicht jede Beilage wie Reis oder Pasten, auch wenn diese in der Zutatenliste aufgezählt werden. Die Nährwerte sind Annäherungswerte und aufgrund der Natur der Zutaten gewissen Schwankungen unterworfen. Zudem ist bei einigen industriell hergestellten Produkten die Zusammensetzung nicht bekannt.

EINZIGARTIGES ASIEN

Die asiatische Küche hat eine jahrtausendealte Tradition, doch bei uns ist sie geradezu modern. Von Los Angeles bis Berlin lassen sich die Küchenchefs der Restaurants immer mehr durch die asiatische Küche inspirieren. Gemüsehändler und Supermärkte bieten inzwischen Zitronengras, frischen Koriander und vieles mehr an, was nur natürlich ist, denn asiatische Gerichte sind frisch und farbig und schmecken immer aromatisch. Sie basieren auf Getreide und Gemüse und sind von daher gesund und schnell zuzubereiten. Jedes Land hat trotz aller fremden Einflüsse eigenständige kulinarische Traditionen entwickelt, die unverwechselbar sind. Die Entdeckung all dieser Gerichte ist ein wahres Abenteuer. Deshalb:

Selamat makan!

INHALT

BESONDERHEITEN

DIE ASIATISCHE KÜCHE

Obwohl Asien einen großen Teil des Globus bedeckt, haben die verschiedenen asiatischen Küchen vieles gemeinsam. Man verwendet reichlich Kräuter und Gewürze, überall wird Reis gegessen, und viele Zutaten wie Nudeln, Sojasauce und Tofu sind nicht auf einzelne Länder beschränkt. Auch die Garmethoden – Pfannenrühren, Fritieren und Dämpfen – sind in den meisten asiatischen Ländern dieselben. Der Wok, ein besonderer Topf, wird überall in Asien verwendet, wenn auch unter anderen Namen und in unterschiedlichen Formen.

DER WOK

Wer häufiger asiatische Gerichte kocht, sollte einen Wok besitzen. Seine große Oberfläche und sein hochgezogener Rand sind ideal zum Pfannenrühren, und beim Fritieren wird weniger Öl benötigt als bei einem gewöhnlichen Topf. Ein Wok eignet sich auch hervorragend zum Dämpfen, denn in seinen schrägen Rand lassen sich spezielle Dampfkörbe aus Bambus oder Metall stabil einsetzen. Woks gibt es in den verschiedensten Ausführungen. Der traditionelle Wok hat einen runden Boden und ist aus einfachem Stahl. Woks werden aber auch aus rostfreiem Stahl, Gußeisen und Aluminium gefertigt, einige haben sogar Antihaft-Beschichtungen. Für einen Elektroherd ist ein Wok mit abgeflachtem Boden am besten geeignet, da er sicherer auf der Platte steht und die Hitze sich gleichmäßiger verteilt. Woks mit rundem Boden sind ideal für Gasherde; zur besseren Standfestigkeit kann jedoch ein Standring erforderlich sein. Bei einem offenen Ring sind ausreichende Luftzufuhr und optimale Wärmeleitung gewährleistet. Gasherde geben die Hitze sofort ab, und diese kann leichter reguliert werden als bei Elektroherden, daher eignen sie sich besonders gut zum Kochen mit dem Wok.

Vorbereitung und Reinigung eines Woks
Woks aus einfachem Stahl, die in Asiengeschäften erhältlichen, preiswerten Standardausgaben, sind mit einer dünnen Lackschicht überzogen, damit sie vor dem Verkauf nicht rosten. Dieser Film muß vor dem ersten Gebrauch des Woks entfernt werden. Am besten stellt man den Wok auf den Herd, füllt ihn mit Wasser und gibt 2 Eßlöffel Natron hinzu. 15 Minuten kochen lassen. Das Wasser anschließend abgießen und den Lacküberzug mit einem Topfkratzer aus Kunststoff abschaben. Den Vorgang notfalls wiederholen, dann ausspülen und abtrocknen.

Damit die Oberfläche glatt wird und das Essen vor Anhaften und Entfärben geschützt wird, den Wok leicht erhitzen. Ein Papiertuch zusammenknüllen und in eine Schale Öl, wenn möglich Erdnußöl, tunken. Den erhitzten Wok mit dem ölgetränkten Papierknäuel auswischen. Den Vorgang mit frischem Papier wiederholen, bis es sauber bleibt und keine Farbspuren mehr zu sehen sind.

Ein heißer Wok wird vorbereitet, indem man ihn mit in Erdnußöl getränkten Papiertüchern einreibt, bis diese sauber bleiben.

Ein so vorbereiteter Wok sollte nicht mehr gescheuert werden. Speisereste löst man am besten, indem man den Wok in warmem Spülwasser einweicht. Den Wok nach dem Reinigen bei schwacher Hitze leicht erwärmen und anschließend mit einem ölgetränkten Papiertuch einreiben. Ihn anschließend an einen trockenen, gut gelüfteten Platz stellen. Wenn er lange in einem warmen, stickigen Küchenschrank steht, kann die Ölschicht ranzig werden. Häufiger Gebrauch schützt den Wok am besten vor Rost.

WEITERE UTENSILIEN

Zum Mahlen

Gemahlene Gewürze verlieren schnell ihr Aroma und ihren Geschmack. Es ist daher ratsam, jeweils bei Bedarf kleinere Mengen von Gewürzen selbst zu mahlen. Dafür kann ein Mörser mit Stößel verwendet werden, doch ideal für diesen Zweck ist eine elektrische Kaffeemühle. Der für harte Bohnen konstruierte Motor und die flach angebrachten Klingen haben genügend Kraft, um Gewürze zu mahlen, und der Behälter hat eine passende Größe. Wenn Sie nicht eigens für Gewürze eine Kaffeemühle anschaffen, können Sie die Aromareste jeweils nach der Verarbeitung von Gewürzen oder Kaffee durch das Mahlen von etwas Reis beseitigen.

Für die Herstellung von Curry- und Gewürzpasten zerstößt man die Zutaten am besten mit einem Stößel im Mörser. Bei einer feuchten Paste kann auch ein Mixer oder eine Küchenmaschine verwendet werden.

Zum Schneiden

Für die asiatische Küche müssen oft rohe Zutaten geschnitten werden, daher sind scharfe Messer guter Qualität unabdingbar. Ein mittelschweres Küchenbeil ist beim Zerhacken von Huhn nach chinesischer Art sehr hilfreich. Auch ein Küchenmesser mit schwerer Klinge kann verwendet werden.

DÄMPF-TIPS

Beim Dämpfen wird das Essen durch den aufsteigenden Wasserdampf gegart. So erhält man die besten Resultate:

- Den Wok oder die Pfanne zu einem Drittel mit Wasser füllen, den Dampfkorb einsetzen und den Wasserstand kontrollieren, bevor man das Wasser zum Kochen bringt. Es sollte genügend, aber nicht zuviel Wasser im Wok oder in der Pfanne sein. Zuviel Wasser spritzt in das Essen, zu wenig verkocht zu schnell.
- Wenn das Wasser kocht, die Speisen in den Dampfkorb legen und diesen dann sorgfältig in den Wok setzen.
- Den Wok zudecken und die Hitze beibehalten, der Wasserdampf

Bambuseinsätze sind ideal, um im Wok Speisen wie Wan-Tans oder Fischpäckchen zu dämpfen.

Zum Dämpfen ganzer Fische kann man eine Servierplatte auf den Gittereinsatz eines Woks legen.

zirkuliert dann gleichmäßig um das Essen.

Vorsicht, wenn Sie während des Dämpfens den Deckel öffnen. Man verbrennt sich sehr leicht am heißen Dampf.

PFANNENRÜHR-TIPS

Beim Pfannenrühren werden kleingeschnittene Zutaten in kurzer Zeit bei mittlerer oder großer Hitze gegart. So erhält man die besten Resultate:

- Vor dem Braten alle Zutaten vorbereiten. Das Fleisch wird meist in papierdünne Scheiben geschnitten. Schnell garendes Gemüse in gleichmäßige Scheiben oder Stücke schneiden, langsam garendes Gemüse dünn schneiden oder vorher blanchieren. Danach die Zutaten für die Sauce abmessen. Falls Reis oder Nudeln das Gericht ergänzen, sollten auch diese fertig portioniert bereitstehen.
- Den Wok zuerst erhitzen, dann das Öl zugeben.
- Das Öl erhitzen, bevor die Zutaten hineingegeben werden. Dies sichert eine kurze Garzeit und ein sofortiges Anbraten der Zutaten. Das Aroma und der Bratensaft bleiben so erhalten.
- Die Zutaten während des Bratens wenden und den Wok vorsichtig rütteln, damit sie gleichmäßig garen und nicht anbrennen. Pfannengerührtes Gemüse sollte knackig und das Fleisch zart und saftig sein.

FRITIER-TIPS

Es ist sehr wichtig, daß der zum Fritieren verwendete Wok oder die Pfanne sehr stabil und sicher auf dem Herd stehen. Niemals die Küche verlassen, während das Öl heiß ist, da es sich schnell überhitzt und leicht entzündet. So erhält man die besten Resultate:

- Öl hineingießen und bei großer Temperatur erhitzen. Die Pfanne oder den Wok niemals mehr als zur Hälfte füllen. Wenn das Öl die gewünschte Temperatur hat (180 °C), fängt es an zu brodeln. Ein 3 cm großer Brotwürfel bräunt bei dieser Hitze in nur einer Minute. Um die ideale Temperatur zu erhalten, auf mittlere Hitze herunterschalten.
- Die Zutaten mit einer Zange hineingeben, evtl. herumdrehen, damit alles gleichmäßig gart.
- Das fertige Essen vorsichtig mit einer Zange, einem Drahtsieb oder

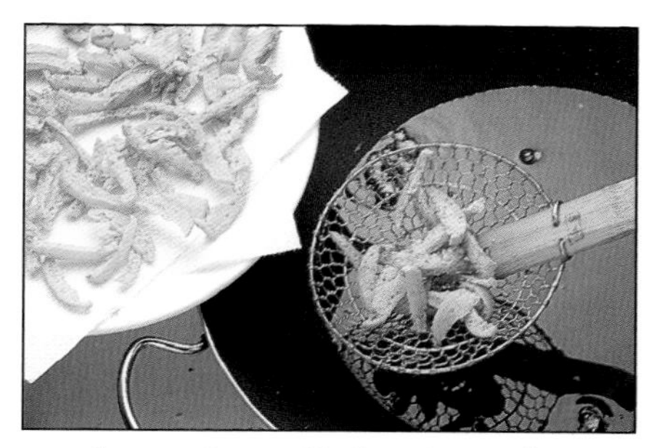

Ein chinesischer Sieblöffel läßt das Öl vom fritierten Essen tropfen.

einem chinesischen Sieblöffel herausnehmen und auf einem mit mehreren Lagen Papiertüchern ausgelegten Blech abtropfen lassen.
- Falls portionsweise fritiert wird, das Essen bei etwa 180 °C (Gas: Stufe 4) im Ofen warm halten.
- Wenn portionsweise fritiert wird, das Öl jedesmal wieder auf die erforderliche Temperatur erhitzen. Essensreste aus dem Öl entfernen, da sie sonst verbrennen.

CURRYPASTEN

Auf thailändischen und indischen Märkten findet man täglich viele frisch zubereitete, farbenprächtige Currypasten. Sie sind rot (von frischen oder getrockneten roten Chillies), gelb (Kurkuma) oder grün (frische grüne Chillies und frische grüne Kräuter). Es gibt sie in einer Vielzahl von Mischungen und Schärfen. Bei uns sind importierte Currypasten in Gläschen oder Dosen erhältlich, selbstgemachte schmecken jedoch am besten. Man kann einen Vorrat anrühren und im Kühlschrank aufbewahren, was bei der Vorbereitung von Speisen viel Zeit spart. Eine frische Paste hält sich in einem luftdichten Behälter bis zu 3 Wochen im Kühlschrank. Wahlweise kann man Pasten eßlöffelweise in einen Eiswürfelbehälter geben und zugedeckt einfrieren. Die gefrorenen Würfel dann in einem Gefrierbeutel im Gefrierfach aufbewahren. Vor Gebrauch die Würfel 30 Minuten bei Zimmertemperatur auftauen lassen. Gefrorene Paste hält bis zu 4 Monaten.

GEWÜRZE UND GEWÜRZMISCHUNGEN

Gemahlene Gewürze verlieren schnell Aroma und Geschmack. Am besten mahlt man daher bei Bedarf kleinere Mengen selbst. Durch trockenes Rösten entfalten ganze Gewürze ihr Aroma und sind einfacher zu mahlen. Gewürze können einzeln, aber auch zu mehreren Sorten in der Pfanne geröstet werden. Eine gußeiserne Bratpfanne in trockenem Zustand bei schwacher Hitze erwärmen. Die Gewürze zufügen und ständig rühren, bis sie hellbraun sind und duften. Auf einem Teller abkühlen lassen. Auch gemahlene Gewürze entwickeln durch das Rösten stärkeres Aroma, sie brennen jedoch schnell an.

Durch trockenes Rösten entfalten ganze Gewürze ihr Aroma und sind besser zu mahlen.

Mörser und Stößel sind für die asiatische Küche unerläßlich.

Es ist oft praktisch, Gewürzmischungen wie Garam Masala (s. S. 127) oder Ceylon-Currypulver (s. S. 126) auf Vorrat anzufertigen. In luftdichten Marmeladengläsern, dunkel und kühl aufbewahrt, sind sie lange haltbar.

BRÜHEN

Bei einigen Rezepten in diesem Buch gehört eine Brühe zu den Zutaten. Durch die Variation der Zutaten für folgendes Grundrezept kann eine Fleisch-, Meeresfrüchte- oder Hühnerbrühe zubereitet werden. Für eine Hühnerbrühe benötigt man zum Beispiel Hühnerhälse, -füße oder -flügel. Eine Meeresfrüchtebrühe wird aus Fisch- oder Garnelenköpfen, Muschelschalen oder Hummerschalen hergestellt. Für eine Fleischbrühe können Knochen, Ochsenschwänze und Schenkel verwendet werden. Im Kühlschrank halten sich die Brühen bis zu einer Woche und in der Tiefkühltruhe bis zu 6 Monaten.

1 kg Fleisch, Knochen oder Reste ohne Fett
2 l kaltes Wasser
3 rote asiatische Schalotten oder 3 Frühlingszwiebeln, grobgehackt
5 cm frischer Ingwer, in Scheiben geschnitten
1 mittelgroße Möhre, grobgehackt
5 schwarze Pfefferkörner
2 Knoblauchzehen, in Scheiben

Fleischbrühe

1 Die Fleischknochen in einer Backform bei 230 °C (Gas: Stufe 8) 40 Minuten backen, nach der Hälfte der Zeit die Möhren und die Schalotten zufügen.
2 Etwas Wasser in die Backform geben und den Inhalt zusammen mit den restlichen Zutaten in einen Topf umfüllen und zum Kochen bringen. Schaum, der sich auf der Flüssigkeit gebildet hat, entfernen.
3 Die Hitze reduzieren und 3 Stunden leicht köcheln lassen (länger, falls die Brühe konzentrierter sein soll). Schaum, der sich während des Köchelns bildet, erneut abschöpfen.
4 Die Brühe durch ein feines Sieb geben und die Flüssigkeit aus den festen Zutaten pressen. Abkühlen lassen und Fett von der Oberfläche entfernen.

Hühnerbrühe

1 Das Fleisch oder die Knochen mit den anderen Zutaten in einen Topf geben und zum Kochen bringen. Jeglichen Schaum entfernen.
2 Die Hitze verringern und 1 Stunde köcheln lassen. Den Schaum entfernen.
3 Die Brühe durch ein feines Sieb geben, abkühlen lassen und das Fett von der Oberfläche abschöpfen.

Fischbrühe

1 Die Gräten und Fischreste zerkleinern, dabei die Augen und Kiemen herausnehmen. Die Gräten und Fischabfälle 10 Minuten in kaltes Salzwasser legen, um Blutreste zu entfernen. Die Garnelen- oder Hummerschalen zerkleinern.
2 Die Gräten und Fischabfälle zusammen mit den anderen Zutaten in einen Topf geben und zum Kochen bringen.
3 20 Minuten köcheln lassen und an die Oberfläche tretenden Schaum abschöpfen.
4 Die Brühe durch ein feines Sieb geben und abkühlen lassen.

Gemüsebrühe

Für eine Gemüsebrühe 8 (statt 3) rote asiatische Schalotten und 3 (statt 1) Möhren verwenden.
1 Das zerkleinerte Gemüse mit dem Wasser und den übrigen Zutaten in einen Topf geben. Zum Kochen bringen und 1 Stunde köcheln lassen.
2 Die Brühe durch ein feines Sieb geben und dabei das Gemüse mit einer Schöpfkelle quetschen, damit die ganze Flüssigkeit herausgepreßt wird. Zum Abkühlen auf die Seite stellen.

HILFREICHE ZUBEREITUNGSMETHODEN

Ein Huhn oder eine Ente nach chinesischer Art zerlegen
Das Huhn mit einem Küchenbeil oder Messer in einem scharfen, glatten Schnitt zerteilen. Bei einer dichten Knochenmasse muß evtl. das Beil bzw. das Messer samt Huhn hochgehoben und dann auf das Schneidebrett geschlagen werden.

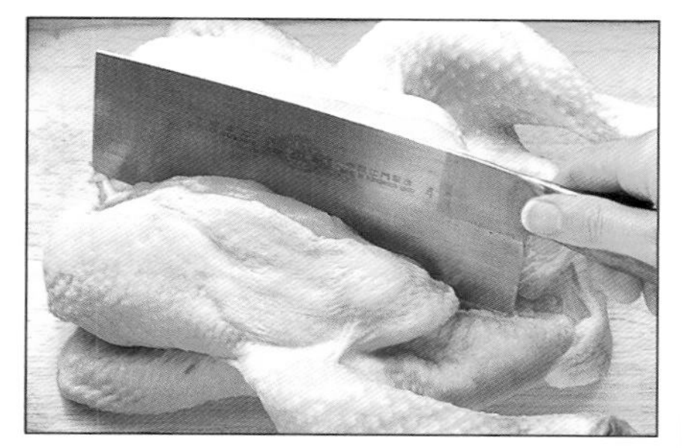

Das Huhn halbieren, indem man am Brustknochen entlang und dann weiter durch die Wirbelsäule schneidet.

Die Flügel, Unter- und Oberschenkel entfernen. Evtl. Küchenbeil statt Messer mit schwerer Klinge verwenden.

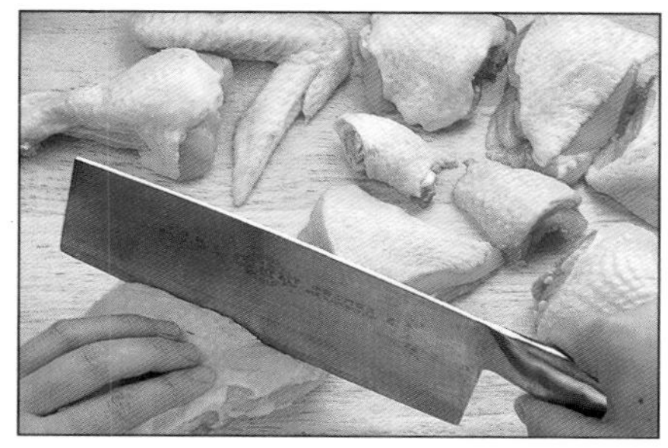

Große Stücke wie Brust und Keulen in zwei oder drei Teile schneiden. Ihre Größe sollte für Eßstäbchen geeignet sein.

Fleischzubereitung
Für viele asiatische Gerichte benötigt man in sehr dünne Scheiben geschnittenes Fleisch. Leicht gefrorenes Fleisch ist fester und daher wesentlich einfacher zu schneiden.

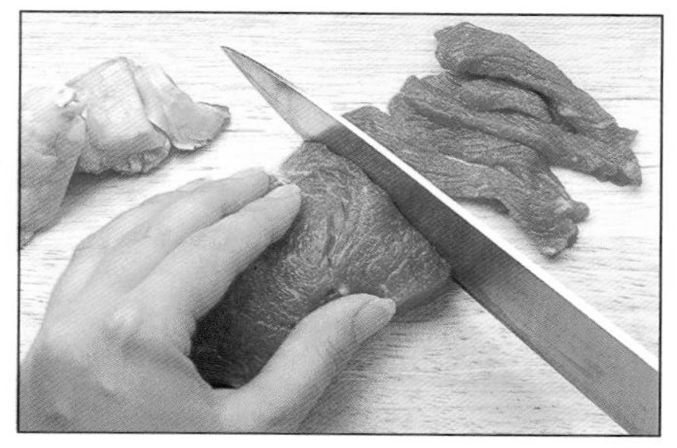

Das Fleisch von Fett und Sehnen säubern und quer zu den Fasern schneiden.

Garnelen schälen
Garnelenköpfe und -schalen nicht wegwerfen, sie können für Brühen bis zu 6 Monaten in der Tiefkühltruhe aufbewahrt werden.

Beim Schälen die Köpfe abbrechen und die Schale dann vom Körper lösen. Je nach Rezept den Schwanz intakt lassen oder vorsichtig vom Körper ziehen.

Den Rücken mit einem Messer einschneiden und den Darmfaden entfernen.

Umgang mit Chillies
Chillies müssen sehr vorsichtig gehackt oder entkernt werden. Der beißende Wirkstoff Capsaicin kann ernsthafte Hautreizungen verursachen und ist sogar noch in getrockneten Chillies wirksam. Beim Schneiden Gummihandschuhe tragen und den Chili so wenig wie möglich berühren. Nicht mit ungewaschenen Händen Gesicht, Augen oder andere empfindliche Körperteile anfassen. Küchenutensilien sofort nach der Bearbeitung von Chillies waschen. Die Scheidewände und Samen sind am schärfsten und können entfernt oder belassen werden, je nach Geschmack.

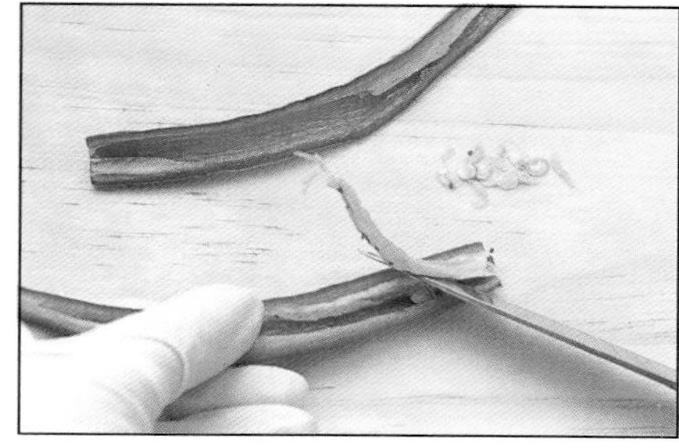

Beim Entkernen des Chili den Stiel abschneiden, die Schote aufschlitzen und das Innere herauskratzen.

Gemüse zubereiten
Bestimmte Gemüsesorten werden in asiatischen Rezepten immer wieder verwendet. Einige gebräuchliche Methoden sind hier erläutert.

Frischer Ingwer sollte geschält und dann geraspelt oder aber quer in dünne Scheiben und dann in schmale Streifen geschnitten werden.

Bei Zitronengras nur den weißen Teil verwenden. Restliche Teile evtl. mit dem Rücken eines Messers zerstoßen.

Frische Kräuter sind Grundzutaten der asiatischen Küche. Übriggebliebene Kräuter sind, eingewickelt in einem feuchten Papiertuch, in einem verschlossenen Gefrierbeutel im Kühlschrank bis zu einer Woche haltbar.

GLOSSAR

Viele Kräuter, Gewürze, Gemüsesorten und andere Zutaten, die man für asiatische Gerichte benötigt, sind oft in gutsortierten Supermärkten erhältlich. Ungewöhnlichere Zutaten erhält man in speziellen Asiengeschäften.

BLATTGEMÜSE

BOK CHOY ist auch als Pak Choy oder chinesischer Blätterkohl bekannt. Stiele und Blattrippen sind fleischig und weiß, die Blätter grün und flach. Der Geschmack erinnert an Senf. Blätter trennen, gut waschen und abtropfen lassen. Die weißen Stiele können, dünn geschnitten, roh gegessen werden. Beim Kauf auf feste Stiele und makellose Blätter achten. Shanghai-Kohl wird die kleinere Sorte genannt.

CHINAKOHL ist auch als Selleriekohl bekannt. Er hat blaßgrüne Blätter mit breiten weißen Stielen, die eng aneinanderliegen. Sein feiner Geschmack ist senfähnlich. Für Kohlrollen und Kim Chi wird grundsätzlich Chinakohl verwendet.

CHOY SUM wird auch als chinesischer Blütenkohl bezeichnet. Er hat weiche grüne Blätter und blaßgrüne Stengel mit winzigen gelben Blüten an den Spitzen der inneren Triebe. Die Blätter und Blüten werden rasch gar und haben einen leichten, süßlichen Senfgeschmack. Die Stengel sind knackig und saftig.

GAI LARN, auch chinesischer Brokkoli genannt, hat weiche runde Stengel, große dunkelgrüne Blätter und kleine weiße Blüten. Die saftigen, aus den Blättern geschnittenen Stiele sind der am häufigsten verzehrte Teil der Pflanze. Gai Larn schmeckt ähnlich wie unser Brokkoli, verfügt aber nicht über die großen charakteristischen blumenförmigen Röschen.

BAMBUSSPROSSEN

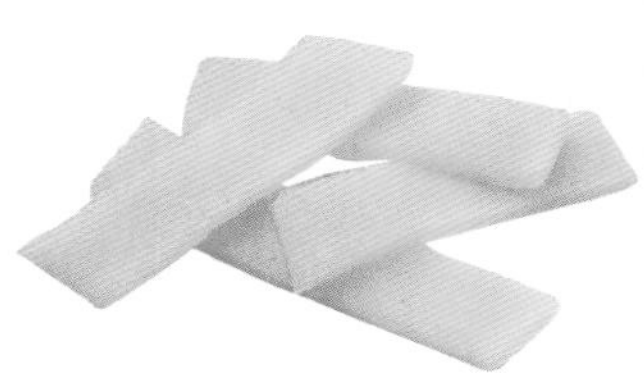

Diese jungen Schößlinge bestimmter Bambusarten haben einen feinen, erfrischenden Geschmack. Frühlingsschößlinge sind blaß, faserig und dick; Winterschößlinge sind dünner, von feinerer Struktur und ausgeprägterem Geschmack. Frische Bambussprossen sind schwer zu bekommen und müssen geschält und dann vorgekocht werden, um die giftige Blausäure zu zerstören. Mindestens 5 Minuten kochen, bis der bittere Geschmack verlorengeht. Bambussprossen aus Dosen und Gläsern werden am häufigsten verwendet.

BANANENBLÄTTER

Die großen Blätter verwendet man dazu, Lebensmittel zum Dämpfen oder Backen einzuwickeln. Sie halten das Essen feucht und verleihen ihm ein mildes Aroma. Den Stiel in der Mitte entfernen, Blätter gründlich waschen und in kochendem Wasser blanchieren. Aluminiumfolie kann als Ersatz dienen.

GEGRILLTES VOM SCHWEIN

Schweinefilet-Streifen, auch als Cha Shui bekannt, mariniert in 5-Gewürze-Pulver, Sojasauce, Zucker und rotem Farbstoff (gewöhnlich aus Orleansamen gewonnen) und dann über Holzkohle gegrillt.

BASILIKUM

Drei verschiedene Basilikumsorten finden in der asiatischen Küche Verwendung. Evtl. eignen sich auch das hier übliche frische Basilikum, frischer Koriander und bei Salaten frische Minze als Ersatz.

THAILÄNDISCHES BASILIKUM (Bai Horapha) hat leicht gezackte grüne Blätter und purpurrote Stengel. Es hat ein süßes Anisaroma und wird für pfannengerührte Speisen, Currygerichte und in Salaten verwendet.

ZITRONENBASILIKUM (Bai Manglaek) hat kleine grüne Blätter mit Zitronenduft und pfefferigem Geschmack. Sie werden für Salate oder Suppen verwendet, die Samen (Luk Manglak) für Desserts und Getränke.

HEILIGES BASILIKUM (Bai Kaphrao) hat schmale rotviolette Blätter und einen scharfen, an Gewürznelken erinnernden Geschmack. Es wird pfannengerührten Currygerichten beigefügt.

SCHWARZE BOHNEN

Schwarze Bohnen sind getrocknete Sojabohnen und in der südchinesischen Küche sehr beliebt. Sie wurden gekocht und in Salz und Gewürzen fermentiert. Sie schmecken scharf und salzig. Die Bohnen waschen und leicht zerdrücken oder zerhacken, um das Aroma freizusetzen. Schwarze Bohnen sind in Dosen erhältlich. Einmal geöffnet, in einem luftdichten Behälter kühlen.

SCHWARZE PILZE

Auch als ›Wolkenohren‹ bekannt. Für sich allein hat dieser Baumpilz kaum Geschmack, er wird aber wegen seiner knackigen Beschaffenheit geschätzt. Getrocknet ähnelt er schwarzem zerknülltem Papier. 15–30 Minuten vor Gebrauch in warmem Wasser einweichen, bis der Pilz auf die etwa fünffache Größe aufgequollen ist.

KEMIRINÜSSE

Diese harten, wachsähnlichen Nüsse ähneln Macadamia-Nüssen, haben aber eine trockenere Konsistenz. Geröstet und dann gemahlen, benutzt man sie zum Andicken und Veredeln von Currygerichten und Saucen. Sie sollten im Gefrierfach aufbewahrt werden, damit sie nicht ranzig werden. Kemirinüsse nicht roh essen, da ihr Öl giftig ist. Gekocht sind sie unproblematisch.

KARDAMOM

Dieses aromatische Gewürz indischer Herkunft ist als ganze Kapsel und als ganze oder gemahlene Samen erhältlich. Die blaßgrünen Kapseln werden bis zu 1,5 cm lang und sind dicht gefüllt mit süßlich duftenden, braunen oder schwarzen Samen. Ganze Schoten vor Zugabe an das Gericht leicht zerstoßen.

GETROCKNETE CHILLIES

CHILIFLOCKEN sind getrocknete rote Chillies, die gewöhnlich mit den Samen zermahlen werden (die Samen erhöhen die Schärfe). Luftdicht, kühl und an einem dunklen Platz aufbewahren.

GETROCKNETE ROTE CHILLIES variieren je nach Sorte (gewöhnlich nicht angegeben) in Größe und Schärfe. In heißem Wasser einweichen und gründlich abtropfen lassen, bevor sie dem Gericht zugefügt werden. Nach Wunsch die Samen vor dem Einweichen entfernen, um die Schärfe abzumildern.

CHILIPULVER wird aus feingemahlenen, getrockneten roten Chillies hergestellt. Seine Schärfe kann von mild bis feurig reichen. Mexikanisches Chilipulver ist mit Kreuzkümmel vermischt.

FRISCHE CHILLIES

VOGELAUGENCHILI ist die schärfste Chilisorte. Ihre 1–3 cm langen Schoten sind frisch, getrocknet oder in einer Salzlake eingelegt erhältlich.

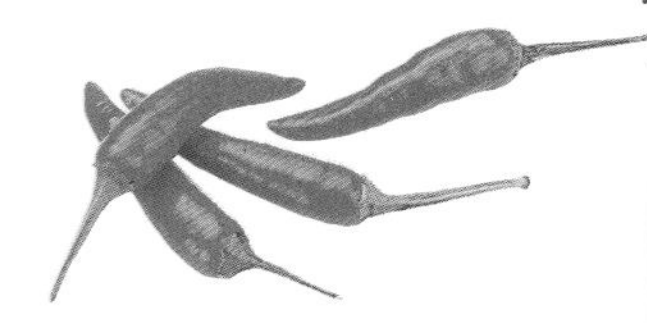

KLEINE ROTE CHILLIES haben etwa eine Länge von 5 cm und sind ebenfalls sehr scharf. Aus ihnen werden Chilipulver und Chiliflocken hergestellt.

MITTELGROSSE CHILLIES, 10–15 cm lang, werden am häufigsten in der indonesischen und malaysischen Küche verwendet. Diese langen dünnen Chillies sind scharf, jedoch milder als die obengenannten.

GROSSE ROTE UND GRÜNE CHILLIES, 15–20 cm lang, sind dicker als die mittelgroßen Chillies. Wenn sie reif sind, sind die roten Chillies sehr scharf.

KOKOSCREME UND -MILCH

KOKOSCREME, auch als ›dicke Kokosmilch‹ bekannt, wird aus dem Fruchtfleisch frischer Kokosnüsse gewonnen. Sie ist sehr reichhaltig und hat eine dicke, fast streichfähige Konsistenz. Die flüssige KOKOSMILCH wird aus dem frischen Fruchtfleisch der Kokosnuß gewonnen, nachdem die Kokoscreme herausgepreßt wurde. Die frische Milch oder Creme ist nicht haltbar, Reste daher einfrieren. (Die klare, wässerige Flüssigkeit im Inneren der Kokosnuß ist nicht Kokosmilch, sondern Kokoswasser oder Kokossaft.)

KORIANDER

Auch Cilantro und chinesische Petersilie genannt. Alle Teile dieser aromatischen Pflanze sind eßbar. Die Blätter verleihen Currygerichten einen erdigen, pfefferigen Geschmack und werden auch in Salaten verwendet, die gemahlenen Stiele und Wurzeln für Currypasten. Getrockneter Koriander ist kein geeigneter Ersatz. Einen Bund frischen Koriander in einem Wasserglas in den Kühlschrank stellen und einen Plastikbeutel darüber binden. So ist er gut haltbar.

FRITIERTER KNOBLAUCH UND ZWIEBELN

Die sehr dünnen, knusprig fritierten Scheiben von Knoblauchzehen und Zwiebeln oder roten asiatischen Schalotten eignen sich als Garnierung oder können einer Erdnußsauce beigefügt werden. Sie können leicht selbst hergestellt werden (s. S. 131).

KREUZKÜMMEL

Die hellbraunen Samen duften aromatisch und haben einen bitteren Geschmack. Gemahlener Kreuzkümmel ist wichtiger Bestandteil von Currypasten und vielen Gewürzmischungen. Schwarzer Kreuzkümmel ist kleiner und dunkler sowie süßlicher im Geschmack.

CURRYBLÄTTER

Die kleinen, glänzenden, spitz zulaufenden Blätter haben einen würzigen Duft. In Südindien, Sri Lanka und Malaysia werden sie zum Würzen von Curry- und Gemüsegerichten verwendet. Wie Lorbeerblätter verwenden und vor dem Servieren entfernen.

DAIKON

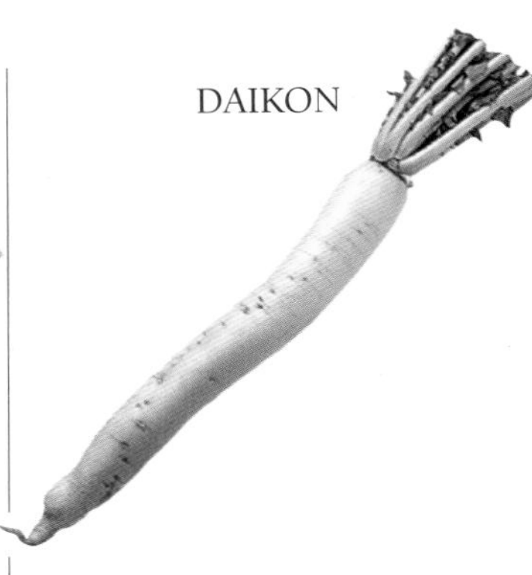

Dieser weiße Rettich wird in der japanischen und chinesischen Küche häufig verwendet. Einige Sorten sind bis zu 30 cm lang. Struktur und Geschmack ähneln gewöhnlichem Rettich. Gerieben wird er Schmorgerichten zugegeben oder mit feingehackten Chillies zu Gewürz vermischt.

DASHI

Die Brühe aus getrocknetem Seetang (Kombu) und Trokkenfisch (Bonito) ist eine Grundzutat der japanischen Küche. Sie ist als Granulat oder Pulver erhältlich und wird in heißem Wasser zu einer Brühe aufgelöst.

AUBERGINE (EIERFRUCHT)

Die in Asien heimischen Auberginen gibt es in verschiedenen Formen, Größen und Farben. Die Erbsenaubergine (Makeur) ist erbsengroß, grün, wächst in Büscheln und hat ein eher bitteres Aroma. Sie wird in thailändischen Currygerichten oder roh im Salat verwendet. Schlanke Auberginen, auch japanische Eierfrüchte genannt, werden für indische Currygerichte und in der vegetarischen Küche benutzt. Die bei uns übliche Aubergine ist ein geeigneter Ersatz.

BOCKSHORNKLEE

Wichtige Zutat der indischen Küche. Die getrockneten Samen sind klein, länglich und orange-braun. Sie werden in der Regel trocken geröstet, dann gemahlen und einer Currypaste beigemischt. In Sri Lanka verwendet man in Meeresfrüchte-Currys oft einige ganze Samen. Sparsam verwenden, da die Samen bitter sind.

FISCHSAUCE

Die dünne, klare, braune, salzige Sauce mit ihrem charakteristischen Geruch und scharfen Geschmack ist eine wichtige Zutat in der thailändischen, vietnamesischen, laotischen und kambodschanischen Küche. Sie wird aus Garnelen oder kleinen fermentierten Fischen hergestellt. Ihr strenges Aroma wird durch andere Zutaten abgemildert.

5-GEWÜRZE-PULVER

Diese duftende, zum Verzehr fertige Gewürzmischung wird in der chinesischen Küche vielfältig eingesetzt. Sie enthält Sternanis, Sichuan-Pfeffer, Fenchel, Gewürznelken und Zimt. Sparsam verwenden, da sie schwächere Aromen überdecken kann.

MEHLSORTEN

ASIATISCHES REISMEHL wird aus Rundkornreis hergestellt. Es ist fein und leicht und wird für Nudeln, Gebäck und Süßspeisen verwendet. Es ist gut für den Teig oder als Überzug für gebratene Speisen geeignet.
ATTA, auch Chapati-Mehl genannt, ist ein feingemahlenes Vollkornweizenmehl. Es wird für indische Fladenbrote, insbesondere Chapatis und Parathas, verwendet. Als Ersatz kann gesiebtes und Vollkornweizenmehl ohne Kleie dienen. Das Brot wird dann vielleicht etwas schwerer und grobkörniger.
BESAN ist ein blaßgelbes, feingemahlenes Mehl aus getrockneten Kichererbsen. In der indischen Küche wird es zu Teig, etwa für Eierkuchen, Klöße und Gebäck, verarbeitet. Das Aroma und der Geschmack sind leicht nussig. Es ist ungesäuert und etwas gröber.

GALGANT

Die Galgantwurzel ähnelt im Aussehen der nahe verwandten Ingwerwurzel. Sie ist jedoch rosafarben und hat ein pfefferiges Aroma. Möglichst frisch verwenden. Darauf achten, daß der abfärbende Saft nicht auf die Kleidung gerät. Getrockneter Galgant wird in Scheiben verkauft und muß vor dem Gebrauch in heißem Wasser eingeweicht werden. Galgant in Scheiben ist auch in Salzlake eingelegt erhältlich. In gemahlener Form auch als Laospulver bekannt.

GARAM MASALA

Diese Mischung aus gemahlenen Gewürzen enthält normalerweise Zimt, schwarzen Pfeffer, Koriander, Kreuzkümmel, Kardamom, Gewürznelken und Muskatblüte oder Muskatnuß. Im Handel sind fertige Mischungen erhältlich; frisch hergestellt (s. S. 127) schmeckt Garam Masala aber am besten. Im Gegensatz zu anderen Gewürzmischungen wird Garam Masala erst gegen Ende der Kochzeit zugefügt.

KNOBLAUCH

Knoblauch wird außer in Japan überall in Asien in großen Mengen gegessen. Asiatische Varianten sind oft kleiner und kräftiger. Auch eingelegt wird er verwendet.

CHINESISCHER SCHNITTLAUCH

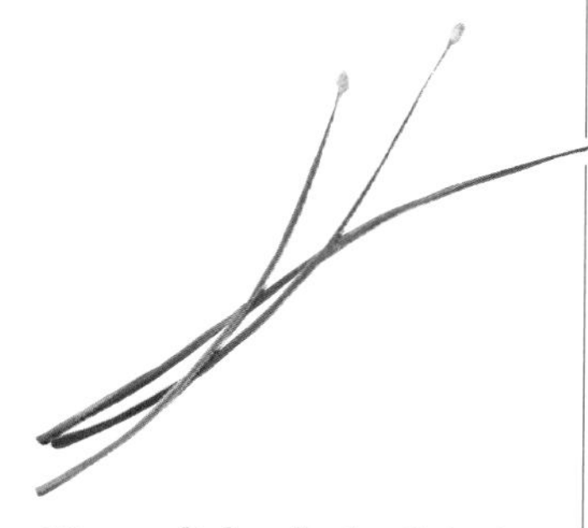

Dieser dicke, flache Schnittlauch duftet nach Knoblauch und hat ein strengeres Aroma als unsere abgeschwächte Variante. Auch die rundliche Blütenknospe des Schnittlauchs ist genießbar.

INGWER

Frischer Ingwer ist ein unverzichtbarer Bestandteil jeder asiatischen Küche. Feste und glatte Wurzeln kaufen und in einer Plastiktüte im Kühlschrank aufbewahren. Vor Gebrauch wird die braune Schale normalerweise abgezogen. Gemahlener Ingwer ist kein Ersatz.

THAILÄNDISCHE GEWÜRZSAUCE

Als GOLDEN MOUNTAIN-SAUCE im Handel. Die dünnflüssige Sauce wird aus Sojabohnen gewonnen und in der thailändischen Küche zum Würzen verwendet.

HOISIN-SAUCE

Diese dickflüssige rot-braune Sauce aus China wird aus Sojabohnen, Knoblauch, Zucker und Gewürzen hergestellt. Sie schmeckt süßlichscharf. Man nimmt sie als Dip oder zu Fleisch- und Geflügelgerichten.

KECAP MANIS

Diese dickflüssige dunkle Sauce ist auch als süße Sojasauce bekannt. Sie wird in der indonesischen Küche verwendet, insbesondere für Satays. Falls nicht erhältlich, kann ein Ersatz hergestellt werden:
250 ml dunkle Sojasauce mit 6 EL Zuckersirup und 3 EL braunem Zucker verrühren und vorsichtig köcheln, bis sich der Zucker vollständig aufgelöst hat.

ZITRONENGRAS

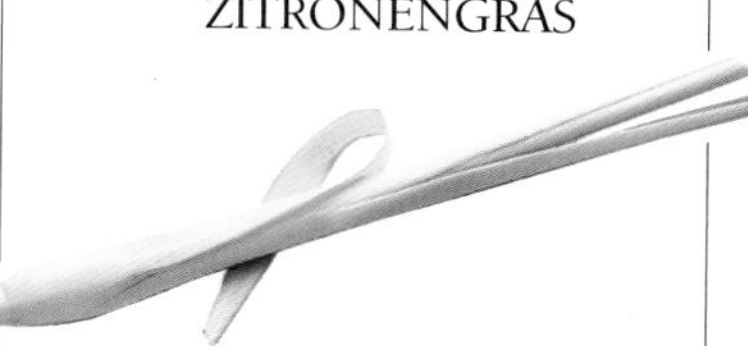

Langes, schilfartiges Gras mit Zitronengeschmack. Den unteren Teil putzen, die äußeren Schichten entfernen und das weiße Innere in feine Scheiben schneiden, dann hacken oder zerstoßen. Für Pasten und Salate die zarteren weißen Teile oberhalb der Wurzel verwenden. Der ganze Stengel kann mit der Rückseite eines Messers weichgeklopft und köchelnden Currygerichten und Suppen beigefügt werden (vor dem Servieren entfernen). Getrocknetes Zitronengras ist ziemlich geschmacklos, daher besser Zitronenschale nehmen, auch wenn sie anders schmeckt.

MISO

Ein Grundbestandteil der japanischen Ernährung. Die eiweißhaltige, fermentierte Paste wird aus Sojabohnen und vielen anderen Zutaten, einschließlich Weizen, Reis oder Gerste, hergestellt. Sie schmeckt scharf und weinähnlich. Es gibt verschiedene Sorten, die rot, braun, hellbraun, gelb und weiß sein können. Jede hat ein charakteristisches Aroma und eine andere Struktur. Hellfarbenes Miso ist meist milder und süßlicher. Miso wird für Suppen, Saucen, Marinaden und Dips verwendet. Es ist in asiatischen Spezialgeschäften erhältlich.

PILZE

CHINESISCHE PILZE wachsen auf abgestorbenen Bäumen und werden in der Regel in getrocknetem Zustand gekauft. Ihr charakteristischer holziger, rauchiger Geschmack wird durch den Trocknungsprozeß intensiviert.

STROHPILZE sind nach ihrer Herkunft benannt – sie werden überall in Asien auf Stroh gezüchtet. Sie haben kugelförmige Kappen, keinen Stiel und ein moderiges Aroma. Sie sind in Dosen erhältlich, müssen vor dem Verzehr aber abgegossen und gewaschen werden.

SHIITAKEPILZE sind eng mit den chinesischen Morcheln verwandt. In Japan sind sie die am häufigsten gegessenen Pilze. Sie wachsen auf der Rinde einer Eichbaumart und werden sowohl frisch als auch getrocknet verwendet. Ihr Aroma ist intensiv und rauchig. Der frische Pilz hat eine fleischige goldbraune Kappe und einen hölzernen Stengel. Shiitakepilze erst kurz vor dem Verzehr einkaufen, da sie im Kühlschrank leicht verderben.

NUDELN

GLASNUDELN, auch getrocknete Mungobohnen-Vermicelli und Zellophannudeln genannt, werden aus Mungobohnen hergestellt. Die faden- bzw. drahtförmigen Nudeln sind transparent und hart. Die Nudeln daher am besten in heißem Wasser einweichen, bevor sie kürzer geschnitten oder pfannengerührten Gerichten zugegeben werden. Nicht eingeweichte Nudeln können auch fritiert und als Garnierung eingesetzt werden.

GETROCKNETE REIS-FADEN-NUDELN sind kurze, transparente, flache Nudeln. Sie werden in heißem Wasser eingeweicht und anschließend in kochendem Wasser gar gekocht.

GETROCKNETE REIS-VERMICELLI sind dünne, durchsichtige Nudeln. Für pfannengerührte Gerichte oder Suppen erst in heißem Wasser einweichen und dann sorgfältig abtropfen lassen. Kleine Nudelbündel, nicht eingeweicht, können kurz fritiert und dann als Garnierung verwendet werden.

GETROCKNETE SOBA-NUDELN sind eine nordjapanische Spezialität. Die beigefarbenen Nudeln werden aus einer Mischung aus Buchweizen- und Weizenmehl hergestellt. Einige sind sogar mit grünem Tee oder roter Bete gewürzt. Sie werden in siedendem Wasser gekocht und dann unter kaltem Wasser abgeschreckt. Entweder warm in einer Brühe oder kalt mit einer Dip-Sauce servieren.

FRISCHE EIERNUDELN sind hellgelb und enthalten Eier und Weizenmehl. Sie werden auseinandergeschüttelt und in kochendem Wasser weich gekocht. Gut abtropfen lassen. Frische Eiernudeln sind in verschiedenen Breiten erhältlich. Vor dem Verpacken werden sie leicht mit Mehl bestäubt, damit sie nicht zusammenkleben. Im Kühlschrank aufbewahren.

FRISCHE REISNUDELN werden aus einem dünnen Reismehlteig hergestellt. Der Teig erhält durch Dämpfen eine feste gelatineartige Struktur, wird dann leicht eingeölt und verpackt. Die perlweißen Nudeln nur noch unter kaltem Wasser abwaschen, trennen und dann abtropfen lassen. Es gibt sie in dicken oder dünnen Varianten. Pfannengerührten oder köchelnden Gerichten erst gegen Ende der Kochzeit zufügen. Im Kühlschrank aufbewahren.

HARUSAME-NUDELN sind feine weiße, meist durchscheinende Nudeln aus Japan und werden aus Mungobohnenmehl hergestellt. Sie ähneln sehr stark den getrockneten Glasnudeln und werden wie diese verwendet.

HOKKIEN-NUDELN, auch als Fukkien- und Singapur-Nudeln bekannt, werden aus Weizenmehl hergestellt und haben eine gummiartige Konsistenz. Sie werden gekocht und leicht eingeölt verpackt und müssen daher vor dem Verzehr nicht weiter zubereitet werden. Man sollte sie im Kühlschrank aufbewahren.

KARTOFFEL-NUDELN, auch koreanische Vermicelli genannt, sind lange, dünne, grün-braune und durchsichtige Nudeln. In kochendem Wasser rasch in etwa 5 Minuten garen, bis sie prall und gelatineartig sind. Durch zu langes Kochen werden sie klebrig.

SHANGHAI-NUDELN sind, ähnlich wie die japanischen Somen-Nudeln, weiße Nudeln, die aus Wasser und Weizenmehl hergestellt werden. In siedendem Wasser kochen. Frische Nudeln werden vor dem Verpacken leicht mit Mehl bestäubt, damit sie nicht zusammenkleben. Im Kühlschrank aufbewahren. Getrocknete Weizennudeln sind ebenfalls im Handel.

SHIRATAKI-NUDELN sind Grundbestandteil des japanischen Sukiyaki-Gerichts. Die dünnen, transparenten, geleeartigen Nudeln werden aus der stärkehaltigen Wurzel einer in Japan als ›Teufelszunge‹ bekannten Pflanze hergestellt. Man bekommt sie frisch oder getrocknet. Frische Nudeln im Kühlschrank aufbewahren.

SOMEN-NUDELN sind dünne, getrocknete Nudeln aus Weizenmehl. Sie werden in der japanischen Küche verwendet. Vor dem Verzehr 1 bis 2 Minuten kochen und dann mit kaltem Wasser abschrecken.

UDON-NUDELN sind Weizenmehlnudeln, die in der japanischen Küche verwendet werden. Es gibt sie rund oder flach. Vor dem Verzehr in Wasser oder Misosuppe kochen. Sie werden in japanischen Suppen und gekochten Gerichten verarbeitet oder geschmort und mit Sauce serviert.

NORI

Gebräuchlichste Form von getrocknetem Seetang in der japanischen und koreanischen Küche. Als papierdünne Blätter roh oder geröstet erhältlich. Vor Gebrauch anrösten, damit sich das nußartige Aroma entfaltet. Luftdicht abgeschlossen oder im Gefrierschrank aufbewahren.

OKRA

Diese Gemüsesorte ist afrikanischen Ursprungs. Die schmale Samenschote läuft an einem Ende spitz zu und enthält weiße Samen. Gekocht hat sie eine gelatineartige Konsistenz. In der indischen Küche ist Okra sehr beliebt und wird in Currygerichten und pfannengerührten Speisen verwendet, mit Gewürzen gefüllt, fritiert oder eingelegt.

AUSTERNSAUCE

Dickflüssige, glatte, dunkelbraune Sauce mit kräftigem, salzigem, leicht süßlichem Aroma. Obwohl sie aus Austern und Sojasauce hergestellt wird, hat sie keinen Fischgeschmack.

PALMZUCKER

Hergestellt aus dem gekochten Saft von verschiedenen Palmenbäumen (z. B. der Palmyra-Palme und der indischen Zuckerpalme). Die Farbe von Palmzucker reicht von hellgold bis dunkelbraun. Er wird in Blockform oder im Glas verkauft. Palmzucker ist dick und krümelig und kann geschmolzen oder gerieben werden. Als Ersatz eignet sich brauner Zucker.

GRÜNE PAWPAW

Eine grüne Pawpaw ist eine unreife Pawpaw. Sie wird oft asiatischen Salaten und Suppen zugegeben oder mit Zucker und Chili gegessen. Vor dem Verzehr schälen und in feine Scheiben schneiden. Vor dem Zerkleinern evtl. leicht blanchieren.

PFLAUMENSAUCE

Eine süß-säuerliche, marmeladenartige Sauce aus Pflaumen, Knoblauch, Ingwer, Zucker, Essig und Gewürzen. Verwendung findet sie als Dip für gebratenes Fleisch und Snacks.

REISWEIN

CHINESISCHER REISWEIN (Shao Shing) ist bernsteinfarben und hat einen kräftigen, süßlichen Geschmack. Man kann ihn durch trockenen Sherry, nicht jedoch durch Traubenwein ersetzen.
MIRIN ist ein goldfarbener, gesüßter Reiswein. Hier eignet sich süßer Sherry als Ersatz.
SAKE ist ein durchsichtiger japanischer Likör aus fermentiertem Reis. Er sollte innerhalb eines Jahres nach der Herstellung oder nach dem Öffnen verbraucht werden, da er sonst sein Aroma verliert.

REISESSIG

Dieser klare, hellgelbe, mild und süß schmeckende Essig entsteht aus fermentiertem Reis. Evtl. durch verdünnten Weißweinessig oder Apfelessig ersetzen.

SAFRANPULVER UND -FÄDEN

Dieses teure Gewürz wird aus den getrockneten, fadenförmigen Narben des Safran-Krokusses gewonnen. Es verleiht Speisen eine intensive gelbe Farbe und ein feines Aroma. Erhältlich als orange Fäden (in kleinen Gläschen oder winzigen Päckchen verpackt) oder als gemahlenes Pulver (oft verfälscht und von geringerer Qualität). Safranfäden werden in etwas warmem Wasser eingeweicht und dann ausgepreßt, um die Farbe im Wasser freizusetzen. Fäden und Wasser werden dann beide zum Gericht gegeben und erzeugen die charakteristische Farbe.

SAMBAL OELEK

Diese scharfe Paste besteht aus mit Salz vermischten, frischen zerstoßenen roten Chillies. In der indonesischen und malaysischen Küche nimmt man sie zum Würzen. Oft als Ersatz für frische Chillies geeignet. Zugedeckt im Kühlschrank mehrere Monate haltbar.

SESAMÖL

Dieses aromatische Öl hat die Farbe eines dunklen Bernsteins. Es wird aus gerösteten weißen Sesamsamen gepreßt und hat ein kräftiges Nußaroma. Es eignet sich nicht zum Braten, wird aber als Würze für chinesische, koreanische und japanische Gerichte verwendet. An einem dunklen, kühlen Ort aufbewahren, doch nicht im Kühlschrank, da es dort trübe wird. Kaltgepreßtes Sesamöl ist als Ersatz ungeeignet.

SESAMSAMEN

Die winzigen, ovalen, sehr ölhaltigen Samen der einjährigen Pflanze werden wegen ihres Aromas und hohen Eiweißgehaltes überall in Asien verwendet.

WEISSE SESAMSAMEN sind am gebräuchlichsten. Geröstet und gemahlen werden sie häufig zu japanischen und koreanischen Dressings, Dip-Saucen und Marinaden gegeben. Mit ganzen Samen kann man pikante und süße Gerichte garnieren. Gepreßte Samen werden für einige Pasten verwendet. Japanische Sesamsamen sind dicker und haben einen nussigeren Geschmack als andere Sesamsamen.

SCHWARZE SESAMSAMEN schmecken erdiger. Sie werden für ein japanisches Sesam- und Seetanggewürz sowie in einigen chinesischen Desserts verwendet.

ROTE ASIATISCHE SCHALOTTEN

Kleine rot-violette Zwiebeln mit intensivem Aroma, die wie Knoblauch in Knollen wachsen. Gehandelt werden sie in knoblauchzehenähnlichen Stücken. Man kann sie schneiden oder mahlen. Französische Schalotten und braune oder rote Zwiebeln eignen sich als Ersatz.

GARNELENPASTE

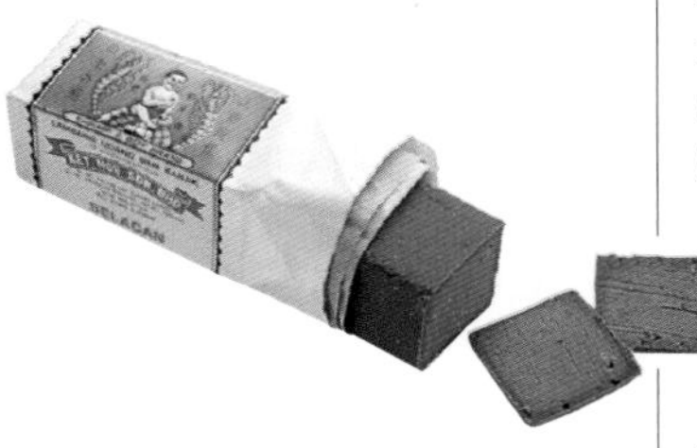

Die auch als Blachan bekannte Garnelenpaste findet in der thailändischen, malaysischen und indonesischen Küche Verwendung. Sie enthält getrocknete, gesalzene und zerstoßene Garnelen. Verkauft wird sie in Blöcken. Die Paste hat einen beißenden Geruch und sollte in Plastik eingewickelt in einem luftdichten Behälter aufbewahrt werden. Kühlung ist nicht erforderlich, empfiehlt sich aber wegen der Geruchsreduzierung. Sparsam verwenden und vor Zugabe an ein Gericht immer rösten oder braten.

BAGUNG, eine Garnelensauce, ist eine weiche, dicke Paste aus Garnelen, die gesalzen und in Tontöpfen fermentiert werden. Sie hat einen sehr strengen Geschmack und Geruch und wird beim Kochen als Gewürz verwendet, insbesondere in der philippinischen Küche.

SCHLANGENBOHNEN

Auch Schnurbohnen genannt. Sie stammen wahrscheinlich aus Afrika. Schlangenbohnen erreichen eine Länge von 40 cm oder mehr und haben einen mit grünen Bohnen vergleichbaren Geschmack. Sie sind in zwei Varianten erhältlich: hellgrün mit leicht faserigem Fruchtfleisch und dunkelgrün mit feinerem Fruchtfleisch. So frisch wie möglich verwenden; nur die Enden entfernen und in mundgerechte Stücke schneiden. Ersatzweise grüne fadenlose Bohnen verwenden.

SOJASAUCE

Sojasauce wird aus fermentierten Sojabohnen, geröstetem Getreide (meist Weizen, sonst Gerste oder Reis) und Salz hergestellt. Sie hat eine dunkle Farbe und ein kräftiges, salziges Aroma. In der asiatischen Küche wird sie für viele ganz unterschiedliche Gerichte eingesetzt.

JAPANISCHE SOJASAUCE (Shoshoyu) ist weniger salzig und schmeckt milder und süßlicher als normale Sojasauce. Da sie ein natürliches Produkt ist, muß sie nach dem Öffnen gekühlt werden.

FRÜHLINGSZWIEBELN

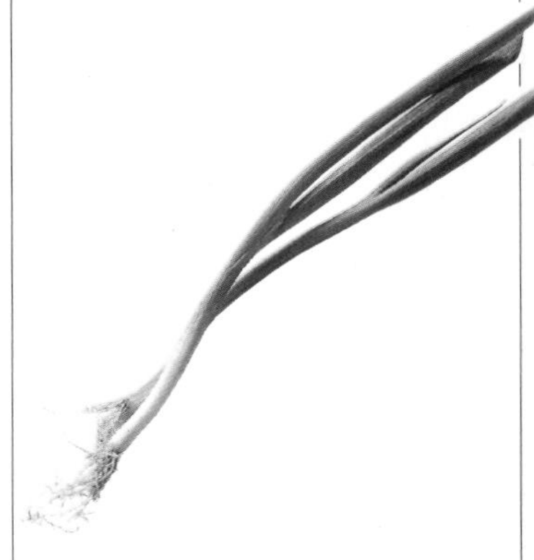

Diese unreifen Zwiebeln, auch als grüne und Lauchzwiebeln bekannt, werden vor dem Ausreifen der Knolle geerntet. Im Bund mit Wurzeln erhältlich. Diese und das Stielende abschneiden und die Blätter gründlich waschen. Frühlingszwiebeln müssen nur leicht gekocht werden. Sie geben dem Gericht Farbe und ein zartes Zwiebelaroma.

STERNANIS

Die getrocknete, sternförmige Samenschote aus China verleiht Fleisch- und Gemüsegerichten mit langer Garzeit einen charakteristischen Anisgeschmack. Sie ist eine der Zutaten des 5-Gewürze-Pulvers und kann auch gemahlen gekauft werden.

TAMARINDEN

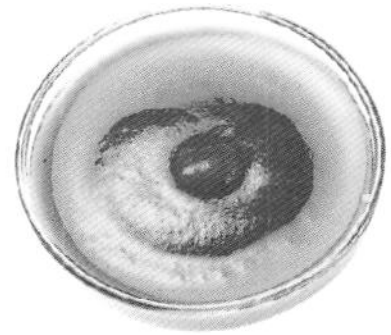

Der tropische Tamarindenbaum trägt Früchte, die großen braunen Bohnen ähneln und süßlich schmekken. Ihr Kern ist in faseriges Fruchtfleisch eingebettet. Das unentbehrliche Aroma vieler asiatischer Gerichte ist entweder als Konzentrat (Tamarindenmus), als kräftige braune Flüssigkeit oder als gepreßte Masse in Blöcken erhältlich. Letztere müssen eingeweicht, geknetet und gesiebt werden.

TOFU

Der auch als Bohnenquark bezeichnete Tofu besteht aus dem Extrakt von Sojabohnen und enthält viel Eiweiß. Er ist sowohl frisch als auch fritiert erhältlich. Es gibt zwei frische Tofuarten. Silken Tofu ist weich, weiß und wird für japanische Gerichte verwendet. Die zweite, festere Variante ist fritiert, in Blöcke, keilförmige Stücke oder Scheiben geschnitten. Beide sind in Plastik verschweißt im Handel erhältlich. Geöffnet sollten beide in täglich ausgewechseltem Wasser im Kühlschrank aufbewahrt und schnell verbraucht werden.
INARI sind fritierte dünne Tofuscheiben, die außen knusprig und innen trocken sind. Aufgeschnitten können sie Taschen bilden. In Japan werden sie mit Gemüse oder mit Essig gewürztem Reis gefüllt. Sie können ganz oder zerteilt Suppen und andere Gerichte ergänzen.

›TOFU PUFFS‹ sind Tofuwürfel, die so lange fritiert werden, bis sie goldfarben sind und aufgehen.

KURKUMA

Dieses auch als Gelbwurz bekannte Gewürz wird aus einer Wurzel gewonnen, die mit der Ingwerfamilie verwandt ist. Es wird wegen seiner gelben Farbe geschätzt und ist getrocknet und gemahlen in vielen Currypulvern enthalten. Die frische Wurzel wird wie Ingwerwurzel verwendet. In einem Plastikbeutel im Kühlschrank aufbewahren.

VIETNAMESISCHE MINZE

Auch kambodschanische Minze genannt. Dieses rankende Kraut mit spitz zulaufenden, scharf schmeckenden Blättern ist nicht mit Minze verwandt. Das Aroma ähnelt dem von Koriander, ist aber etwas schärfer. Man kann sie roh in Salaten essen.

WASABI

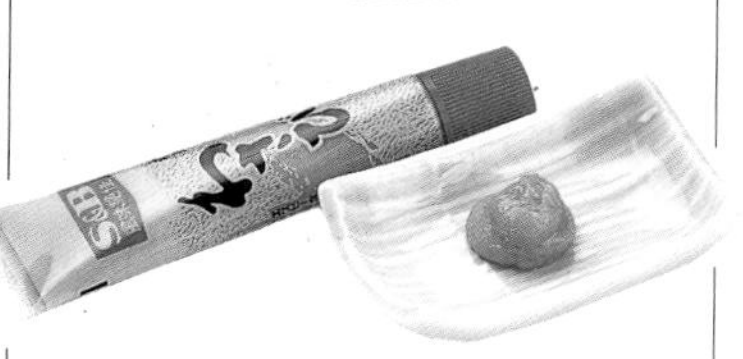

Auch als japanischer Meerrettich bekannt. Die scharfe Paste wird aus der knorrigen grünen Wurzel des Wasabi, einer in Japan heimischen Pflanze, erzeugt. Mit ihr werden z. B. Meeresfrüchte gewürzt. Achtung: Sehr scharf!

WASSERKASTANIEN

Die weißfleischigen Knollen eines Wassergrases werden wegen ihres leicht süßlichen Geschmacks geschätzt. Überall in China und Südostasien werden sie sowohl für pikante als auch für süße Gerichte verwendet. In Dosen und manchmal frisch erhältlich. Die hölzerne Basis abschneiden, die Schale abziehen und die Knollen mit Wasser bedecken, damit ihre Farbe erhalten bleibt.

BRUNNENKRESSE

Von den Briten in Asien eingeführt. In China verfeinert ihr pfefferiges Aroma Suppen und gedämpftes Gemüse. In Thailand, Laos und Vietnam würzt sie Salate, und in Japan dient sie zum Garnieren.

TEIGHÜLLEN

In diese dünnen Teighüllen werden pikante Füllungen eingewickelt. Sie sind frisch und tiefgefroren erhältlich. Vor Gebrauch auftauen. Beim Füllen nur mit einer Teighülle arbeiten und die anderen mit einem feuchten Tuch vor dem Austrocknen schützen.

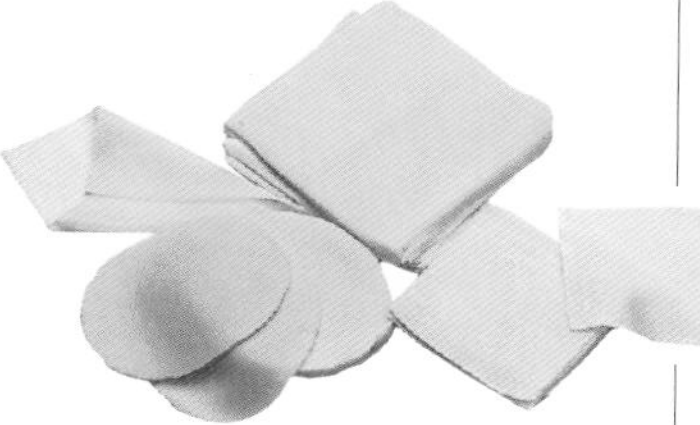

WAN-TAN-HÜLLEN sind kleine Quadrate aus einem Weizenmehl-Eier-Teig.

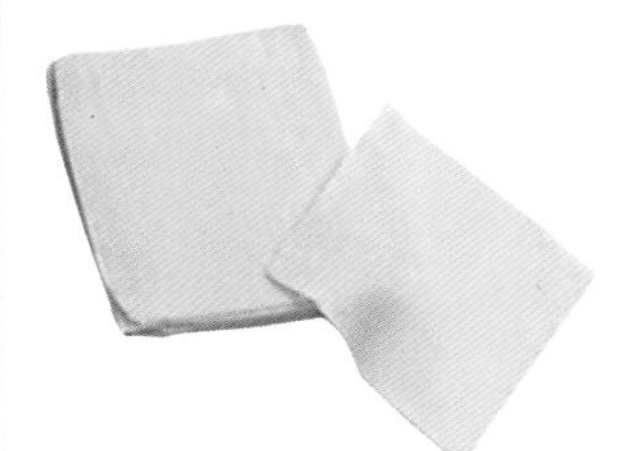

FRÜHLINGSROLLEN-HÜLLEN sind rechteckig oder rund. Ihr Teig besteht aus Weizenmehl und Eiern.

GOW-GEE-HÜLLEN sind rund. Ihr Teig wird nur aus Weizenmehl und Wasser hergestellt.

REISPAPIER-HÜLLEN sind papierdünn. Ihr Teig besteht aus Reismehl, Wasser und Salz. Vor Gebrauch mit Wasser einpinseln, damit sie biegsam werden.

CHINA

Die chinesische Küche ist berühmt für ihre perfekt ausgewogenen Gerichte aus frischem Fleisch und Gemüse. Im Süden des Landes werden die Zutaten überwiegend gedämpft oder bei starker Hitze in der Pfanne unter Rühren gegart. Sie benötigen als Würze lediglich etwas Sojasauce, Ingwer oder Frühlingszwiebeln. Die Peking-Küche ist dem rauheren Klima im Norden am Rande der zentralasiatischen Wüsten angepaßt. Typisch sind hier wohlig wärmende Suppen, köstliche Klöße und die berühmte Peking-Ente. Die Küche in Sichuan ist vor allem durch ihre scharfen Gewürze – Sichuan-Pfeffer und Chillies – bekannt. In Shanghai ißt man geschmortes Fleisch oder Fisch in gehaltvollen Saucen.

GARNELENOMELETT MIT AUSTERNSAUCE

Die eingeweichten und abgetropften Pilzhüte in dünne Scheiben schneiden.

Den Wok leicht schwenken, damit die Eimasse die Seitenwände bedeckt. Der Wok muß sehr heiß sein, denn es ist die Hitze, die das Omelett so duftig macht.

Das Omelett in 4 oder 5 Portionen zerteilen, die einzelnen Portionen wenden und weitergaren.

Oben: *Garnelenomelett mit Austernsauce*

GARNELENOMELETT MIT AUSTERNSAUCE

•

Vorbereitungszeit: 30 Minuten
Gesamtkochzeit: 25 Minuten (+20 Minuten Einweichzeit)
Für 4 Personen

2 getrocknete chinesische Pilze
400 g rohe Garnelen
3 EL Öl
5 cm frischer Ingwer, feingerieben
125 g abgetropfte Bambussprossen aus der Dose, grobgehackt
6 Frühlingszwiebeln, gehackt
5 Eier
2 EL Wasser
½ TL Salz
½ TL gemahlener weißer Pfeffer
3 EL Austernsauce
2 EL Sojasauce
2 EL chinesischer Reiswein
2 TL Stärke
1 EL Wasser
zum Garnieren: Frühlingszwiebelringe, hauchdünn geschnitten

•

1 Pilze 20 Minuten in heißem Wasser einweichen, bis sie geschmeidig sind, dann abtropfen lassen und kleinschneiden; die harten Stiele abschneiden.
2 Garnelen schälen und ausnehmen. Das Garnelenfleisch grob hacken.
3 In einem Wok 1 EL Öl erhitzen und Ingwer und Garnelenfleisch bei starker Hitze 2 Minuten pfannenrühren; auf einen Teller geben. Bambussprossen, Frühlingszwiebeln und Pilze zugeben. 1 Minute pfannenrühren. Auf einen Teller umfüllen und den Wok mit Küchenpapier sauberwischen.
4 Eier mit Wasser, Salz und Pfeffer in einer Schüssel schaumig schlagen. Das restliche Öl in den Wok gießen und leicht schwenken, um das Öl zu verteilen. Dann bis zum Rauchpunkt erhitzen. Die Eimasse nochmals kurz verquirlen und in das Öl gießen. Den Wok leicht schwenken, bis die Eimasse die Seitenwände ½ cm dick bedeckt. 1 Minute garen. Die vorgegarten Zutaten behutsam, aber schnell auf dem Omelett verteilen. Das Omelett am Rand hochheben und den Wok schräg halten, damit die noch flüssige Eimasse nach unten läuft. Diesen Vorgang mehrmals an verschiedenen Stellen wiederholen und das Omelett etwa 2 Minuten weitergaren, bis es auf der Unterseite knusprig, braun und fest ist. Das Omelett in 4 oder 5 Portionen teilen, jede Portion umdrehen und auf der anderen Seite garen. Sobald die Unterseite leicht gestockt ist, die Portionen auf eine vorgewärmte Platte gleiten lassen.
5 Austernsauce, Sojasauce und Reiswein in den Wok gießen. Die Stärke mit Wasser anrühren, zugeben und die Flüssigkeit unter ständigem Rühren zu einer sämigen Sauce aufkochen lassen. Über das Omelett träufeln, mit Frühlingszwiebeln garnieren und sofort servieren.

NÄHRWERT PRO PORTION: 25 g Eiweiß, 20 g Fett, 10 g Kohlenhydrate, 1 g Ballaststoffe, 425 mg Cholesterin, 1415 kJ (335 kcal)

CHINESISCHER REISWEIN

Chinas bekanntester Reiswein ist Shaosing aus der Provinz Chekiang (Zhejiang) im Nordosten des Landes, wo er seit mehr als 2000 Jahren aus Klebreis, Hirse, Hefe und frischem Quellwasser hergestellt wird. In China heißt er auch ›geschnitzte Blüte‹ wegen der Verzierung auf den krugartigen, bauchigen Gefäßen, in denen er aufbewahrt wird, oder aber ›Tochter-Wein‹, weil nach alter Sitte bei der Geburt einer Tochter etwas Wein abgeschöpft und erst bei deren Hochzeit getrunken wird. Shaosing reift mindestens zehn Jahre und manchmal sogar hundert Jahre. Als Getränk zum Essen sollte Reiswein warm in kleinen Schälchen serviert werden.

KANTONESISCHES HUHN MIT ZITRONENSAUCE

•

Vorbereitungszeit: 15 Minuten (+10 Minuten Marinierzeit)
Gesamtkochzeit: 25 Minuten
Für 4 Personen

500 g Hühnerbrustfilet
1 Eigelb, geschlagen
1 EL Wasser
2 TL Sojasauce
2 TL trockener Sherry
3 TL Stärke
60 g Stärke extra
2½ EL Weizenmehl
Öl zum Fritieren

•

Zitronensauce
80 ml Zitronensaft, frisch gepreßt
2 EL Wasser
2 EL Zucker
1 EL trockener Sherry
2 TL Stärke
1 EL Wasser extra
4 Frühlingszwiebeln, in hauchdünne Ringe geschnitten

•

1 Fleisch in lange Streifen von etwa 1 cm Stärke schneiden. Eigelb, Wasser, Sojasauce, Sherry und Stärke in einer Schüssel glattrühren. Die Mischung über die Hühnerstreifen gießen, gründlich mischen und 10 Minuten ziehen lassen.

2 Die zusätzliche Stärke und Weizenmehl auf einen Teller sieben. Die marinierten Fleischstreifen in der Mehlmischung wälzen, dann die bratfertigen Hühnerstreifen nebeneinander auf einen Teller legen.

3 Öl in einem Wok oder einer Pfanne erhitzen. Es hat die richtige Temperatur erreicht, wenn ein Brotwürfel darin in 30 Sekunden bräunt. Die Fleischstreifen portionsweise (jeweils 4 Stück) vorsichtig ins heiße Öl gleiten lassen und goldbraun fritieren. Mit einem Schaumlöffel herausnehmen und auf Küchenpapier abtropfen lassen, beiseite stellen und die Sauce zubereiten.

4 Für die Zitronensauce Zitronensaft mit Wasser, Zucker und Sherry in einen kleinen Topf geben. Bei mittlerer Hitze unter Rühren zum Kochen bringen, bis der Zucker aufgelöst ist. Stärke mit dem Extralöffel Wasser glattrühren, zugeben und unter ständigem Rühren aufkochen, bis die Sauce abbindet. Beiseite stellen.

5 Kurz vor dem Servieren das im Wok verbliebene Öl stark erhitzen. Das Fleisch auf einmal hineingeben und 2 Minuten knusprig braun braten. Das Fleisch mit einem Schaumlöffel herausnehmen und auf Küchenkrepp abtropfen lassen. Auf einer Servierplatte aufschichten, mit der Sauce beträufeln und mit den Frühlingszwiebelringen bestreuen. Sofort servieren.
HINWEIS: Der erste Fritiervorgang kann einige Stunden im voraus erfolgen.

NÄHRWERT PRO PORTION: 30 g Eiweiß, 10 g Fett, 40 g Kohlenhydrate, 1 g Ballaststoffe, 105 mg Cholesterin, 1515 kJ (360 kcal)

Oben: *Kantonesisches Huhn mit Zitronensauce*

GETROCKNETE MANDARINEN- UND TANGERINENSCHALE

Die getrockneten Früchte dieser eng verwandten asiatischen Zitrusbäume werden in der chinesischen Küche gern verwendet, um den Speisen ein ausgeprägtes fruchtiges Aroma zu verleihen. Die getrocknete Schale wird an Schmorgerichte mit langer Garzeit gegeben oder vorher in warmem Wasser eingeweicht. Mandarinen- oder Tangerinenschale ist abgepackt in asiatischen Lebensmittelgeschäften erhältlich. Man kann die Schale von frischen Früchten auch langsam im schwach geheizten Backofen oder in der Sonne trocknen und hart werden lassen.

Oben: *Rindfleisch mit Mandarinenschale*

RINDFLEISCH MIT MANDARINENSCHALE

Vorbereitungszeit: 15 Minuten (+ 15 Minuten Marinierzeit)
Gesamtkochzeit: 5 Minuten
Für 4 Personen

350 g Rindersteak aus dem Zwischenrippenstück, in dünne Scheiben geschnitten
2 TL Sojasauce
2 TL trockener Sherry
1 TL frischer Ingwer, gehackt
1 TL Sesamöl
1 EL Erdnußöl
1/4 TL gemahlener weißer Pfeffer
2 TL getrocknete Mandarinen- oder Tangerinenschale, feingehackt
2 TL Sojasauce extra
1 1/2 TL feiner Zucker
1 1/2 TL Stärke
80 ml Rinderbrühe

1 Fleisch in eine Schüssel legen. Sojasauce, Sherry, Ingwer und Sesamöl verrühren und das Fleisch 15 Minuten in der Marinade ziehen lassen.
2 Erdnußöl in einem Wok oder einer gußeisernen Pfanne erhitzen, ihn schwenken, bis Boden und Seitenwände gleichmäßig von einem Fettfilm überzogen sind. Das marinierte Fleisch zugeben und bei starker Hitze 2 Minuten unter Rühren braten, bis es leicht gebräunt ist.
3 Pfeffer, Mandarinenschale, Sojasauce und Zucker zugeben und kurz mitbraten.
4 Die Speisestärke in etwas Rinderbrühe auflösen, die restliche Brühe in den Wok gießen. Die Stärke unterrühren, aufkochen lassen und die Sauce damit binden. Dazu Reis reichen.

NÄHRWERT PRO PORTION: 30 g Eiweiß, 15 g Fett, 3 g Kohlenhydrate, 0 g Ballaststoffe, 70 mg Cholesterin, 1025 kJ (245 kcal)

HÜHNERSUPPE MIT MAIS

•

Vorbereitungszeit: 15 Minuten
Gesamtkochzeit: 10 Minuten
Für 4 Personen

200 g Hühnerbrustfilet
1 TL Salz
2 Eiweiß
750 ml Hühnerbrühe
250 g Maiskörner, püriert
1 EL Stärke
2 TL Sojasauce
2 Frühlingszwiebeln, diagonal in Ringe geschnitten

•

1 Hühnerfleisch unter kaltem Wasser abspülen und mit Küchenpapier trockentupfen. Dann das Fleisch in der Küchenmaschine fein hacken und salzen.
2 Die Eiweiße in einer kleinen Schüssel schaumig schlagen. Den Eischnee behutsam unter die Fleischmasse heben.
3 Hühnerbrühe zum Kochen bringen und den pürierten Mais zugeben. Die Stärke in wenig Wasser auflösen und die Suppe damit binden.
4 Die Hitzezufuhr reduzieren und die Fleischmasse mit einem Schneebesen unter die Suppe rühren. Weitere 3 Minuten leise köcheln lassen und mit Sojasauce abschmecken. Mit Frühlingszwiebeln bestreuen und sofort servieren.

NÄHRWERT PRO PORTION: 15 g Eiweiß, 2 g Fett, 15 g Kohlenhydrate, 2 g Ballaststoffe, 25 mg Cholesterin, 540 kJ (128 kcal)

•

WAN-TAN-SUPPE

•

Vorbereitungszeit: 40 Minuten
Gesamtkochzeit: 5 Minuten
(+ 20 Minuten Einweichzeit)
Für 6 Personen

250 g rohe Garnelen
4 getrocknete chinesische Pilze
250 g Schweinehackfleisch
1 TL Salz
1 EL Sojasauce
1 TL Sesamöl
2 Frühlingszwiebeln, feingehackt
1 TL frischer Ingwer, gerieben
2 EL Wasserkastanien, feingeschnitten
250 g Wan-Tan-Hüllen (Fertigprodukt)
1¼ l Hühner- oder Rinderbrühe
zum Garnieren: 4 Frühlingszwiebeln, feingeschnitten

1 Garnelen schälen, ausnehmen und das Fleisch fein hacken.
2 Pilze mit heißem Wasser übergießen und 20 Minuten einweichen. Die Flüssigkeit abgießen und die Pilze ausdrücken. Stiele abschneiden und Pilzhüte fein hacken. Garnelenfleisch, Pilze, Hackfleisch, Salz, Sojasauce, Sesamöl, Frühlingszwiebeln, Ingwer und Wasserkastanien sorgfältig mischen.
3 Nur jeweils eine Wan-Tan-Hülle verarbeiten, die restlichen Hüllen mit einem sauberen, feuchten Tuch abdecken, damit die Teigplatten nicht austrocknen. Einen gehäuften Teelöffel der Hackfleischmischung in die Mitte der Teighülle geben. Die Teigränder anfeuchten, zu einem kleinen Dreieck zusammenfalten und die beiden Spitzen aufeinanderlegen. Die Teigtaschen auf einen mit Mehl bestäubten Teller legen.
4 Teigtaschen in sprudelnd kochendem Wasser 4–5 Minuten kochen. Die Brühe in einem separaten Topf zum Kochen bringen. Teigtaschen mit einem Schaumlöffel aus dem Wasser nehmen. Mit feingeschnittenen Frühlingszwiebeln garnieren, köchelnde Brühe darüber gießen und sofort servieren.
HINWEIS: Wan-Tans können bereits am Vortag zubereitet und dann zugedeckt im Kühlschrank aufbewahrt werden. Erst kurz vor dem Servieren kochen. Ein 250-g-Paket mit Hüllen enthält 60 Stück. Übriggebliebene Teigplatten in Frischhaltefolie einfrieren.

NÄHRWERT PRO PORTION: 20 g Eiweiß, 3 g Fett, 35 g Kohlenhydrate, 0 g Ballaststoffe, 60 mg Cholesterin, 945 kJ (225 kcal)

WAN-TAN-SUPPE

Einen gehäuften Teelöffel der Mischung in die Mitte des Teigblatts geben.

Die Teigränder anfeuchten, zu einem Dreieck zusammenfalten und die beiden Spitzen aufeinanderlegen.

Unten: *Wan-Tan-Suppe* (oben) *und Hühnersuppe mit Mais*

Oben: *Gebratene und gedämpfte Jakobsmuscheln mit Ingwer*

GEBRATENE UND GEDÄMPFTE JAKOBSMUSCHELN MIT INGWER

•

Vorbereitungszeit: 10 Minuten
Gesamtkochzeit: 10 Minuten
Für 4 Personen als Vorspeise

12 vorbereitete Jakobsmuscheln
1/4 TL gemahlener weißer Pfeffer
2 EL Sojasauce
2 EL trockener Sherry
2 EL Öl
8 cm frischer Ingwer, geraspelt
1 Frühlingszwiebel (nur der weiße Teil), in lange Streifen geschnitten

•

1 Muscheln mit Pfeffer bestreuen. Sojasauce und Sherry in einer Schüssel mischen.
2 Öl in einer großen Pfanne bis zum Rauchpunkt erhitzen. Die an der Schale anhaftenden Muscheln portionsweise mit der Oberseite nach unten in die Pfanne legen und 30 Sekunden anbraten. Umgedreht in eine flache Schale legen.
3 Die Muscheln mit der Würzflüssigkeit beträufeln und mit Ingwer und Frühlingszwiebeln bestreuen.
4 Einen Wok zu etwa einem Drittel mit Wasser füllen und die Flüssigkeit zum Kochen bringen. Einen mit Backpapier ausgelegten Bambusdämpfer in den Wok stellen und 6 Muscheln hineinlegen.

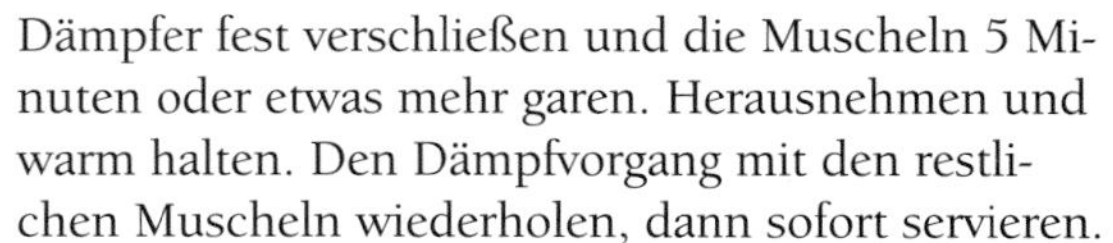

Dämpfer fest verschließen und die Muscheln 5 Minuten oder etwas mehr garen. Herausnehmen und warm halten. Den Dämpfvorgang mit den restlichen Muscheln wiederholen, dann sofort servieren.

NÄHRWERT PRO PORTION: 5 g Eiweiß, 10 g Fett, 1 g Kohlenhydrate, 0 g Ballaststoffe, 15 mg Cholesterin, 510 kJ (120 kcal)

•

KRISTALL-GARNELEN
(FRITIERTE GARNELEN MIT ZUCKERERBSEN)

•

Vorbereitungszeit: 15 Minuten (+ 30 Minuten Marinierzeit)
Gesamtkochzeit: 10 Minuten
Für 4 Personen

750 g mittelgroße rohe Garnelen
2 Frühlingszwiebeln, grobgehackt
2 TL Salz
1 EL Stärke
1 Eiweiß, geschlagen
125 g Zuckererbsen (Mangetout)
1 kleine rote Paprika
1 EL Austernsauce
2 TL trockener Sherry
1 TL Stärke extra
1 TL Sesamöl
Öl zum Fritieren
1/2 TL Knoblauch, zerdrückt
1/2 TL frischer Ingwer, feingerieben

•

1 Garnelen schälen und ausnehmen. Köpfe und Schalen mit Frühlingszwiebeln in einen Topf mit reichlich Wasser geben. Aufkochen und im offenen Topf 15 Minuten köcheln lassen. Die Flüssigkeit in eine Schüssel abseihen, Köpfe und Schalen wegwerfen, doch 125 ml der Flüssigkeit zurückbehalten. Die Garnelen in eine Glasschüssel geben, 1 TL Salz zugeben und 1 Minute kräftig durchrühren. Die Garnelen unter fließendem, kaltem Wasser abspülen. Den Vorgang zweimal wiederholen, jeweils 1/2 TL Salz dazu verwenden. Zum Schluß die Garnelen gründlich abspülen und mit Küchenpapier trockentupfen.
2 Stärke und Eiweiß in einer Schüssel mischen, die Garnelen unterrühren und zugedeckt 30 Minuten im Kühlschrank ziehen lassen.
3 Erbsen waschen und Fäden entfernen. Paprikaschote in schmale Streifen schneiden. Die zurückbehaltene Garnelen-Flüssigkeit mit Austernsauce, Sherry, Stärke und Sesamöl mischen. Öl in einem Wok erhitzen und die Garnelen darin 1–2 Minuten goldgelb fritieren, dann behutsam mit einer Zange oder einem Schaumlöffel herausnehmen. Auf Küchenkrepp abtropfen lassen und warm halten.

4 Öl bis auf 2 Eßlöffel vorsichtig abgießen. Knoblauch und Ingwer zugeben und 30 Sekunden unter Rühren braten. Erbsen und Paprika zugeben und bei starker Hitze 2 Minuten unter Rühren braten. Die angerührte Saucenwürze zugießen und unter Rühren aufkochen lassen, bis die Sauce abbindet. Die Garnelen behutsam unterrühren und sofort servieren.

NÄHRWERT PRO PORTION: 20 g Eiweiß, 3 g Fett, 10 g Kohlenhydrate, 2 g Ballaststoffe, 175 mg Cholesterin, 560 kJ (130 kcal)

•

KNUSPRIG FRITIERTER KREBS

•

Vorbereitungszeit: 30 Minuten (+ 2 Stunden Einfrieren + Marinieren über Nacht)
Gesamtkochzeit: 15 Minuten
Für 4 Personen als Vorspeise

1 lebender Taschenkrebs (ca. 1 kg)
1 Ei, geschlagen
1 roter Chili, entkernt und feingeschnitten
1/2 TL Knoblauch, zerdrückt
1/2 TL Salz
1/4 TL gemahlener weißer Pfeffer
Öl zum Fritieren

•

Mehlpanade
4 EL Weizenmehl
4 EL Reismehl
3 TL feiner Zucker
1 TL gemahlener weißer Pfeffer

•

1 Den Krebs 2 Stunden in das Gefrierfach legen, bis er tot ist und sich nicht mehr bewegt (die humanste Tötungsart für einen Krebs).
2 Gründlich abbürsten und von Moosbelag befreien. Schwanzplatte auf der Unterseite anheben und mit einer Drehbewegung entfernen, ebenso Beine und Scheren abbrechen. Mittelstück des Panzers am Schwanzende aufbrechen und auseinanderziehen. Kiemen und Innereien entfernen. Körper mit einem Küchenbeil in 4 Teile hacken. Mit kräftigem Beilschlag (Rückseite) die Scheren aufbrechen.
3 Ei mit Chili, Knoblauch, Salz und Pfeffer in einer großen Schüssel verrühren. Das ausgelöste Krebsfleisch in die Mischung legen und zugedeckt über Nacht im Kühlschrank ziehen lassen.
4 Mehlpanade: Alle Zutaten auf einen großen Teller sieben. Krebsfleisch portionsweise in Panade wenden und überschüssiges Mehl abklopfen.
5 Öl in einem Wok erhitzen und das Scherenfleisch 7–8 Minuten, den zerteilten Krebskörper 3–4 Minuten und das Beinfleisch 2 Minuten fritieren.
HINWEIS: Krebsfleisch ißt man mit Fingern.

NÄHRWERT PRO PORTION: 20 g Eiweiß, 2 g Fett, 25 g Kohlenhydrate, 1 g Ballaststoffe, 150 mg Cholesterin, 810 kJ (190 kcal)

FRITIERTER KREBS

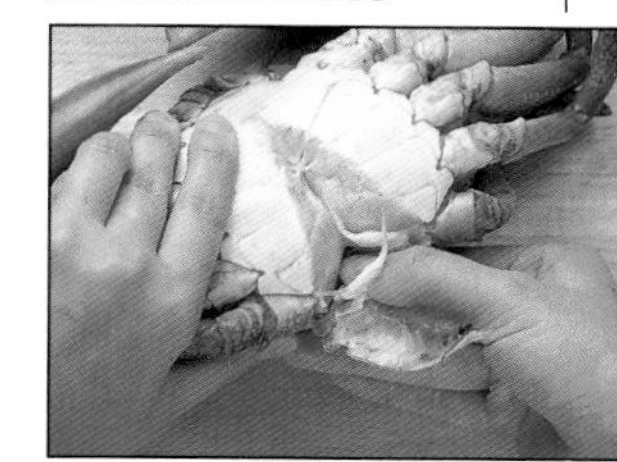

Die Schwanzplatte auf der Unterseite anheben, mit Schwung abbrechen.

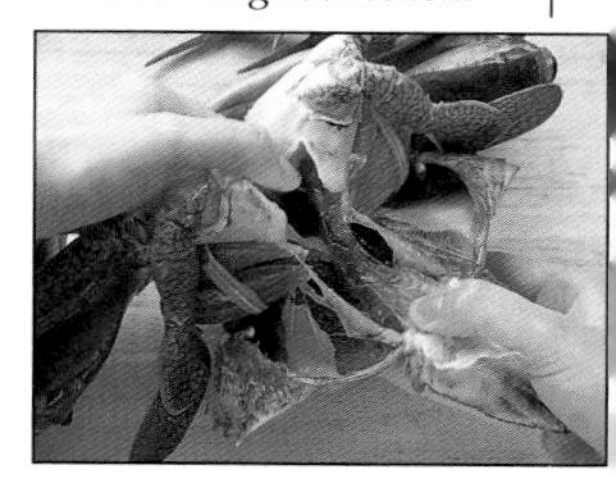

Panzer aufbrechen.

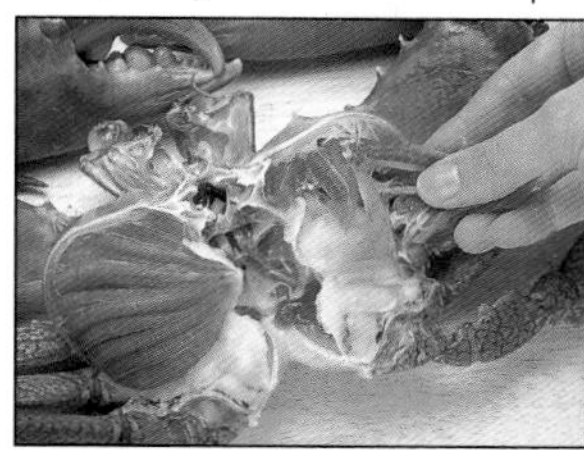

Nach dem Herausnehmen der Innereien die Kiemen entfernen.

Mit dem Küchenbeil kräftig auf die Scheren schlagen, dazu die Rückseite verwenden, weil sonst eventuell die Klinge bricht.

Links: *Knusprig fritierter Krebs*

SCHWEINERIPPCHEN, WÜRZIG-SCHARF

•

Vorbereitungszeit: 20 Minuten
Gesamtkochzeit: 1 Stunde
Für 4 Personen

☆

750 g Schweinerippchen
1 EL Erdnußöl
2 TL Knoblauch, feingehackt
60 ml trockener Sherry
1 EL scharfe Bohnenpaste oder Sambal Oelek
500 ml Wasser
2 TL Hoisin-Sauce
3 TL feiner Zucker
1 EL Sojasauce, vorzugsweise dunkle

•

1 Die Rippchen in einem großen Topf mit Wasser zum Kochen bringen und 5 Minuten köcheln lassen; herausnehmen und gründlich abtropfen lassen.
2 Die restlichen Zutaten mit den Rippchen in einen Wok geben und zugedeckt 45 Minuten leise köcheln lassen. Die Rippchen abtropfen lassen, 250 ml von der Garflüssigkeit zurückbehalten. Die Rippchen in einem sauberen Wok scharf anbraten.
3 Die zurückbehaltene Garflüssigkeit zugießen und bei mittlerer Hitze zu einer dicken Glace einkochen lassen, die die Rippchen überzieht.
4 Die Rippchen in 3 cm lange Stücke hacken, mit der Sauce übergießen und servieren.

NÄHRWERT PRO PORTION: 30 g Eiweiß, 60 g Fett, 5 g Kohlenhydrate, 1 g Ballaststoffe, 190 mg Cholesterin, 2920 kJ (695 kcal)

GEBRATENES RINDFLEISCH MIT ZUCKERERBSEN

•

Vorbereitungszeit: 15 Minuten
Gesamtkochzeit: 5 Minuten
Für 4 Personen

☆

400 g Rumpsteak, in dünne Scheiben geschnitten
2 EL Sojasauce
1/2 TL frischer Ingwer, gerieben
2 EL Erdnußöl
200 g Zuckererbsen, ohne Fäden
1 1/2 TL Stärke
125 ml Rinderbrühe
1 TL Sojasauce extra
1/4 TL Sesamöl

•

1 Das Fleisch in eine Schüssel geben. Sojasauce und Ingwer mischen und unter das Fleisch rühren.
2 Öl in einem Wok erhitzen, behutsam schwenken, bis Boden und Seitenwände von einem dünnen Fettfilm überzogen sind. Fleisch und Zuckererbsen zugeben und bei starker Hitze 2 Minuten unter Rühren braten, bis es leicht gebräunt ist.
3 Die Stärke in etwas Brühe auflösen. Mit der restlichen Brühe, Sojasauce und Sesamöl in den Wok geben und aufkochen lassen, bis die Sauce eindickt. Dazu gedämpften Reis reichen.
HINWEIS: Falls es die Zeit erlaubt, das Fleisch vor dem Aufschneiden 30 Minuten anfrieren lassen, dann läßt es sich leichter schneiden.

NÄHRWERT PRO PORTION: 25 g Eiweiß, 15 g Fett, 5 g Kohlenhydrate, 1 g Ballaststoffe, 65 mg Cholesterin, 980 kJ (235 kcal)

Unten: *Schweinerippchen, würzig-scharf*

SCHARFE BOHNENPASTE
Diese dickflüssige, rotbraune Sauce aus Sojabohnen, getrockneten roten Chillies und Gewürzen ist würzig-scharf und salzig und findet reichlich Verwendung in den feurigen Gerichten der Provinzen Sichuan und Hunan in Mittelchina. Gläser mit scharfer Bohnenpaste sind in asiatischen Lebensmittelgeschäften und gutsortierten Supermärkten erhältlich. Ein annehmbarer Ersatz ist Sambal Oelek, die scharfe indonesische Paste aus Chilischoten, die allerdings eine etwas andere Geschmacksrichtung hat.

NUDELN MIT GARNELEN UND SCHWEINEFLEISCH

•

Vorbereitungszeit: 20 Minuten
Gesamtkochzeit: 10 Minuten
Für 4 Personen

10 rohe Riesengarnelen
200 g chinesisches Grillfleisch (s. S. 40)
500 g Shanghai-Nudeln
60 ml Erdnußöl
2 TL Knoblauch, feingehackt
1 EL Schwarze-Bohnen-Sauce
1 EL Sojasauce
1 EL heller Reisessig
60 ml Hühnerbrühe
125 g frische Sojabohnensprossen, holzige Enden entfernt
3 Frühlingszwiebeln, feingeschnitten
zum Garnieren: frisches Koriandergrün

1 Garnelen schälen und ausnehmen. Das Fleisch in hauchdünne Scheiben schneiden.
2 Die Nudeln in einem Topf mit kochendem Wasser garen. Abgießen und abtropfen lassen.
3 Öl in einem Wok oder einer gußeisernen Pfanne erhitzen und durch Schwenken gut verteilen. Knoblauch zugeben und unter Rühren goldgelb braten. Garnelen und Fleisch zufügen und 3 Minuten rühren, bis die Garnelen eine rosa Färbung haben. Die gekochten Nudeln mit Schwarze-Bohnen-Sauce, Sojasauce, Essig und Brühe untermischen und bei starker Hitze unter Rühren braten, bis alles gut durchgewärmt und die Sauce aufgenommen ist.
4 Bohnensprossen und Frühlingszwiebeln unterrühren und 1 Minute mitbraten. Auf einer Platte anrichten und mit frischen Korianderblättern garnieren.
HINWEIS: Wer sein Essen feurig-scharf mag, kann zum Ende der Garzeit frische gehackte Chillies oder einen Spritzer Chiliöl an die Mischung geben.

NÄHRWERT PRO PORTION: 35 g Eiweiß, 30 g Fett, 100 g Kohlenhydrate, 10 g Ballaststoffe, 105 mg Cholesterin, 3340 kJ (795 kcal)

Oben: *Nudeln mit Garnelen und Schweinefleisch*

GEBRATENER REIS AUF CHINESISCHE ART

•

Vorbereitungszeit: 15 Minuten
Gesamtkochzeit: 10 Minuten
Für 4 Personen

2 Eier, leicht geschlagen
1 mittelgroße Zwiebel
4 Frühlingszwiebeln
250 g Schinken am Stück
2 EL Erdnußöl
2 TL Schweineschmalz (nach Belieben)
270 g Langkornreis, gekocht und abgekühlt
40 g Erbsen, tiefgefroren
2 EL Sojasauce
250 g gekochte kleine Garnelen, geschält

•

1 Die Eier mit Salz und Pfeffer würzen.
2 Zwiebel schälen und in 8 Stücke schneiden. Frühlingszwiebeln schräg in Scheiben schneiden. Schinken in hauchdünne Streifen schneiden.
3 Im Wok 1 EL Öl erhitzen, Eier hineingießen. Gestockte Eimasse vom Rand zur Mitte schieben, anheben, dabei den Wok schräg halten, damit das noch flüssige Ei zu den Seiten fließt. Sobald die Eimasse fast fest ist, in Stücke schneiden, auf einen Teller legen und beiseite stellen.
4 Restliches Öl und evtl. Schweineschmalz im Wok erhitzen. Kurz schwenken, um das Öl zu verteilen. Zwiebelstücke zugeben und bei starker Hitze unter Rühren braten, bis sie glasig werden. Schinkenstreifen zugeben und 1 Minute mitbraten. Reis und Erbsen zufügen und 3 Minuten pfannenrühren, bis der Reis gut durchgewärmt ist. Rührei, Sojasauce, Frühlingszwiebeln und Garnelen zugeben, kurz erhitzen und servieren.
HINWEIS: Den Reis, wenn möglich, schon am Vortag kochen und im Kühlschrank aufbewahren. So klebt er beim Braten nicht zusammen.

NÄHRWERT PRO PORTION: 30 g Eiweiß, 20 g Fett, 55 g Kohlenhydrate, 3 g Ballaststoffe, 250 mg Cholesterin, 2195 kJ (520 kcal)

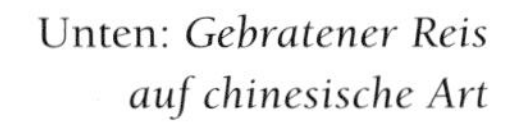

Unten: *Gebratener Reis auf chinesische Art*

•

PFANNENGERÜHRTE RIESENGARNELEN MIT LAUCH

•

Vorbereitungszeit: 15 Minuten
Gesamtkochzeit: 4–5 Minuten
Für 6 Personen

800 g rohe Riesengarnelen
2 Stangen junger Lauch (nur der weiße Teil)
1 frischer roter Chili
3 cm frischer Ingwer
3 EL Öl
2 TL helle Sojasauce
1 EL Mirin
80 ml Hühnerbrühe
1 TL Stärke

•

1 Garnelen schälen und ausnehmen. Darauf achten, daß die Schwänze unversehrt bleiben.
2 Den Lauch gründlich unter fließendem Wasser abspülen. Die Stangen in 4 cm lange Stücke zerteilen und diese dann längs in schmale Streifen schneiden. Den Chili aufschlitzen, die Samenkerne entfernen und wegwerfen und das Fruchtfleisch in feine Streifen schneiden. Den Ingwer ebenfalls in feine Streifen schneiden.
3 Etwas Öl im Wok erhitzen und die Garnelen portionsweise unter Rühren braten, bis sie rosa werden, dann herausnehmen. Das restliche Öl zugießen und den Lauch mit Chili und Ingwer bei starker Hitze 40 Sekunden pfannenrühren, anschließend auf die Seite schieben. Garnelen wieder in den Wok geben und 1 1/2 Minuten unter Rühren braten, bis sie soeben gar sind.
4 Sojasauce und Reiswein zufügen. Stärke in Hühnerbrühe auflösen und zugießen. Bei starker Hitze unter Rühren aufkochen lassen. Sofort servieren.

NÄHRWERT PRO PORTION: 15 g Eiweiß, 10 g Fett, 3 g Kohlenhydrate, 1 g Ballaststoffe, 100 mg Cholesterin, 670 kJ (160 kcal)

SOJASAUCE

Sojasauce ist ein unentbehrliches Würzmittel der ostasiatischen Küche mit einer langen Tradition. Bereits vor 3000 Jahren kannten die Chinesen eine Mischung mit fermentierten Sojabohnen, die als ›Shih‹ bezeichnet wurde und wohl als Konservierungsmittel für Gemüse während der Wintermonate diente. Im Laufe der Jahrhunderte änderte sich das Herstellungsverfahren: Dem fermentierten Sojabohnengemisch wurde gemahlenes Getreide zugesetzt, und nach einer bestimmten Reifezeit wurde die Flüssigkeit abgesiebt und in Flaschen gefüllt. Vor etwa 1500 Jahren existierte dann bereits eine Sauce, die der heutigen Sojasauce sehr ähnelte. Die Japaner, die die Sojasaucenherstellung vor etwa 1000 Jahren von den Chinesen lernten, entwickelten ihre eigene Variante: Japanische Sojasauce ist heller und nicht so salzig, da sie mehr Weizen enthält. In Indonesien werden der Sojasauce, die dort Kecap Manis heißt, Palmzucker, Knoblauch, Sternanis und Bindemittel zugesetzt, so daß eine tiefschwarze und dickflüssige Sauce entsteht.

HÜHNEREINTOPF MIT GEMÜSE

•

Vorbereitungszeit: 20 Minuten (+ 30 Minuten Marinieren)
Gesamtkochzeit: 25 Minuten
Für 4 Personen

500 g Hühnerschenkel, filetiert
1 EL Sojasauce
1 EL trockener Sherry
6 getrocknete chinesische Pilze
2 kleine Lauchstangen
250 g rotfleischige Süßkartoffeln
2 EL Erdnußöl
5 cm frischer Ingwer, gerieben
125 ml Hühnerbrühe
1 TL Sesamöl
3 TL Stärke

•

1 Hühnerfleisch unter kaltem Wasser abspülen und mit Küchenkrepp trockentupfen. Dann in mundgerechte Stücke schneiden. Mit Sojasauce und Sherry in eine Schüssel geben und zugedeckt 30 Minuten im Kühlschrank ziehen lassen.
2 Pilze 20 Minuten in heißem Wasser einweichen. Abtropfen lassen und ausdrücken. Von den Stielen befreien und Hüte in Streifen schneiden. Lauch gründlich waschen. Stangen und gewaschene Süßkartoffeln in dünne Scheiben schneiden.
3 Das Fleisch abtropfen lassen, die Marinade auffangen und zurückbehalten. Die Hälfte des Öls in einem Wok erhitzen und leicht schwenken, bis das Öl verteilt ist. Fleisch zur Hälfte zugeben und unter Rühren scharf anbraten. Das angebratene Fleisch in einen feuerfesten (gewässerten) Tontopf oder eine Kasserolle geben. Das restliche Fleisch im Wok scharf anbraten und dann in den Tontopf umfüllen.
4 Restliches Öl im Wok erhitzen. Lauch und Ingwer zufügen und 1 Minute unter Rühren braten. Pilze, zurückbehaltene Marinade, Brühe und Sesamöl zugeben und 2 Minuten mitbraten. Den Inhalt des Wok zusammen mit Süßkartoffeln und Lauch in den Tontopf füllen und zugedeckt auf dem Herd ca. 20 Minuten bei milder Hitze garen.
5 Die Stärke in wenig Wasser auflösen und unterrühren, bis die Mischung aufkocht und andickt. Den Hühnereintopf sofort servieren. Dazu gedämpften Reis oder Nudeln reichen.
HINWEIS: Dieses Gericht schmeckt am besten, wenn es 1–2 Tage im voraus gekocht und dann zugedeckt im Kühlschrank aufbewahrt wird. Der Hühnereintopf läßt sich auch gut einfrieren, dann allerdings die Süßkartoffeln weglassen. Diese erst kochen und beim Erhitzen des Eintopfes unterrühren.

NÄHRWERT PRO PORTION: 30 g Eiweiß, 10 g Fett, 15 g Kohlenhydrate, 3 g Ballaststoffe, 85 mg Cholesterin, 1160 kJ (275 kcal)

Oben: *Hühnereintopf mit Gemüse*

PEKING-ENTE MIT MANDARIN-PFANNKUCHEN

Die Gurken entkernen und in streichholzdünne Stifte schneiden. Die Frühlingszwiebeln über Kreuz mehrmals einschneiden und in Eiswasser legen.

Kugeln zu runden Teigplatten ausrollen. Teigplatte dünn mit Sesamöl einpinseln und eine zweite Platte darauf legen.

Den ›Doppeldecker‹-Pfannkuchen auf Handwärme abkühlen lassen und die beiden Hälften vorsichtig auseinanderziehen.

Folgende Seite: *Peking-Ente mit Mandarin-Pfannkuchen*

PEKING-ENTE MIT MANDARIN-PFANNKUCHEN

•

Vorbereitungszeit: 1 Stunde (+ 5 Stunden Marinieren)
Gesamtkochzeit: 1¼ Stunde
Für 4 Personen als Hauptgericht oder für 6 Personen mit anderen Speisen

☆☆☆

1 Ente (küchenfertig), etwa 1,7 kg
3 l kochendes Wasser
1 EL Honig
125 ml heißes Wasser
1 Schmorgurke
12 Frühlingszwiebeln
2 EL Hoisin-Sauce

•

Mandarin-Pfannkuchen
310 g Weizenmehl
2 TL feiner Zucker
250 ml kochendes Wasser
1 EL Sesamöl

•

1 Die Ente waschen, Hals und alle größeren Fettpartien im Innern entfernen. Die Ente vorsichtig mit kochendem Wasser übergießen, dabei drehen, so daß die gesamte Haut verbrüht wird. Gegebenenfalls einen zweiten Kessel Wasser bereitstellen.

2 Die Ente auf einen Rost mit untergestellter Fettpfanne legen. Für die Glasur Honig mit heißem Wasser verrühren und die Ente zweimal sorgfältig damit einpinseln. Trocknen lassen, dazu die Ente nach Möglichkeit etwa 4 Stunden an einem kühlen, trockenen Ort aufhängen. Oder die Ente im Abstand von etwa einem Meter vor einen laufenden Ventilator hängen. Die Ente ist ausreichend getrocknet, wenn sich ihre Haut wie Pergament anfühlt.

3 Gurke entkernen und das Fruchtfleisch in streichholzdünne Stifte schneiden. Von den Frühlingszwiebeln jeweils ein 8 cm langes Stück nehmen und von Grün nach Weiß über Kreuz mehrmals einschneiden, daß sie wie kleine Blumen aussehen. Diese ›Blumen‹ in Eiswasser legen, damit sie sich ganz öffnen.

4 Den Backofen auf 210 °C (Gas: Stufe 6–7) vorheizen. Die Ente auf dem Rost über der Fettpfanne 30 Minuten rösten. Vorsichtig umdrehen, ohne die Haut zu verletzen, und weitere 30 Minuten rösten. Die Ente aus dem Ofen nehmen, 1–2 Minuten ruhen lassen und auf eine angewärmte Platte legen.

5 Für die Mandarin-Pfannkuchen Mehl und Zucker in eine mittelgroße Schüssel geben und mit kochendem Wasser übergießen. Mehrmals durchrühren und ruhen lassen, bis die Mischung lauwarm ist. Auf einer leicht bemehlten Arbeitsfläche zu einem geschmeidigen Teig verkneten und zugedeckt 30 Minuten ruhen lassen.

6 Von dem Teig 2 gestrichene EL abnehmen und jeweils zu einer Kugel formen. Die Kugeln zu runden Teigplatten von 8 cm Durchmesser ausrollen. Eine Platte dünn mit Sesamöl bepinseln und die andere Platte darauflegen. Erneut zu einem flachen Pfannkuchen von etwa 15 cm Durchmesser ausrollen. Mit dem restlichen Teig ebenso verfahren und etwa 10 dieser ›Doppeldecker‹ herstellen.

7 Eine Pfanne trocken erhitzen und die Pfannkuchen darin nacheinander braten. Sobald sich kleine Blasen zeigen, den Pfannkuchen wenden und von der anderen Seite braten, dabei mit einem sauberen Geschirrtuch auf die Oberfläche drücken. Der Pfannkuchen sollte aufgeplustert sein, wenn er fertig ist. Den fertigen Pfannkuchen auf einen Teller legen, auf Handwärme abkühlen lassen und die zwei Hälften des ›Doppeldeckers‹ auseinanderziehen. Auf einem Teller stapeln und sofort abdecken, damit sie nicht austrocknen.

8 Zum Servieren das Entenfleisch von den Knochen lösen und in dünne Scheiben schneiden. Entenfleisch und Pfannkuchen auf separaten Serviertellern anrichten. Die Gurkenstifte und die ›Frühlingszwiebel-Blumen‹ auf einer Extraplatte anrichten. Die Hoisin-Sauce in eine kleine Schale füllen. Jeder Gast nimmt sich einen Pfannkuchen, streicht etwas Sauce darauf, gibt ein paar Gurkenstifte, eine ›Frühlingszwiebel-Blume‹ und zuletzt ein Stück Entenfleisch dazu. Der Pfannkuchen wird dann sauber zusammengefaltet und mit den Fingern gegessen.

HINWEIS: Falls Sie keinen Rost haben, können Sie die Ente auch auf dem Kuchengitter über der Fettpfanne garen.

Die Pfannkuchen lassen sich gut ein paar Stunden im voraus zubereiten und zugedeckt an einem kühlen Ort aufbewahren. Kurz vor dem Servieren einfach erhitzen: entweder in einem mit einem sauberen Geschirrtuch ausgelegten Durchschlag, der als Dämpfer dient, oder eingewickelt in Alufolie und 2 Minuten in einen mäßig warmen Backofen geschoben.

NÄHRWERT PRO PORTION (4): 45 g Eiweiß, 15 g Fett, 75 g Kohlenhydrate, 5 g Ballaststoffe, 200 mg Cholesterin, 2635 kJ (625 kcal)

HÜHNERFLEISCH MIT MANDELN

•

Vorbereitungszeit: 30 Minuten
Gesamtkochzeit: 20 Minuten
Für 4 Personen

250 ml Öl
125 g Mandeln, blanchiert
1 EL Sojasauce
2 TL Stärke
300 g Hühnerbrustfilet, diagonal in Scheiben geschnitten
1 mittelgroße Zwiebel, gehackt
1 Selleriestange, in Scheibchen geschnitten
50 g Prinzeßbohnen, in mundgerechte Stücke geschnitten
60 g Bambussprossen aus der Dose, abgetropft
2 cm frischer Ingwer, gerieben
3 EL Hühnerbrühe
2 EL Reiswein oder Sherry (Medium)
2 EL Wasser
1 TL Sesamöl
2 TL Stärke extra
1/4 TL Salz
1/4 TL gemahlener weißer Pfeffer

1 Öl in einem kleinen Topf erhitzen und die Mandeln ca. 1 Minute fritieren, bis sie einen zarten Goldton angenommen haben. Sofort mit einem Schaumlöffel herausnehmen und auf Küchenpapier abtropfen lassen. Das Öl aufbewahren.
2 Sojasauce und Stärke zu einer glatten Paste verrühren, das Fleisch darin wenden und 5 Minuten ziehen lassen. 2 EL von dem zurückbehaltenen Fritieröl im Wok bis zum Rauchpunkt erhitzen. Das Hühnerfleisch portionsweise bei starker Hitze 2 Minuten fritieren, dann herausnehmen.
3 Falls sehr wenig Öl im Wok zurückbleibt, einen weiteren Eßlöffel von dem Fritieröl zugeben und erhitzen. Zwiebel und Sellerie zugeben und 4 Minuten fritieren. Bohnen, Bambussprossen und Ingwer zufügen und 1 Minute mitbraten. Hühnerbrühe, Sesamöl und Reiswein oder Sherry zugießen und zugedeckt 30 Sekunden dämpfen. Den Extralöffel Stärke mit 1 EL Wasser verquirlen, unter die Sauce rühren und aufkochen lassen. Hühnerfleisch und Mandeln zurück in den Wok geben, alles gründlich mischen und leicht erhitzen. Mit Salz und Pfeffer abschmecken und sofort servieren.

NÄHRWERT PRO PORTION: 25 g Eiweiß, 35 g Fett, 5 g Kohlenhydrate, 4 g Ballaststoffe, 40 mg Cholesterin, 1870 kJ (445 kcal)

EINFLUSS AUS DER MONGOLEI

Im Jahr 1368 wurden die Mongolen nach etwa 100jähriger Herrschaft aus China vertrieben. Die als ›Teufelsreiter‹ titulierten Eroberer aus dem Norden wurden nie so recht akzeptiert, galten vielmehr als Barbaren, deren ›Importe‹ wie Ziegenmilch, stinkender Käse und streng schmeckendes Hammelfleisch von den Chinesen größtenteils verschmäht wurden. Einige Gerichte fanden dennoch Eingang in die chinesische Küche, insbesondere der Mongolische Feuertopf, bei dem jeder Gast hauchdünne Scheiben von rohem Lammfleisch sowie andere Zutaten wie Gemüse und Nudeln in einen Topf mit köchelnder Brühe taucht, ebenso Eintöpfe mit Lammfleisch und Geflügelgerichte mit deftigen Saucen.

Rechts: *Hühnerfleisch mit Mandeln*

MONGOLISCHES LAMMFILET

•

Vorbereitungszeit: 15 Minuten
(+ 60 Minuten Marinieren)
Gesamtkochzeit: 15 Minuten
Für 4 Personen

1 kg Lammfilet
2 Knoblauchzehen, zerdrückt
1 EL frischer Ingwer, gerieben
1 EL Hoisin-Sauce
1 EL Sesamöl
1 EL Sesamsamen
2 EL Erdnußöl
4 Zwiebeln, in keilförmige Stücke geschnitten
3 TL Stärke
3 EL Sojasauce
60 ml Sherry

•

1 Lammfleisch von Fett und Sehnen befreien und quer zur Muskelfaser in feine Scheiben schneiden. Knoblauch, Ingwer, Hoisin-Sauce und Sesamöl mischen. Fleisch darin wenden und dann zugedeckt 1 Stunde im Kühlschrank ziehen lassen.

2 Sesamsamen in einer trockenen Pfanne bei mittlerer Hitze 3–4 Minuten unter ständigem Wenden rösten, bis die Körner goldbraun sind. Sofort aus der Pfanne nehmen, damit sie nicht verbrennen.

3 Erdnußöl in einem Wok oder einer gußeisernen Pfanne erhitzen und Zwiebeln bei mittlerer Hitze unter Rühren in 10 Minuten goldbraun braten. Herausnehmen und warm halten.

4 Den Wok erneut erhitzen und das Fleisch portionsweise bei starker Hitze anbraten. Danach das gesamte Fleisch in den Wok zurückgeben.

5 Stärke mit Sojasauce und Sherry verquirlen und zugießen. Das Fleisch bei starker Hitze unter Rühren braten, bis es gar und die Sauce eingedickt ist.

6 Das Fleisch auf den Zwiebeln anrichten und mit dem gerösteten Sesam bestreuen.

NÄHRWERT PRO PORTION: 60 g Eiweiß, 25 g Fett, 10 g Kohlenhydrate, 3 g Ballaststoffe, 165 mg Cholesterin, 2190 kJ (520 kcal)

Oben: *Mongolisches Lammfilet*

YUM CHA, ›Tee trinken‹, ist in chinesischen Teehäusern ein allmorgendliches Ritual. Zum Tee ißt man kleine gedämpfte oder gebratene Teigtaschen, Dim-Sum, die Meeresfrüchte, Fleisch und Gemüse enthalten.

DIM-SUM MIT KRABBEN
Folgende Zutaten in einer Schüssel mischen: 200 g gekochtes Krabbenfleisch aus der Dose, abgetropft; 250 g rohe Garnelen, geschält, ausgenommen und gehackt; 4 gehackte Frühlingszwiebeln, 3 getrocknete chinesische Pilze, eingeweicht und gehackt, 3 EL feingehackte Bambussprossen, 1 EL Teriyaki-Sauce, 2 zerdrückte Knoblauchzehen und 2 EL geraspelten frischen Ingwer. Etwa 20 Wan-Tan-Hüllen bereithalten und bis zur Verwendung mit einem feuchten Geschirrtuch abdecken. Die Teigtaschen nacheinander zubereiten, dazu auf jede Nudelteig-Platte 1 EL Füllung geben, die Ecken fassen und über der Füllung zusammendrehen. Den Boden eines Dämpfers mit Backpapier auslegen. Die Teigtaschen darauf verteilen, dabei darauf achten, daß sie sich nicht berühren, und zugedeckt 8 Minuten dämpfen. Sofort servieren. Ergibt etwa 20 Stück.

NÄHRWERT PRO STÜCK: 5 g Eiweiß, 1 g Fett, 10 g Kohlenhydrate, 1 g Ballaststoffe, 20 mg Cholesterin, 260 kJ (60 kcal)

›GELDSÄCKCHEN‹ MIT HÜHNERFLEISCH
Folgende Zutaten in einer Schüssel mischen: 375 g Hühnerhackfleisch, 90 g feingehackten Schinken, 4 feingehackte Frühlingszwiebeln, 1 feingehackte Selleriestange, 3 EL gehackte Bambussprossen, 1 EL Sojasauce, 1 zerdrückte Knoblauchzehe und 1 TL geraspelten frischen Ingwer. Nur jeweils 1 Wan-Tan-Teigplatte verarbeiten (ca. 40 Stück sind nötig); 2 TL von der Füllung in die Mitte setzen, die Teigränder über der Füllung

zusammendrücken, so daß ein Säckchen entsteht. 15 halbierte Schnittlauchhalme in eine feuerfeste Schüssel legen. Mit kochendem Wasser übergießen, 1 Minute ruhen lassen, abspülen und abtropfen lassen. Die ›Geldsäckchen‹ in heißem Öl 4–5 Minuten knusprig fritieren, dann auf Küchenpapier abtropfen lassen. Jedes Säckchen mit einem Schnittlauchhalm zubinden. Sofort servieren.

NÄHRWERT PRO STÜCK: 3 g Eiweiß, 3 g Fett, 5 g Kohlenhydrate, 0 g Ballaststoffe, 10 mg Cholesterin, 230 kJ (55 kcal)

GARNELEN-GOW-GEES

Folgende Zutaten in einer Schüssel mischen: 500 g rohe Garnelen, geschält, ausgenommen und gehackt; 4 Frühlingszwiebeln, in Scheibchen geschnitten; 1 EL geraspelten frischen Ingwer und 2 EL gehackte Wasserkastanien. Zudem 3 TL Stärke mit 2 TL Sesamöl, 1 TL Sojasauce, 1/2 TL Zucker, etwas Salz und Pfeffer verquirlen und unter die Garnelenmischung rühren. Nur jeweils 1 Teigplatte verarbeiten (ca. 40 Stück sind nötig), 1 gehäuften TL von der Mischung in die Mitte geben, die Teigplatte halbmondförmig falten und die Ränder dabei zusammendrücken. Den Boden eines Dämpfers mit Backpapier auslegen. Die Gow-Gees portionsweise darauf verteilen, so daß sie sich nicht gegenseitig berühren. Die Teigtaschen zugedeckt 8 Minuten dämpfen.

NÄHRWERT PRO STÜCK: 2 g Eiweiß, 1 g Fett, 5 g Kohlenhydrate, 0 g Ballaststoffe, 10 mg Cholesterin, 140 kJ (35 kcal)

GEFÜLLTE PAPRIKASCHIFFCHEN

Folgende Zutaten mischen: 500 g rohe Garnelen, geschält, ausgenommen und feingehackt, 300 g mageres Schweinehackfleisch, 1 TL Salz, 3 feingehackte Frühlingszwiebeln, 3 EL feingehackte Wasserkastanien, 3 TL Sojasauce und 2 TL trockenen Sherry. 3 Paprika längs in 3–4 Stücke schneiden und die Kerne und weißlichen Rippen entfernen. Die Paprikastücke mit der Farce füllen und halbieren. 1 EL Öl im Wok erhitzen und die gefüllten Paprikaschiffchen in zwei Portionen bei mittlerer Hitze 3–4 Minuten goldbraun braten. Wenden und weitere 3 Minuten braten. Mit der zweiten Portion ebenso verfahren. Sofort servieren. Ergibt etwa 24 Stück.

NÄHRWERT PRO STÜCK: 5 g Eiweiß, 1 g Fett, 1 g Kohlenhydrate, 0 g Ballaststoffe, 45 mg Cholesterin, 190 kJ (45 kcal)

Im Uhrzeigersinn von oben links: *Garnelen-Gow-Gees, Dim-Sum mit Krabben, gefüllte Paprikaschiffchen, ›Geldsäckchen‹ mit Hühnerfleisch*

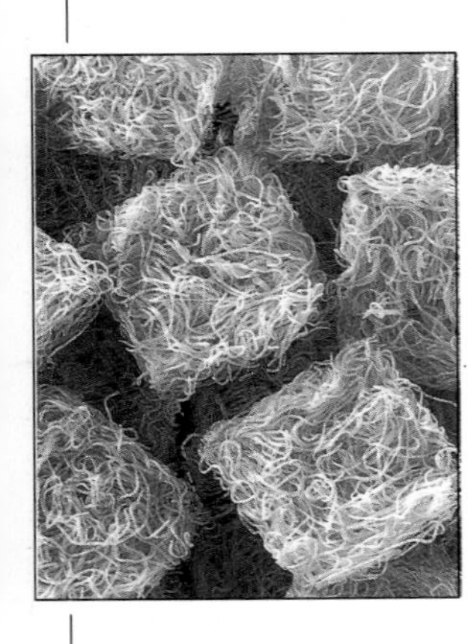

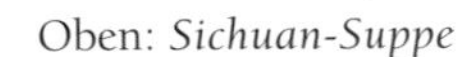
Oben: *Sichuan-Suppe*

SICHUAN-SUPPE

Vorbereitungszeit: 20 Minuten (+ 40 Minuten Einweichen)
Gesamtkochzeit: 15 Minuten
Für 6–8 Personen

4 getrocknete chinesische Pilze
45 g getrocknete breite Reisnudeln
1 l Hühnerbrühe
175 g gekochtes Hühnerfleisch, gehackt
230 g Bambussprossen aus der Dose, abgetropft und gehackt
1 TL frischer Ingwer, gerieben
1 EL Stärke
80 ml Wasser
1 Ei, geschlagen
1 TL Tomatensauce
1 EL Sojasauce
1 EL Essig
2 TL Sesamöl
2 Frühlingszwiebeln, feingehackt

1 Pilze mit heißem Wasser übergießen und 20 Minuten einweichen; gut abtropfen lassen und kleinhacken. Nudeln 20 Minuten in heißem Wasser einweichen; abtropfen lassen und kleinschneiden.
2 Die Brühe in einem großen Topf zum Kochen bringen. Pilze, Nudeln, Hühnerfleisch, Bambussprossen und Ingwer zugeben und bei mäßiger Hitze leise köcheln lassen.
3 Stärke und Wasser in einer Schüssel glattrühren. Die Paste in die Suppe geben und rühren, bis sie klar ist. Das geschlagene Ei in dünnem Strahl unter ständigem Rühren zugießen.
4 Den Topf vom Herd nehmen. Tomatensauce, Sojasauce, Essig, Sesamöl und Frühlingszwiebeln

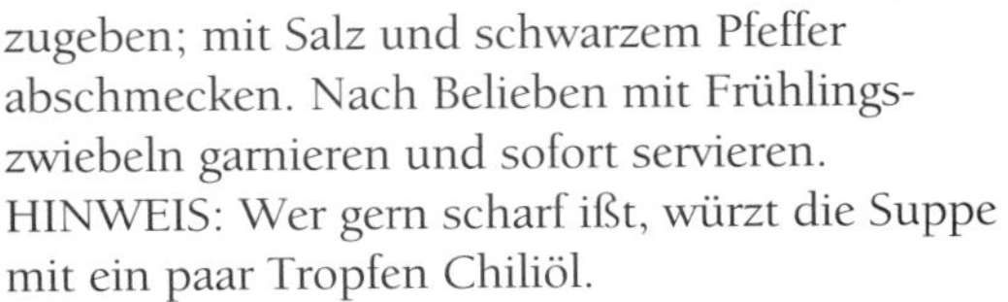
zugeben; mit Salz und schwarzem Pfeffer abschmecken. Nach Belieben mit Frühlingszwiebeln garnieren und sofort servieren.
HINWEIS: Wer gern scharf ißt, würzt die Suppe mit ein paar Tropfen Chiliöl.

NÄHRWERT PRO PORTION (8): 10 g Eiweiß, 4 g Fett, 5 g Kohlenhydrate, 1 g Ballaststoffe, 50 mg Cholesterin, 390 kJ (90 kcal)

SCHWARZES SATIN-HUHN

Vorbereitungszeit: 25 Minuten (+ 20 Minuten Einweichen)
Gesamtkochzeit: 60 Minuten
Für 10 Personen

3 getrocknete chinesische Pilze
125 ml heißes Wasser
125 ml dunkle Sojasauce
3 EL brauner Zucker
2 EL chinesischer Reiswein
1 EL Sojasauce
1 TL Sesamöl
1/2 TL Sternanis, gemahlen (oder 1 ganzer Sternanis)
1 Hühnchen (etwa 1,4 kg)
4 cm frischer Ingwer, gerieben
1 TL Salz
2 Frühlingszwiebeln, feingeschnitten

1 Die Trockenpilze 20 Minuten im heißen Wasser einweichen. Abtropfen lassen und das Einweichwasser zurückbehalten. Dunkle Sojasauce, Zucker, Reiswein, Sojasauce, Sesamöl, Sternanis und das Einweichwasser in einem kleinen Topf unter ständigem Rühren aufkochen lassen.
2 Hühnchen innen mit Ingwer und Salz einreiben und in einen Bräter geben. Mit der Marinade und den Pilzen übergießen und wenden, damit es gleichmäßig bedeckt ist. Abdecken und bei schwacher Hitze unter gelegentlichem Wenden 55 Minuten garen, bis beim Einstechen klarer Fleischsaft austritt. Dann aus dem Topf nehmen und kurz abkühlen lassen. Den Bratenfond bei starker Hitze sämig einkochen lassen. Pilze entfernen.
3 Das Hühnchen portionieren (s. S. 11). Stücke auf einer Servierplatte anrichten, mit der dickflüssigen Sauce bestreichen und mit Frühlingszwiebeln garnieren. Nach Belieben die Sauce zum Dippen getrennt reichen.
HINWEIS: Dunkle Sojasauce ist in asiatischen Lebensmittelgeschäften und gutsortierten Supermärkten erhältlich.

NÄHRWERT PRO PORTION: 15 g Eiweiß, 3 g Fett, 5 g Kohlenhydrate, 0 g Ballaststoffe, 40 mg Cholesterin, 450 kJ (105 kcal)

FRITIERTE HONIG-GARNELEN

Vorbereitungszeit: 20 Minuten
Gesamtkochzeit: 12 Minuten
Für 4 Personen

16 rohe Riesengarnelen
30 g Stärke
40 g helle Sesamsamen
Öl zum Fritieren
4 1/2 EL Honig

Teig
125 g Mehl
1 gehäufter TL Backpulver
30 g Stärke
250 ml Wasser
1/4 TL Zitronensaft
1 EL Öl

1 Garnelen schälen und ausnehmen, darauf achten, daß die Schwänze unversehrt bleiben. Dann mit Küchenpapier trockentupfen und mit der Stärke bestäuben.

2 Die Sesamsamen in einer trockenen Pfanne bei mittlerer Hitze 3–4 Minuten unter Rühren goldbraun rösten.

3 Für den Teig das Mehl mit Backpulver und Stärke in eine mittelgroße Schüssel sieben. Wasser, Zitronensaft und Öl verquirlen. In das Mehlgemisch eine Vertiefung drücken, die Flüssigkeit nach und nach hineingießen und zu einem glatten Teig verrühren.

4 Öl in einer Friteuse oder einem großen Topf stark erhitzen. Garnelen portionsweise in den Teig tauchen, etwas abtropfen lassen und vorsichtig ins heiße Öl geben. Je nach Größe 2–3 Minuten fritieren, bis sie goldbraun und knusprig sind. Fritierte Garnelen auf Küchenpapier abtropfen lassen und warm halten.

5 Den Honig in einem großen Topf bei milder Hitze erwärmen (den Honig nicht zu stark erhitzen, sonst karamelisiert er und verliert sein Aroma).

6 Die fritierten Garnelen in den Honig geben und behutsam darin wenden. Mit Sesam bestreuen und sofort servieren.

NÄHRWERT PRO PORTION: 20 g Eiweiß, 10 g Fett, 55 g Kohlenhydrate, 2 g Ballaststoffe, 115 mg Cholesterin, 1675 kJ (390 kcal)

DIE SICHUAN-KÜCHE

China, dieses unermeßlich große Land, hat diverse Regionalküchen entwickelt. Die wichtigsten und auch bei uns bekanntesten sind die von Peking, Kanton, Shanghai und Sichuan. In der Sichuan-Küche, die sich durch besonders scharfe und herzhaft gewürzte Speisen auszeichnet, kamen die verschiedensten Einflüsse zum Tragen. Geprägt wurde sie vor allem durch die Händler und buddhistischen Missionare aus Indien, die vor über 2000 Jahren Gartechniken, scharfe Gewürze und pikante Kräuter sowie die vegetarische Küche buddhistischer Tradition in China einführten. Die Sichuan-Küche macht reichlich Gebrauch von feurig-scharfen Chillies, und die meisten Gerichte enthalten Essig, Zucker, Salz und den einzigartigen Sichuan-Pfeffer (der eher scharf-aromatisch als pfefferig schmeckt und auf der Zunge ein leichtes Taubheitsgefühl hinterläßt).

Links: *Fritierte Honig-Garnelen*

Oben: *Rindfleisch mit Paprika und Austernsauce*

RINDFLEISCH MIT PAPRIKA UND AUSTERNSAUCE

•

Vorbereitungszeit: 15 Minuten
Gesamtkochzeit: 8 Minuten
Für 6 Personen

500 g Rumpsteak
1 EL Sojasauce
1 Eiweiß, geschlagen
1 EL Stärke
1/4 TL gemahlener schwarzer Pfeffer
2 EL Erdnußöl
1/4 TL 5-Gewürze-Pulver
1 EL frischer Ingwer, gerieben
1 kleine grüne Paprika, in kleine Rauten geschnitten
1 kleine rote Paprika, in kleine Rauten geschnitten
2 Selleriestangen, in dünne Scheibchen geschnitten
425 g Baby-Mais aus der Dose, abgetropft
2 EL Austernsauce
2 Frühlingszwiebeln, in Ringe geschnitten

1 Fleisch von Fett und Sehnen befreien und quer zur Muskelfaser in lange, schmale Streifen schneiden. Sojasauce, Eiweiß, Stärke und Pfeffer verrühren, über das Fleisch geben und mischen.
2 1 EL Öl im Wok oder in einer Pfanne gut verteilen und erhitzen. Ingwer, 5-Gewürze-Pulver, Paprika, Sellerie und Maiskölbchen zugeben und bei starker Hitze 2 Minuten pfannenrühren, bis das Gemüse etwas weich wird. Aus der Pfanne nehmen und warm halten.
3 Das restliche Öl im Wok verteilen und erhitzen. Das Fleisch in kleinen Portionen bei starker Hitze anbraten.
4 Alles Fleisch und Gemüse zurück in den Wok geben; die Austernsauce unterrühren. Bei starker Hitze pfannenrühren, bis das Fleisch gar und die Sauce heiß ist. Von der Kochstelle nehmen und, mit Frühlingszwiebeln garniert, sofort servieren.

NÄHRWERT PRO PORTION: 25 g Eiweiß, 10 g Fett, 5 g Kohlenhydrate, 3 g Ballaststoffe, 85 mg Cholesterin, 865 kJ (205 kcal)

•

CHINESISCHES GRILLFLEISCH

•

Vorbereitungszeit: 15 Minuten + 30 Minuten Marinieren
Gesamtkochzeit: 35 Minuten
Für 6 Personen

60 ml Tomatensauce
1 EL Hoisin-Sauce
2 EL Honig
1 EL Malzextrakt oder Melasse
1 EL Knoblauch, gehackt
2 EL feiner Zucker
1 TL 5-Gewürze-Pulver
2 TL Stärke
1 EL Wasser
750 g Schweinenacken oder -filet

•

1 Tomatensauce, Hoisin-Sauce, Honig, Malzextrakt, Knoblauch, Zucker und 5-Gewürze-Pulver in einem Topf mischen. Die Stärke im Wasser auflösen und zur Würzmischung geben. Aufkochen lassen, dann bei milder Hitze unter Rühren 2 Minuten köcheln. Abkühlen lassen.
2 Bei Schweinenacken das Fleisch längs halbieren. Fleisch in der Sauce wenden und zugedeckt mindestens 30 Minuten im Kühlschrank marinieren.
3 Den Backofen auf 210 °C vorheizen. Das Fleisch aus der Marinade heben (die Flüssigkeit zurückbehalten). Auf den Ofenrost legen, die Fettpfanne zur Hälfte mit heißem Wasser füllen, darunter einschieben und das Fleisch 15 Minuten grillen.
4 Die Ofentemperatur auf 180 °C reduzieren und das Fleisch weitere 15 Minuten garen, dabei im-

mer wieder mit der Marinade einpinseln. Das Grillfleisch aus dem Ofen nehmen, vor dem Aufschneiden 5 Minuten ruhen lassen und in Scheiben geschnitten servieren.

NÄHRWERT PRO PORTION: 30 g Eiweiß, 2 g Fett, 25 g Kohlenhydrate, 1 g Ballaststoffe, 60 mg Cholesterin, 940 kJ (225 kcal)

KNUSPERHUHN

Vorbereitungszeit: 20 Minuten (+ 20 Minuten Gefrieren)
Gesamtkochzeit: 25 Minuten
Für 4 Personen

1 Huhn (etwa 1,3 kg)
1 EL Honig
1 ganzer Sternanis
1 Streifen Mandarinen- oder Tangerinenschale, getrocknet
1 TL Salz
Öl zum Fritieren
2 Zitronen, in Stücke zerteilt

5-Gewürze-Salz
2 EL Salz
1 TL weiße Pfefferkörner
1/2 TL 5-Gewürze-Pulver
1/2 TL gemahlener weißer Pfeffer

1 Das Huhn in kaltem Wasser waschen, in einen Bräter legen und mit kaltem Wasser bedecken. Honig, Sternanis, Mandarinen/Tangerinenschale und Salz zugeben und die Flüssigkeit kurz aufkochen lassen. 15 Minuten leise köcheln. Den Ofen ausstellen und das Fleisch zugedeckt in der Flüssigkeit weitere 15 Minuten stehen lassen, dann herausnehmen und auf einer Platte abkühlen lassen.
2 Das Huhn längs halbieren. Die beiden Hälften auf Küchenpapier legen und 20 Minuten im Kühlschrank durchkühlen lassen.
3 Öl in einem Wok oder einer gußeisernen Pfanne erhitzen. Die richtige Temperatur ist erreicht, wenn ein Brotwürfel darin in 30 Sekunden bräunt. Eine Hühnerhälfte vorsichtig mit der Hautseite nach unten hineingeben. 6 Minuten garen, dann wenden und weitere 6 Minuten garen, darauf achten, daß die Haut an allen Stellen mit dem Öl in Berührung kommt. Auf Küchenpapier abtropfen lassen. Mit der anderen Hälfte ebenso verfahren.
4 Für das 5-Gewürze-Salz das Salz und die Pfefferkörner in einen Topf geben und ohne Fett rösten, bis die Mischung aromatisch duftet und das Salz leicht gebräunt ist. Im Mörser fein zerstoßen oder mit einem Rollholz zerkleinern. Das 5-Gewürze-Pulver und den weißen Pfeffer unterrühren und das Gewürzsalz in ein flaches Schälchen umfüllen.
5 Die Hühnchenhälfte portionieren (s. S. 11). Mit 5-Gewürze-Salz bestreuen und mit Zitronenstücken garniert servieren.
HINWEIS: Übriggebliebenes 5-Gewürze-Salz ist trocken und luftdicht verschlossen monatelang haltbar.

NÄHRWERT PRO PORTION: 25 g Eiweiß, 25 g Fett, 5 g Kohlenhydrate, 0 g Ballaststoffe, 110 mg Cholesterin, 1365 kJ (325 kcal)

Oben: *Knusperhuhn*

3 Ein Paar hölzerne Eßstäbchen über Kreuz in einen großen Wok legen (als eine Art Rost) und den Wok etwa 7 cm hoch mit Wasser füllen. Den Fisch an den dicksten Stellen dreimal einschneiden, auf einen feuerfesten Teller legen und diesen auf den Eßstäbchen plazieren. Einen Deckel auflegen und das Wasser bei starker Hitze zum Kochen bringen. Den Fisch 15–20 Minuten dämpfen, dann den Herd ausschalten, das Gemüse auf dem Fisch verteilen und zugedeckt 3 Minuten stehen lassen.
4 Den gedämpften Fisch mit der Gemüsedecke auf eine vorgewärmte Servierplatte gleiten lassen. Das Öl in einem kleinen Topf bis zum Rauchpunkt erhitzen, dann behutsam über das Gemüse gießen. Dazu kleine Schälchen mit Sojasauce und Chilisauce und gedämpftem weißen Reis reichen.
HINWEIS: Das Öl muß so heiß sein, daß es das Gemüse ›aufknuspert‹. Sie können das heiße Öl nach Belieben auch bei Tisch über den Fisch gießen. Das Knistern ist recht beeindruckend.

NÄHRWERT PRO PORTION: 25 g Eiweiß, 35 g Fett, 2 g Kohlenhydrate, 1 g Ballaststoffe, 80 mg Cholesterin, 1860 kJ (440 kcal)

Oben: *Gedämpfter Fisch mit Knusperdecke*

GEDÄMPFTER FISCH MIT KNUSPERDECKE

Vorbereitungszeit: 25 Minuten
Gesamtkochzeit: 20 Minuten
Für 4 Personen

1 ganzer Schnappbarsch oder Meerbrasse (1 kg), ausgenommen und geschuppt
1/2 TL Salz
1/2 TL weißer Pfeffer
3 cm frischer Ingwer, in hauchdünne Scheibchen geschnitten
1 EL Sesamöl
1 EL Sojasauce
3 Frühlingszwiebeln
1 Selleriestange
1/2 rote Paprika
125 ml Öl

1 Den Fisch innen und außen gründlich waschen und mit Küchenpapier trockentupfen. Mit Salz und Pfeffer bestreuen und die Ingwerscheibchen in die Bauchhöhle geben. Das Sesamöl und die Sojasauce verrühren und den Fisch damit einstreichen.
2 Frühlingszwiebeln und Selleriestange in 4 cm lange Stücke zerteilen und diese in sehr feine Streifen schneiden. Die Paprika in streichholzgroße Stifte schneiden.

SCHWEINEFLEISCH SÜSS-SAUER

Vorbereitungszeit: 35 Minuten
Gesamtkochzeit: 25 Minuten
Für 4 Personen

1/2 TL Salz
350 g Schweinelende, in mundgerechte Stücke geschnitten
2 Eier, geschlagen
4 EL Stärke
Öl zum Fritieren
1 mittelgroße Möhre, in hauchdünne Scheiben geschnitten
1 mittelgroße Zwiebel, in kleine keilförmige Stücke geschnitten
160 g frische Ananas, gehackt
1/2 mittelgroße rote Paprika, in mundgerechte Stücke geschnitten
1/2 mittelgroße grüne Paprika, in mundgerechte Stücke geschnitten
1 Selleriestange, in Scheiben geschnitten
75 g süß eingelegtes chinesisches Gemüse, grobgehackt
3 EL Weißweinessig
3 EL Sojasauce
2 EL Tomatenmark (doppelt konzentriert)
2 EL feiner Zucker
2 EL Orangensaft
2 TL Stärke extra, angerührt mit 1 EL Wasser

1 Salz und Fleisch gründlich mischen. Fleischstükke in Ei tauchen, dann in Stärke wälzen. Die Stücke nebeneinander auf einem Teller ausbreiten.
2 Öl bei mittlerer Hitze im Wok erhitzen, jeweils 4 Fleischstücke etwa 3 Minuten goldbraun braten. Mit einem Schaumlöffel herausheben und auf saugfähigem Papier abtropfen lassen. Mit dem restlichen Fleisch ebenso verfahren.
3 Öl im Wok bis auf 1 EL abgießen, erneut erhitzen und Möhre, Zwiebel und Ananas 2 Minuten unter Rühren braten, bis sie soeben gar sind. Rote und grüne Paprika, Sellerie und eingelegtes Gemüse zugeben und 2 Minuten mitbraten.
4 Essig, Sojasauce, Tomatenmark, Zucker und Orangensaft in einer kleinen Schüssel mischen; die angerührte Stärke unterrühren. Die Mischung über das Gemüse gießen, unter ständigem Rühren zum Kochen bringen und leicht eindicken lassen. Das Fleisch wieder untermischen, so daß alle Stücke mit der Sauce überzogen sind. Auf einer Servierplatte anrichten und sofort servieren.
HINWEIS: Das in Stärke gewälzte Fleisch möglichst bald braten, da es durch längeres Stehen feucht wird.

NÄHRWERT PRO PORTION: 25 g Eiweiß, 4 g Fett, 30 g Kohlenhydrate, 3 g Ballaststoffe, 135 mg Cholesterin, 1135 kJ (270 kcal)

•

GERÄUCHERTES 5-GEWÜRZE-HUHN

•

Vorbereitungszeit: 30 Minuten (+ 4 Stunden Marinieren)
Gesamtkochzeit: 35 Minuten
Für 6 Personen

1 Huhn (ca. 1,7 kg)
60 ml Sojasauce
1 EL Ingwer, feingerieben
2 mittelgroße Stücke getrocknete Mandarinen- oder Tangerinenschale
1 ganzer Sternanis
1/4 TL 5-Gewürze-Pulver
3 EL brauner Zucker

•

1 Huhn unter kaltem Wasser waschen und mit Küchenkrepp trockentupfen. Störendes Fett im Inneren abschneiden.
2 Das Fleisch mit Sojasauce und Ingwer in eine große Schüssel (nicht aus Metall) geben und zugedeckt mindestens 4 Stunden im Kühlschrank ziehen lassen, zwischendurch hin und wieder wenden.
3 Einen kleinen Rost auf den Boden einer ausreichend großen Pfanne stellen. Bis knapp unter den Rost Wasser einfüllen. Das Fleisch auf den Rost legen. Das Wasser zum Kochen bringen, die Pfanne fest verschließen und das Huhn bei geringer Hitze 15 Minuten dämpfen. Den Herd ausschalten und das Huhn zugedeckt weitere 15 Minuten stehen lassen, dann in eine Schüssel legen.
4 Die Pfanne säubern und mit 3 oder 4 Lagen Alufolie auskleiden. Sternanis und getrocknete Mandarinen/Tangerinenschale im Mörser auf die Größe von Brotkrümeln zerstoßen oder in der Küchenmaschine zerkleinern. 5-Gewürze-Pulver und Zucker unterrühren und die Gewürzmischung gleichmäßig auf der Alufolie verteilen.
5 Den Rost erneut in die Pfanne stellen und das Huhn darauflegen. Die Pfanne mäßig erhitzen; sobald die Gewürzmischung anfängt zu rauchen, die Pfanne fest verschließen und das Huhn bei kleiner Hitze 20 Minuten räuchern. Mit einer Spicknadel an der Keule prüfen, ob das Fleisch gar ist: Beim Einstechen sollte klarer Saft austreten. Das Huhn aus der Pfanne nehmen und in Portionsstücke zerlegen (s. S. 11). Vorsicht, beim Räuchervorgang entsteht große Hitze. Daher die Pfanne auf dem Herd etwas abkühlen lassen, erst dann den Deckel abnehmen und das Huhn herausheben.

NÄHRWERT PRO PORTION: 25 g Eiweiß, 15 g Fett, 0 g Kohlenhydrate, 0 g Ballaststoffe, 95 mg Cholesterin, 980 kJ (235 kcal)

GERÄUCHERTES 5-GEWÜRZE-HUHN

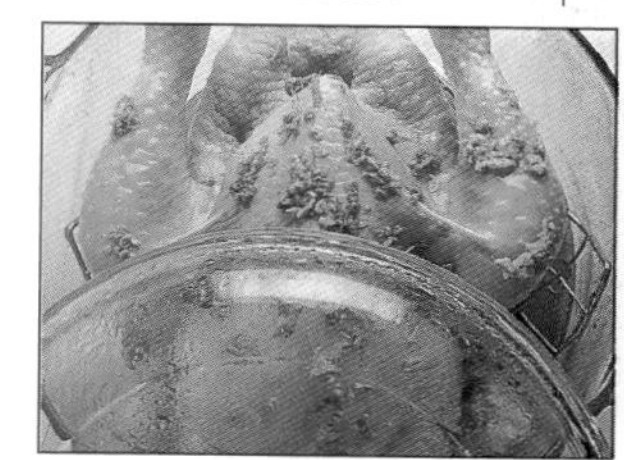

Einen kleinen Rost in eine Pfanne stellen, mit Wasser bis unter den Rost auffüllen und das Huhn darauflegen.

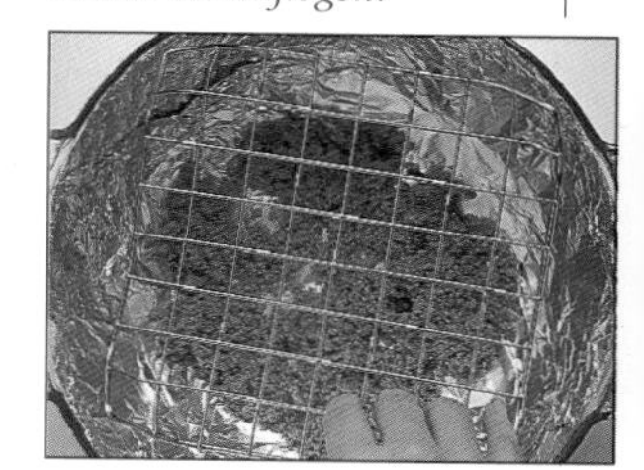

Die Gewürzmischung auf der mit Alufolie ausgelegten Pfanne verteilen und den Rost wieder daraufstellen.

Oben: *Geräuchertes 5-Gewürze-Huhn*

CHINESISCHES BLATTGEMÜSE

Einige Supermärkte bieten mittlerweile auch chinesisches Blattgemüse an. Chinesischer Blütenkohl oder Blattsenf (Choy Sum), chinesischer Blätterkohl (Bok Choy) und chinesischer Brokkoli (Gai Larn) lassen sich allesamt problemlos zubereiten: Den Wurzelansatz abschneiden, Blattstiele oder Blätter ablösen, gut abspülen und grob hacken. Alle Pflanzenteile lassen sich verwerten, auch die Stiele, wenngleich sie eine längere Garzeit als die Blätter benötigen. Doch die leuchtend grüne Farbe dieser Gemüse geht verloren, wenn sie übergart werden.

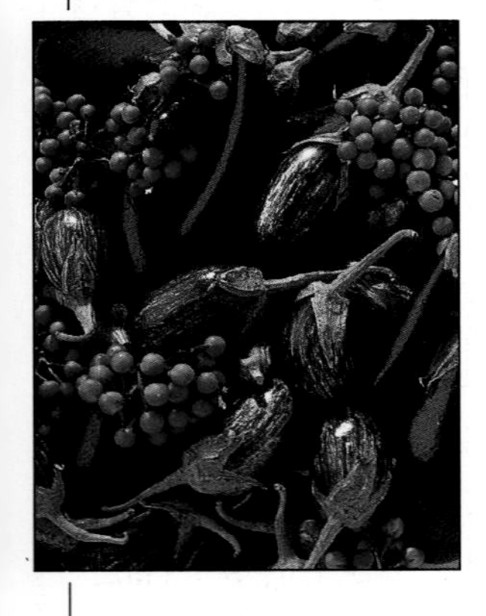

Oben: *China-Gemüse*

CHINA-GEMÜSE

•

Vorbereitungszeit: 10 Minuten
Gesamtkochzeit: 5 Minuten
Für 4 Personen

500 g chinesisches Blattgemüse (s. Hinweis)
2 TL Erdnußöl
1/2 TL Knoblauch, feingehackt
1 EL Austernsauce
1/2 TL feiner Zucker
2 EL Wasser
1 TL Sesamöl

•

1 Wasser in einem Topf zum Kochen bringen.
2 Gemüse waschen, harte Blätter entfernen und Stiele kürzen. In 3 gleich großen Portionen grob hacken.
3 Gemüse ins kochende Wasser geben. 1–2 Minuten kochen, daß es soeben gar, aber noch knackig ist. Aus dem Wasser nehmen, gründlich abtropfen lassen und auf einer vorgewärmten Servierplatte anrichten.
4 Erdnußöl erhitzen und den Knoblauch anbraten. Austernsauce, Zucker, Wasser und Sesamöl zugeben und aufkochen lassen. Die Sauce über das Gemüse gießen und gut durchrühren. Sofort servieren.
HINWEIS: Verwenden Sie Choy Sum, Bok Choy, Gai Larn oder eine Mischung aus zwei Sorten.

NÄHRWERT PRO PORTION: 1 g Eiweiß, 3 g Fett, 2 g Kohlenhydrate, 1 g Ballaststoffe, 0 mg Cholesterin, 180 kJ (40 kcal)

SCHWEINEFLEISCH MIT PFLAUMENSAUCE

•

Vorbereitungszeit: 15 Minuten
Gesamtkochzeit: ca. 15 Minuten
Für 4 Personen

3 EL Öl
2 Knoblauchzehen, feingehackt
1 große Zwiebel, in kleine Stücke geschnitten
500 g Schweinelende, in dünne Scheiben geschnitten
2 EL Stärke
1/2 TL Zucker
3 EL Pflaumensauce
1 EL Sojasauce
2 TL Hoisin-Sauce

•

1 1 EL Öl im Wok erhitzen. Knoblauch und Zwiebel anbraten, dann herausnehmen.
2 Fleisch in der Stärke wenden und kräftig salzen und pfeffern. Restliches Öl im Wok stark erhitzen, dann das Fleisch in 2 Portionen unter Rühren goldbraun braten. Das Fleisch mitsamt ausgetretenem Fleischsaft zurück in den Wok geben.
3 Pflaumensauce, Sojasauce, Hoisin-Sauce, Zwiebel und Knoblauch unterrühren und sofort servieren.

NÄHRWERT PRO PORTION: 30 g Eiweiß, 15 g Fett, 15 g Kohlenhydrate, 1 g Ballaststoffe, 60 mg Cholesterin, 1380 kJ (330 kcal)

PFANNENGERÜHRTES GEMÜSE

•

Vorbereitungszeit: 5 Minuten
Gesamtkochzeit: 4 Minuten
Für 4 Personen

1 Möhre
1 rote Paprika
125 g grüne Bohnen
1 EL Öl
1 TL Knoblauch, feingehackt
200 g Strohpilze (aus der Dose)
1½ TL Stärke
80 ml Hühnerbrühe
1 TL Sesamöl
1 TL feiner Zucker
2 TL Sojasauce

•

1 Möhre in dünne Scheiben schneiden. Paprika entkernen und in 4 cm große Stücke schneiden. Die Bohnen putzen und halbieren.
2 Öl in einem Wok erhitzen, dabei den Wok schwenken, um das Öl zu verteilen. Möhrenscheiben zugeben und bei starker Hitze 30 Sekunden unter Rühren braten. Knoblauch unterrühren, dann das restliche Gemüse und die Pilze zugeben und bei starker Hitze 2 Minuten pfannenrühren, so daß die Zutaten noch fest und knackig sind.
3 Die Stärke in etwas Brühe auflösen; mit der restlichen Brühe, Sesamöl, Zucker und Sojasauce mischen. In den Wok gießen und unter Rühren aufkochen lassen, bis die Sauce eindickt. Mit gedämpftem Reis servieren.

NÄHRWERT PRO PORTION: 4 g Eiweiß, 5 g Fett, 5 g Kohlenhydrate, 4 g Ballaststoffe, 0 mg Cholesterin, 420 kJ (100 kcal)

•

SÜSSE AUBERGINEN MIT KNOBLAUCH

•

Vorbereitungszeit: 5 Minuten
Gesamtkochzeit: 15 Minuten
Für 4 Personen

3 mittelgroße Auberginen
7 EL Öl
1½ TL Knoblauch, feingehackt
6 TL feiner Zucker
6 TL Sojasauce
6 TL Apfelessig
1 EL trockener Sherry

•

1 Auberginen längs halbieren und die Hälften erst in 3 cm breite, dann in 3 cm lange Stücke schneiden.

2 3 EL Öl in einem Wok erhitzen, behutsam schwenken, um das Öl im Wok zu verteilen. Die Hälfte der Auberginen zugeben und bei starker Hitze 5 Minuten unter Rühren braten, bis das Gemüse schön gebräunt und das Öl aufgesogen ist. Die Auberginen auf einen Teller geben und die andere Hälfte in 3 EL Öl pfannenrühren.
3 Restliches Öl im Wok erhitzen und den Knoblauch anbraten. Zucker, Sojasauce, Essig und Sherry zugeben und unter Rühren aufkochen lassen. Die Auberginen zurück in den Wok geben und 3 Minuten köcheln lassen, bis sie die Sauce aufgenommen haben. Mit weißem Reis servieren.
HINWEIS: Das Gericht kann bis zu 2 Tagen im voraus zubereitet und dann im Kühlschrank aufbewahrt werden. Bei Zimmertemperatur servieren.

NÄHRWERT PRO PORTION: 2 g Eiweiß, 35 g Fett, 10 g Kohlenhydrate, 4 g Ballaststoffe, 0 mg Cholesterin, 1520 kJ (360 kcal)

STÄRKE ALS SAUCENBINDER
Stärke bindet eine Sauce geschmacksneutral. Die Stärke mit etwas kaltem Wasser oder Brühe zu einer glatten, dünnflüssigen Paste verrühren. Den Wok oder die Pfanne ca. 1 Minute von der Herdplatte nehmen, dann die aufgelöste Stärke unterrühren, vorher nochmals kurz rühren, damit sie sich nicht am Gefäßboden absetzt. Die Sauce unter Rühren aufkochen und abbinden lassen.

Oben: *Süße Auberginen mit Knoblauch*

2 1 EL Öl im Wok erhitzen, ihn damit ausschwenken. Knoblauch, schwarzen Pfeffer, Zwiebel und Paprika zugeben und bei starker Hitze 1 Minute unter Rühren braten; alles herausnehmen.
3 Das restliche Öl in den Wok gießen und ihn damit ausschwenken. Das Fleisch ins heiße Öl geben und 2 Minuten bei starker Hitze pfannenrühren, bis es sich färbt. Bohnen, die aufgelöste Stärke und das Gemüse unterrühren. Die Sauce aufkochen und eindicken lassen. Dazu Reis servieren.

NÄHRWERT PRO PORTION: *25 g Eiweiß, 10 g Fett, 5 g Kohlenhydrate, 1 g Ballaststoffe, 65 mg Cholesterin, 980 kJ (235 kcal)*

Oben: *Rindfleisch in Bohnensauce*

RINDFLEISCH IN BOHNENSAUCE

Vorbereitungszeit: 10 Minuten
Gesamtkochzeit: 10 Minuten
Für 4 Personen

2 EL gesalzene schwarze Bohnen
1 mittelgroße Zwiebel
1 kleine rote Paprika
1 kleine grüne Paprika
2 TL Stärke
125 ml Rinderbrühe
2 TL Sojasauce
1 TL Zucker
2 EL Öl
1 TL Knoblauch, feingehackt
1/4 TL gemahlener schwarzer Pfeffer
400 g Rump- oder Filetsteak, in dünne Scheiben geschnitten

1 Bohnen mehrmals abspülen, abtropfen lassen und mit einer Gabel zerdrücken. Zwiebel in kleine keilförmige Stücke schneiden. Paprika halbieren, entkernen und kleinschneiden. Die Stärke in der Brühe auflösen, Sojasauce und Zucker unterrühren.

SAN CHOY BAU

Vorbereitungszeit: 30 Minuten (+ 20 Minuten Einweichen)
Gesamtkochzeit: ca. 12 Minuten
Für 4 Personen

2 getrocknete chinesische Pilze
2 EL Öl
200 g Schweinehackfleisch, nicht zu mager
100 g Hühnerhackfleisch
2 Knoblauchzehen, feingehackt
3 cm frischer Ingwer, feingerieben
1 Selleriestange, feingehackt
50 g grüne Bohnen, feingeschnitten
1/4 rote Paprika, feingehackt
50 g Wasserkastanien, gehackt
2 EL Austernsauce
1 EL Sojasauce
2 TL Golden Mountain-Sauce
1/4 TL Zucker
1 Eisbergsalat

1 Pilze 20 Minuten in heißem Wasser einweichen. Abtropfen lassen, die harten Stiele entfernen und die Pilzhüte fein hacken.
2 Die Hälfte des Öls im Wok erhitzen und Hackfleisch, Knoblauch und Ingwer unter Rühren braten, bis sich das Fleisch verfärbt. Sellerie, Bohnen und Paprika zugeben und 3 Minuten mitbraten. Wasserkastanien, Austern-, Soja- und Golden Mountain-Sauce sowie Zucker, Salz und Pfeffer unterrühren.
3 Zum Servieren die Salatblätter als Unterlage benutzen und je 1 gehäuften EL von der Füllung daraufgeben. Zusammenrollen und mit den Fingern essen.
HINWEIS: Falls das Schweinehackfleisch zu mager ist, wird die Füllung sehr trocken.

NÄHRWERT PRO PORTION: *20 g Eiweiß, 15 g Fett, 5 g Kohlenhydrate, 3 g Ballaststoffe, 45 mg Cholesterin, 965 kJ (230 kcal)*

RINDFLEISCH MIT BOK CHOY

•

Vorbereitungszeit: 20 Minuten
Gesamtkochzeit: 10 Minuten
Für 4 Personen

600 g Bok Choy (chinesischer Blätterkohl)
2 EL Öl
2 Knoblauchzehen, zerdrückt
250 g Rumpsteak, in dünne Scheiben geschnitten
2 EL Sojasauce
1 EL süßer Sherry
2 EL frisches Basilikum, gehackt
2 TL Sesamöl

•

1 Bok Choy waschen und abtropfen lassen. Die Blätter in feine Streifen schneiden. 1 EL Öl in einem Wok erhitzen und den Knoblauch 1/2 Minute unter Rühren braten.

2 Restliches Öl erhitzen. Das Fleisch portionsweise hineingeben und 3 Minuten bei starker Hitze pfannenrühren, bis das Fleisch gebräunt, aber noch nicht durchgebraten ist. Dann herausnehmen.

3 Bok Choy 30 Sekunden unter Rühren braten, bis er in sich zusammenfällt. Fleisch wieder in den Wok geben und Sojasauce und Sherry zugießen. 2–3 Minuten unter Rühren braten, bis das Fleisch gar ist.

4 Basilikum und Sesamöl unterrühren. Sofort servieren. Nach Belieben mit Streifen von roter Paprika garnieren.

HINWEIS: Choy Sum (chinesischer Blütenkohl) schmeckt ähnlich wie Bok Choy und ist somit ein guter Ersatz. Bok Choy hat große dunkelgrüne Blätter und lange weiße Stiele, Choy Sum dagegen lange grüne Blattstiele und kleine gelbe Blüten. Eine weitere Alternative ist der Baby-Bok-Choy.

NÄHRWERT PRO PORTION: 15 g Eiweiß, 15 g Fett, 1 g Kohlenhydrate, 1 g Ballaststoffe, 40 mg Cholesterin, 825 kJ (195 kcal)

Oben: *Rindfleisch mit Bok Choy*

INDONESIEN

Die indonesische Küche vereinigt ganz unterschiedliche Einflüsse, die die Geschichte des Landes widerspiegeln. Indonesische Gerichte sind einerseits würzig-scharf, da mit Kräutern und Chillies gewürzt wird, andererseits haben sie die milde Süße von frischer Kokosnuß, Palmzucker und Erdnüssen und die fruchtige Säure von Limetten, Zitronengras und Tamarinde. Zu den Mahlzeiten werden meist Schälchen mit Sambal gereicht – das sind würzige Relishes aus Kokosnuß, Chili und Garnelenpaste.

NASI GORENG

Das Omelett lösen und aus der Pfanne heben.

Knoblauch, Zwiebel, Chillies, Garnelenpaste, Koriander und Zucker glattrühren.

Rindfleisch und Garnelen unter Rühren braten, bis sie sich verfärben.

Den Reis unter Rühren braten, Klümpchen dabei zerdrücken.

NASI GORENG
(GEBRATENER REIS)

Vorbereitungszeit: 35 Minuten
Gesamtkochzeit: 30 Minuten
Für 4 Personen

2 Eier
1/4 TL Salz
80 ml Öl
3 Knoblauchzehen, feingehackt
1 Zwiebel, feingehackt
2 rote Chillies, entkernt und sehr fein gehackt
1 TL Garnelenpaste
1 TL Koriandersamen
1/2 TL Zucker
400 g rohe Garnelen, geschält und ausgenommen
200 g Rumpsteak, in dünne Scheiben geschnitten
200 g Langkornreis, gekocht und abgekühlt
2 TL Kecap Manis
1 EL Sojasauce
4 Frühlingszwiebeln, feingehackt
1/2 Kopfsalat, kleingeschnitten
1 Gurke, in dünne Scheiben geschnitten
3 EL Zwiebelringe, knusprig gebraten

1 Eier mit dem Salz schaumig schlagen. Eine Bratpfanne erhitzen und mit etwas Öl einpinseln. Etwa ein Viertel der Eimasse in die Pfanne gießen und 1–2 Minuten bei mittlerer Hitze braten, bis das Omelett fest wird. Wenden und das Omelett auf der anderen Seite 30 Sekunden garen. Das fertige Omelett aus der Pfanne heben, abkühlen lassen, dann zusammenrollen und in feine Streifen schneiden; beiseite stellen.

2 Knoblauch, Zwiebel, Chillies, Garnelenpaste, Koriander und Zucker in der Küchenmaschine oder im Mörser zu einer homogenen Paste verarbeiten.

3 1–2 EL Öl abnehmen und in einem Wok erhitzen. Die Paste zugeben und bei starker Hitze etwa 1 Minute braten, bis sie duftet. Garnelen und Rindfleisch zugeben und 2–3 Minuten unter Rühren braten, bis die Garnelen orangerot sind und das Rindfleisch gebräunt ist.

4 Das restliche Öl und den kalten Reis in den Wok geben und unter Rühren durchwärmen lassen; Klümpchen zerdrücken. Kecap Manis, Sojasauce und Frühlingszwiebeln unterrühren und 1 weitere Minute unter Rühren braten.

5 Den Salat am Rand einer großen Servierplatte anrichten. Den gebratenen Reis in die Mitte geben und mit Omelettstreifen, Gurkenscheiben und Zwiebelringen garnieren. Sofort servieren.

NÄHRWERT PRO PORTION: 25 g Eiweiß, 25 g Fett, 20 g Kohlenhydrate, 3 g Ballaststoffe, 240 mg Cholesterin, 1765 kJ (420 kcal)

Rechts: *Nasi Goreng*

RINDERFILET IN KOKOSSAUCE

•

Vorbereitungszeit: 15 Minuten (+ 60 Minuten Marinieren)
Gesamtkochzeit: 10 Minuten
Für 4 Personen

500 g Rinderfilet
2 Knoblauchzehen, zerdrückt
2 TL Zitronenschale, feingerieben
1 TL frischer Ingwer, gerieben
2 TL Koriander, gemahlen
1/2 TL Kurkuma, gemahlen
2 TL geriebener Palmzucker oder brauner Zucker
3 EL Erdnußöl
45 g Kokosraspel
3 Frühlingszwiebeln, in Streifen geschnitten
125 ml Kokosmilch

•

1 Fleisch in Scheiben schneiden. Zitronenschale, Knoblauch, Ingwer, Koriander, Kurkuma, Palmzukker und 2 EL Öl verrühren und Fleisch darin wenden. 1 Stunde im Kühlschrank marinieren.
2 Öl in einem Wok erhitzen und Fleisch portionsweise unter Rühren scharf anbraten. Kokosraspel und Frühlingszwiebeln zugeben und 1 Minute unter Rühren braten. Fleisch zurück in den Wok geben, Kokosmilch zugießen und rühren, bis alles gut durchgewärmt ist. Mit Reis servieren.

NÄHRWERT PRO PORTION: 30 g Eiweiß, 35 g Fett, 5 g Kohlenhydrate, 0 g Ballaststoffe, 85 mg Cholesterin, 1780 kJ (425 kcal)

FRITIERTER TOFU, PIKANT GEWÜRZT

•

Vorbereitungszeit: 10 Minuten
Gesamtkochzeit: 10 Minuten
Für 4 Personen

375 g fester Tofu
90 g Reismehl
2 TL Koriander, gemahlen
1 TL Kardamom, gemahlen
1 Knoblauchzehe, zerdrückt
125 ml Wasser
Öl zum Fritieren

•

1 Tofu abtropfen lassen und in 1 cm dicke Scheiben schneiden.
2 Reismehl, Koriander, Kardamom und Knoblauch mit Wasser zu einer glatten Paste verrühren.
3 Öl in einem großen Topf erhitzen. Die Tofuscheiben in die Würzpaste tauchen und gleichmäßig damit überziehen. Jeweils 3 Tofuscheiben ins heiße Öl geben und bei mittlerer Hitze etwa 2 Minuten fritieren, bis sie knusprig sind. Auf saugfähigem Papier abtropfen lassen.
HINWEIS: Fritierten Tofu zu pfannengerührtem Gemüse und einer Sauce nach Wahl reichen, zum Beispiel Erdnuß-, Chili- oder Sojasauce. Tofu ist geschmacksneutral und nimmt gut andere Aromen auf.

NÄHRWERT PRO PORTION: 10 g Eiweiß, 25 g Fett, 20 g Kohlenhydrate, 1 g Ballaststoffe, 0 g Cholesterin, 1320 kJ (315 kcal)

TOFU

Tofu oder Sojabohnenquark wurde angeblich vor mehr als 2000 Jahren von einem chinesischen Kaiser erfunden, als dieser zusammen mit einer Gruppe von Gelehrten an neuartigen Heilverfahren arbeitete und dabei entdeckte, wie man Sojamilch zum Gerinnen bringen konnte. In den Regionen Asiens, wo kaum Milch und Milchprodukte verzehrt werden, hat Tofu aufgrund seines hohen Kalzium- und Eiweißgehaltes eine lange Tradition. Außerdem ist er preiswert in der Herstellung und außerordentlich vielseitig und anpassungsfähig.

Oben: *Rinderfilet in Kokossauce*

GEBACKENE ZITRONEN-KÜKEN

•

Vorbereitungszeit: 30 Minuten (+ 60 Minuten Marinieren)
Gesamtkochzeit: 40 Minuten
Für 4 Personen

☆

4 küchenfertige Hühnerküken (je ca. 500 g)
2 mittelgroße Zwiebeln, gehackt
1 Frühlingszwiebel, gehackt
2 rote Chillies, gehackt
2 Knoblauchzehen, zerdrückt
60 ml Erdnußöl
60 ml Zitronensaft

•

1 Die Küken am Brustbein und am Rückenknochen entlang halbieren. Die Hälften ein wenig flachdrücken.
2 Zwiebeln, Frühlingszwiebel, Chillies, Knoblauch, Öl und Zitronensaft in der Küchenmaschine zu glatter Paste verarbeiten. Mischung über die Kükenhälften geben und zugedeckt 1 Stunde – besser noch über Nacht – im Kühlschrank ziehen lassen.
3 Den Backofen auf 180 °C (Gas: Stufe 4) vorheizen. Die Küken aus der Marinade heben, die Würzmischung zurückbehalten. Die Küken nebeneinander in eine feuerfeste Form legen und 40 Minuten backen, bis das Fleisch innen gar und außen knusprig braun ist; zwischendurch hin und wieder mit der Marinade bestreichen. Dazu Reis oder Nudeln und ein Gemüsegericht servieren.

NÄHRWERT PRO PORTION: 40 g Eiweiß, 40 g Fett, 5 g Kohlenhydrate, 1 g Ballaststoffe, 165 mg Cholesterin, 2305 kJ (550 kcal)

Unten: *Gebackene Zitronen-Küken*

•

ANANAS-CURRY

•

Vorbereitungszeit: 20 Minuten
Gesamtkochzeit: 15 Minuten
Für 4 Personen

1 mittelgroße Ananas
1 TL Kardamomsamen
1 TL Koriandersamen
1 TL Kreuzkümmelsamen
1/2 TL ganze Gewürznelken
2 EL Öl
2 Frühlingszwiebeln, in 2 cm lange Stücke geschnitten
2 TL frischer Ingwer, gerieben
4 Kemirinüsse, grobgehackt
1 TL Sambal Oelek
1 EL frische Minze, gehackt

•

1 Ananas schälen und halbieren, die harte Mitte entfernen und das Fruchtfleisch in 2 cm große Stücke schneiden.
2 Kardamom-, Koriander- und Kreuzkümmel mit Gewürznelken im Mörser zerstoßen.
3 Öl in einem mittelgroßen Topf erhitzen und Frühlingszwiebeln, Ingwer, Kemirinüsse und Gewürzmischung bei schwacher Hitze 3 Minuten unter Rühren braten.
4 Wasser zugießen, Sambal Oelek, Minze und Ananasstücke zugeben und kurz aufkochen lassen. Bei milder Hitze zugedeckt 10 Minuten köcheln, bis die Ananasstücke weich sind, aber noch nicht zerfallen. Das Curry als Beilage reichen.
HINWEIS: Falls die Ananas ein wenig herb im Geschmack ist, 1–2 Teelöffel Zucker zugeben. Anstelle von frischer Ananas können auch 450 g Ananasstücke aus der Dose (ohne Flüssigkeit) verwendet werden.

NÄHRWERT PRO PORTION: 5 g Eiweiß, 10 g Fett, 35 g Kohlenhydrate, 10 g Ballaststoffe, 0 mg Cholesterin, 1095 kJ (260 kcal)

RIESENGARNELEN MIT ERDNÜSSEN

•

Vorbereitungszeit: 20 Minuten (+ 60 Minuten Marinieren)
Gesamtkochzeit: 3 Minuten
Für 4 Personen

1¼ kg rohe Riesengarnelen
4 Frühlingszwiebeln, gehackt
1 Knoblauchzehe, zerdrückt
1 TL frischer Ingwer, gerieben
1 TL Sambal Oelek
1 TL Koriander, gemahlen
½ TL Kurkuma, gemahlen
1 TL Zitronenschale, gerieben
1 EL Zitronensaft
110 g ungesalzene geröstete Erdnüsse, gehackt
2 EL Erdnußöl

•

1 Von den Garnelen die Schalen bis auf die Schwänze abtrennen. Die Garnelen am Rücken aufschlitzen und ausnehmen.
2 Garnelen mit Frühlingszwiebeln, Knoblauch, Ingwer, Sambal Oelek, Koriander, Kurkuma, geriebener Zitronenschale, Zitronensaft und Erdnüssen mischen und zugedeckt 1 Stunde im Kühlschrank ziehen lassen.
3 Öl in einer Bratpfanne erhitzen und Garnelenmischung darin bei starker Hitze etwa 3 Minuten unter Rühren braten, bis sie gar ist. Mit Reis servieren.

NÄHRWERT PRO PORTION: 30 g Eiweiß, 25 g Fett, 5 g Kohlenhydrate, 2 g Ballaststoffe, 170 mg Cholesterin, 1515 kJ (360 kcal)

Oben: *Riesengarnelen mit Erdnüssen*

•

INDONESISCHES GEWÜRZHUHN

•

Vorbereitungszeit: 25 Minuten
Gesamtkochzeit: 60 Minuten
Für 6 Personen

1½ kg Hühnerschenkel
1 große Zwiebel, grobgehackt
2 TL Knoblauch, zerdrückt
1 TL frischer Ingwer, gerieben
½ TL Kurkuma, gemahlen
½ TL gemahlener Pfeffer
2 TL Koriander, gemahlen
1 TL Salz
3 Streifen Zitronenschale oder 3 frische Blätter von Kaffir-Limetten
410 ml Kokosmilch
250 ml Wasser
2 TL geriebener Palmzucker oder brauner Zucker

1 Hühnerschenkel unter fließendem kaltem Wasser abspülen und mit Küchenpapier trockentupfen. Störendes Fett abschneiden.
2 Zwiebel, Knoblauch und Ingwer in der Küchenmaschine zu einer glatten Paste verarbeiten, gegebenenfalls mit etwas Wasser verdünnen.
3 Die Hühnerschenkel mit der Zwiebelpaste und den restlichen Zutaten in einen großen Topf geben und langsam zum Kochen bringen. Bei reduzierter Hitze zugedeckt 45 Minuten köcheln, bis das Fleisch gar ist; dabei gelegentlich umrühren. Die Hühnerschenkel auf einen Teller geben und die Zitronenschale oder die Limettenblätter wegwerfen.
4 Die verbliebene Sauce zum Kochen bringen und bei mäßig starker Hitze im offenen Topf stark eindicken lassen, dabei gelegentlich umrühren.
5 Die Hühnerschenkel auf ein leicht geöltes Backblech legen und bei starker Hitze auf beiden Seiten rösten. Zum Servieren die Schenkel mit der Sauce übergießen oder die Sauce getrennt dazu reichen.

NÄHRWERT PRO PORTION: 35 g Eiweiß, 20 g Fett, 5 g Kohlenhydrate, 0 g Ballaststoffe, 115 mg Cholesterin, 1460 kJ (350 kcal)

FREMDE EINFLÜSSE
Das indonesische Archipel war lange Zeit fremden Einflüssen ausgesetzt: sei es durch die Inder, die arabischen Händler, die chinesischen Kaufleute oder die portugiesischen, holländischen und britischen Kolonialherren. Die reiche Vielfalt der indonesischen Küche, insbesondere in den Küstenregionen, spiegelt diese Beziehungen wider. In anderen Landesteilen bestimmen landestypische Produkte wie frische Wurzeln und Kräuter, Zucker und Kokosmilch den Speisezettel.

GADO GADO

Den Tofublock erst in Scheiben schneiden und diese dann fein würfeln.

Kartoffelscheiben in einer Pfanne auslegen und mit Wasser bedecken.

Die blanchierten Möhren und Bohnen in Eiswasser tauchen.

Kecap Manis und Tomatensauce hinzufügen.

Oben: *Gado Gado*

GADO GADO

(GEMÜSEPLATTE MIT ERDNUSS-SAUCE)

•

Vorbereitungszeit: 50 Minuten
Gesamtkochzeit: 20 Minuten
Für 4 Personen

250 g Kartoffeln
2 mittelgroße Möhren
200 g grüne Bohnen
1/4 Kohlkopf (z. B. Chinakohl oder Wirsing), in feine Streifen geschnitten
3 hartgekochte Eier, gepellt
200 g Sojabohnensprossen, holzige Enden entfernt
1/2 Gurke, in Scheiben geschnitten
150 g fester Tofu, feingewürfelt
80 g ungesalzene geröstete Erdnüsse, grobgehackt

•

Erdnuß-Sauce
1 EL Öl
1 große Zwiebel, sehr fein gehackt
2 Knoblauchzehen, feingehackt
2 rote Chillies, sehr fein gehackt
1 TL Garnelenpaste (nach Belieben)
250 g körnige Erdnußbutter
250 ml Kokosmilch
250 ml Wasser
2 TL Kecap Manis
1 EL Tomatensauce

•

1 Kartoffeln schälen und in dicke Scheiben schneiden. In einer Pfanne mit kaltem Wasser bedecken und zum Kochen bringen. Die Hitze reduzieren und die Kartoffelscheiben in etwa 6 Minuten bißfest garen. Abgießen und abkühlen lassen.

2 Möhren in dicke Scheiben schneiden. Bohnen putzen und in mundgerechte Stücke (ca. 4 cm lang) schneiden. Einen großen Topf mit Wasser aufsetzen, Möhren und Bohnen ins kochende Wasser geben und 2–3 Minuten blanchieren. Das

Gemüse mit einem Sieb herausnehmen und dann kurz in Eiswasser tauchen. Gründlich abtropfen lassen.

3 Den kleingeschnittenen Kohl etwa 20 Sekunden blanchieren. Herausnehmen und kurz in Eiswasser tauchen. Gründlich abtropfen lassen.

4 Die Eier vierteln oder halbieren. Das ganze Gemüse mit Eiern und Tofu auf einer großen Servierplatte anrichten. Mit Frischhaltefolie abdecken und in den Kühlschrank stellen.

5 Für die Erdnußsauce das Öl in einer gußeisernen Pfanne erhitzen und Zwiebel und Knoblauch bei geringer Hitze 8 Minuten unter ständigem Rühren braten. Chillies und Garnelenpaste unterrühren und 1 Minute mitbraten. Die Pfanne von der Herdplatte nehmen und die Erdnußbutter untermischen. Die Pfanne wieder auf den Herd stellen und die mit dem Wasser verdünnte Kokosmilch unterrühren. Die Flüssigkeit bei milder Hitze unter ständigem Rühren zum Kochen bringen. Die Hitze weiter reduzieren, Kecap Manis und Tomatensauce zugeben und eine weitere Minute köcheln. Abkühlen lassen.

6 Etwas Erdnußsauce über das Gemüse träufeln, mit den gehackten Erdnüssen garnieren und die restliche Sauce getrennt dazu reichen.

HINWEIS: Mit Erdnußbutter aus dem Naturkostladen schmeckt die Sauce am besten. Achten Sie darauf, daß das Gemüse noch bißfest ist.

NÄHRWERT PRO PORTION: 35 g Eiweiß, 65 g Fett, 25 g Kohlenhydrate, 15 g Ballaststoffe, 160 mg Cholesterin, 3520 kJ (840 kcal)

•

HÜHNERSUPPE MIT REISNUDELN UND GEMÜSE

•

Vorbereitungszeit: 15 Minuten
Gesamtkochzeit: 45 Minuten
Für 4 Personen

1 kg Hühnerfleisch, zerlegt
1½ l Wasser
6 Frühlingszwiebeln, gehackt
¼ TL Salz
¼ TL Pfeffer
2 cm frischer Ingwer, in hauchdünne Scheibchen geschnitten
2 Lorbeerblätter
2 EL Sojasauce
100 g getrocknete Reis-Vermicelli
50 g Blattspinat, grobgehackt
2 Selleriestangen, in hauchdünne Scheiben geschnitten
200 g Sojabohnensprossen, holzige Enden entfernt
zum Garnieren: Zwiebelringe, knusprig gebraten
zum Servieren: Chilisauce

•

1 Fleisch mit Wasser in einem mittelgroßen Topf aufsetzen und zum Kochen bringen; regelmäßig Schaum abschöpfen. Frühlingszwiebeln, Salz, Pfeffer, Ingwer, Lorbeerblätter und Sojasauce zugeben und 30 Minuten köcheln lassen.

2 Die Nudeln mit kochendem Wasser übergießen und zugedeckt etwa 10 Minuten einweichen, dann abgießen und abtropfen lassen.

3 Nudeln, Blattspinat, Sellerie und Bohnensprossen auf einer Servierplatte anrichten. Bei Tisch bedient sich jeder Gast selbst: zuerst eine Portion Nudeln und Gemüse in die Suppenschale füllen, dann die Hühnersuppe (mit einigen Stückchen Hühnerfleisch darin) darüber gießen. Gebratene Zwiebelringe aufstreuen und die Suppe mit Chilisauce würzen.

NÄHRWERT PRO PORTION: 40 g Eiweiß, 5 g Fett, 25 g Kohlenhydrate, 3 g Ballaststoffe, 115 mg Cholesterin, 1315 kJ (315 kcal)

BOHNENSPROSSEN SELBER ZIEHEN

Sprossen kann man problemlos selber ziehen: Dazu ¼ Tasse getrocknete Mungobohnen in ein großes Einmachglas geben (die fertigen Sprossen nehmen etwa 10mal soviel Platz ein wie die getrockneten Bohnen). Die Bohnen gründlich abspülen, dann 12 Stunden in kaltem Wasser aufquellen lassen. Das Wasser abgießen, das Glas mit feuchter Gaze und Gummiband verschließen und an einen warmen, nicht zu hellen Ort stellen. Zweimal täglich durchspülen und gut abtropfen lassen, da die Sprossen bei Staunässe im Gefäß muffig werden oder faulen. Nach 4–5 Tagen haben die Sprossen die richtige Größe – etwa 2,5 cm. Erneut gründlich kalt abspülen, in einen Plastikbeutel umfüllen und im Kühlschrank aufbewahren.

WÜRZIGES BRATHUHN

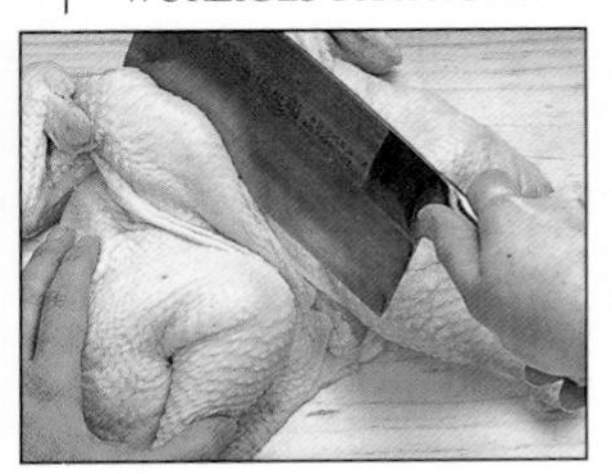

Das Huhn am Brustbein und am Rückenknochen entlang in zwei Hälften spalten.

Chillies, Knoblauch, Pfefferkörner und Zucker zu einer glatten Paste verarbeiten.

Das Huhn rundherum mit der Würzmischung bestreichen.

Oben: *Würziges Brathuhn*

WÜRZIGES BRATHUHN

•

Vorbereitungszeit: 20 Minuten
Gesamtkochzeit: 40 Minuten
Für 4–6 Personen

1 Huhn (etwa 1,6 kg)
3 TL rote Chillies, gehackt
3 Knoblauchzehen
2 TL Pfefferkörner, zerstoßen
2 TL brauner Zucker
2 EL Sojasauce
2 TL Kurkuma, gemahlen
1 EL Limettensaft
30 g kalte Butter, in Stücke geschnitten

•

1 Den Backofen auf 180 °C (Gas: Stufe 4) vorheizen.

2 Das Huhn am Brustbein und am Rückenknochen entlang mit einem großen Küchenbeil in zwei Hälften spalten. Die Flügelspitzen zuerst nach hinten biegen und sie anschließend unter den Rücken stecken, damit sie nicht anbrennen. Das Huhn mit der Hautseite nach oben auf den Backofenrost legen, die Fettpfanne unterschieben und 30 Minuten rösten.

3 In der Zwischenzeit Chillies, Knoblauch, Pfefferkörner und Zucker in der Küchenmaschine oder im Mörser stoßweise zu einer glatten Paste verarbeiten. Sojasauce, Kurkuma und Limettensaft zugeben.

4 Das Huhn mit der Würzmischung bestreichen, Butterstückchen auflegen und das Huhn weitere 25–30 Minuten im Ofen backen, bis es innen gar und außen schön rot ist. Heiß oder mit Zimmertemperatur servieren.

NÄHRWERT PRO PORTION (6): 25 g Eiweiß, 10 g Fett, 2 g Kohlenhydrate, 0 g Ballaststoffe, 90 mg Cholesterin, 775 kJ (185 kcal)

RINDFLEISCHSUPPE MIT REISNUDELN

•

Vorbereitungszeit: 30 Minuten (+ 60 Minuten Marinieren)
Gesamtkochzeit: 60 Minuten
Für 4 Personen

350 g Filetsteak
2 TL Sojasauce
60 ml Kokosmilch
1 EL körnige Erdnußbutter
2 EL geriebener Palmzucker oder brauner Zucker
2 TL Sambal Oelek
1 TL Öl
125 g getrocknete dünne Reis-Vermicelli
1½ l Rinderbrühe
2 EL Fischsauce
1 Schmorgurke
90 g Sojabohnensprossen, braune Enden entfernt
2 Salatblätter, kleingeschnitten
6 EL frische Minze, feingehackt
80 g ungesalzene geröstete Erdnüsse, feingehackt

1 Fleisch von Fett und Sehnen befreien und quer zur Muskelfaser in dünne Scheiben schneiden.
2 Sojasauce, Kokosmilch, Erdnußbutter, Sambal Oelek und 1 EL Zucker verrühren, das Fleisch darin wenden und zugedeckt 1 Stunde im Kühlschrank ziehen lassen.
3 Öl in einer Bratpfanne erhitzen und das marinierte Fleisch darin in kleinen Portionen bei starker Hitze 3 Minuten braun braten. Von der Kochstelle nehmen und abdecken.
4 Die Reis-Vermicelli 10 Minuten in heißem Wasser einweichen. Abgießen und abtropfen lassen.
5 Brühe in einem großen Topf zum Kochen bringen. Nach dem Aufkochen den zweiten Eßlöffel Zucker und die Fischsauce zugeben.
6 Die Gurke erst längs vierteln und anschließend in dünne Scheiben schneiden. Jeweils 1 EL Gurkenscheibchen in jede Suppenschale geben; Bohnensprossen, Salat und gehackte Minze gleichmäßig auf die Schalen verteilen, dann Reis-Vermicelli und eine Kelle Brühe zugeben. Gebratenes Rindfleisch hineingeben, mit Erdnüssen garnieren und sofort servieren.

NÄHRWERT PRO PORTION: 30 g Eiweiß, 25 g Fett, 45 g Kohlenhydrate, 5 g Ballaststoffe, 65 mg Cholesterin, 2150 kJ (515 kcal)

Oben: *Rindfleischsuppe mit Reisnudeln*

GEBACKENE FISCHKOTELETTS, PIKANT GEWÜRZT

•

Vorbereitungszeit: 15 Minuten
Gesamtkochzeit: 30 Minuten
Für 4 Personen

1 EL Öl
1 mittelgroße Zwiebel, sehr fein gehackt
2 Knoblauchzehen, feingehackt
5 cm frischer Ingwer, feingerieben
1 TL Koriander, gemahlen
1 Stengel Zitronengras (nur der weiße Teil), feingehackt
2 TL Tamarindenkonzentrat
2 TL Zitronenschale, sehr fein gerieben
4 kleine Fischkoteletts, z. B. vom Kabeljau
zum Garnieren: Limettenstücke

•

1 Den Backofen auf 160 °C (Gas: Stufe 2–3) vorheizen.
2 Öl in einer Bratpfanne erhitzen, Zwiebel, Knoblauch, Ingwer, Koriander und Zitronengras zugeben und bei mittlerer Hitze 5 Minuten unter Rühren braten, bis die Mischung duftet.
3 Tamarindenkonzentrat und Zitronenschale zugeben und mit frisch gemahlenem schwarzem Pfeffer würzen. Abkühlen lassen.
4 Eine Fettpfanne mit Alufolie auslegen und leicht einölen, damit der Fisch nicht anhaftet. Die Fischkoteletts nebeneinander in die Pfanne legen und 10 Minuten im Ofen backen. Behutsam wenden, mit der Würzpaste bestreichen und 8 Minuten weiterbacken, bis sich das Fleisch leicht mit einer Gabel zerteilen läßt. Den Fisch nicht zu lange garen, weil er sonst austrocknet. Mit Limettenspalten garnieren und gedämpften Reis dazu servieren.
HINWEIS: Bei dickeren Koteletts die Garzeit entsprechend verlängern.

NÄHRWERT PRO PORTION: 15 g Eiweiß, 5 g Fett, 2 g Kohlenhydrate, 1 g Ballaststoffe, 180 mg Cholesterin, 520 kJ (125 kcal)

Unten: *Gebackene Fischkoteletts, pikant gewürzt*

•

FEURIG-SCHARFES GARNELEN-CURRY

•

Vorbereitungszeit: 45 Minuten
Gesamtkochzeit: 35 Minuten
Für 4 Personen

Würzpaste
6 kleine getrocknete rote Chillies
1 TL Garnelenpaste
1 TL Koriandersamen
1 große rote Zwiebel, grobgehackt
6 Knoblauchzehen
4 frische rote Chillies, grobgehackt
2 frische grüne Chillies, grobgehackt
4 cm frischer Galgant, grobgehackt
1 Stengel Zitronengras (nur der weiße Teil), in Ringe geschnitten
6 Kemirinüsse
1/2 TL Kurkuma, gemahlen
1 EL Öl

•

500 g mittelgroße rohe Garnelen
250 g frische Ananas
250 g Kartoffeln
1 EL Öl
250 ml Kokosmilch
125 ml Wasser
2 EL Tamarindenkonzentrat
1 TL Zucker
1 TL Salz

•

1 Für die Würzpaste getrocknete Chillies in heißem Wasser einweichen, dann abgießen und abtropfen lassen. Die Garnelenpaste in Alufolie wickeln und 1–2 Minuten bei mäßiger Hitze im Backofen grillen. Koriandersamen in einer kleinen Pfanne trocken anrösten, bis ihr Aroma freigesetzt wird. Zwiebel, Knoblauch und abgetropfte rote Chillies in der Küchenmaschine pürieren. Garnelenpaste, Koriandersamen, frische rote und grüne Chillies, Galgant und Zitronengras zugeben und weiterpürieren. Kemirinüsse, Kurkuma und Öl zufügen und alles zu einer glatten Paste verarbeiten.

2 Garnelen schälen und ausnehmen, die Schwänze aber ganz lassen. Ananas in mundgerechte Stücke schneiden. Die Kartoffeln in etwas größere Stücke schneiden.
3 Die Kartoffelstücke in einen großen Topf geben, der knapp mit Wasser bedeckt ist, und sie 5 Minuten bißfest garen. Abgießen und dann beiseite stellen.
4 Öl in einer großen Pfanne erhitzen und die Würzpaste bei mittlerer Hitze 5 Minuten unter ständigem Rühren braten. Ananas, Kartoffeln, Kokosmilch und Wasser zugeben und die Flüssigkeit zum Kochen bringen. Die Hitzezufuhr reduzieren, die Garnelen zufügen und 5 Minuten köcheln lassen. Tamarindenkonzentrat, Zucker und Salz unterrühren. Dazu eine große Schüssel mit gedämpftem Reis servieren.

NÄHRWERT PRO PORTION: *15 g Eiweiß, 25 g Fett, 20 g Kohlenhydrate, 5 g Ballaststoffe, 120 mg Cholesterin, 1610 kJ (385 kcal)*

MEE GORENG
(GEBRATENE NUDELN)

Vorbereitungszeit: 45 Minuten
Gesamtkochzeit: 30 Minuten
Für 4 Personen

1 kg rohe Garnelen
250 g Rumpsteak
1 große Zwiebel, feingehackt
2 Knoblauchzehen, feingehackt
2 rote Chillies, entkernt und feingehackt
2 cm frischer Ingwer, gerieben
60 ml Öl
350 g Hokkien-Nudeln, vorsichtig entwirrt
4 Frühlingszwiebeln, gehackt
1 große Möhre, in streichholzgroße Stifte geschnitten
2 Selleriestangen, in streichholzgroße Stifte geschnitten
1 EL Kecap Manis
1 EL Sojasauce
1 EL Tomatensauce
zum Garnieren: Frühlingszwiebeln extra

1 Garnelen schälen und ausnehmen. Das Rumpsteak in dünne Scheiben schneiden.
2 Zwiebel, Knoblauch, Chillies und Ingwer in einer Küchenmaschine stoßweise zu einer glatten Paste verarbeiten oder im Mörser fein zerstoßen; gegebenenfalls mit etwas Öl verdünnen. Bis zur Weiterverwendung beiseite stellen.
3 Vom Öl 1 EL abnehmen und in einem großen Wok erhitzen. Die Nudeln hineingeben und bei mittlerer Hitze unter Rühren braten, bis sie aufgegangen und durchgewärmt sind. Die gebratenen Nudeln auf eine Servierplatte geben und zugedeckt warm halten.
4 Einen weiteren EL Öl im Wok erhitzen und die Würzpaste darin unter Rühren goldbraun braten. Garnelen, Steak, Frühlingszwiebeln, Möhre und Sellerie zufügen und 2–3 Minuten unter Rühren mitbraten. Kecap Manis, Soja- und Tomatensauce unterrühren und das Ganze mit Salz und Pfeffer abschmecken. Die Mischung mit der Schöpfkelle über die Nudeln geben und Frühlingszwiebeln als Garnierung aufstreuen. Sofort servieren.

NÄHRWERT PRO PORTION: *45 g Eiweiß, 20 g Fett, 70 g Kohlenhydrate, 3 g Ballaststoffe, 280 mg Cholesterin, 2755 kJ (655 kcal)*

MEE GORENG

Die Hokkien-Nudeln vor dem Pfannenrühren vorsichtig entwirren.

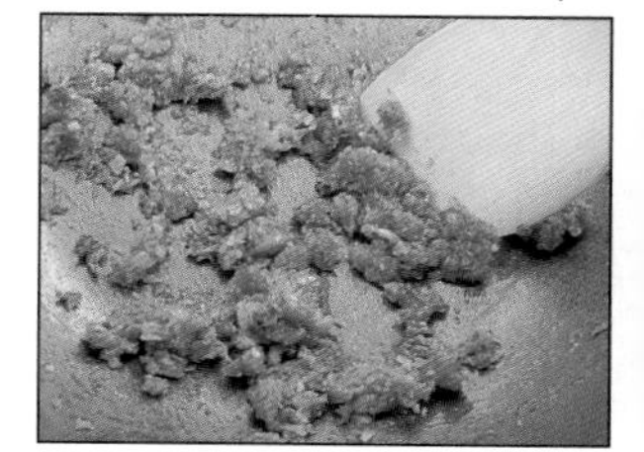

Die Würzpaste unter Rühren goldbraun braten.

Oben: *Mee Goreng*

SATAY & KEBAB

Damit die verwendeten Holzspieße nicht verbrennen, bevor das Fleisch gar ist, legt man sie mindestens 30 Minuten in Wasser. Die Enden dazu mit Alufolie umwickeln.

HÜHNER-SATAY

500 g Hühnerbrustfleisch längs halbieren. In einer metallfreien Schüssel 1 EL Honig, 60 ml Sojasauce, 2 TL Sesamöl, 1 TL gemahlene Kurkuma, 1 TL gemahlenen Koriander und ½ TL Chilipulver verrühren. Hühnerfleisch ziehharmonikaförmig auf eingeweichte Holzspieße stecken und die Fleischspieße in die Marinade legen. Zugedeckt mindestens 2 Stunden im Kühlschrank ziehen lassen. Für die schnelle Satay-Sauce 1 kleine feingehackte Zwiebel in 1 EL Öl glasig werden lassen und dann folgende Zutaten unterrühren: 125 g körnige Erdnußbutter, 2 EL Sojasauce, 125 ml Kokoscreme und 2 EL süße Chilisauce. Alles bei geringer Hitze zu einer sämigen Sauce einkochen lassen. Die Fleischspieße im vorgeheizten Ofen 5–7 Minuten grillen, dabei mehrmals wenden und mit der Marinade bestreichen. Die Spieße mit warmer Satay-Sauce reichen.
Ergibt 8 Stück.

NÄHRWERT PRO SATAY: 20 g Eiweiß, 15 g Fett, 10 g Kohlenhydrate, 2 g Ballaststoffe, 45 mg Cholesterin, 1090 kJ (260 kcal)

TERIYAKI-STEAK-KEBAB

750 g mageres Rumpsteak in dünne Streifen von etwa 15 cm Länge schneiden und diese auf Holzspieße stecken. Die folgenden Zutaten in einer flachen, metallfreien Schüssel verrühren: 125 ml Sojasauce, 125 ml Sherry oder Sake, 1 zerdrückte Knoblauchzehe und je 1 TL gemahlenen Ingwer und Zucker. Die Fleischspieße in die Marinade legen und zugedeckt mindestens 60 Minuten im Kühlschrank ziehen lassen. Abtropfen lassen und die Fleischspieße auf einem geölten Blech oder Grillteller im vorgeheizten Ofen auf beiden Seiten jeweils 3–4 Minuten grillen. Ergibt 24 Grillspießchen.

NÄHRWERT PRO KEBAB: 10 g Eiweiß, 1 g Fett, 1 g Kohlenhydrate, 0 g Ballaststoffe, 20 mg Cholesterin, 195 kJ (45 kcal)

AUFGESPIESSTE KOFTA

Folgende Zutaten mischen: 750 g Rinderhackfleisch, 1 kleine geriebene Zwiebel, 30 g gehackte Petersilie, 2 EL gehackten Koriander, je 1/2 TL gemahlenen Kreuzkümmel, geriebene Muskatnuß und gemahlenen Kardamom sowie je 1/2 TL getrockneten Oregano und Minze. 1 Stunde stehen lassen. Mit nassen Händen aus der Mischung 24 Röllchen formen. Jeweils 2 Fleischröllchen mit einer Limettenspalte dazwischen aufspießen. Die Kofta auf einem Blech oder Grillteller unter den heißen Grill schieben und 10–12 Minuten garen, dabei mehrmals wenden. Ergibt 12 Fleischspieße.

NÄHRWERT PRO SPIESS: 15 g Eiweiß, 5 g Fett, 0 g Kohlenhydrate, 0 g Ballaststoffe, 40 mg Cholesterin, 470 kJ (100 kcal)

MALAYSISCHES LAMM-SATAY

500 g Lammfilet von Fett und Sehnen befreien. Das Fleisch quer zur Muskelfaser in hauchdünne Streifen schneiden (das Fleisch vorher 30 Minuten ins Gefrierfach legen; so läßt es sich leichter schneiden). Folgende Zutaten in der Küchenmaschine zu glatter Paste verarbeiten: 1 grobgehackte Zwiebel, 2 zerdrückte Knoblauchzehen, 1 Zitronengrasstange, etwa 2 cm lang (nur der weiße Teil), 2 Scheiben frischen Galgant, 1 TL gehackten frischen Ingwer, 1 TL gemahlenen Kreuzkümmel, 1/2 TL gemahlenen Fenchelsamen, 1 EL gemahlenen Koriander, 1 TL gemahlene Kurkuma, 1 EL braunen Zucker und 1 EL Zitronensaft. Die Paste in eine metallfreie Schüssel füllen, das Fleisch darin wenden und zugedeckt über Nacht in den Kühlschrank stellen. Fleisch auf Holzspieße stecken und auf einem Backblech unter den heißen Grill schieben (3–4 Minuten auf jeder Seite), bis es gar ist. Beim Grillen mehrmals mit der übrigen Würzpaste bestreichen. Ergibt 8 Fleischspieße.

NÄHRWERT PRO SATAY ETWA: 15 g Eiweiß, 2 g Fett, 3 g Kohlenhydrate, 0 g Ballaststoffe, 40 mg Cholesterin, 380 kJ (90 kcal)

CHILI-SCHWEINEFLEISCH-KEBAB

500 g Schweinefilet von Fett und Sehnen befreien und in kleine Würfel schneiden. Für die Marinade folgende Zutaten verrühren: 2 EL süße Chilisauce, 2 EL Tomatensauce, 2 EL Hoisin-Sauce, 2 zerdrückte Knoblauchzehen, 3 EL Zitronensaft, 2 EL Honig und 2 TL geriebenen frischen Ingwer. Das Fleisch in die Marinade legen. Zugedeckt einige Stunden im Kühlschrank ziehen lassen. Das Fleisch auf Spieße stecken, diese auf ein Backblech legen und unter den heißen Grill schieben. 3–4 Minuten auf jeder Seite grillen, zwischendurch mehrmals mit übriger Marinade bestreichen. Mit Satay-Sauce (s. S. 60) servieren. Ergibt 8 Spieße .

NÄHRWERT PRO KEBAB: 15 g Eiweiß, 1 g Fett, 10 g Kohlenhydrate, 1 g Ballaststoffe, 30 mg Cholesterin, 490 kJ (115 kcal)

Von links nach rechts: *Hühner-Satay, Aufgespießte Kofta, Malaysisches Lamm-Satay, Chili-Schweinefleisch-Kebab, Teriyaki-Steak-Kebab*

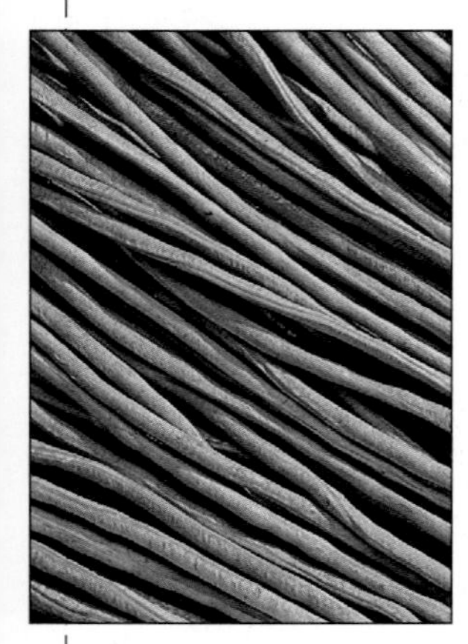

Oben: *Gemüsesalat mit pikantem Dressing*

GEMÜSESALAT MIT PIKANTEM DRESSING

•

Vorbereitungszeit: 15 Minuten
Gesamtkochzeit: 8 Minuten
Für 4 Personen

300 g grüne Bohnen oder Schlangenbohnen
10 Spinatblätter
80 g Zuckererbsensprossen
1 rote Paprika
1 rote Zwiebel
100 g Sojabohnensprossen, braune Enden entfernt

•

Dressing
2 EL Erdnußöl
1 Knoblauchzehe, zerdrückt
1 TL frischer Ingwer, gerieben
1 kleiner roter Chili, gehackt
2 EL Kokosraspel
1 EL schwarzer Reisessig
80 ml Wasser

•

1 Bohnen putzen und in 10 cm lange Stücke schneiden. Die Stengel von den Spinatblättern entfernen und die Blätter in feine Streifen schneiden. Zuckererbsensprossen um etwa 1 cm kürzen. Paprika entkernen und in schmale Streifen schneiden. Zwiebel in hauchdünne Scheiben schneiden.
2 Bohnen in einen großen Topf mit kochendem Wasser geben und 1 Minute blanchieren, dann abtropfen lassen. Bohnen, Spinat, Erbsensprossen, Bohnensprossen, rote Paprika und Zwiebel in einer Schüssel mischen.
3 Für das Dressing: Öl in einem kleinen Topf erhitzen, Knoblauch, Ingwer, Chili und Kokosraspel hineingeben und bei mittlerer Hitze 1 Minute unter Rühren braten. Essig und Wasser zugießen, 1 Minute köcheln und dann abkühlen lassen.
4 Zum Servieren das Dressing über das Gemüse gießen und gut vermengen.
HINWEIS: Zuckererbsensprossen sind die langen Keimlinge der gleichnamigen Pflanze. Möglichst verschiedenfarbige Gemüse verwenden, damit der Salat schön bunt wird.
Das Dressing kann bis zu 30 Minuten vor dem Servieren untergerührt werden.

NÄHRWERT PRO PORTION: 10 g Eiweiß, 10 g Fett, 5 g Kohlenhydrate, 10 g Ballaststoffe, 0 mg Cholesterin, 725 kJ (170 kcal)

•

SCHWEINEFILET IN SAMBAL UND KOKOSMILCH

•

Vorbereitungszeit: 10 Minuten
Gesamtkochzeit: 6 Minuten
Für 4 Personen

400 g Schweinefilet
1–2 EL Sambal (indonesische Würzpaste) (s. S. 126)
1 EL Öl
375 ml Kokosmilch
zum Garnieren: gehackte Frühlingszwiebeln

•

1 Schweinefilet in feine Streifen schneiden und mit der Würzpaste und dem Öl in einer Schüssel mischen.
2 Einen Wok stark erhitzen und das Fleisch darin in 2 Portionen etwa 2 Minuten unter Rühren braun braten. Anschließend das gesamte Fleisch zurück in den Wok geben.
3 Kokosmilch zugießen und 2 Minuten im offenen Wok köcheln lassen. Mit gehackten Frühlingszwiebeln garnieren und sofort servieren. Dazu Reis reichen.
HINWEIS: 2 EL Sambal verleihen dem Gericht Schärfe. Wer es gern etwas milder mag, nimmt entsprechend weniger von der Würzpaste.

NÄHRWERT PRO PORTION: 25 g Eiweiß, 25 g Fett, 5 g Kohlenhydrate, 0 g Ballaststoffe, 50 mg Cholesterin, 1440 kJ (340 kcal)

GEBACKENER FISCH

Vorbereitungszeit: 15 Minuten
Gesamtkochzeit: 30 Minuten
Für 2 Personen

2 ausgenommene weißfleischige Fische, jeweils ca. 300 g (z. B. Meerbrassen oder Schnappbarsche)
1 Zwiebel, gehackt
1 Knoblauchzehe, zerdrückt
1 TL frischer Ingwer, gehackt
1 TL Zitronenschale, gehackt
2 EL Tamarindenkonzentrat
1 EL helle Sojasauce
1 EL Erdnußöl

1 Den Backofen auf 180 °C (Gas: Stufe 4) vorheizen.
2 Fische einzeln auf ein großes Stück Alufolie legen. Beidseitig drei schräge Schnitte vom Bauch bis zur Mittelgräte anbringen.
3 Zwiebel, Knoblauch, Ingwer, Zitronenschale, Sojasauce und Öl in der Küchenmaschine zu einer glatten Paste verarbeiten.
4 Fische vollständig mit der Paste bestreichen.
5 Die Fische in die Folie einschlagen und gut verschließen. Auf ein Backblech legen und 30 Minuten im Ofen backen, bis der Fisch soeben gar ist.

NÄHRWERT PRO PORTION: 65 g Eiweiß, 20 g Fett, 4 g Kohlenhydrate, 1 g Ballaststoffe, 210 mg Cholesterin, 1820 kJ (435 kcal)

TAMARINDEN-HUHN

Vorbereitungszeit: 15 Minuten (+ 2 Stunden Marinieren)
Gesamtkochzeit: 30 Minuten
Für 4 Personen

4 Hühneroberschenkel
4 Hühnerunterschenkel
80 ml Tamarindenkonzentrat
2 TL Koriander, gemahlen
1 TL Kurkuma, gemahlen
2 Knoblauchzehen, zerdrückt
2 EL Erdnußöl
2 rote Chillies, feingehackt
6 Frühlingszwiebeln, feingehackt
Öl zum Fritieren

1 Hühnerschenkel von der Haut befreien, in einem Topf mit Wasser bedecken und bei aufliegendem Deckel 15 Minuten köcheln lassen, bis das Fleisch gar ist. Abtropfen und abkühlen lassen.
2 Tamarindenkonzentrat, Koriander, Kurkuma und Knoblauch mischen. Das Fleisch gleichmäßig mit dieser Paste überziehen und zugedeckt mindestens 2 Stunden im Kühlschrank ziehen lassen.
3 Das Erdnußöl in einer Bratpfanne erhitzen, Chili und Frühlingszwiebeln zugeben und bei milder Hitze 3 Minuten unter Rühren braten. Beiseite stellen.
4 Zum Fritieren genügend Öl in einem Topf erhitzen und die Schenkel in 3 Portionen bei mittlerer Hitze 5 Minuten fritieren, bis das Fleisch goldbraun und durchgegart ist. Die fertigen Schenkel auf saugfähigem Papier abtropfen lassen und warm halten. Die Hühnerschenkel mit einem Löffel von der Chili-Zwiebel-Mischung als Beilage servieren.

NÄHRWERT PRO PORTION: 30 g Eiweiß, 35 g Fett, 1 g Kohlenhydrate, 1 g Ballaststoffe, 95 mg Cholesterin, 1775 kJ (420 kcal)

Unten: *Tamarinden-Huhn*

KOKOSFLOCKEN HERSTELLEN
Für frische Kokosflocken das Kernfleisch vorsichtig mit einem Messer aus der Schale lösen. Die harte braune Haut entfernen und das Kokosfleisch dünn abschälen. Flocken vor der Weiterverwendung im schwach vorgeheizten Backofen 10–15 Minuten trocknen.

Oben: *Gemüse-Curry mit Kokos*

GEMÜSE-CURRY MIT KOKOS

•

Vorbereitungszeit: 30 Minuten
Gesamtkochzeit: 25 Minuten
Für 4 Personen

2 EL Öl
1 große rote Zwiebel, grobgehackt
3 Knoblauchzehen, feingehackt
4 rote Chillies, feingehackt
1 TL Garnelenpaste
2 Lorbeerblätter, zerpflückt
250 ml Kokosmilch
1 EL Tamarindenkonzentrat
2 TL Zucker
1/4 TL Salz
500 g Kürbis, Kartoffeln und Möhren, alles kleingeschnitten und als Mischung
125 g grüne Bohnen, kleingeschnitten
125 g Zucchini, kleingeschnitten
2 große Tomaten, gehäutet und in Stücke geschnitten
150 g Baby-Blattspinat
2 EL Kokosraspel
2 EL Zitronensaft

•

1 Öl in einer großen Pfanne erhitzen; Zwiebel, Knoblauch, Chillies und Garnelenpaste hineingeben und bei mittlerer Hitze 5 Minuten unter häufigem Rühren garen. Lorbeerblätter, Kokosmilch, Tamarindenkonzentrat, Zucker und Salz zugeben. Das Ganze zum Kochen bringen, dann bei mäßiger Hitze in der offenen Pfanne 5 Minuten köcheln lassen.

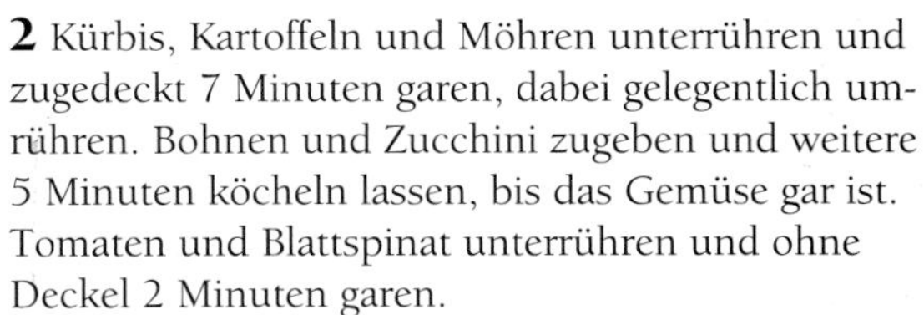

2 Kürbis, Kartoffeln und Möhren unterrühren und zugedeckt 7 Minuten garen, dabei gelegentlich umrühren. Bohnen und Zucchini zugeben und weitere 5 Minuten köcheln lassen, bis das Gemüse gar ist. Tomaten und Blattspinat unterrühren und ohne Deckel 2 Minuten garen.

3 Kurz vor dem Servieren die Lorbeerblätter entfernen, Kokosraspel überstreuen und das Curry mit Zitronensaft beträufeln.

HINWEIS: Falls das Curry zu dick wird, 125 ml Wasser zugießen.

NÄHRWERT PRO PORTION: 10 g Eiweiß, 25 g Fett, 20 g Kohlenhydrate, 10 g Ballaststoffe, 0 mg Cholesterin, 1440 kJ (345 kcal)

•

GEDÄMPFTE FISCHRÖLLCHEN

•

Vorbereitungszeit: 20 Minuten
Gesamtkochzeit: 15 Minuten
Für 6 Personen als Vorspeise

500 g weißes Fischfilet
1 EL Sambal (indonesische Würzpaste) (s. S. 126)
2 EL frisches Zitronengras (nur der weiße Teil), gehackt
2 cm frischer Ingwer, feingerieben
1 TL Kreuzkümmel, gemahlen
3 Frühlingszwiebeln, feingehackt
1 Ei, geschlagen
1 EL frische Minze, gehackt
zum Servieren: Zitronenspalten

1 Den Backofen auf 180 °C (Gas: Stufe 4) vorheizen.
2 Fischfilet, Sambal, Zitronengras, Ingwer, Kreuzkümmel und Frühlingszwiebeln in der Küchenmaschine zu einer glatten Paste verarbeiten.
3 Die Fischmischung in eine Schüssel umfüllen und Ei und Minze unterrühren.
4 Die Mischung gleichmäßig in 6 Portionen aufteilen und jede Portion zu einer Rolle formen. Jedes Röllchen in ein 15 x 25 cm großes Stück Backpapier einwickeln und 15 Minuten im Ofen backen. Die Fischröllchen mit einem Spritzer Zitronensaft servieren.

NÄHRWERT PRO PORTION: 15 g Eiweiß, 3 g Fett, 1 g Kohlenhydrate, 0 g Ballaststoffe, 80 mg Cholesterin, 410 kJ (95 kcal)

•

RENDANG
(INDONESISCHES RINDFLEISCH-CURRY)

•

Vorbereitungszeit: 15 Minuten
Gesamtkochzeit: 2½ Stunden
Für 6 Personen

1½ kg Rinderschmorfleisch
2 mittelgroße Zwiebeln, grobgehackt
4 TL Knoblauch, zerdrückt
410 ml Kokosmilch
2 TL Koriander, gemahlen
½ TL Fenchelsamen, gemahlen
2 TL Kreuzkümmel, gemahlen
¼ TL Gewürznelken, gemahlen
4 rote Chillies, gehackt
1 Stengel Zitronengras (nur der weiße Teil) oder 4 Streifen Zitronenschale
1 EL Zitronensaft
2 TL geriebener Palmzucker oder brauner Zucker

•

1 Fleisch von Fett und Sehnen befreien und in 3 cm große Würfel schneiden.
2 Zwiebeln und Knoblauch in einer Küchenmaschine fein pürieren, gegebenenfalls mit etwas Wasser verdünnen.
3 Kokosmilch in einem großen Topf zum Kochen bringen, dann bei mittlerer Hitze unter gelegentlichem Rühren um die Hälfte einkochen lassen, bis sich das Öl abgesetzt hat. Die Milch darf dabei nicht braun werden.
4 Koriander, Fenchel, Kreuzkümmel und Nelken einstreuen und 1 Minute unterrühren. Die Fleischwürfel zugeben und 2 Minuten köcheln, bis sie bräunen. Zwiebelpaste, Chillies, Zitronengras, Zitronensaft und Zucker unterrühren und zugedeckt bei milder Hitze etwa 2 Stunden köcheln lassen, bis die Flüssigkeit fast vollständig absorbiert ist. Dabei häufig umrühren, damit die Mischung nicht am Topfboden ansetzt.
5 So lange weiterkochen, bis das Kokosöl wieder an die Oberfläche steigt, denn Farbe und Aroma des Currygerichtes sollen sich voll entfalten können. In diesem Stadium brennt das Gericht leicht an. Das Curry ist fertig, wenn es braun und relativ trocken ist.
HINWEIS: Wie die meisten Currygerichte profitiert auch dieses davon, wenn es nicht unmittelbar vor dem Verzehr fertiggestellt wird. Die Würzzutaten brauchen Zeit, um ihr Aroma freizusetzen. Sie sollten das Curry also 2–3 Tage im voraus zubereiten und zugedeckt im Kühlschrank aufbewahren. Zum Servieren langsam erhitzen, bis es gut durchgewärmt ist. Erkaltetes Curry läßt sich auch gut bis zu 1 Monat einfrieren.

NÄHRWERT PRO PORTION: 55 g Eiweiß, 25 g Fett, 5 g Kohlenhydrate, 0 g Ballaststoffe, 170 mg Cholesterin, 1905 kJ (455 kcal)

Oben: *Rendang (Indonesisches Rindfleisch-Curry)*

FESTE AUF BALI

Feste spielen im Familien- und Gemeinschaftsleben auf Bali eine bedeutende Rolle. Wenn ein Tempelfest ansteht, ist das ganze Dorf damit beschäftigt, Speisen und Opfergaben zuzubereiten. Schweinefleisch, das in den übrigen Landesteilen, wo vor allem Muslime leben, streng verboten ist, gilt auf Bali als traditionelles Festessen, wobei Babi Guling – Spanferkel – gewöhnlich den Höhepunkt des Festmahles bildet.

Oben: *Gebratener Reis auf balinesische Art*

GEBRATENER REIS AUF BALINESISCHE ART

•

Vorbereitungszeit: 20 Minuten
Gesamtkochzeit: 20 Minuten
Für 6 Personen

500 g rohe Garnelen
2 TL Öl
2 Eier
2 mittelgroße Zwiebeln, gehackt
2 Knoblauchzehen
3 EL Öl extra
1/4 TL Garnelenpaste
125 g Rumpsteak, in dünne Scheiben geschnitten
1 gekochte Hühnerbrust, in dünne Scheiben geschnitten
300 g Langkornreis, gekocht und abgekühlt
1 EL Sojasauce
1 EL Fischsauce
1 EL Sambal Oelek
1 EL Tomatenmark (doppelt konzentriert)
6 Frühlingszwiebeln, feingehackt
zum Garnieren: Gurkenscheiben

1 Die Garnelen schälen und ausnehmen; das Fleisch hacken.

2 Öl in einem Wok erhitzen. Eier verquirlen und mit Salz und Pfeffer würzen. Die Eimasse ins heiße Öl gießen und bei relativ starker Hitze braten, dabei die am Rand gestockte Eimasse zur Mitte schieben. Das fertige Omelett auf einem Teller abkühlen lassen. In feine Streifen schneiden.

3 Zwiebeln und Knoblauch in der Küchenmaschine fein hacken.

4 Das zusätzliche Öl im Wok erhitzen, die Zwiebelmischung zugeben und bei mittlerer Hitze unter Rühren glasig braten. Die Garnelenpaste unterrühren und 1 Minute mitbraten. Garnelen und Rindfleisch zugeben und bei starker Hitze 3 Minuten anbraten. Hühnerfleisch und Reis untermischen und rühren, bis alles gut durchgewärmt ist.

5 Sojasauce, Fischsauce, Sambal Oelek, Tomatenmark und Frühlingszwiebeln mischen und zugeben. Alles gut durchmischen. Den Reis von der Herdplatte nehmen und auf einer Servierplatte anrichten. Mit den Omelettstreifen belegen und mit Gurkenscheiben garnieren.

NÄHRWERT PRO PORTION: 30 g Eiweiß, 20 g Fett, 20 g Kohlenhydrate, 2 g Ballaststoffe, 215 mg Cholesterin, 1495 kJ (355 kcal)

GEBRATENER FISCH
AUF BALINESISCHE ART

•

Vorbereitungszeit: 25 Minuten
Gesamtkochzeit: 30 Minuten
Für 4 Personen

750 g festes, weißes Fischfilet (z. B. Zackenbarsch oder Lengfisch)
1/2 TL Salz
1/2 TL Pfeffer
Öl zum Braten
4 rote Schalotten, längs in dünne Scheiben geschnitten
2,5 cm Zitronengras (nur der weiße Teil), feingehackt
2 rote Chillies, feingehackt
2 cm frischer Ingwer, gerieben
1/2 TL Garnelenpaste
125 ml Wasser
2 EL Kecap Manis
1 EL geriebener Palmzucker oder brauner Zucker
2 TL Limettensaft
3 Frühlingszwiebeln, feingehackt

1 Den Backofen auf 160 °C (Gas: Stufe 2–3) vorheizen. Das Fischfilet in mundgerechte Stücke schneiden und mit Salz und Pfeffer bestreuen.
2 In eine große Bratpfanne 2 cm hoch Öl einfüllen und erhitzen. Jeweils 3–4 Fischstücke ins heiße Öl geben und bei starker Hitze etwa 4 Minuten braten, dabei die Stücke mehrmals wenden, bis sie rundum goldgelb und knusprig sind. Den Fisch auf Küchenpapier abtropfen lassen und im vorgeheizten Ofen warm halten.
3 In einem kleinen Topf 2 EL von dem vorher verwendeten Öl erhitzen. Schalotten, Zitronengras, Chillies, Ingwer und Garnelenpaste zugeben und bei milder Hitze unter gelegentlichem Rühren 3 Minuten garen. Wasser, Kecap Manis und Zucker zugeben und die Sauce unter Rühren etwas andicken lassen. Limettensaft und Frühlingszwiebeln unterrühren. Den Fisch mit der Sauce beträufeln und sofort servieren.
HINWEIS: Der Fisch muß festes Fleisch haben, da er sonst beim Braten zerfällt. Kecap Manis ist die dickflüssige und süße Variante der chinesischen Sojasauce, die in Indonesien verwendet wird.

NÄHRWERT PRO PORTION: 40 g Eiweiß, 30 g Fett, 6 g Kohlenhydrate, 1 g Ballaststoffe, 130 mg Cholesterin, 1850 kJ (440 kcal)

Oben: *Gebratener Fisch auf balinesische Art*

LAMM-CURRY

•

Vorbereitungszeit: 25 Minuten
Gesamtkochzeit: 1¾ Stunden
Für 4–6 Personen

750 g Lammfleisch, gewürfelt
¼ TL Salz
¼ TL Pfeffer
2 große Zwiebeln, gehackt
3 EL Öl
2 Stengel Zitronengras (nur der weiße Teil), in Ringe geschnitten
6 Knoblauchzehen
3 cm frischer Galgant, grobgehackt
10 cm frischer Ingwer, grobgehackt
2½ TL Kurkuma, gemahlen
2 rote Chillies, grobgehackt
1 TL Garnelenpaste
2 EL Öl extra
2 Zimtstangen
1 Msp. Gewürznelken, gemahlen
750 ml Kokosmilch

•

1 Lammfleisch, Salz, Pfeffer, Zwiebeln und Öl mischen. Einen Wok oder eine gußeiserne Pfanne stark erhitzen und die Fleischmischung darin portionsweise scharf anbraten. Das gesamte Fleisch mit einer Zange oder einem Schaumlöffel herausheben, so daß nur das Öl übrigbleibt.
2 Zitronengras, Knoblauch, Galgant, Ingwer, Kurkuma, Chillies und Garnelenpaste mit dem zusätzlichen Öl in der Küchenmaschine zu einer glatten Paste verarbeiten.
3 Den Wok erneut erhitzen und die Würzpaste 3 Minuten bei mittlerer Hitze unter ständigem Rühren anbraten (darauf achten, daß sie nicht anbrennt). Fleisch, Zimtstangen, Nelkenpulver und Kokosmilch zugeben.
4 Diese Mischung offen 1½ Stunden köcheln lassen, dabei gelegentlich umrühren, bis das Fleisch schön weich und zart ist. Das Lamm-Curry mit gedämpftem weißem Reis servieren.
HINWEIS: Dieses Curry ist auch als ›Gulai‹ bekannt und ist die gehaltvollste Variante der indonesischen Currygerichte.

NÄHRWERT PRO PORTION (6): 30 g Eiweiß, 50 g Fett, 5 g Kohlenhydrate, 0 g Ballaststoffe, 85 mg Cholesterin, 2520 kJ (600 kcal)

GARNELEN IN WÜRZIGER KOKOSCREME

•

Vorbereitungszeit: 15 Minuten
Gesamtkochzeit: 10 Minuten
Für 4 Personen

1¼ kg rohe Riesengarnelen
185 ml Kokoscreme
1 TL Limetten- oder Zitronenschale, feingerieben
1 EL Limetten- oder Zitronensaft
2 TL helle Sojasauce
½ TL Garnelenpaste
1 EL Erdnußöl
1 kleine Zwiebel, in 8 Stücke geschnitten
zum Garnieren: Frühlingszwiebeln, gehackt

•

1 Riesengarnelen schälen, die Schwänze dabei unversehrt lassen. Den schwarzen Darmstrang herausziehen.
2 Kokoscreme, geriebene Zitronenschale, Zitronensaft, Sojasauce und Garnelenpaste in einer Schüssel mischen.
3 Öl in einer Pfanne erhitzen und die Zwiebel bei mittlerer Hitze unter Rühren glasig braten. Die Garnelen zugeben und 2 Minuten pfannenrühren.
4 Die gewürzte Kokoscreme zugießen und 2–3 Minuten unter Rühren erhitzen, bis die Sauce gut durchgewärmt ist. Mit Frühlingszwiebeln garnieren und gedämpften Reis dazu reichen.

NÄHRWERT PRO PORTION: 25 g Eiweiß, 15 g Fett, 5 g Kohlenhydrate, 0 g Ballaststoffe, 170 mg Cholesterin, 1020 kJ (240 kcal)

INGWER
Junge, zarte Ingwerwurzeln mit pinkfarbenen Spitzen und einer Haut, die so dünn ist, daß sie sich zwischen Daumen und Zeigefinger abreiben läßt, sind besonders fruchtig und mild im Geschmack. Reife Ingwerknollen haben eine dickere Haut und faseriges Fleisch, das aromatischer und schärfer ist. Ingwer ist zwar auch getrocknet erhältlich, aber am besten schmeckt immer noch die frische Wurzel. Pikant eingelegter junger Ingwer wird manchmal als Garnierung für gegrilltes Fleisch verwendet oder auch als Snack gereicht.

Vorherige Seite: *Lamm-Curry* (oben), *Garnelen in würziger Kokoscreme*

GESCHMORTES SCHWEINEFLEISCH AUF BALINESISCHE ART

Vorbereitungszeit: 20 Minuten
Gesamtkochzeit: 1 Stunde 10 Minuten
Für 4 Personen

500 g Schweinefleisch, gewürfelt
je 1/4 TL Salz und Pfeffer
2 EL Öl
1 große Zwiebel, feingehackt
3 Knoblauchzehen, feingehackt
5 cm Ingwer, gerieben
3 rote Chillies, feingehackt
2 EL Kecap Manis
250 ml Kokosmilch
2 TL Limettensaft

1 Fleischwürfel, Salz, Pfeffer und Öl gründlich mischen. Das gewürzte Fleisch in einem Wok bei mittlerer Hitze portionsweise braun braten. Dann aus dem Wok nehmen und beiseite stellen.
2 Bei geringer Hitze Zwiebel, Knoblauch, Ingwer und Chillies 10 Minuten garen, dabei gelegentlich rühren, bis die Zwiebel weich und goldgelb ist.
3 Fleischwürfel, Kecap Manis und Kokosmilch zugeben und bei schwacher Hitze unter gelegentlichem Rühren 1 Stunde köcheln. Limettensaft unterrühren und sofort servieren. Dazu gedämpften Reis und frisch gehackte Chillies reichen.

NÄHRWERT PRO PORTION: 30 g Eiweiß, 25 g Fett, 5 g Kohlenhydrate, 0 g Ballaststoffe, 60 mg Cholesterin, 1500 kJ (360 kcal)

PFANNENGERÜHRTES RINDFLEISCH IN FEURIGER SAUCE

Vorbereitungszeit: 25 Minuten
Gesamtkochzeit: 20 Minuten
Für 4 Personen

Würzpaste
5 rote Chillies
2 cm frischer Galgant, in Scheibchen geschnitten
1 TL Garnelenpaste
10 rote Schalotten, grobgehackt
4 Knoblauchzehen
2 EL Öl

1 TL Koriandersamen
500 g Lende, Filet oder Steak aus der Oberschale
1/2 TL Salz
1 EL Öl
2 EL Tamarindenkonzentrat
2 TL geriebener Palmzucker oder brauner Zucker
2 EL Kokoscreme

1 Für die Würzpaste alle Zutaten in einer Küchenmaschine zu einer glatten Paste verarbeiten; zwischendurch die Masse mehrmals mit einem Spatel vom Rand des Mixbechers abschaben.
2 Koriander bei schwacher Hitze in einer Pfanne 1 Minute unter Rühren trocken rösten. Dann im Mörser oder in der Küchenmaschine zerkleinern.

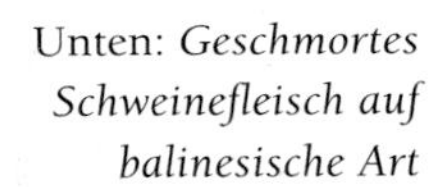

Unten: *Geschmortes Schweinefleisch auf balinesische Art*

3 Rindfleisch in schmale Streifen schneiden, mit Koriander und Salz mischen und beiseite stellen.
4 Öl in einem Wok erhitzen und die Würzpaste bei starker Hitze 3 Minuten anbraten, bis sie aromatisch duftet und leicht ölig ist. Dann herausnehmen.
5 Den Wok wieder stark erhitzen und das Fleisch in 2 Portionen 2–3 Minuten unter Rühren braten, bis es soeben gar ist. Würzpaste, Tamarindenkonzentrat, Zucker und Kokoscreme zugeben und bei starker Hitze 1 Minute gut durchrühren. Sofort servieren.

NÄHRWERT PRO PORTION: 30 g Eiweiß, 20 g Fett, 5 g Kohlenhydrate, 0 g Ballaststoffe, 85 mg Cholesterin, 1370 kJ (325 kcal)

•

CHILI-KALMAR AUF BALINESISCHE ART

•

Vorbereitungszeit: 25 Minuten
Gesamtkochzeit: 10 Minuten
Für 4 Personen

750 g Kalmartuben
60 ml Limettensaft
2 EL Öl
1 großer roter Chili, entkernt und in Ringe geschnitten
3 Frühlingszwiebeln, in Ringe geschnitten
1 EL Öl extra
1 EL Tamarindenkonzentrat
1 Stengel Zitronengras (nur der weiße Teil), in Ringe geschnitten
250 ml Hühnerbrühe
5 Blatt thailändisches Basilikum, gehackt

•

Würzpaste
2 große rote Chillies, entkernt und gehackt
2 Knoblauchzehen, gehackt
2 cm frische Kurkuma, gehackt
2 cm frischer Ingwer, gehackt
3 Frühlingszwiebeln, gehackt
1 Tomate, gehäutet, entkernt und gehackt
2 TL Koriandersamen
1 TL Garnelenpaste

•

1 Die Kalmare in große Stücke schneiden und das zarte Fleisch innen mit einem Messer kreuzweise einritzen, aber nicht ganz durchschneiden. Mit Limettensaft beträufeln, mit Salz und Pfeffer würzen und zugedeckt in den Kühlschrank stellen.
2 Für die Würzpaste Chili, Knoblauch, Kurkuma, Ingwer, Frühlingszwiebeln, Koriander und Garnelenpaste in der Küchenmaschine zu einer glatten Paste verarbeiten.
3 Öl im Wok erhitzen und Chillies und Frühlingszwiebeln zugeben. Kalmar portionsweise zufügen und bei mäßiger Hitze 2 Minuten braten, dann herausnehmen.
4 Das Extraöl im Wok erhitzen, Würzpaste, Tamarindenkonzentrat und Zitronengras zufügen und bei milder Hitze 5 Minuten unter Rühren garen.
5 Den Kalmar zurück in den Wok geben und die Hühnerbrühe zugießen. Mit Pfeffer abschmecken und Basilikum zugeben. Zum Kochen bringen und bei schwacher Hitze 2 Minuten köcheln lassen. Mit Reis servieren.

NÄHRWERT PRO PORTION: 35 g Eiweiß, 15 g Fett, 3 g Kohlenhydrate, 2 g Ballaststoffe, 375 mg Cholesterin, 1245 kJ (295 kcal)

Oben: *Chili-Kalmar auf balinesische Art*

Oben: *Feiner Kokosreis*

FEINER KOKOSREIS

•

Vorbereitungszeit: 25 Minuten
Gesamtkochzeit: 40 Minuten
Für 4 Personen

3 EL Öl
1 mittelgroße Zwiebel, in Stücke geschnitten
4 cm frischer Ingwer, gerieben
2 Knoblauchzehen, feingehackt
500 g Langkornreis
1 TL Kurkuma, gemahlen
1 l Kokosmilch
1 TL Salz
6 Curryblätter

•

Garnierung
3 hartgekochte Eier, gepellt und geviertelt
1 Schmorgurke, in dünne Scheiben geschnitten
2 rote Chillies, in dünne Ringe geschnitten
35 g Zwiebelringe, knusprig gebraten

•

1 Öl in einer Pfanne erhitzen und Zwiebel, Ingwer und Knoblauch bei milder Hitze 5 Minuten braten. Reis und Kurkuma zugeben und unter ständigem Rühren 2 Minuten anbraten.
2 Kokosmilch in einem mittelgroßen Topf zum Sieden bringen. Dann über den Reis gießen und die Mischung unter ständigem Rühren aufkochen lassen. Salz und Curryblätter zugeben. Gut abdekken und den Reis bei sehr milder Hitze 25 Minuten köcheln lassen.
3 Deckel abnehmen, den Reis gut durchrühren und 10 Minuten abkühlen lassen. Curryblätter entfernen und den Reis auf eine (traditionell mit Bananenblättern ausgelegte) Servierplatte häufen. Den Reis mit Ei, Gurke und Chili garnieren und Röstzwiebeln aufstreuen.

NÄHRWERT PRO PORTION: 20 g Eiweiß, 65 g Fett, 110 g Kohlenhydrate, 4 g Ballaststoffe, 155 mg Cholesterin, 4680 kJ (1115 kcal)

•

MAIS-SAMBAL

•

Vorbereitungszeit: 25 Minuten
Gesamtkochzeit: 10 Minuten
Für 8 Personen

3 Maiskolben
1 EL Koriandersamen
1 TL Garnelenpaste, zerkrümelt
1 Knoblauchzehe
1 mittelgroße Zwiebel, grobgehackt
3 rote Chillies
3 EL Tamarindenkonzentrat
2 EL Wasser
½ TL Salz
3 TL Zucker
Öl zum Fritieren

•

1 Mit einem scharfen Messer die Maiskörner vom Kolben – von oben nach unten entlangschneidend – abtrennen. Sie gegebenenfalls portionsweise 5 Minuten bei mittlerer Hitze trocken rösten, bis die Körner goldgelb werden und beiseite stellen.
2 Koriandersamen und Garnelenpaste in einer Pfanne 3 Minuten trocken rösten, bis sie aromatisch duften. Koriander und Garnelenpaste im Mörser grob zerstoßen.
3 Maiskörner, Koriander und Garnelenpaste mit Knoblauch, Zwiebel und Chillies in einer Küchenmaschine grob zerkleinern. Tamarindenkonzentrat, Wasser, Salz und Zucker zugeben und zu einer glatten Paste verarbeiten.
4 Das Sambal als Beilage zu Curry-, Fisch- und Gemüsegerichten mit reichlich Reis servieren.

NÄHRWERT PRO PORTION: 1 g Eiweiß, 0 g Fett, 5 g Kohlenhydrate, 1 g Ballaststoffe, 0 mg Cholesterin, 145 kJ (35 kcal)

GEMISCHTES GEMÜSE MIT TAMARINDE

•

Vorbereitungszeit: 25 Minuten
Gesamtkochzeit: 30 Minuten
Für 4 Personen

250 g Kürbis
200 g Kartoffeln
100 g Bohnen
200 g Kohl
100 g Blattspinat
500 ml Gemüsebrühe
125 ml Tamarindenkonzentrat
2 Zimtstangen
2 Lorbeerblätter
4 Knoblauchzehen, feingehackt
10 rote asiatische Schalotten, in hauchdünne Scheiben geschnitten
5 cm frischer Ingwer, gerieben
200 g Baby-Maiskölbchen

1 Kürbisfleisch grob zerkleinern. Die geschälten Kartoffeln in dicke Scheiben schneiden. Bohnen putzen und kleinschneiden. Kohl und Spinat in Streifen schneiden.

2 Die Brühe mit Tamarindenkonzentrat, Zimtstangen, Lorbeerblättern, Knoblauch, Schalotten und Ingwer in einem Topf zum Kochen bringen.

3 Kürbis und Kartoffeln zugeben und 5 Minuten köcheln. Maiskölbchen und Bohnen zufügen und 5 Minuten mitköcheln.

4 Kohl und Spinat unterrühren und bißfest garen. Gemüse als Beilage zu einem Hauptgericht servieren.

NÄHRWERT PRO PORTION: *5 g Eiweiß, 1 g Fett, 15 g Kohlenhydrate, 5 g Ballaststoffe, 0 mg Cholesterin, 385 kJ (90 kcal)*

GARNELENPASTE

Garnelenpaste wird vor dem Verzehr stets gegart. Dabei verwandelt sich die bitter schmeckende Paste in ein aromatisches Würzmittel. Falls die Paste nicht zusammen mit anderen Zutaten gebraten wird, wickelt man sie in Alufolie und röstet sie in der Pfanne, im Backofen oder unter dem Grill. Das Einwickeln verhindert, daß sich der intensive Geruch in der ganzen Wohnung ausbreitet.

Oben: *Gemischtes Gemüse mit Tamarinde*

SINGAPUR & MALAYSIA

Da die Halbinsel Malaysia nur durch einen schmalen Wasserstreifen von der Inselrepublik Singapur getrennt ist, gibt es viele kulinarische Gemeinsamkeiten. Scharfe indische Currygerichte, vom Mittleren Osten inspirierte Satays und chinesische Nudeln, pfannengerührte Gerichte und gebratenes Fleisch sind Zeugen des indischen, muslimischen und chinesischen Erbes beider Länder. Diese Einflüsse vereinigen sich in Gerichten wie Laksa, einem sahnigen Currygericht mit in Kokosmilch geköcheltem Hühnchen oder Meeresfrüchten. Eine aufregende Mischung chinesischer Ausgewogenheit und malaysischer Schärfe sind die Nonya-Gerichte in Singapur.

Oben: *Singapur-Nudeln*

SINGAPUR-NUDELN

•

Vorbereitungszeit: 45 Minuten
Gesamtkochzeit: 20 Minuten
Für 2–4 Personen

300 g getrocknete Reis-Vermicelli
600 g rohe Garnelen
2 EL Öl
2 Knoblauchzehen, feingehackt
350 g Schweinelende, in Streifen geschnitten
1 große Zwiebel, in Stücke geschnitten
1 EL mildes Currypulver
155 g grüne Bohnen, kleingeschnitten
1 große Möhre, in streichholzgroße Stifte geschnitten
1 TL feiner Zucker
1 TL Salz
1 EL Sojasauce
200 g Sojabohnensprossen, holzige Enden entfernt
zum Garnieren: Frühlingszwiebeln, in feine Streifen geschnitten

1 Nudeln ca. 5 Minuten in kochendem Wasser einweichen, anschließend gut abtropfen lassen.
2 Garnelen schälen und ausnehmen. Das Garnelenfleisch hacken.
3 1 EL Öl im Wok erhitzen, dann Garnelenfleisch, Knoblauch und Schweinefleisch zugeben. 2 Minuten unter Rühren braten, bis sie gerade gar sind. Aus dem Wok nehmen.
4 Auf mittlere Hitze herunterschalten und einen weiteren EL Öl zufügen. Zwiebel und Currypulver 2–3 Minuten unter Rühren braten. Bohnen, Möhrenstifte, Zucker und Salz zugeben, mit etwas Wasser besprenkeln und nochmals 2 Minuten pfannenrühren.
5 Nudeln und Sojasauce zugeben und mit 2 Holzlöffeln unterheben. Sojabohnensprossen und die Fleischmischung zufügen. Mit Salz, Pfeffer und Zucker abschmecken und gut mischen. Mit Frühlingszwiebeln garniert servieren.

NÄHRWERT PRO PORTION (4): 40 g Eiweiß, 15 g Fett, 70 g Kohlenhydrate, 5 g Ballaststoffe, 185 mg Cholesterin, 2360 kJ (560 kcal)

Oben: *Chili-Krebse*

CHILI-KREBSE

•

Vorbereitungszeit: 30 Minuten
Gesamtkochzeit: 45 Minuten
Für 2–4 Personen

2 frische Schwimmkrebse, jeder etwa 500 g
60 g Weizenmehl
60 ml Öl
1 mittelgroße Zwiebel, feingehackt
5 cm frischer Ingwer, feingerieben
4 Knoblauchzehen, feingehackt
3–5 rote Chillies, feingehackt
500 ml fertige Tomaten-Pastasauce
250 ml Wasser
2 EL Sojasauce
2 EL süße Chilisauce
1 EL Reisessig
2 EL brauner Zucker

•

1 Krebse gut waschen und die Schalen mit einem Topfkratzer gut abbürsten. Dann mit einem großen Küchenbeil halbieren und gründlich unter kaltem Wasser abspülen. Dabei sorgfältig die gelben Kiemen und schwammigen Teile entfernen. Mit der flachen Seite des Beils die Beine und größeren Vorderscheren aufklopfen, um die Schale zu knacken.

2 Die Schalen vorsichtig mit etwas Mehl bestäuben. Etwa 2 EL Öl in einem großen Wok erhitzen, dann jeweils eine Krebshälfte darin braten. Die Krebse dabei vorsichtig wenden und im heißen Öl halten, bis sich die Schale rot färbt. Mit den anderen Krebshälften genauso verfahren.

3 Das restliche Öl in den Wok geben. Zwiebeln, Ingwer, Knoblauch und Chillies unter regelmäßigem Rühren bei mittlerer Hitze braten. Tomatensauce, Wasser, Sojasauce, Chilisauce, Essig und Zucker zugeben. Zum Kochen bringen und 15 Minuten kochen lassen. Die Krebse wieder in den Wok legen und unter vorsichtigem Rühren etwa 8–10 Minuten köcheln lassen, bis das Krebsfleisch weiß geworden ist. Nicht zu lange garen lassen. Mit gedämpftem Reis servieren und Fingerschalen bereitstellen.

HINWEIS: Es dürfen nur sehr frische Krebse verwendet werden. Am besten bestellt man sie am Vortag beim Fischhändler und besteht darauf, nur frisch gefangene Krebse zu bekommen. Lebende Krebse werden getötet, indem man sie zwischen den Augen durchbohrt – evtl. vom Fischhändler erledigen lassen. Keine gekochten Krebse für dieses Rezept verwenden.

NÄHRWERT PRO PORTION (4): 15 g Eiweiß, 15 g Fett, 40 g Kohlenhydrate, 5 g Ballaststoffe, 52 mg Cholesterin, 1503 kJ (355 kcal)

CHILI-KREBSE

Mit dem Beil vorsichtig auf Beine und größere Vorderscheren klopfen.

Den Krebs wenden und in heißem Öl halten, bis sich die Schale rot färbt.

KAFFIR-LIMETTEN

Die Blätter und Fruchtschalen des Limettenbaumes werden wegen ihres Zitrusgeschmacks Currygerichten und anderen Speisen beigefügt. Die Frucht selbst wird selten verwendet. Die groben Adern in der Blattmitte entfernen und die Blätter zerkleinern. Die Schale von den Früchten abziehen und reiben. Sowohl die Blätter als auch die Früchte sind in Asiengeschäften erhältlich. Reste frischer Blätter können luftdicht abgeschlossen eingefroren werden. Getrocknete Blätter und Schalen müssen vor der Verwendung in Wasser eingeweicht werden. Als Ersatz können frische junge Zitronenblätter und Streifen von gewöhnlichen Limettenschalen dienen, ihr Aroma ist jedoch nicht das gleiche.

Folgende Seite: *Gemischtes Gemüse in milder Currysauce* (oben), *Currynudeln mit Schweinefleisch*

GEMISCHTES GEMÜSE IN MILDER CURRYSAUCE

•

Vorbereitungszeit: 20 Minuten
Gesamtkochzeit: 25 Minuten
Für 4 Personen

250 g Kürbis, geschält
2 mittelgroße orange Süßkartoffeln
125 g gelber Kürbis
125 g grüne Bohnen
125 g Kohl
6 TL Öl
1 große Zwiebel, in dünne Scheiben geschnitten
1 Knoblauchzehe, zerdrückt
100 g Tomaten, geschält und gehackt
1 roter Chili, gehackt
3 Streifen Zitronenschale
4 Kaffir-Limettenblätter, getrocknet oder frisch
2 TL geriebener Palmzucker oder brauner Zucker
1 TL Salz
1 EL Fischsauce
410 ml Kokosmilch
250 ml Hühnerbrühe
2 TL Zitronensaft

•

1 Den Kürbis in kleine Spalten und die Süßkartoffeln in 2 cm große Stücke schneiden. Den gelben Kürbis vierteilen, die Bohnen putzen und die Enden entfernen, lange Bohnen halbieren. Den Kohl in 1 cm breite Streifen schneiden.
2 Öl in einer mittelgroßen Pfanne erhitzen. Zwiebel und Knoblauch bei mittlerer Hitze hellbraun und weich dünsten.
3 Tomaten, Chili, Zitronenschale, Limettenblätter, Zucker, Salz, Fischsauce, Kokosmilch, Brühe und Zitronensaft zugeben. 5 Minuten kochen lassen, bis sich das Aroma intensiviert hat.
4 Süßkartoffel- und Kürbisstücke in die Sauce geben und 8 Minuten kochen lassen. Bohnen, Kohl und den gelben Kürbis zufügen und 6 Minuten kochen lassen. Mit gedämpftem Reis servieren.
HINWEIS: Die Sauce kann einige Stunden vorher zubereitet und später aufgewärmt werden. Das Gemüse erst kurz vor dem Servieren garen.

NÄHRWERT PRO PORTION: 10 g Eiweiß, 30 g Fett, 45 g Kohlenhydrate, 10 g Ballaststoffe, 0 mg Cholesterin, 1925 kJ (460 kcal)

CURRYNUDELN MIT SCHWEINEFLEISCH

•

Vorbereitungszeit: 20 Minuten
Gesamtkochzeit: 10 Minuten (+ 20 Minuten Einweichen)
Für 4 Personen

125 g getrocknete Reis-Fadennudeln
1 mittelgroße Zwiebel
2 EL Öl
2 TL mildes Currypulver
1/2 TL Salz
80 g Erbsen, tiefgefroren
60 ml Kokosmilch oder Gemüsebrühe
2 TL Sojasauce
125 g gegrilltes Schweinefleisch nach chinesischer Art oder gebratenes Schweinefleisch, in dünne Scheiben geschnitten

•

1 Reisnudeln in einer Schüssel mit heißem Wasser bedecken und 20 Minuten einweichen. In einem Sieb gut abtropfen lassen. Die Zwiebel achteln und die Schichten trennen.
2 Öl in einem Wok erhitzen. Die Zwiebel bei starker Hitze 1 Minute dünsten. Currypulver, Salz und die Nudeln zufügen und den Wok schwenken, damit sie gut bedeckt werden.
3 Erbsen, Kokosmilch und Sojasauce zugeben und einige Minuten den Wok schwenken, damit alles gut durchgemischt wird. Den Wok dicht verschließen, auf schwächste Hitze herunterschalten und alles 3 Minuten köcheln lassen. Die Fleischscheiben vorsichtig einrühren und eine weitere Minute erhitzen. Entweder als selbständiges Gericht oder als Snack servieren.

NÄHRWERT PRO PORTION: 10 g Eiweiß, 20 g Fett, 30 g Kohlenhydrate, 5 g Ballaststoffe, 20 mg Cholesterin, 1355 kJ (325 kcal)

Oben: *Gemischter Gemüsesalat*

GEMISCHTER GEMÜSESALAT

•

Vorbereitungszeit: 40 Minuten
Gesamtkochzeit: 3 Minuten
Für 4–6 Personen

300 g frische Ananas, kleingeschnitten
1 lange Gurke, gehackt
1 Schälchen Cocktailtomaten, halbiert
155 g grüne Bohnen, in dünne Scheiben geschnitten
155 g Sojabohnensprossen, braune Enden entfernt
80 ml Reisessig
2 EL Limettensaft
2 rote Chillies, entkernt und sehr fein gehackt
2 TL Zucker
zum Garnieren: 30 g getrocknete Garnelen, kleine frische Minzeblätter

1 Ananas, Gurke, Tomaten, Bohnen und Sprossen in einer Schüssel mischen, zudecken und in den Kühlschrank stellen, bis sie gekühlt sind. Essig, Limettensaft, Chillies und Zucker in einer kleinen Schüssel verrühren, bis sich der Zucker aufgelöst hat.
2 Die Garnelen in einer Pfanne trocken rösten, die Pfanne dabei ständig schwenken, bis die Garnelen hellorange sind und duften. Anschließend in einer Küchenmaschine fein hacken.
3 Den abgekühlten Salat auf einer Servierplatte anrichten. Das Dressing darüber gießen. Mit den gehackten Garnelen und Minzeblättern garnieren. Sofort servieren.

NÄHRWERT PRO PORTION (6): 5 g Eiweiß, 0 g Fett, 4 g Kohlenhydrate, 4 g Ballaststoffe, 30 mg Cholesterin, 270 kJ (65 kcal)

•

KNOBLAUCHGARNELEN IN CHILISAUCE

•

Vorbereitungszeit: 40 Minuten
Gesamtkochzeit: 10 Minuten
Für 4 Personen

1 kg rohe Riesengarnelen
2 Knoblauchzehen, zerdrückt
2 EL Erdnußöl
3 TL frischer Ingwer, gerieben
1 Stangensellerie, gewürfelt
1 rote Paprika, entkernt und gewürfelt
1 EL süße Chilisauce
1 EL Hoisin-Sauce
2 EL Limettensaft
1 TL Zucker

•

1 Garnelen schälen und ausnehmen, die Schwänze dabei intakt lassen. In einer nicht metallischen Schüssel mit Knoblauch mischen und beiseite stellen.
2 1 EL Öl in einem Wok erhitzen. Ingwer, Sellerie und die rote Paprika weich dünsten. Aus dem Wok nehmen. Den restlichen EL Öl erhitzen und die Garnelen zugeben. Bei starker Hitze zugedeckt dünsten, bis die Garnelen leuchtend rosa und gar sind. Die Sellerie-Paprika-Mischung löffelweise zu den Garnelen in den Wok geben. Chilisauce, Hoisin-Sauce, Limettensaft und Zucker zufügen. Mit schwarzem Pfeffer abschmecken. Etwa eine Minute erhitzen und mit gedämpftem Reis servieren.

NÄHRWERT PRO PORTION: 25 g Eiweiß, 10 g Fett, 5 g Kohlenhydrate, 2 g Ballaststoffe, 185 mg Cholesterin, 980 kJ (235 kcal)

SIAMESISCHE NUDELN IN SCHARFER KOKOSSAUCE

•

Vorbereitungszeit: 70 Minuten
Gesamtkochzeit: 30 Minuten
Für 6 Personen

Gewürzpaste
10 getrocknete rote Chillies, in heißem Wasser eingeweicht
10 rote asiatische Schalotten, gehackt
1 Stengel Zitronengras (nur der weiße Teil), gehackt
1 TL Garnelenpaste
3 EL Erdnußöl
1 TL Salz
1 EL Zucker

•

1 EL Tamarindenfruchtfleisch, getrocknet
125 ml warmes Wasser
1¼ l Kokosmilch
300 g getrocknete Reis-Vermicelli
400 g fritierter Tofu
Öl zum Fritieren
400 g Sojabohnensprossen, braune Enden entfernt
500 g gekochte Garnelen, geschält, mit unversehrten Schwänzen
125 g chinesischer Schnittlauch, gehackt
3 hartgekochte Eier, gepellt und geviertelt
2 rote Chillies, entkernt und in feine Ringe geschnitten (nach Belieben)
3 Limetten, geviertelt

•

1 Für die Gewürzpaste eingeweichte Chillies abtropfen lassen, entkernen und zerhacken. Das Wasser aufbewahren. Die Chillies zusammen mit Schalotten, Zitronengras und Garnelenpaste in einer Küchenmaschine fein hacken, bei Bedarf etwas von dem Einweichwasser zugießen. Erdnußöl in einer kleinen Bratpfanne erhitzen und die Paste bei schwacher Hitze ca. 3 Minuten braten. Salz und Zucker zugeben. Beiseite stellen.
2 Das Tamarindenfruchtfleisch ca. 10 Minuten in warmem Wasser einweichen.
3 Die Hälfte der Gewürzpaste mit Kokosmilch in eine Pfanne geben. Die eingeweichte Tamarinde mit dem Wasser durch ein Nylonsieb in die Kokosmilch gießen und so Kerne und Fasern herausfiltern. Die Mischung zum Kochen bringen und 3 Minuten köcheln lassen. Beiseite stellen.
4 Reisnudeln 5 Minuten in kochendem Wasser einweichen und dann abtropfen lassen. Tofu in dicke Scheiben schneiden. Öl in einer kleinen Bratpfanne erhitzen und die Tofuscheiben auf beiden Seiten goldbraun braten. Aus der Pfanne nehmen und auf Papiertüchern abtropfen lassen.
5 Kurz vor dem Servieren die restliche Gewürzpaste in einem großen Wok erhitzen und Sojabohnensprossen zugeben. Bei starker Hitze ca. 1 Minute kochen. Die Hälfte der Garnelen und des chinesischen Schnittlauchs sowie die abgetropften Nudeln in den Wok geben. Den Wok schwenken, bis alles erhitzt ist. Die Kokossauce aufwärmen und warm halten.
6 Zum Servieren die Nudelmischung in eine vorgewärmte Servierschale umfüllen. Die restlichen Garnelen, Eierviertel und Tofuscheiben darüber verteilen. Mit den Chili- und Schnittlauchscheiben bestreuen. Die Kokossauce in eine große warme Suppenterrine gießen. Tiefe Schälchen bereitstellen, die Gäste können dann die Nudelmischung hineinfüllen, etwas Kokossauce darübergießen und einen Spritzer Zitronensaft zufügen.

NÄHRWERT PRO PORTION: 30 g Eiweiß, 65 g Fett, 55 g Kohlenhydrate, 5 g Ballaststoffe, 265 mg Cholesterin, 3840 kJ (915 kcal)

FRÜHLINGSROLLEN
Frühlingsrollen wurden in China ursprünglich anläßlich der Feier des neuen Mondjahres gegessen, welches den Frühlingsbeginn ankündigt. Da zu dieser Zeit nicht gearbeitet werden sollte, wurden die Rollen – gewöhnlich mit frischen Bambussprossen gefüllt – schon vorher zubereitet. Variationen von Frühlingsrollen werden überall in Südostasien gegessen.

Oben: *Siamesische Nudeln in scharfer Kokossauce*

KLEINE HÄPPCHEN

In Asien gibt es kleine Leckerbissen, die mit den Fingern gegessen werden. Sie werden zu Tee oder abends auch zu Bier serviert oder zwischendurch auf der Straße gegessen.

THAI-FRÜHLINGSROLLEN

30 g getrocknete Reis-Vermicelli in heißes Wasser legen, bis sie weich sind. Gut abtropfen lassen und in kurze Stücke schneiden. 1 EL Öl in einem Wok oder einer Pfanne erhitzen. 3 gehackte Knoblauchzehen, 2 TL geriebenen frischen Galgant oder Ingwer, 3 feingehackte Korianderwurzeln und 3 gehackte Frühlingszwiebeln unter Rühren braten. 200 g Schweinehackfleisch und 2 in feine Scheiben geschnittene Selleriestangen zugeben, 3 Minuten unter Rühren braten und dabei das Fleisch zerteilen. 155 g geriebene Möhren, 25 g gehackte frische Korianderblätter, 45 g feingehackte Gurke, 1 EL süße Chilisauce, 2 TL Fischsauce, 1 TL braunen Zucker und die Nudeln gut untermischen. Vollständig abkühlen lassen. 1 Frühlingsrollen-Hülle (etwa 18 sind insgesamt nötig) mit einer Ecke nach vorne auf ein feuchtes Tuch legen. Die Ecken mit etwas Wasser befeuchten. 1½ EL der Füllung in der Mitte verteilen. Erst die untere Ecke, dann die beiden Seiten einschlagen und schließlich die Hülle aufrollen. Die Ecken mit Wasser versiegeln. Mit den restlichen Hüllen genauso verfahren. Eine tiefe Pfanne zur Hälfte mit Öl füllen und mäßig erhitzen. Die Rollen portionsweise 2–3 Minuten goldbraun fritieren. Abtropfen lassen und mit süßer Chilisauce und Sojasauce servieren.

NÄHRWERT PRO FRÜHLINGSROLLE: 5 g Eiweiß, 5 g Fett, 5 g Kohlenhydrate, 1 g Ballaststoffe, 10 mg Cholesterin, 215 kJ (50 kcal)

GARNELENTOASTS

350 g rohe Garnelen schälen und ausnehmen. Zwei Eier in kleine Schüsseln trennen, dann die Eigelbe leicht schlagen. Das Garnelenfleisch, Eiweiße, 1 Knoblauchzehe, 75 g feingehackte Wasserkastanien aus der

Dose, 1 EL gehackte frische Korianderblätter, 2 TL frischen Ingwer und jeweils 1/4 Teelöffel Pfeffer und Salz in eine Küchenmaschine geben und 20 bis 30 Sekunden zu einer glatten Masse verarbeiten. Von 6 Weißbrotscheiben die Rinde wegschneiden. Diagonal zweimal halbieren, so daß kleine Dreiecke entstehen. Die obere Seite jedes Brotdreiecks mit Eigelb bestreichen und die Garnelenmischung gleichmäßig darauf verteilen. Jedes mit weißen Sesamsamen bestreuen – man benötigt dafür etwa einen Eßlöffel. Eine tiefe Pfanne zur Hälfte mit Öl füllen und mäßig erhitzen. Die Brotschnitten mit der Garnelenpaste nach unten in kleinen Portionen etwa 10–15 Sekunden fritieren, bis sie goldbraun und knusprig sind. Auf Papiertüchern abtropfen lassen. Warm servieren.

NÄHRWERT PRO STÜCK: 5 g Eiweiß, 5 g Fett,4 g Kohlenhydrate, 0 g Ballaststoffe, Cholesterin 30 mg, 240 kJ (55 kcal)

VEGETARISCHE WAN-TANS

1 EL Öl in einem Wok oder einer Pfanne erhitzen. Dann 2 gehackte Knoblauchzehen, 4 gehackte Frühlingszwiebeln und 3 TL geriebenen frischen Ingwer 2 Minuten braten. Anschließend 2 in feine Scheiben geschnittene Selleriestangen, 150 g in feine Streifen geschnittenen Kohl, 310 g geriebene Möhren, 125 g in feine Scheiben geschnittenen fritierten Tofu, 125 g gehackte Sojabohnensprossen und 2 EL gehackte Wasserkastanien zugeben. Die Pfanne zudecken und 2 Minuten dämpfen. 3 EL Stärke mit 1 EL Wasser, 2 TL Sesamöl, 2 TL Sojasauce und jeweils 1/2 TL Salz und weißem Pfeffer glattrühren. Zu der Gemüsemischung geben und 2 Minuten rühren, bis die Sauce eingedickt ist. Vollständig abkühlen lassen. 1 EL der Füllung in die Mitte jeder Wan-Tan-Teighülle füllen (etwa 40 werden benötigt). Die Ecken mit etwas Wasser einpinseln, die Ränder hochnehmen und zu kleinen Säckchen formen. Die Seiten zusammendrehen und -drücken. In heißem Öl 4–5 Minuten fritieren oder in einem Dämpfer 25–30 Minuten dämpfen.

NÄHRWERT PRO WAN-TAN: 2 g Eiweiß, 2 g Fett, 10 g Kohlenhydrate, 1 g Ballaststoffe, 0 mg Cholesterin, 305 kJ (70 kcal)

MEERESFRÜCHTE-WAN-TANS

Genauso wie die vegetarischen Wan-Tans zubereiten, Sellerie, Kohl, Tofu und die Möhren jedoch durch 750 g rohe Garnelen ersetzen (geschält, ausgenommen und gehackt). Nach dem Dämpfen 170 g abgetropftes Garnelenfleisch aus der Dose und 2 EL gehackte frische Korianderblätter unterrühren. Ergibt 50 Stück.

NÄHRWERT PRO WAN-TAN: 5 g Eiweiß, 1 g Fett, 10 g Kohlenhydrate, 1 g Ballaststoffe, 15 mg Cholesterin, 260 kJ (60 kcal)

Von links: *Thai-Frühlingsrollen, Garnelentoasts, Vegetarische Wan-Tans, Meeresfrüchte-Wan-Tans*

MALAYSISCHE KÜCHE

Gewöhnlich wird in Malaysia mit reichlich Kokosmilch gekocht und mit scharfen Chillies und Zitronengras gewürzt. Durch ausländische Händler sind unterschiedliche Garmethoden und Zutaten ins Land gekommen. Nudeln, Sojasauce und das Pfannenrühren stammen aus China, Satayspieße dagegen haben ihren Ursprung in den arabischen Kebabs. Die Verwendung von Ghee, Kreuzkümmel und Koriander wurde aus Indien übernommen, und es waren die Portugiesen, die im 16. Jahrhundert die Chillies einführten.

MALAYSISCHES KOKOSHÜHNCHEN

•

Vorbereitungszeit: 25 Minuten
Gesamtkochzeit: 45–60 Minuten
Für 4–6 Personen

1 Hühnchen, gut 1½ kg
1 EL Öl
2 Zwiebeln, in Scheiben geschnitten
3 Knoblauchzehen, zerdrückt
2 rote Chillies, entkernt und gehackt
45 g Kokosraspel
2 TL Kurkuma, gemahlen
2 TL Koriander, gemahlen
2 TL Kreuzkümmel, gemahlen / Cumin
2 Stengel Zitronengras (nur der weiße Teil), gehackt
8 Curryblätter
500 ml Kokosmilch

•

1 Das Hühnchen in 8 bis 10 Teile zerlegen.
2 Öl in einer großen Pfanne erhitzen und Zwiebeln weich dünsten. Knoblauch, Chillies, Kokosraspel und Kurkuma zugeben und 1 Minute rühren. Koriander, Kreuzkümmel, Zitronengras, Curryblätter und Kokosmilch zufügen und verrühren.
3 Das Fleisch zugeben und mit der Sauce überziehen. 45 bis 60 Minuten köcheln lassen, bis das Fleisch zart und die Sauce eingedickt ist. Mit Fadennudeln servieren.

NÄHRWERT PRO PORTION (6): 25 g Eiweiß, 30 g Fett, 5 g Kohlenhydrate, 0 g Ballaststoffe, 80 mg Cholesterin, 1600 kJ (380 kcal)

Unten: *Malaysisches Kokoshühnchen*

ROTIS MIT PIKANTER FLEISCHFÜLLUNG

•

Vorbereitungszeit: 40 Minuten (+ 2 Stunden Ruhezeit)
Gesamtkochzeit: 1½ Stunden
Ergibt 12 Stück

375 g Roti- oder Weizenmehl
1 TL Salz
2 EL Ghee oder Öl
1 Ei, leicht geschlagen
250 ml warmes Wasser
Öl zum Einpinseln
1 Ei extra, geschlagen
½ rote Zwiebel, feingehackt

•

pikante Fleischfüllung
1 EL Ghee
1 Zwiebel, feingehackt
3 Knoblauchzehen, zerdrückt
2 TL Kreuzkümmel, gemahlen
1 TL Koriander, gemahlen
1 TL Kurkuma, gemahlen
500 g mageres Rinder- oder Lammhackfleisch
1 TL rote Chillies, feingehackt und entkernt
1 EL frische Korianderblätter, gehackt
Öl oder Ghee extra zum Fritieren

•

1 Mehl in eine große Schüssel sieben und Salz unterrühren. Ghee einreiben oder Öl zugießen. Das Ei und Wasser zugeben und mit der flachen Klinge eines Messers zu einer feuchten Masse mischen. Auf eine gut bemehlte Fläche stürzen und ca. 10 Minuten zu einem glatten Teig kneten, gegebenenfalls noch etwas Mehl darüber streuen. Den Teig zu einem Klumpen formen und mit Öl einpinseln. In eine eingeölte Schüssel legen und mit Frischhaltefolie zugedeckt einige Stunden ruhen lassen.
2 Für die pikante Fleischfüllung Ghee in einer großen Bratpfanne erhitzen. Die Zwiebel ca. 5 Minuten bei schwacher Hitze weich und goldfarben dünsten. Knoblauch, Kreuzkümmel, Koriander und Kurkuma 1 weitere Minute mitdünsten. Die Hitze hochschalten, das Hackfleisch zugeben und gut bräunen, dabei mit einer Gabel zerteilen. Weiterbraten, bis das Fleisch gar ist, in den letzten Minuten die Chillies zugeben. Vom Herd nehmen, Koriander einrühren und mit Salz abschmecken.
3 Den Teig auf einer bemehlten Arbeitsfläche in 12 Portionen teilen und zu Bällchen rollen. Ein Teigbällchen mit leicht eingeölten Fingerspitzen in der Luft zu einem 15 cm großen Kreis auseinanderziehen, dabei von den Rändern aus arbeiten.

Auf eine leicht bemehlte Fläche legen und mit Frischhaltefolie vor dem Austrocknen schützen. Mit den restlichen Bällchen genauso verfahren.
4 Eine große, gußeiserne Pfanne mit Öl einpinseln. Den Teigfladen über ein Nudelholz hängen und vorsichtig in die Pfanne legen. Zügig mit etwas geschlagenem Ei einpinseln und 2 gehäufte EL der Fleischfüllung darüber geben. Kurz braten, bis die Unterseite des Roti goldfarben ist. Einige Zwiebelstückchen über die Fleischfüllung streuen. 2 Seiten des Roti einschlagen und dann die anderen beiden Seiten umfalten und zusammendrücken, so daß die Füllung vollständig eingeschlossen ist. Auf eine Platte gleiten lassen, die Pfanne erneut mit etwas Öl einpinseln. Das Roti wieder hineingeben und auf der anderen Seite goldbraun braten. Die restlichen Rotis auf die gleiche Weise braten. Warm servieren.
HINWEIS: Rotimehl ist cremefarben und in indischen Lebensmittelgeschäften erhältlich. Es wird für ungesäuerte indische Brote verwendet. Gewöhnliches Weizenmehl ist aber ein guter Ersatz.

NÄHRWERT PRO ROTI: 15 g Eiweiß, 15 g Fett, 25 g Kohlenhydrate, 2 g Ballaststoffe, 85 mg Cholesterin, 1095 kJ (260 kcal)

NUDELSUPPE MIT GARNELEN

Vorbereitungszeit: 40 Minuten
Gesamtkochzeit: 30 Minuten
Für 4 Personen

300 g kleine Garnelen, gekocht
200 g kleine Spinatblätter
500 g Shanghai-Nudeln
1 EL Öl
1 große Zwiebel, feingehackt
5 cm frischer Ingwer, gerieben
2 rote Chillies, feingehackt
1½ l Hühnerbrühe
2 EL Sojasauce
2 TL brauner Zucker
6 Frühlingszwiebeln, gehackt

Garnierung
2 EL Knoblauch, knusprig gebraten
2 EL Zwiebeln, knusprig gebraten
90 g Sojabohnensprossen, braune Enden entfernt
2 TL Chiliflocken
1 EL chinesischer Schnittlauch, gehackt

1 Garnelen schälen, die Schwänze dabei intakt lassen. Spinat waschen und abtropfen lassen, lange Stengel abbrechen, anschließend beiseite stellen. Die Nudeln in kochendem Wasser 3 Minuten garen, bis sie weich sind. Abtropfen lassen und beiseite stellen.
2 Öl in einer großen Pfanne erhitzen. Zwiebel und Ingwer unter ständigem Rühren bei mittlerer Hitze 8 Minuten dünsten. Chillies, Brühe, Sojasauce und Zucker zugeben und zum Kochen bringen. Die Hitze reduzieren und 10 Minuten köcheln lassen. Frühlingszwiebeln zufügen.
3 Die Nudeln in eine große Suppenschüssel füllen und Garnelen und Spinatblätter darüber geben. Mit der kochenden Brühe übergießen und sofort servieren. Die Garnierung in kleinen Schälchen anrichten und zusammen mit Salz, Pfeffer und Zucker in die Mitte des Tisches stellen, jeder kann sich dann nach Belieben bedienen.

NÄHRWERT PRO PORTION: 25 g Eiweiß, 15 g Fett, 100 g Kohlenhydrate, 10 g Ballaststoffe, 75 mg Cholesterin, 2590 kJ (615 kcal)

Oben: *Nudelsuppe mit Garnelen*

Oben: *Gebratene Reisnudeln*

GEBRATENE REISNUDELN

•

Vorbereitungszeit: 20 Minuten
Gesamtkochzeit: 15 Minuten
Für 4 Personen

2 getrocknete chinesische Schweinswürstchen (s. Hinweis)
400 g rohe Garnelen
500 g dicke frische Reisnudeln
2 EL Öl
2 Knoblauchzehen, feingehackt
1 mittelgroße Zwiebel, feingehackt
3 rote Chillies, entkernt und gehackt
250 g gegrilltes chinesisches Schweinefleisch, feingehackt
150 g chinesischer Schnittlauch, gehackt
2 EL Kecap Manis
3 Eier, leicht geschlagen
1 EL Reisessig
100 g Sojabohnensprossen, braune Enden entfernt

•

1 Würstchen diagonal in sehr feine Scheibchen schneiden. Garnelen schälen und ausnehmen. Die Nudeln vorsichtig mit den Fingern auseinanderziehen.

2 Öl in einem Wok oder einer großen Bratpfanne erhitzen. Die Würstchenscheiben goldbraun und knusprig braten, den Wok dabei regelmäßig schwenken. Mit einem Sieblöffel aus dem Wok nehmen und auf Papiertüchern abtropfen lassen.

3 Das Öl im Wok erneut erhitzen. Knoblauch, Zwiebeln, Chillies und das gegrillte Schweinefleisch zugeben und 2 Minuten unter Rühren braten. Die Garnelen zufügen und schwenken, bis sie sich verfärben. Die Nudeln, den chinesischen Schnittlauch und Kecap Manis untermischen und etwa 1 Minute braten, bis die Nudeln weich sind. Die Eier mit dem Essig verrühren und über die Mischung gießen, dann noch eine weitere Minute den Wok schwenken. Darauf achten, daß die mit Ei überzogenen Nudeln nicht anbrennen. Die Sojabohnensprossen untermischen.

4 Die Nudeln auf einer großen Servierplatte anrichten und mit den Wurstscheiben bestreuen. Leicht rütteln, damit sich einige Scheiben untermischen. Mit etwas zusätzlichem Schnittlauch garnieren und sofort servieren.

HINWEIS: Die würzigen, getrockneten Würstchen (Lup Chiang) sind in asiatischen Lebensmittelgeschäften erhältlich. Im Kühlschrank sind sie bis zu 3 Monaten haltbar.

NÄHRWERT PRO PORTION: 35 g Eiweiß, 30 g Fett, 35 g Kohlenhydrate, 5 g Ballaststoffe, 240 mg Cholesterin, 2370 kJ (565 kcal)

GARNELEN-LAKSA

•

Vorbereitungszeit: 60 Minuten
Gesamtkochzeit: 60 Minuten
(+20 Minuten Einweichen)
Für 4 Personen

Würzpaste
4–5 große rote getrocknete Chillies
1 mittelgroße rote Zwiebel, grobgehackt
5 cm frischer Galgant, grobgehackt
4 Stengel Zitronengras (nur der weiße Teil), in Ringe geschnitten
3 rote Chillies, entkernt und grobgehackt
10 Kemirinüsse
2 TL Garnelenpaste
2 TL frische Kurkuma, gerieben
2 EL Öl

•

500 g rohe Garnelen
1½ l Wasser
1 EL Öl
500 ml Kokosmilch
8 fritierte Fischbällchen, in Scheiben geschnitten
500 g dünne frische Reisnudeln
1 Schmorgurke, in kurze dünne Streifen geschnitten
100 g Sojabohnensprossen, braune Enden entfernt
10 g vietnamesische Minzeblätter

•

1 Für die Würzpaste zunächst die Chillies 20 Minuten in heißem Wasser einweichen. Anschließend abtropfen lassen. Chillies, Zwiebel, Galgant, Zitronengras, frische Chillies, Kemirinüsse, Garnelenpaste, Kurkuma und Öl in einer Küchenmaschine pürieren, dabei regelmäßig die Paste mit einem Spachtel von den Wänden abschaben.

2 Von den Garnelen 4 aufbewahren, die restlichen schälen und ausnehmen. Die Köpfe und Schalen aufheben und diese in einer tiefen gußeisernen Pfanne bei mittlerer Hitze 10 Minuten braten. Die Pfanne dabei gelegentlich rütteln. Die Garnelenschalen werden leuchtend dunkelorange und aromatisch. 250 ml Wasser einrühren und kochen lassen, bis es fast verdunstet ist. Weitere 250 ml Wasser zugießen und zum Kochen bringen, dann das restliche Wasser zufügen. Durch das anfänglich langsame Zugießen des Wassers hat sich die Brühe intensiv dunkel gefärbt und das gesamte Aroma vom Pfannenboden aufgenommen. Die Brühe zum Kochen bringen und 30 Minuten leicht köcheln lassen. Die 4 aufbewahrten ganzen Garnelen zugeben und mitkochen lassen, bis sie sich rosa färben. Mit einem Sieblöffel herausnehmen und beiseite stellen. Die Brühe durch ein Sieb gießen und dabei die Schalen herausfiltern – es sollten etwa 500–750 ml Brühe übrigbleiben.

3 Öl in einem Wok erhitzen und die Würzpaste bei schwacher Hitze etwa 8 Minuten braten und regelmäßig umrühren, bis die Mischung sehr aromatisch ist. Die Garnelenbrühe und Kokosmilch einrühren. Zum Kochen bringen, die Hitze herunterschalten und 5 Minuten köcheln lassen. Die geschälten Garnelen und die Fischbällchenscheiben zugeben und köcheln lassen, bis sich die Garnelen rosa färben.

4 Die Nudeln vorsichtig mit den Fingern auseinanderziehen und in einer separaten Pfanne etwa 30 Sekunden in kochendem Wasser garen. Sie dürfen nicht zu lange gekocht werden. Gut abtropfen lassen und auf vier Suppenschalen verteilen.

5 Die Brühe aufwärmen und über die Nudeln schöpfen. Mit etwas Gurken, Sojasprossen und Minze garnieren und pro Schale eine gekochte Garnele daraufsetzen. Sofort servieren. Die restliche Garnierung auf einem Teller anrichten, sie kann dem Laksa dann nach Belieben zugefügt werden.

NÄHRWERT PRO PORTION: 25 g Eiweiß, 40 g Fett, 35 g Kohlenhydrate, 5 g Ballaststoffe, 140 mg Cholesterin, 2490 kJ (595 kcal)

FISCHBÄLLCHEN

Bei ihrer Herstellung werden feingehackter Fisch, Krabben, Garnelen oder Kammuscheln und Gewürze mit Stärke oder Eiweiß gebunden und zu Bällchen geformt und gekocht. Man fügt sie Suppen und Schmorgerichten zu. In asiatischen Lebensmittelgeschäften sind sie als Fertigprodukt zu kaufen. Die Bällchen sollten dann innerhalb von 3 Tagen verzehrt oder eingefroren werden.

Unten: *Garnelen-Laksa*

WÜRZIGE GARNELEN-WICKEL

•

Vorbereitungszeit: 30 Minuten (+ 2 Stunden Marinieren)
Gesamtkochzeit: 5 Minuten
Für 4 Personen als Vorspeise

Würzpaste
6 rote asiatische Schalotten, feingehackt
6 Knoblauchzehen, zerdrückt
3 Kemirinüsse
2 TL frischer Galgant, feingehackt
4 rote Chillies, entkernt und feingehackt
1 TL Kurkuma, gerieben
1 TL Garnelenpaste

•

500 g rohe Riesengarnelen
1 EL Limettensaft
1/4 TL Salz
2 TL geriebener Palmzucker oder brauner Zucker
80 ml Kokosmilch
2 cm breite Streifen von Bananenblättern, lang genug, um jede Garnele zu umwickeln
zum Garnieren: süße Chilisauce

•

1 Für die Gewürzpaste Schalotten, Knoblauch, Kemirinüsse, Galgant, Chillies, Kurkuma und Garnelenpaste in einer Küchenmaschine zu einer groben Paste verarbeiten.
2 Die Garnelen schälen und ausnehmen. In eine nicht metallische Schüssel geben und mit Salz und Limettensaft besprenkeln. Zucker und Kokosmilch unter die Würzpaste rühren. Gut mischen und im Kühlschrank 2 Stunden marinieren lassen.
3 Den Grill so stark wie möglich erhitzen. Einen Streifen Bananenblatt um jede Garnele knoten und auf dem heißen Grill etwa 2 Minuten auf jeder Seite garen. Mit süßer Chilisauce servieren.
HINWEIS: Bananenblätter sind in spezialisierten Obst- und Gemüsegeschäften erhältlich.

NÄHRWERT PRO PORTION: 15 g Eiweiß, 5 g Fett, 5 g Kohlenhydrate, 0 g Ballaststoffe, 95 mg Cholesterin, 575 kJ (135 kcal)

GEGRILLTE MEERESFRÜCHTE

•

Vorbereitungszeit: 20 Minuten (+ 15 Minuten Ruhezeit)
Gesamtkochzeit: 18 Minuten
Für 4 Personen

Würzpaste
1 mittelgroße Zwiebel, gerieben
4 Knoblauchzehen, gehackt
5 cm frischer Ingwer, gerieben
3 Stengel Zitronengras (nur der weiße Teil), gehackt
2 TL Kurkuma, gemahlen
1 TL getrocknete Garnelenpaste
80 ml Öl
1/4 TL Salz

•

4 mittelgroße Kalmartuben
2 feste weiße Fischfilets ohne Gräten, jedes ca. 300 g
8 rohe Riesengarnelen
zum Servieren: Bananenblätter
2 Limetten, in Spalten geschnitten

•

1 Für die Würzpaste Zwiebel, Knoblauch, Ingwer, Zitronengras, Kurkuma, Garnelenpaste, Öl und Salz in einer Küchenmaschine mischen. Stoßweise zu einer glatten Paste verarbeiten.
2 Die Kalmartuben der Länge nach halbieren. Mit einem scharfen Messer diagonal eng aneinanderliegende Schnitte in einer Richtung entlang der Unterseite jedes Stücks schlitzen. Dann vorsichtig im rechten Winkel dazu schneiden, ohne die Tuben durchzuschneiden. Die Tintenfische dann in etwa 4 x 3 cm große Stücke zerkleinern.
3 Die Meeresfrüchte gründlich unter fließend kaltem Wasser abwaschen und mit Papiertüchern trockentupfen. Alles leicht mit der Gewürzpaste einreiben und dann 15 Minuten ziehen lassen.
4 Eine Grillplatte leicht mit Öl einpinseln und mäßig erhitzen. Die Fischfilets und Garnelen Seite an Seite darauf legen. 3 Minuten auf jeder Seite grillen, dabei nur einmal wenden. Die Fischfilets sollten gerade fest und die Garnelen leuchtend rosa bis orange sein. Die Tintenfischstückchen zugeben und etwa 2 Minuten grillen, bis das Fleisch fest und weiß wird. Die Meeresfrüchte dürfen nicht zu lange gegart werden.
5 Die Meeresfrüchte auf einer mit Bananenblättern ausgelegten Platte anrichten, mit Limettenstückchen garnieren und sofort servieren.

NÄHRWERT PRO PORTION: 25 g Eiweiß, 20 g Fett, 2 g Kohlenhydrate, 1 g Ballaststoffe, 170 mg Cholesterin, 1200 kJ (285 kcal)

GEGRILLTE MEERESFRÜCHTE

Alle Zutaten für die Gewürzpaste glattrühren.

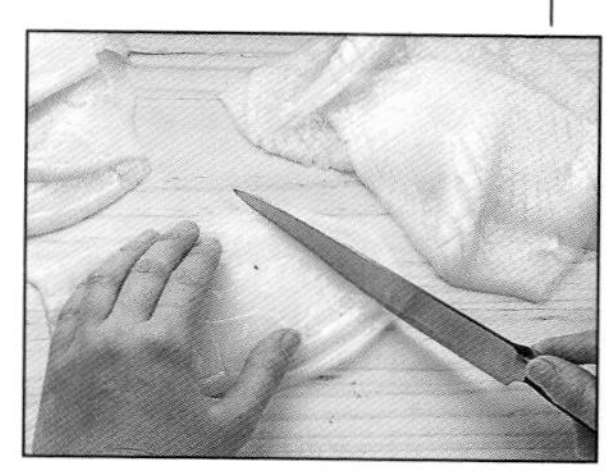

Ein feines Wabenmuster in die Unterseite der Tintenfische schlitzen.

Vorherige Seite:
Gegrillte Meeresfrüchte

FISCHCURRYPULVER
Fischcurrypulver ist eine Mischung aus Koriander, Kreuzkümmel, Fenchelsamen, Kurkuma, Pfefferkörnern und Chillies, die sich insbesondere für Fisch-Currys eignet. Spezielle Currypulver wie dieses findet man normalerweise nur in Asiengeschäften. Falls kein Fischcurrypulver erhältlich ist, einfach eine frisch gemahlene Mischung der obengenannten Gewürze verwenden. Fertige Currypulver in Pappschachteln sollten vermieden werden, da die Gewürze darin leicht Geschmack und Aroma verlieren.

FISCH-CURRY

•

Vorbereitungszeit: 25 Minuten
Gesamtkochzeit: 25 Minuten
Für 4 Personen

Würzpaste
3–6 mittelgroße rote Chillies
1 mittelgroße Zwiebel, gehackt
4 Knoblauchzehen
3 Stengel Zitronengras (nur der weiße Teil), in Ringe geschnitten
4 cm frischer Ingwer, kleingeschnitten
2 TL Garnelenpaste
1–2 EL Öl

•

1 EL Öl
1 EL Fischcurrypulver
250 ml Kokosmilch
250 ml Wasser
1 EL Tamarindenkonzentrat
1 EL Kecap Manis
350 g feste weiße Fischfilets, in mundgerechte Stücke geschnitten
2 reife Tomaten, gehackt
1 EL Zitronensaft

•

1 Für die Würzpaste Chillies, Zwiebel, Knoblauch, Zitronengras, Ingwer und die Garnelenpaste in einer Küchenmaschine grob hacken. Genügend Öl zugeben, so daß sich die Mischung zu einer glatten Paste verarbeiten läßt.
2 Öl in einem Wok oder einer gußeisernen Pfanne erhitzen. Die Currypaste bei schwacher Hitze 3–4 Minuten einrühren, bis sie stark duftet. Das Currypulver zugeben und weitere 2 Minuten rühren.
3 Kokosmilch, Wasser, Tamarindenkonzentrat und Kecap Manis zufügen. Unter gelegentlichem Rühren zum Kochen bringen, dann weitere 10 Minuten köcheln lassen. Fisch, Tomaten und Zitronensaft zugeben und mit Salz und Pfeffer abschmecken. 5 Minuten köcheln lassen, bis der Fisch gar ist. Mit gedämpftem Reis servieren.

NÄHRWERT PRO PORTION: 20 g Eiweiß, 30 g Fett, 5 g Kohlenhydrate, 5 g Ballaststoffe, 65 mg Cholesterin, 1625 kJ (390 kcal)

Unten: *Fisch-Curry*

•

MALAYSISCHES RENDANG

•

Vorbereitungszeit: 20 Minuten
Gesamtkochzeit: $1^1/_2$ Stunden
Für 4–6 Personen

2 Zwiebeln, gehackt
4 Knoblauchzehen, zerdrückt
5 rote Chillies, entkernt
1 EL frischer Ingwer, gerieben
500 ml Kokosmilch
1 EL Öl
1 EL Koriander, gemahlen
1 EL Kreuzkümmel, gemahlen
1 TL Kurkuma, gemahlen
1 TL Zimt, gemahlen
1/4 TL Gewürznelken, gemahlen
1/4 TL Chilipulver
1 großer Streifen Zitronenschale
1 kg Rinderschmorfleisch, in Würfel geschnitten
1 EL Zitronensaft
1 EL brauner Zucker
1 TL Tamarindenkonzentrat

•

1 Zwiebeln, Knoblauch, Chillies und Ingwer mit 2 EL Kokosmilch in einer Küchenmaschine zu einer glatten Paste verarbeiten.
2 Öl in einer großen Pfanne erhitzen. Gewürzpaste, Koriander, Kreuzkümmel, Kurkuma, Zimt, Gewürznelken, Chilipulver, Zitronenschale und Fleisch zugeben und rühren, bis sich das Fleisch mit der Gewürzpaste überzogen hat. Die restliche Kokosmilch zugießen und zum Kochen bringen. Bei schwacher Hitze ca. $1^1/_2$ Stunden unter gelegentlichem Rühren köcheln lassen, bis das Fleisch zart und die Mischung fast trocken ist.
3 Wenn sich das Öl vom Bratensaft trennt, Zitronensaft, Zucker und Tamarinde zugeben, rühren bis alles erhitzt ist. Mit gedämpftem Reis servieren.

NÄHRWERT PRO PORTION (6): 35 g Eiweiß, 25 g Fett, 10 g Kohlenhydrate, 0 g Ballaststoffe, 115 mg Cholesterin, 1765 kJ (420 kcal)

HÜHNCHEN ›KAPITAN‹

•

Vorbereitungszeit: 35 Minuten
Gesamtkochzeit: 30 Minuten
Für 4–6 Personen

30 g kleine getrocknete Garnelen
4 EL Öl
4–8 rote Chillies, entkernt und feingehackt
4 Knoblauchzehen, feingehackt
3 Stengel Zitronengras (nur der weiße Teil), feingehackt
2 TL Kurkuma, gemahlen
10 Kemirinüsse
2 große Zwiebeln, gehackt
1/4 TL Salz
500 g Hühnchenbrustfilets, kleingeschnitten
250 ml Kokosmilch
250 ml Wasser
125 ml Kokoscreme
2 EL Limettensaft

•

1 Garnelen in einer sauberen Bratpfanne bei schwacher Hitze 3 Minuten trocken rösten, dabei regelmäßig schwenken, bis sie dunkelorange sind und ein kräftiges Aroma entfalten. Die Garnelen in einen Mörser füllen und fein mahlen. Wahlweise in der Küchenmaschine verarbeiten. Beiseite stellen.

2 Die Hälfte des Öls mit Chillies, Kemirinüssen, Knoblauch, Zitronengras und Kurkuma in einer Küchenmaschine stoßweise sehr fein pürieren, mit einem Spachtel regelmäßig die Paste von den Schüsselwänden abschaben.

3 Das restliche Öl in einem Wok oder einer Bratpfanne erhitzen. Zwiebeln und Salz bei schwacher Hitze 8 Minuten anbräunen, dabei gelegentlich umrühren. Aufpassen, daß die Zwiebeln nicht anbrennen. Die Gewürzmischung und fast das gesamte gemahlene Garnelenfleisch zugeben, den Rest zum Garnieren aufbewahren. Etwa 5 Minuten rühren. Falls die Mischung am Pfannenboden haften bleibt, 2 EL Kokosmilch zufügen. Die Mischung muß gründlich gebraten werden, damit sich ihr Aroma entfaltet.

4 Das Hühnerfleisch in den Wok geben und gut verrühren. 5 Minuten braten, bis das Fleisch anfängt, sich zu verfärben. Die restliche Kokosmilch und Wasser einrühren und aufkochen lassen. Die Hitze reduzieren und alles ungefähr 7 Minuten köcheln lassen, bis das Hühnerfleisch gar und die Sauce eingedickt ist. Die Kokoscreme zufügen und die Mischung unter ständigem Rühren erneut zum Kochen bringen. Den Limettensaft zugeben, leicht mit dem aufbewahrten Garnelenfleisch bestreuen und mit gedämpftem Reis sofort servieren.

NÄHRWERT PRO PORTION (6): 25 g Eiweiß, 30 g Fett, 5 g Kohlenhydrate, 0 g Ballaststoffe, 90 mg Cholesterin, 1670 kJ (400 kcal)

HÜHNCHEN ›KAPITAN‹

Die trocken gerösteten Garnelen in einem Mörser fein mahlen.

Die Gewürzmischung stoßweise verarbeiten, regelmäßig die Seiten der Schüssel abschaben.

Zwiebeln, Gewürzmischung und gemahlene Garnelen 5 Minuten braten, aufpassen, daß sie nicht am Pfannenboden haften bleiben.

Oben: *Malaysisches Rendang*
Links: *Hühnchen ›Kapitan‹*

KNUSPRIGE GEFÜLLTE TOFUWÜRFEL

Die Tofuwürfel halbieren und in jede Hälfte einen Schlitz schneiden.

Jede Tasche mit etwas Gemüsemischung füllen.

Oben: *Knusprige gefüllte Tofuwürfel*

KNUSPRIGE GEFÜLLTE TOFUWÜRFEL

•

Vorbereitungszeit: 30 Minuten
Gesamtkochzeit: 5 Minuten
Ergibt 24 Stück

12 fritierte Tofuwürfel
90 g Sojabohnensprossen, braune Enden entfernt
40 g ungesalzene geröstete Erdnüsse, gehackt
1 Möhre, geraspelt
1 EL frische Korianderblätter, gehackt

•

Chilisauce
2 kleine rote Chillies, feingehackt
2 Knoblauchzehen, zerdrückt
2 TL brauner Zucker
1 EL Sojasauce
1 EL Essig
125 ml kochendes Wasser

•

1 Die Tofuwürfel halbieren. In jede Hälfte einen kleinen Schlitz schneiden und vorsichtig eine Tasche formen.
2 Sojabohnensprossen, Erdnüsse, Möhre und Koriander in einer Schüssel gut verrühren. Jede Tasche mit einer Portion dieser Mischung füllen. Vor dem Servieren die Taschen mit etwas Chilisauce besprenkeln, die restliche Sauce als Dip anbieten.
3 Für die Chilisauce alle Zutaten in einer kleinen Pfanne mischen, zum Kochen bringen und 5 Minuten köcheln lassen, bis die Sauce leicht eingedickt ist.
HINWEIS: Fritierte Tofuwürfel sind goldfarben und aufgegangen. Sie sind in asiatischen Lebensmittelgeschäften erhältlich.

NÄHRWERT PRO TOFUWÜRFEL MIT SAUCE: 2 g Eiweiß, 3 g Fett, 1 g Kohlenhydrate, 0 g Ballaststoffe, 0 mg Cholesterin, 170 kJ (40 kcal)

•

PIKANTE EIER MIT SCHLANGENBOHNEN

•

Vorbereitungszeit: 20 Minuten
Gesamtkochzeit: 15 Minuten
Für 4 Personen

1 TL Sesamöl
1 EL Öl
2 Knoblauchzehen, zerdrückt
4 Frühlingszwiebeln, gehackt
300 g Schlangenbohnen, in 5 cm lange Stücke geschnitten
200 g gemischte Pilze (s. Hinweis)
8 Eier, leicht geschlagen
1 EL Kecap Manis
2 TL Sambal Oelek
3 EL frische Minze, gehackt
3 EL frische Korianderblätter, gehackt

•

1 Die Öle in einem Wok oder einer großen Bratpfanne zusammen erhitzen. Knoblauch und Frühlingszwiebeln bei mäßiger Hitze 2 Minuten braten.
2 Bohnen und Pilze zugeben und eine weitere Minute unter Rühren braten. Aus dem Wok nehmen.
3 Die mit Kecap Manis, Sambal Oelek, Minze und Koriander vermischten Eier in die Mitte des Woks gießen, 2 Minuten fest werden lassen.
4 Das Gemüse wieder in den Wok geben, die Eier zerteilen und etwa 2 Minuten unter Rühren braten, bis alles durchgewärmt ist. Mit gedämpftem Reis servieren.
HINWEIS: Für dieses Rezept kann eine beliebige Pilzkombination verwendet werden. Geeignet sind u. a. junge Champignons, Austernpilze, Shiitake- oder Enoki-Pilze.

NÄHRWERT PRO PORTION: 20 g Eiweiß, 15 g Fett, 3 g Kohlenhydrate, 5 g Ballaststoffe, 375 mg Cholesterin, 960 kJ (230 kcal)

DIE NONYA-KÜCHE
Nonya-Gerichte sind eine Mischung aus chinesischen Zutaten mit malaysischen Gewürzen und Aromen. Die Verbindung der beiden Küchen entstand durch die Nonyas, die weiblichen Nachfahren von chinesischen Händlern, die sich in den Handelszentren der Malaccastraße (Penang, Malacca, Singapur) angesiedelt und malaysische Frauen geheiratet hatten. Nonya-Rezepte sind würzig-scharf und basieren oft auf Rampah – einer Paste aus feurigen Chillies, Schalotten, Zitronengras, Kemirinüssen, Galgant und Kurkuma. Die in China nicht gebräuchliche Kokosnuß wird für viele Speisen verwendet, zum Beispiel für Laksa und die cremigen Kokossaucen der Malaccaregion. Im Norden, um Penang, zeigt sich der Einfluß Thailands auf die Nonya-Küche an der Verwendung von Limetten und Tamarinde.

NONYA-HÜHNCHEN MIT LIMETTEN-CURRY

•

Vorbereitungszeit: 30 Minuten
Gesamtkochzeit: 60 Minuten
Für 4 Personen

Würzpaste
1 große Zwiebel, grobgehackt
6 rote Chillies, entkernt und feingehackt
4 Knoblauchzehen, zerdrückt
1 TL Zitronengras (nur der weiße Teil), feingehackt
2 TL frischer Galgant, feingehackt
1 TL Kurkuma, gemahlen

•

3 EL Öl
1 Hühnchen (knapp 1 1/2 kg), Haut entfernt und in 8 Stücke zerteilt
250 ml Kokosmilch
2 Limetten, halbiert
5 Limettenblätter ohne Stiele, in schmale Streifen geschnitten
1 TL Salz
zum Garnieren: frische Korianderblätter
zum Servieren: 2 Limetten extra, halbiert

1 Für die Würzpaste Zwiebeln, Chillies, Knoblauch, Zitronengras, Galgant und Kurkuma einige Minuten in einer Küchenmaschine zu einer groben Paste verarbeiten.
2 Öl in einer großen gußeisernen Pfanne erhitzen. Die Würzpaste bei schwacher Hitze ca. 10 Minuten braten, bis sie duftet.
3 Das Hühnerfleisch zugeben und 2 Minuten unter Rühren braten, das Hühnchen sollte dabei mit der Paste bedeckt sein. Kokosmilch, Limettenhälften und Limettenblattstreifen zugeben. Zudecken und etwa 50 Minuten köcheln lassen, bis das Hühnchen zart ist. Die letzten 10 Minuten der Garzeit den Deckel entfernen, damit sich die Flüssigkeit reduziert und dick und cremig wird. Salz zufügen, mit Korianderblättern garnieren und mit den Limettenhälften und gedämpftem Reis servieren.

NÄHRWERT PRO PORTION: 35 g Eiweiß, 35 g Fett, 5 g Kohlenhydrate, 0 g Ballaststoffe, 105 mg Cholesterin, 1900 kJ (455 kcal)

Oben: *Nonya-Hühnchen mit Limetten-Curry*

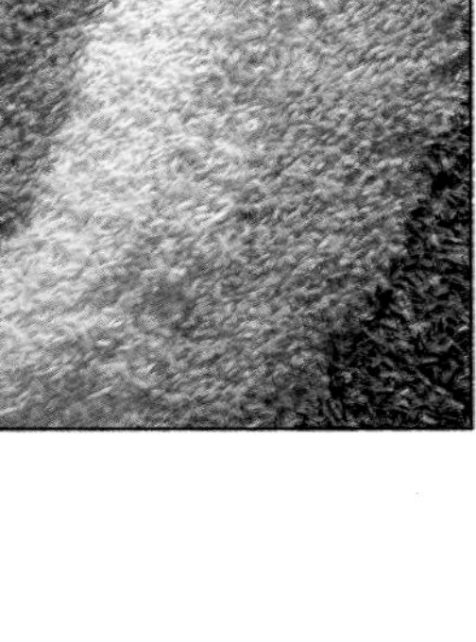

Unten: *Fischsalat mit Kräutern*

FISCHSALAT MIT KRÄUTERN

•

Vorbereitungszeit: 40 Minuten
Gesamtkochzeit: 15 Minuten
Für 4–6 Personen

500 g geräucherter Kabeljau
3 EL Limettensaft
30 g Kokosflocken
200 g thailändischer Duftreis, gekocht und abgekühlt
25 g frische vietnamesische Minze, gehackt
3 EL frische Minze, gehackt
25 g frische Korianderblätter, gehackt
8 Kaffir-Limettenblätter, in sehr feine Streifen geschnitten

•

Dressing
1 EL frische Korianderwurzeln, gehackt
2 cm frischer Ingwer, feingerieben
1 roter Chili, feingehackt
1 EL Zitronengras (nur der weiße Teil), gehackt
3 EL frisches thailändisches Basilikum, gehackt
1 Avocado, kleingeschnitten
80 ml Limettensaft
2 EL Fischsauce
1 TL brauner Zucker
125 ml Erdnußöl

•

1 Den Ofen auf 150 °C (Gas: Stufe 2) vorheizen. Den Kabeljau in einer großen Bratpfanne mit Wasser bedecken. Limettensaft zugießen und 15 Minuten köcheln lassen, bis sich der Fisch bei einem Gabeltest leicht zerteilen läßt. Abtropfen lassen und beiseite stellen, damit er vor dem Zerlegen in mundgerechte Stücke etwas abkühlt.
2 Kokosflocken auf einem Backblech ausbreiten und etwa 10 Minuten goldbraun rösten, das Backblech dabei gelegentlich rütteln. Sofort vom Backblech nehmen, damit sie nicht anbrennen.
3 Fisch, Kokosflocken, Reis, vietnamesische Minze, Minze, Koriander und Limettenblätter in einer großen Schüssel mischen.
4 Für das Dressing Korianderwurzeln, Ingwer, Chili, Zitronengras und Basilikum in einer Küchenmaschine mischen. Avocado, Limettensaft, Fischsauce, Zucker und Erdnußöl zugeben und verarbeiten, bis sie cremig sind.
5 Das Dressing über den Salat gießen und die Schale leicht rütteln, damit sich der Reis und die Fischstücke überziehen.

NÄHRWERT PRO PORTION (6): 20 g Eiweiß, 35 g Fett, 30 g Kohlenhydrate, 5 g Ballaststoffe, 45 mg Cholesterin, 2090 kJ (495 kcal)

CHINESISCHE GERICHTE IN SINGAPUR

In der Küche Singapurs zeigt sich der starke Einfluß der heute vorwiegend chinesischen Inselbevölkerung. Singapurs chinesische Gerichte mit Hühnchen, Meeresfrüchten und Gemüse in klaren Saucen stammen überwiegend aus der kantonesischen Tradition; Chili, Tamarinde und Garnelenpaste verleihen ihnen einen besonderen lokalen Akzent. Schweinefleisch ist beliebt, in Malaysia wird es hingegen nicht gegessen, da dort große Teile der Bevölkerung Muslime sind.

RIPPCHEN NACH SINGAPUR-ART

•

Vorbereitungszeit: 20 Minuten (+ 4 Stunden Marinieren)
Gesamtkochzeit: 50 Minuten
Für 6 Personen

2 TL Sesamöl
1 TL frischer Ingwer, feingehackt
3 Knoblauchzehen, zerdrückt
2 EL Sojasauce
2 EL chinesischer Reiswein
½ TL 5-Gewürze-Pulver
2 EL Honig
1 TL Sambal Oelek
½ TL Salz
1½ kg Schweinerippchen, in einzelne Rippchen zerteilt, übermäßiges Fett entfernt
1 EL chinesischer Schnittlauch, gehackt
2 Zitronen, in Stückchen geschnitten

1 Sesamöl, Ingwer, Knoblauch, Sojasauce, Reiswein, 5-Gewürze-Pulver, Honig, Sambal Oelek und Salz in einer großen Glasschüssel gut mischen.
2 Die Schweinerippchen zugeben und rühren, bis sie sich vollständig mit der Marinade überzogen haben. Zudecken und über Nacht oder mindestens 4 Stunden marinieren lassen.
3 Den Ofen auf 180 °C (Gas: Stufe 4) vorheizen. Die Rippchen mit der Marinade in eine eingefettete Form geben und 50 Minuten garen, alle 15 Minuten wenden und mit dem Bratensaft begießen. Falls die Marinade anzusetzen beginnt, etwas warmes Wasser zugeben.
4 Den chinesischen Schnittlauch über die Rippchen streuen. Mit Zitronenstückchen und gedämpftem Reis servieren.
HINWEIS: Die Form mit dicker Alufolie auslegen; sie ist dann einfacher abzuwaschen.

NÄHRWERT PRO PORTION: 35 g Eiweiß, 75 g Fett, 5 g Kohlenhydrate, 0 g Ballaststoffe, 250 mg Cholesterin, 3630 kJ (865 kcal)

Oben: *Rippchen nach Singapur-Art*

DIE PHILIPPINEN

Die 7000 Inseln der Philippinen verdanken einen Großteil ihrer aufregenden Küche dem Meer, das sie umgibt. Eine Fülle von frischem Fisch wird täglich von Auslegerbooten an Land gezogen und in Tontöpfen gekocht. Chinesische Händler, die über das Meer kamen, brachten Frühlingsrollen und Klebnudeln ins Land, während die Spanier, die die Inseln besiedelten und später nach ihrem König benannten, beispielsweise würzige Chorizos und Empanadas einführten. Die philippinische Küche mit ihrem in Essig oder Zitrusmarinade eingelegten Fleisch und Fisch ist oft sehr scharf.

Oben: *Fritierte Garnelenbällchen*

BAGUNG

Bagung ist eine Form der Garnelenpaste, die hauptsächlich auf den Philippinen hergestellt wird. Die Garnelen werden gesalzen und in Tongefäßen fermentiert, anstatt – wie in anderen Teilen Asiens üblich – getrocknet zu werden. Die Paste ist ziemlich flüssig.

FRITIERTE GARNELENBÄLLCHEN

Vorbereitungszeit: 30 Minuten
Gesamtkochzeit: 15 Minuten
Für 4–6 Personen

300 g rohe Garnelen
50 g getrocknete Reis-Vermicelli
1 Ei
185 ml Wasser
1 EL Fischsauce
125 g Weizenmehl
1/4 TL Bagung
3 Frühlingszwiebeln, in Ringe geschnitten
1 kleiner roter Chili, feingehackt
Öl zum Fritieren
zum Servieren: süße Chilisauce

1 Garnelen schälen und Darm entfernen. Die Hälfte der Garnelen in die Küchenmaschine geben und zerkleinern, bis sie breiig sind. Die übrigen Garnelen hacken und mit der Garnelenmasse aus der Küchenmaschine gut mischen.
2 Vermicelli in eine Schüssel geben, mit heißem Wasser bedecken und eine Minute einweichen. Das Wasser abgießen und die Vermicelli in kurze Stücke schneiden.
3 Ei, Wasser und Fischsauce verquirlen. Mehl in eine Schüssel sieben; eine Vertiefung in die Mitte drücken und nach und nach die Eimischung zufügen, bis eine glatte Masse entsteht.
4 Garnelen, Bagung, Frühlingszwiebeln, Chili und Vermicelli hinzufügen und alles gründlich mischen.
5 Öl in einem großen Topf oder einem Wok erhitzen; die Mischung eßlöffelweise in den Topf geben und 3 Minuten fritieren, bis die Bällchen knusprig und goldbraun sind. Auf Küchenpapier abtropfen lassen. Mit süßer Chilisauce servieren.

NÄHRWERT PRO PORTION (6): *10 g Eiweiß, 10 g Fett, 25 g Kohlenhydrate, 1 g Ballaststoffe, 80 mg Cholesterin, 930 kJ (220 kcal)*

GARNELEN IN KOKOSSAUCE

Vorbereitungszeit: 20 Minuten
Gesamtkochzeit: 20 Minuten
Für 4–6 Personen

1 kg rohe Riesengarnelen
3 EL Kokosflocken
250 g Kokoscreme
1 TL frischer Ingwer, feingehackt
8 Knoblauchzehen, feingehackt
zum Garnieren: frische Korianderblätter

1 Ofen auf 150 °C (Gasherd: Stufe 2) vorheizen. Mit einer scharfen Schere den Rücken der Garnelen einschneiden, am Kopf beginnend. Den Darm mit einem Zahnstocher oder den Fingern entfernen. Kopf und Schale unversehrt lassen.
2 Die Kokosflocken auf einem Backblech ausbreiten und 10 Minuten rösten bzw. bis sie eine dunkelgoldene Farbe bekommen; dabei das Blech gelegentlich rütteln. Kokosflocken anschließend sofort vom Blech nehmen.
3 Kokoscreme mit dem Ingwer und dem Knoblauch in einen Topf geben und zum Kochen bringen. Garnelen zufügen und bei schwacher Hitze ca. 5 Minuten kochen; ab und zu umrühren, damit die Mischung nicht am Topfboden ansetzt.
4 Mit Salz und gemahlenem schwarzem Pfeffer abschmecken und das Gericht mit Kokosflocken und Korianderblättern garnieren. Mit Reis servieren.

NÄHRWERT PRO PORTION (6): 20 g Eiweiß, 10 g Fett, 2 g Kohlenhydrate, 0 g Ballaststoffe, 125 mg Cholesterin, 755 kJ (180 kcal)

•

REIS MIT HUHN UND MEERESFRÜCHTEN

•

Vorbereitungszeit: 30 Minuten
Gesamtkochzeit: 40 Minuten
Für 4–6 Personen

500 g mittelgroße rohe Garnelen
500 g Muscheln
200 g Tintenfisch
1/4 TL Safranfäden
4 große Tomaten
3 EL Öl
2 Chorizos, in dicke Scheiben geschnitten
500 g Hühnerfleisch
300 g Schweinefilet, in Scheiben geschnitten
4 Knoblauchzehen, gepreßt
2 rote Zwiebeln, gehackt
1/4 TL Kurkuma, gemahlen
440 g Rundkornreis
1 1/4 l Hühnerbrühe
125 g grüne Bohnen, in 4 cm lange Stücke geschnitten
1 Paprika, in dünne Streifen geschnitten
150 g Erbsen

•

1 Garnelen schälen, den Darm entfernen, doch Schwanz unversehrt lassen. Muscheln gründlich schrubben und den Bart entfernen. Den Kalmar in 1/2 cm dicke Scheiben schneiden. Safranfäden 15 Minuten in 2 EL kochendem Wasser einweichen.
2 Tomaten unten kreuzweise einschneiden, in eine Schüssel legen, mit kochendem Wasser bedecken und 2 Minuten stehen lassen. Kurz abschrecken und die Haut von der Einkerbung aus abziehen. Tomaten halbieren, Kerne mit einem Teelöffel herausnehmen und das Fruchtfleisch würfeln.
3 1 EL Öl in einem Topf erhitzen; Chorizo-Scheiben zufügen und bei mittlerer Hitze 5 Minuten anbräunen. Auf Küchentüchern abtropfen lassen. Nun das Hühnerfleisch in den Topf geben und 5 Minuten anbraten, dabei einmal wenden. Auf Küchenpapier abtropfen lassen. Das Schweinefleisch in den Topf geben und 3 Minuten anbraten, dabei einmal wenden. Auf Küchenpapier abtropfen lassen.
4 Das restliche Öl im Topf erhitzen; Knoblauch, Zwiebel, Safran, Einweichflüssigkeit und Kurkuma zufügen und braten, bis die Zwiebeln goldfarben sind. Die Tomaten zufügen und 3 Minuten kochen. Den Reis zugeben und 5 Minuten rühren, bis der Reis durchsichtig ist. Die Brühe einrühren und zum Kochen bringen; alles bei geschlossenem Deckel 10 Minuten köcheln lassen.
5 Hühnerfleisch in den Topf geben und alles zugedeckt weitere 20 Minuten kochen. Schweinefleisch, Garnelen, Muscheln, Kalmar, Chorizo-Scheiben und Gemüse hinzufügen; alles zugedeckt 10 Minuten kochen bzw. bis die Flüssigkeit aufgesaugt ist.

NÄHRWERT PRO PORTION (6): 55 g Eiweiß, 25 g Fett, 70 g Kohlenhydrate, 5 g Ballaststoffe, 270 mg Cholesterin, 3115 kJ (740 kcal)

REIS MIT HUHN UND MEERESFRÜCHTEN

Die gebräunten Chorizo-Scheiben auf Küchenpapier abtropfen lassen.

Die Schweinefleischscheiben anbraten, dabei einmal wenden.

Unten: *Reis mit Huhn und Meeresfrüchten*

NUDELMISCHUNG MIT CHORIZOS

Vorbereitungszeit: 40 Minuten
(+ 30 Minuten Trocknen der Nudeln)
Gesamtkochzeit: 35 Minuten
Für 6 Personen

500 g frische dünne Eiernudeln
500 g rohe Garnelen
3 EL Öl
4 Knoblauchzehen, zerdrückt
6 Frühlingszwiebeln, in Ringe geschnitten
175 g gekochtes Hühnerfleisch, zerkleinert
250 g Chorizos, in Scheiben geschnitten
75 g Weißkohl, feingeschnitten
3 EL Sojasauce
3 EL frische Korianderblätter

1 Wasser in einem Topf zum Kochen bringen, vorher Salz zugeben. Nudeln weich kochen. Abschrecken, abtropfen lassen und auf Küchenpapier ausbreiten. 30 Minuten trocknen lassen.
2 Garnelen schälen und den Darm entfernen. Köpfe, Schwänze und Schalen 5 Minuten in einer Pfanne fritieren, bis sie leuchtend orange sind. 250 ml Wasser in die Pfanne geben, zum Kochen bringen, die Hitze etwas reduzieren und so lange kochen, bis sich die Flüssigkeit um ein Viertel reduziert hat. Weitere 125 ml hinzufügen, zum Kochen bringen und alles 3 Minuten köcheln lassen. Die Flüssigkeit abgießen und beiseite stellen; alle Garnelenköpfe, Schwänze und Schalen wegwerfen.
3 1 EL Öl in einem großen Wok erhitzen. Wenn das Öl sehr heiß ist, ein Viertel der Nudeln hinzugeben und anbraten, bis sie goldfarben sind; evtl. wenden. Die Nudeln aus dem Wok nehmen und ebenso die restlichen Nudeln anbraten, dabei je nach Bedarf mehr Öl zugeben.
4 1 EL Öl zufügen, Knoblauch und Frühlingszwiebeln bei niedriger Hitze anbraten, bis sie weich sind, dann aus der Pfanne nehmen. Garnelen und Hühnerfleisch in die Pfanne geben und goldbraun anbraten, dann aus der Pfanne nehmen. Die Chorizos zufügen und braten, bis sie braun sind. Kohl, Sojasauce und die Kochflüssigkeit der Garnelen zugeben und alles bei starker Hitze unter ständigem Rühren kochen, bis die Flüssigkeit sich um ein Drittel reduziert hat.
5 Die Nudeln mit Knoblauch, Frühlingszwiebeln, dem Huhn und den Garnelen wieder in den Wok geben. Gut durchwärmen. Mit Salz und schwarzem Pfeffer würzen, den Koriander verteilen und sofort mit Zitronenstücken servieren.

NÄHRWERT PRO PORTION: 60 g Eiweiß, 20 g Fett, 40 g Kohlenhydrate, 5 g Ballaststoffe, 140 mg Cholesterin, 2470 kJ (590 kcal)

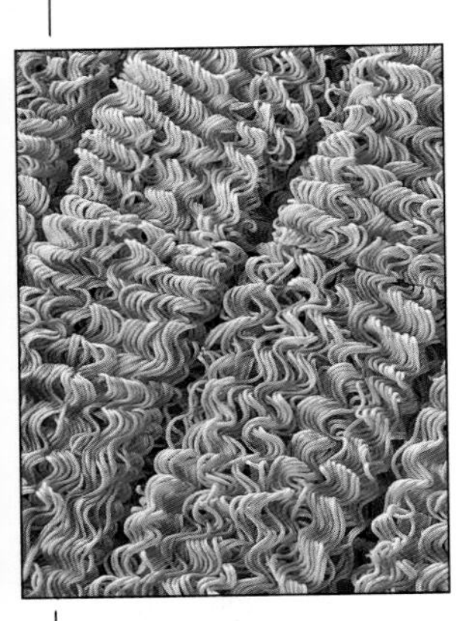

DER SPANISCHE EINFLUSS AUF DEN PHILIPPINEN
Die Kombination aus Nudeln und Fleisch ist auch als Pancit guisado bekannt. Die Chorizos in diesem Rezept geben einen Hinweis auf den lang andauernden Einfluß, den die Spanier auf die Bevölkerung der Philippinen ausübten. Viele ihrer traditionellen Gerichte, wie beispielsweise Paella und Empanadas, sind bis heute beliebt.

Folgende Seite:
Nudelmischung mit Chorizos (oben), Geröstetes Rindfleisch im Topf

GERÖSTETES RINDFLEISCH IM TOPF

Vorbereitungszeit: 15 Minuten
Gesamtkochzeit: 3½ Stunden
Für 6 Personen

75 g Schweinefett
1,5 kg Rinderoberschale
3 mittelgroße Zwiebeln, geviertelt
4 Tomaten, geviertelt
125 ml heller Essig
2 EL Sojasauce
2 Lorbeerblätter
3 Kartoffeln, in große Stücke zerteilt
3 Süßkartoffeln, in große Stücke zerteilt
zum Servieren: 2 EL Korianderblätter, gehackt

1 Schweinefett in dünne Streifen schneiden. Das Rindfleisch mit einem scharfen Messer mehrmals tief einschneiden. Die Einschnitte sollten gleichmäßig über das Rindfleischstück verteilt sein. In jeden Einschnitt eine dünne Scheibe Schweinefett stecken.
2 Rindfleisch in einen großen Topf mit luftdicht abschließendem Deckel geben. Zwiebeln, Tomaten, Essig, Sojasauce und Lorbeerblätter zufügen. Die Flüssigkeit zum Kochen bringen, den Deckel aufsetzen und alles 2 Stunden köcheln lassen, bis das Rindfleisch weich ist. Gut mit Salz und schwarzem Pfeffer würzen. Den Deckel abnehmen und weitere 30 Minuten köcheln lassen.
3 Kartoffeln und Süßkartoffeln zufügen und ohne Deckel so lange köcheln lassen, bis sie weich sind. Den Topf von der Flamme und das Rindfleisch aus dem Topf nehmen. Das Fleisch in dünne Scheiben schneiden; den Bratensaft darüber träufeln und mit den Kartoffeln servieren, vorher den Koriander darüber streuen.
HINWEIS: Schweinefett ist beim Metzger erhältlich, andernfalls kann ersatzweise Schweineschmalz verwendet werden.

NÄHRWERT PRO PORTION: 20 g Eiweiß, 15 g Fett, 65 g Kohlenhydrate, 5 g Ballaststoffe, 95 mg Cholesterin, 1995 kJ (475 kcal)

OCHSENSCHWANZ-GEMÜSE-EINTOPF

•

Vorbereitungszeit: 20 Minuten
Gesamtkochzeit: 2¼ Stunden
Für 6 Personen

1½ kg Ochsenschwanz, in 2 cm lange Stücke geschnitten (bitten Sie Ihren Metzger, dies zu tun)
60 g Schweineschmalz
2 EL Annatto-Samen (siehe Hinweis)
4 Knoblauchzehen, zerdrückt
2 mittelgroße Zwiebeln, in feine Ringe geschnittten
1½ l Wasser
1 Lorbeerblatt
1 EL Sojasauce
2 EL Fischsauce
2 Kohlrüben, kleingeschnitten
250 g grüne Bohnen, in Stücke geschnitten
2 schmale Auberginen, in Scheiben geschnitten
2 große Süßkartoffeln, kleingeschnitten
110 g Rundkorn- oder Langkornreis
80 g rohe Erdnüsse, ungesalzen

•

1 Die Ochsenschwanzstücke in eine große, hitzebeständige Schüssel legen, mit gesalzenem kochendem Wasser bedecken und 5 Minuten stehen lassen; herausnehmen und trockentupfen.
2 Schmalz in einer Pfanne erhitzen, Annatto-Samen zugeben und anbraten, bis das Schmalz rötlich wird. Knoblauch und Zwiebeln zufügen und alles 5 Minuten kochen. Die Knoblauch-Zwiebel-Mischung aus der Pfanne nehmen und auf Küchentüchern abtropfen lassen.
3 Einen Topf erhitzen, das Fleisch portionsweise hineingeben und bei mittlerer Hitze anbraten, bis es auf beiden Seiten braun ist. Dann das gesamte Fleisch in den Topf zurückgeben und die Mischung, das Wasser, das Lorbeerblatt, die Soja- und die Fischsauce hinzufügen. Zum Kochen bringen, den Deckel aufsetzen und alles 1½ Stunden köcheln lassen. Das Gemüse zugeben und zugedeckt köcheln lassen, bis es weich ist.
4 Ofen auf 180 °C (Gas: Stufe 4) vorheizen. Reis auf einem Backblech ausbreiten und 15 Minuten rösten, bis er goldbraun ist. Erdnüsse auf einem Backblech verteilen und ca. 5 Minuten rösten. Aus dem Ofen nehmen, abkühlen lassen und beides in einer Küchenmaschine zerkleinern, bis die Mischung Brotkrumen ähnelt. Die Mischung sieben, in den Eintopf geben und so lange umrühren, bis die Sauce eingedickt ist.
HINWEIS: Eventuell können die Annatto-Samen durch 1 EL Paprika, gemischt mit ½ TL Kurkuma, ersetzt werden. Die Annatto-Samen können in dem Gericht gelassen werden; sie sind jedoch zum Essen zu hart.

NÄHRWERT PRO PORTION: 30 g Eiweiß, 45 g Fett, 40 g Kohlenhydrate, 10 g Ballaststoffe, 70 mg Cholesterin, 2815 kJ (670 kcal)

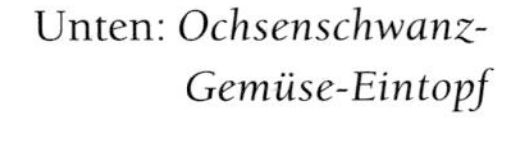

Unten: *Ochsenschwanz-Gemüse-Eintopf*

•

FISCH MIT INGWER UND SCHWARZEM PFEFFER

•

Vorbereitungszeit: 10 Minuten
Gesamtkochzeit: 20 Minuten
Für 4 Personen

2 ganze, feste, weiße Fische wie etwa Schnappbarsch oder Meerbrasse, zu je 500 g, gesäubert und geschuppt
4 cm frischer Ingwer, in Scheiben geschnitten
3 EL Öl
4 EL frischer Ingwer, feingehackt, extra
1 TL frisch gemahlener schwarzer Pfeffer
½ TL Salz
250 ml Wasser
½ rote Zwiebel, in feine Ringe geschnitten
1 EL frische Korianderblätter
1 EL Frühlingszwiebel, in feine Ringe geschnitten

•

1 Ofen auf 180 °C (Gas: Stufe 4) vorheizen. Fische waschen und trockentupfen. Ingwerscheiben in 2 Portionen teilen und in die Fische legen.
2 Öl in einem Wok erhitzen; den gehackten Ingwer hineingeben und bei kleiner Hitze 1–2 Mi-

nuten kochen, bis er weich ist. Den schwarzen Pfeffer einrühren.
3 Den Fisch in eine Backform legen, mit Salz bestreuen und Wasser dazugießen. Zwiebelringe auf den Fisch legen, das Gefäß bedecken und ca. 30 Minuten backen. Der Fisch ist dann vollkommen gar, wenn das Fleisch leicht zu zerteilen ist.
4 Den Fisch vorsichtig herausheben, mit Koriander und Frühlingszwiebeln bestreuen. Einen Teil der Kochflüssigkeit um den Fisch herumgießen. Mit gedämpftem Reis servieren.

NÄHRWERT PRO PORTION: 25 g Eiweiß, 20 g Fett, 2 g Kohlenhydrate, 1 g Ballaststoffe, 90 mg Cholesterin, 1140 kJ (270 kcal)

•

HÜHNER-ADOBO

•

Vorbereitungszeit: 20 Minuten (+ 2 Stunden Marinieren)
Gesamtkochzeit: 50 Minuten
Für 6 Personen

6 Knoblauchzehen, zerdrückt
250 ml Apfelessig
375 ml Hühnerbrühe
1 Lorbeerblatt
1 TL Koriandersamen
1 TL schwarze Pfefferkörner
1 TL Annatto-Samen (s. Hinweis)
3 EL Sojasauce
1,5 kg Hühnerfleisch, zerlegt
2 EL Öl

•

1 Knoblauch, Essig, Hühnerbrühe, Lorbeerblatt, Koriandersamen, schwarze Pfefferkörner, Annatto-Samen und Sojasauce in einer großen Schüssel vermischen. Hühnerfleisch dazugeben, zudecken und alles 2 Stunden im Kühlschrank marinieren lassen.
2 Die Mischung in einen Topf umfüllen und zum Kochen bringen. 30 Minuten mit geschlossenem Deckel köcheln lassen. Den Deckel abnehmen und weitere 10 Minuten kochen, bis das Huhn weich ist. Das Huhn aus dem Topf nehmen und beiseite stellen. Die Flüssigkeit erneut zum Kochen bringen und bei starker Hitze kochen, bis sie sich um die Hälfte reduziert hat.
3 Öl in einem Wok erhitzen, das Huhn portionsweise zugeben und bei mittlerer Hitze anbraten, bis es knusprig und braun ist. Die eingedickte Essigmischung über das Fleisch geben und mit Reis servieren.
HINWEIS: Eventuell können die Annatto-Samen durch 1/4 TL Paprika, vermischt mit einer großzügigen Prise Kurkuma, ersetzt werden. Die Annatto-Samen können in dem Gericht gelassen werden, sind jedoch zum Essen zu hart.

NÄHRWERT PRO PORTION: 35 g Eiweiß, 15 g Fett, 1 g Kohlenhydrate, 1 g Ballaststoffe, 115 mg Cholesterin, 1145 kJ (270 kcal)

ANNATTO-SAMEN
Die kleinen rotbraunen Annatto-Samen, auch als Achuete bekannt, werden in der philippinischen Küche ihrer kräftigen Farbe wegen verwendet. Sie stammen von einem kleinen, Blüten tragenden Baum, der – ursprünglich in Zentral- und Südamerika heimisch – von spanischen Händlern auf die Philippinen gebracht wurde. Annatto-Samen werden auch von den Chinesen zum Färben von gegrilltem Schweinefleisch verwendet.

Oben: *Hühner-Adobo*

REIS wird überall in Asien reichlich gegessen. In Thailand zum Beispiel heißt eine Einladung zum Essen *kin khao* (›Kommt und eßt Reis‹). Fast alle Reissorten sind weiß, nicht braun.

KOCHMETHODEN
200 g Reis ergeben 550 g gekochten Reis. 280–370 g gekochten Reis pro Person rechnen.

SCHNELLKOCHVERFAHREN
Einen großen Topf Wasser zum Kochen bringen. Die Wassermenge sollte das Sechsfache der Reismenge betragen. Den Reis zugeben und 12–15 Minuten ohne Deckel kochen. Dann das restliche Wasser abgießen.

DÄMPFEN
Mit der in Asien gebräuchlichsten Methode, Reis zu kochen, ist es einfach, gute Ergebnisse zu erzielen, wenn das Verhältnis von Wasser zu Reis stimmt. Die benötigte Reismenge in einen großen Topf geben und mit genug Wasser auffüllen, so daß es an das erste Gelenk des Zeigefingers reicht, wenn die Fingerspitze auf dem Reis steht. Für eine genauere Messung 500 ml Wasser für die ersten 200 g Langkornreis und 375 ml Wasser für jeweils weitere 200 g hinzufügen. Für Reis kurzer oder mittlerer Korngröße 375 ml Wasser für die ersten 200 g Reis und 250 ml für jeweils weitere 200 g hinzufügen.
Quellen lassen: Den Reis in einem Sieb waschen, bis das Wasser klar ist; mit dem Wasser in einen großen Topf füllen und 1 Minute kochen lassen. Den Topf mit einem fest schließenden Deckel bedecken, die Hitze dann so weit wie möglich reduzieren und den Reis 10–15 Minuten kochen, bis das ganze Wasser aufgesaugt worden ist. Den Herd abschalten und den Topf zugedeckt mindestens 10 Minuten stehen lassen. Den Reis mit einer Gabel auflockern.
Elektrischer Reiskocher: Dieses Gerät dämpft den Reis auf die gleiche Weise und ist zum Herstellen großer Mengen ideal. Den Reis in einem Sieb waschen, bis das fließende Wasser klar ist. Den Reis dann zusammen mit Wasser in den Reiskocher geben. Bei den Kochzeiten an die Angaben des Herstellers halten.

LANGKORNREIS
Diese Sorte wird in ganz Südostasien angebaut und ist der bevorzugte Reis der Chinesen. Gekocht lassen sich die Körner leicht trennen, sind nicht stärkehaltig und eignen sich hervorragend für Gerichte wie beispielsweise gebratener Reis. Langkornreis ist der bei uns am einfachsten erhältliche und meistverwendete Reis.

NÄHRWERT PRO 100 g: 8 g Eiweiß, 0 g Fett, 80 g Kohlenhydrate, 2 g Ballaststoffe, 0 mg Cholesterin, 1540 kJ (365 kcal)

JASMINREIS
Die aus Thailand stammende Variante des Langkornreises ist in ganz Südostasien beliebt. Ein leicht duftender Reis, der gut zu allen asiatischen Gerichten paßt.

NÄHRWERT PRO 100 g: Bis jetzt gibt es für Jasminreis keine Nährwertanalyse, sie wäre vermutlich der für Langkorn- und Basmatireis vergleichbar.

BASMATIREIS
Dieser aromatische Langkornreis wird an den Ausläufern des Himalayagebirges von Bangladesch bis nach Indien angebaut. Er wird traditionell für Biryani und Pilau-Gerichte verwendet, die die feste Beschaffenheit des gekochten Basmatireises benötigen.

NÄHRWERT PRO 100 g: 8 g Eiweiß, 0 g Fett, 80 g Kohlenhydrate, 2 g Ballaststoffe, 0 mg Cholesterin, 1500 kJ (355 kcal)

RUNDKORNREIS
Die kleinen ovalen Körner sind sehr stärkehaltig. Sie werden von den Japanern und Koreanern bevorzugt. Diesen Reis kocht man am besten mit der Quellmethode. Die klebrigen Körner erleichtern das Essen mit Stäbchen und die Sushi-Herstellung.

NÄHRWERT PRO 100 g: 6 g Eiweiß, 0 g Fett, 80 g Kohlenhydrate, 2 g Ballaststoffe, 0 mg Cholesterin, 1520 kJ (360 kcal)

KLEBREIS
Weißer Klebreis: Dies ist die Hauptreissorte der Laoten und Nordthailänder. Hauptsächlich wird sie für in Blätter eingewickelte Snacks oder für Desserts verwendet. Die Körner werden beim Kochen durchsichtig. Der Reis ist zwar stärkehaltig, enthält aber kein Gluten und wird meist irrtümlich als ›Klebreis‹ oder ›süßer Reis‹ bezeichnet.

NÄHRWERT PRO 100 g: Bis jetzt gibt es keine Nährwertanalyse für weißen Klebreis, sie wäre jedoch vermutlich der für schwarzen Klebreis vergleichbar.

Schwarzer Klebreis: Wenn man die Kleieschicht auf dem Reis läßt, ist er ungewöhnlich dunkel und hat einen nussigen Geschmack. Er paßt gut zu Palmzucker, Kokosmilch und Sesamsamen und ist in Birma, Thailand, Indonesien und auf den Philippinen ein beliebter Dessertreis. Der Reis sollte über Nacht eingeweicht werden.

NÄHRWERT PRO 100 g: 8 g Eiweiß, 2 g Fett, 75 g Kohlenhydrate, 2 g Ballaststoffe, 0 mg Cholesterin, 1500 kJ (355 kcal)

Von links oben im Uhrzeigersinn: *Langkornreis, Jasminreis, weißer Klebreis, Basmatireis, Rundkornreis (gekocht), schwarzer Klebreis, Rundkornreis*

Oben: *Garnelencrêpes*

GARNELENCRÊPES

Die Bambussprossen abgießen und in Streichholzgröße schneiden.

Die Seiten einschlagen und die Crêpes aufrollen.

GARNELENCRÊPES

Vorbereitungszeit: 40 Minuten (+ 20 Minuten Ruhezeit)
Gesamtkochzeit: 20 Minuten
Für 4–6 Personen

5 Eier
375 ml Wasser
2 EL Öl
60 g Stärke
60 g Weizenmehl

Garnelenfüllung
500 g rohe Garnelen
1 EL Öl
300 g Bambussprossen, in Streichholzgröße geschnitten
90 g Sojabohnensprossen, braune Enden entfernt
80 g ungesalzene geröstete Erdnüsse, grobgehackt
½ Kopfsalat, in Streifen geschnitten
30 g frische Korianderblätter

1 Die Eier mit Wasser und Öl verquirlen. Stärke und Weizenmehl einrühren und die Masse schlagen, bis sie geschmeidig ist. Den Teig 20 Minuten zugedeckt ruhen lassen.

2 Eine Pfanne mit Antihaftbeschichtung oder eine Crêpe-Pfanne mit Öl einfetten, bei kleiner Flamme erhitzen, 2 EL Teig hineingeben und die Pfanne schwenken, um den Pfannenboden mit einer sehr dünnen Teigschicht zu bedecken. Überschüssigen Teig in die Schüssel zurückgießen. Die Crêpe backen, bis sie hellgolden ist. Wenden und auf der anderen Seite backen. Mit dem restlichen Teig ebenso verfahren.

3 Garnelenfüllung: Garnelen schälen, Darm entfernen und große Garnelen der Länge nach halbieren. Öl in der Pfanne erhitzen; Garnelen dazugeben und bei mittlerer Hitze anbraten, bis sie leuchtend rosa sind. Garnelen, Bambussprossen, Sojabohnensprossen, Erdnüsse, Salat und Koriander auf einer Platte anordnen.

4 Auf jede Crêpe Kopfsalat, einige Korianderblätter, Garnelen, Bambussprossen, Sojabohnensprossen und Erdnüsse legen; die Seiten einschlagen und die Crêpe aufrollen.

NÄHRWERT PRO PORTION (6): 20 g Eiweiß, 20 g Fett, 20 g Kohlenhydrate, 4 g Ballaststoffe, 235 mg Cholesterin, 1430 kJ (340 kcal)

SAURE RINDFLEISCHSUPPE

Vorbereitungszeit: 30 Minuten
Gesamtkochzeit: 2½ Stunden
Für 6 Personen

500 g Hühnerknochen
500 g mageres Rinderschmorfleisch
250 g Schweinekoteletts ohne Fett
2,5 l Wasser
1 mittelgroße Zwiebel, kleingeschnitten
2 Tomaten, gewürfelt
1 TL Salz
1 EL getrocknetes Tamarindenmark
250 g Süßkartoffeln, in große Stücke geschnitten
1 großer japanischer Rettich (Daikon), in dünne Scheiben geschnitten
90 g Chinakohl, geraspelt
1 EL Fischsauce
zum Servieren: 1 Zitrone, in Stücke geteilt

1 Hühnerknochen, Rindfleisch, Schweinekoteletts und Wasser in einen Topf geben. Zwiebel, Tomaten und Salz hineinrühren. Alles zum Kochen bringen, dann im geschlossenen Topf 2 Stunden köcheln lassen. Hühnerknochen, Rind- und Schweinefleisch herausnehmen. Das Fleisch abkühlen lassen und die Knochen wegwerfen.

2 Tamarindenmark mit 2 EL kochendem Wasser übergießen und 10 Minuten einweichen lassen. Umrühren und das Tamarindenmark mit einem

Löffel zerdrücken, bis es sich völlig aufgelöst hat. In die Suppe abseihen. Etwaige Kerne und Fasern wegwerfen.

3 Das Rindfleisch würfeln. Das Fleisch der Schweinekoteletts vom Knochen lösen, in dünne Scheiben schneiden und die Knochen wegwerfen. Das Fleisch zurück in die Suppe geben. Süßkartoffeln und Rettich zufügen und alles 20 Minuten köcheln lassen. Kohl und Fischsauce zugeben und sofort mit den Zitronenspalten servieren.

NÄHRWERT PRO PORTION: 25 g Eiweiß, 3 g Fett, 10 g Kohlenhydrate, 2 g Ballaststoffe, 70 mg Cholesterin, 675 kJ (160 kcal)

•

EMPANADAS

•

Vorbereitungszeit: 30 Minuten (+ 30 Minuten Abkühlen)
Gesamtkochzeit: 40 Minuten
Ergibt 24 Stück

☆☆

Füllung

1 EL Öl
4 Scheiben Speck, kleingeschnitten
1 große Zwiebel, feingehackt
3 Knoblauchzehen, gehackt
150 g Schweine- und Kalbshackfleisch
150 g Hühnerhackfleisch
2 EL Tomatenpaste (Tomatenmark, doppelt konzentriert)
1 TL brauner Zucker
1 EL Wasser
2 hartgekochte Eier, kleingeschnitten
4 Essiggurken, kleingeschnitten, nach Belieben
15 g frische Korianderblätter, gehackt
1 Eiweiß, geschlagen
Öl zum Braten

•

Teig

560 g Weizenmehl
250 ml Wasser
2 Eier, geschlagen
2 TL feiner Zucker
100 g Butter, geschmolzen
zum Einfetten: etwas geschmolzene Butter

•

1 Für die Füllung: Öl in einer Pfanne erhitzen, Speck, Zwiebel und Knoblauch zugeben und alles bei mittlerer Hitze 5 Minuten anbraten, dabei regelmäßig umrühren. Sämtliches Hackfleisch zufügen und anbraten, bis es angebräunt ist, dabei etwaige Klumpen zerdrücken.

2 Tomatenpaste, Zucker und Wasser zugeben, unter ständigem Rühren zum Kochen bringen und ohne Deckel 20 Minuten köcheln lassen. Eier, Essiggurken und Koriander zufügen. Die Mischung mindestens 30 Minuten abkühlen lassen.

3 Teig: Mehl, Wasser, Eier, Zucker und Butter in die Küchenmaschine geben und ca. 30 Sekunden mixen. Den Teig auf eine Fläche mit etwas Mehl geben und zu einer Kugel formen. In einer Frischhaltefolie eingewickelt 10 Minuten stehen lassen.

4 Den Teig zu einem 30 x 20 cm großen Rechteck ausrollen. Mit geschmolzener Butter einpinseln und eng zusammenrollen. Die Rolle in 3 cm lange Scheiben schneiden und abdecken.

5 Eine Teigscheibe flach auf eine Fläche mit etwas Mehl legen; zu einem Kreis mit 12 cm Durchmesser ausrollen. Einen gehäuften EL der Füllung in die Mitte geben und die Ränder mit Eiweiß einpinseln. Die Seiten genau aufeinanderlegen und die Ränder fest zusammendrücken. Den Rand nach Belieben mit einer Gabel verzieren.

6 Pfanne 2 cm hoch mit Öl füllen und erhitzen; Empanadas portionsweise hineingeben und auf jeder Seite 2–3 Minuten anbraten. Auf Küchenpapier abtropfen lassen und servieren.

NÄHRWERT PRO EMPANADA: 10 g Eiweiß, 10 g Fett, 20 g Kohlenhydrate, 1 g Ballaststoffe, 55 mg Cholesterin, 900 kJ (215 kcal)

Unten: *Empanadas*

THAILAND

Jede thailändische Mahlzeit ist ein Balanceakt zwischen ganz eigenen Geschmacksrichtungen. Suppen und Currys sind säuerlich und cremig-süß zugleich, abgeschmeckt mit saurer Tamarinde, feurig scharfen Chillies, bitteren Limettenblättern und einer Handvoll Basilikum, Koriander und Minze. Obwohl die thailändische Küche viel aus anderen Ländern übernommen hat – pfannengerührte und gedämpfte Gerichte aus China, Gewürze aus Indien –, sind aus diesen Einflüssen Gerichte entstanden, die einzigartig thailändisch sind.

TAMARINDENMARK
Sollte Tamarindenkonzentrat nicht erhältlich sein, ein Stück Tamarindenmark in heißem Wasser einweichen (3 EL Mark auf 125 ml heißes Wasser) und mit den Fingerspitzen zerdrücken, bis es weich ist. Das aufgelöste Mark abgießen, dabei mit einem Löffelrücken Kerne und Fasern von der Flüssigkeit zurückhalten. Die Flüssigkeit sollte eine dünne Konsistenz haben. Überschüssige Flüssigkeit kann eingefroren werden.

Oben: *Tom Yum Gung*

TOM YUM GUNG
(SAUER-SCHARFE GARNELENSUPPE)

•

Vorbereitungszeit: 25 Minuten
Gesamtkochzeit: 45 Minuten
Für 4–6 Personen

500 g rohe Garnelen
1 EL Öl
2 l Wasser
2 EL rote Currypaste (s. S. 112) oder Fertigpaste
2 EL Tamarindenkonzentrat
2 TL Kurkuma, gemahlen
1 TL rote Chillies, gemahlen, nach Belieben
4–8 Kaffir-Limettenblätter, ganz oder zerkleinert
2 EL Fischsauce
2 EL Limettensaft
2 TL brauner Zucker
7 g frische Korianderblätter

•

1 Garnelen schälen und den Darm entfernen, dabei die Schwänze ganz lassen. Öl in einem großen Topf erhitzen, die Schalen und Köpfe der Garnelen zugeben und unter ständigem Wenden 10 Minuten bei mittlerer Hitze anbraten, bis die Schalen und Köpfe tieforange geworden sind.
2 250 ml Wasser und die Currypaste zufügen; 5 Minuten kochen lassen, bis sich die Flüssigkeit etwas verringert hat. Das restliche Wasser zugeben und 20 Minuten köcheln lassen. Die Brühe abgießen und die Schalen und Köpfe wegwerfen.
3 Die Brühe in den Topf zurückgießen. Tamarindenkonzentrat, Kurkuma, Chillies und Limettenblätter zugeben und 2 Minuten kochen lassen. Garnelen in den Topf geben und 5 Minuten mitkochen, bis sie eine rosa Farbe angenommen haben. Fischsauce, Limettensaft und Zucker einrühren, mit Korianderblättern bestreuen und sofort servieren.

NÄHRWERT PRO PORTION (6): 15 g Eiweiß, 10 g Fett, 5 g Kohlenhydrate, 0 g Ballaststoffe, 160 mg Cholesterin, 615 kJ (145 kcal)

•

GOLDENE GARNELENBÄLLCHEN

•

Vorbereitungszeit: 15 Minuten
(+ 30 Minuten Abkühlen)
Gesamtkochzeit: 5–10 Minuten
Für 4–6 Personen

750 g rohe Garnelen
4 mittelgroße rote Chillies, feingehackt
15 g frische Korianderblätter
2 Eiweiß
1 EL frischer Ingwer, feingerieben
2 Knoblauchzehen, gehackt
1 EL Fischsauce
60 g Reismehl oder Stärke
125 ml Öl
zum Servieren: Chilisauce

GALGANT, GETROCKNET
Sollte kein frischer Galgant erhältlich sein, eine ähnliche Menge getrockneten Galgants mit kochendem Wasser übergießen, 10 Minuten stehen lassen, dann abgießen. Die Einweichflüssigkeit kann im Rezept anstelle der Brühe verwendet werden.

1 Garnelen schälen und den Darm entfernen.
2 Garnelenfleisch, Chillies, Koriander, Eiweiß, Ingwer, Knoblauch und Fischsauce in eine Küchenmaschine geben und alles zu einer einheitlichen Mischung zerkleinern.
3 Die Mischung in eine Schüssel füllen und Mehl hineinrühren. Die Garnelenmischung mindestens 30 Minuten oder bis zum Braten in den Kühlschrank stellen.
4 Öl in einer schweren Pfanne erhitzen. Vorsichtig runde, teelöffelgroße Portionen der Mischung in das heiße Öl gleiten lassen und 2 Minuten braten, dabei vorsichtig mit einer Zange wenden, bis sie auf allen Seiten goldbraun sind. Die Bällchen auf Küchenpapier abtropfen lassen und sofort mit Chilisauce servieren.
HINWEIS: Die Mischung nicht zu lange zerkleinern oder braten, sie wird sonst fest.

NÄHRWERT PRO PORTION (6): 10 g Eiweiß, 20 g Fett, 10 g Kohlenhydrate, 1 g Ballaststoffe, 110 mg Cholesterin, 1140 kJ (270 kcal)

TOM KHA GAI
(HÜHNERSUPPE MIT GALGANT)
•

Vorbereitungszeit: 20 Minuten
Gesamtkochzeit: 20 Minuten
Für 4 Personen

5 cm frischer Galgant
500 ml Kokosmilch
250 ml Hühnerbrühe
600 g Hühnerbrustfilets, in dünne Streifen geschnitten
1–2 TL rote Chillies, feingehackt
2 EL Fischsauce
1 TL brauner Zucker
7 g frische Korianderblätter
•

1 Galgant in dünne Scheiben schneiden. Mit der Kokosmilch und der Brühe in einen Topf geben. Zum Kochen bringen, dann alles 10 Minuten köcheln lassen, dabei gelegentlich umrühren.
2 Hühnerfleisch und Chillies in den Topf geben und 8 Minuten köcheln lassen. Fischsauce und Zucker zufügen und umrühren.
3 Korianderblätter zugeben und sofort servieren, nach Belieben mit zusätzlichen Koriandersträußchen garnieren.

NÄHRWERT PRO PORTION: 40 g Eiweiß, 30 g Fett, 5 g Kohlenhydrate, 0 g Ballaststoffe, 80 mg Cholesterin, 1810 kJ (430 kcal)

Oben: *Tom Kha Gai*

ROTES GEMÜSE-CURRY

•

Vorbereitungszeit: 25 Minuten
Gesamtkochzeit: 25–30 Minuten
Für 4 Personen

1 EL Öl
1 mittelgroße Zwiebel, gehackt
1–2 EL rote Currypaste (s. folgendes Rezept) oder Fertigpaste
375 ml Kokosmilch
250 ml Wasser
2 mittelgroße Kartoffeln, kleingeschnitten
200 g Blumenkohlröschen
6 Kaffir-Limettenblätter
150 g Schlangenbohnen, in 3 cm lange Stücke geschnitten
½ rote Paprika, in Streifen geschnitten
10 frische Baby-Maiskölbchen, der Länge nach halbiert
1 EL grüne Pfefferkörner, grobgehackt
15 g frisches thailändisches Basilikum, feingehackt
2 EL Fischsauce
1 EL Limettensaft
2 TL brauner Zucker

•

1 Öl in einem großen Wok oder einer Pfanne erhitzen. Zwiebel und Currypaste 4 Minuten bei mittlerer Hitze unter Rühren anbraten.
2 Kokosmilch und Wasser zugeben, zum Kochen bringen und 5 Minuten ohne Deckel köcheln lassen. Kartoffeln, Blumenkohl und Kaffir-Limettenblätter zufügen und 7 Minuten köcheln lassen. Schlangenbohnen, Paprika, Maiskölbchen und Pfefferkörner zugeben und alles kochen, bis das Gemüse weich ist.
3 Basilikum, Fischsauce, Limettensaft und Zucker einrühren. Das Gericht mit gedämpftem Reis servieren.

NÄHRWERT PRO PORTION: 10 g Eiweiß, 30 g Fett, 25 g Kohlenhydrate, 5 g Ballaststoffe, 5 mg Cholesterin, 1585 kJ (308 kcal)

Unten: *Rotes Gemüse-Curry*

•

ROTE CURRYPASTE

•

Vorbereitungszeit: 20 Minuten
Gesamtkochzeit: 6 Minuten
Ergibt ca. 250 ml

1 EL Koriandersamen
2 TL Kreuzkümmelsamen
1 TL schwarze Pfefferkörner
2 TL Garnelenpaste
1 TL Muskatnuß, gemahlen
12 rote Chillies, getrocknet oder frisch, grobgehackt
20 rote asiatische Schalotten, gehackt
2 EL Öl
4 Stengel Zitronengras (nur der weiße Teil), feingehackt
12 kleine Knoblauchzehen, gehackt
2 EL frische Korianderwurzeln, gehackt
2 EL frische Korianderstengel, gehackt
6 Kaffir-Limettenblätter, gehackt
2 TL Limettenschale, gerieben
2 TL Salz
2 TL Kurkuma, gemahlen
1 TL Paprika

•

1 Koriander- und Kreuzkümmelsamen in eine Pfanne geben und bei mittlerer Hitze unter ständigem Schwenken der Pfanne 2 bis 3 Minuten rösten.
2 Die gerösteten Gewürze und die Pfefferkörner in einem Mörser fein zerstoßen.
3 Die Garnelenpaste in ein Stück Folie wickeln und das Päckchen unter zweimaligem Wenden etwa 3 Minuten in einem sehr heißen Grill grillen.
4 Die zermahlenen Gewürze, die Garnelenpaste, Muskatnuß und Chillies in eine Küchenmaschine geben und 5 Sekunden zerkleinern. Die restlichen Zutaten zugeben und zerkleinern, zwischendurch immer wieder die Masse von den Innenwänden der Küchenmaschine schaben, bis eine glatte Paste entsteht.

NÄHRWERT PRO 100 g: 2 g Eiweiß, 10 g Fett, 5 g Kohlenhydrate, 5 g Ballaststoffe, 0 mg Cholesterin, 430 kJ (100 kcal)

GRÜNES HÜHNER-CURRY

•

Vorbereitungszeit: 20 Minuten
Gesamtkochzeit: 25 Minuten
Für 4 Personen

1 EL Öl
1 Zwiebel, gehackt
1–2 EL grüne Currypaste (s. S. 123) oder Fertigpaste
375 ml Kokosmilch
125 ml Wasser
500 g Hühnerschenkel, in mundgerechte Stücke filetiert
100 g grüne Bohnen, in kurze Stücke geschnitten
6 Kaffir-Limettenblätter
1 EL Fischsauce
1 EL Limettensaft
1 TL Limettenschale, feingerieben
2 TL brauner Zucker
7 g frische Korianderblätter

1 Öl in einem Wok oder einer gußeisernen Pfanne erhitzen. Zwiebel und Currypaste in den Wok geben und beides 1 Minute unter ständigem Rühren anbraten. Koskosmilch und Wasser zufügen und die Mischung zum Kochen bringen.

2 Hühnerfleisch, Bohnen und Zitronenblätter unter Rühren in den Wok geben, damit sie sich mit der Flüssigkeit verbinden. Alles 15–20 Minuten köcheln lassen, bis das Hühnerfleisch weich ist.

3 Fischsauce, Limettensaft, Limettenschale und Zucker in den Wok geben; alles gut umrühren. Kurz vor dem Servieren frische Korianderblätter über das Gericht streuen. Mit gedämpftem Reis servieren.

HINWEIS: Filetierte Hühnerschenkel sind leicht süßlich im Geschmack und haben eine für Currys geeignete Konsistenz, aber Sie können nach Wunsch auch Brustfilet verwenden. Die Filets nicht zu lange kochen, sonst werden sie zäh.

NÄHRWERT PRO PORTION: 30 g Eiweiß, 35 g Fett, 10 g Kohlenhydrate, 1 g Ballaststoffe, 90 mg Cholesterin, 1910 kJ (455 kcal)

Oben: *Grünes Hühner-Curry*

KNUSPRIG FRITIERTES HUHN

Vorbereitungszeit: 20 Minuten (+ 30 Minuten Marinieren)
Gesamtkochzeit: 30 Minuten
Für 4 Personen

4 Hühnerviertel oder 8 Hühnerunterschenkel
4 Knoblauchzehen, gehackt
3 Korianderwurzeln, feingehackt
2 TL Kurkuma, gemahlen
1 TL frisch gemahlener Pfeffer
1 TL Salz
1 TL feiner Zucker
2 EL Chilisauce
Öl zum Fritieren

1 Das Hühnerfleisch 15 Minuten in Wasser kochen, bis es gar ist. Abkühlen lassen.
2 Knoblauch, Korianderwurzeln, Kurkuma, Pfeffer, Salz, Zucker und Chilisauce in einem Mörser oder einer Küchenmaschine zu einer glatten Paste zerstoßen. Diese auf das Fleisch pinseln, es zudecken und 30 Minuten in den Kühlschrank stellen.
3 Öl in einer gußeisernen Pfanne erhitzen, das Huhn zugeben und unter häufigem Wenden anbraten, bis es dunkelbraun ist. Auf Küchenpapier abtropfen lassen. Heiß oder kalt, nach Belieben mit Chilisauce servieren.

NÄHRWERT PRO PORTION: 25 g Eiweiß, 15 g Fett, 3 g Kohlenhydrate, 1 g Ballaststoffe, 105 mg Cholesterin, 1085 kJ (260 kcal)

GESCHMORTES RINDFLEISCH MIT SPINAT UND LAUCH

Vorbereitungszeit: 15 Minuten (+ 2 Stunden Marinieren)
Gesamtkochzeit: 25 Minuten
Für 4 Personen

400 g Rinderfilet
2 EL helle Sojasauce
2 EL Fischsauce
3 EL Öl
4 Korianderwurzeln, feingehackt
15 g frische Korianderblätter und -stengel, gehackt
2 TL schwarze Pfefferkörner, zerstoßen
2 Knoblauchzehen, zerdrückt
1 EL brauner Zucker
125 ml Wasser
1 Lauchstange, in Ringe geschnitten
20 Spinatblätter ohne Stiel
60 ml Limettensaft

1 Rindfleisch in 2,5 cm dicke Scheiben schneiden. Sojasauce, Fischsauce, 1 EL Öl, Koriander, Pfeffer, Knoblauch und Zucker in einer Küchenmaschine zerkleinern, über das Fleisch gießen; zudecken und gut 2 Stunden im Kühlschrank ziehen lassen.
2 Das Fleisch abtropfen lassen; die Marinade aufheben. 1 EL Öl in einem Wok erhitzen. Fleischscheiben hineingeben und auf beiden Seiten kräftig anbraten. Marinade und Wasser zugeben und 8 Minuten köcheln lassen. Fleisch herausnehmen und die Sauce 10 Minuten köcheln lassen; beiseite stellen. Das Fleisch in Stücke schneiden.
3 1 EL Öl in einem Wok oder einem Topf erhitzen; Lauch zugeben und 2 Minuten unter ständigem Rühren bei mittlerer Hitze anbraten. Spinat zufügen und 30 Sekunden mit anbraten.
4 Lauch und Spinat zusammen mit dem Fleisch auf einer Servierplatte anordnen. Die Sauce über das Fleisch gießen und alles mit Limettensaft beträufeln. Nach Belieben mit Chiliringen garnieren.

NÄHRWERT PRO PORTION: 25 g Eiweiß, 20 g Fett, 5 g Kohlenhydrate, 2 g Ballaststoffe, 75 mg Cholesterin, 1290 kJ (305 kcal)

GRÜNES GARNELEN-CURRY

Vorbereitungszeit: 35 Minuten
Gesamtkochzeit: 25 Minuten
Für 4 Personen

500 g rohe Garnelen
375 ml Kokosmilch
250 ml Wasser
1–3 EL grüne Currypaste (s. S. 123) oder Fertigpaste
6 Kaffir-Limettenblätter
100 g Schlangenbohnen, in kurze Stücke geschnitten, nach Belieben
2 EL Fischsauce
2 EL Limettensauce
2 TL Limettenschale, gerieben
2 TL brauner Zucker
30 g frische Korianderblätter

1 Garnelen schälen und den Darm entfernen, dabei den Schwanz ganz lassen. Beiseite stellen.
2 Kokosmilch und Wasser 5 Minuten bei mittlerer Hitze in einem Wok erhitzen. Currypaste, Zitronenblätter und Bohnen zufügen; alles zum Kochen bringen und 10 Minuten köcheln lassen.
3 Garnelen zugeben und 5 Minuten köcheln lassen. Fischsauce, Limettensaft, Limettenschale und Zucker zufügen. Mit Korianderblättern bestreuen.

NÄHRWERT PRO PORTION: 15 g Eiweiß, 25 g Fett, 5 g Kohlenhydrate, 0 g Ballaststoffe, 125 mg Cholesterin, 1230 kJ (295 kcal)

KORIANDERWURZELN
Korianderwurzeln sind für die thailändische Küche unentbehrlich, sie bilden zusammen mit Knoblauch und Pfefferkörnern die geschmackliche Grundlage für die meisten Currypasten und Suppen. Wenn Sie die Wurzeln von der Pflanze abtrennen, lassen Sie etwa 2 cm der Stengel an den Wurzeln. Gut waschen und fein hacken, erst dann in einem Mörser oder einer Küchenmaschine zerkleinern; das Zerstoßen der Wurzel hilft, das Aroma zu entfalten. Korianderwurzeln können eingefroren werden.

Vorherige Seite: *Geschmortes Rindfleisch mit Spinat und Lauch (oben), Knusprig fritiertes Huhn*

Oben: *Fischfilets in Kokosmilch*

FISCHFILETS IN KOKOSMILCH

•

Vorbereitungszeit: 15 Minuten
Gesamtkochzeit: 15 Minuten
Für 4 Personen

2 lange grüne Chillies
2 kleine rote Chillies
400 g feste weiße Fischfilets
2 Stengel Zitronengras (nur der weiße Teil)
2 Korianderwurzeln, feingehackt
4 Kaffir-Limettenblätter
2 cm frischer Ingwer, gerieben
2 Knoblauchzehen, zerdrückt
3 Frühlingszwiebeln (nur der weiße Teil), in feine Ringe geschnitten
1 TL brauner Zucker
250 ml Kokosmilch
125 ml Kokoscreme
1 EL Fischsauce
2–3 EL Limettensaft
zum Garnieren: Kaffir-Limettenblätter

•

1 Den Wok erhitzen. Die Chillies hineingeben und rösten, bis sie braun werden. Die grünen Chillies herausnehmen, abkühlen lassen und in Ringe schneiden.
2 Den Fisch in Würfel schneiden. Das Zitronengras mit einer Messerklinge zerdrücken.
3 Zitronengras, Korianderwurzeln, Zitronenblätter, Ingwer, Frühlingszwiebeln, Zucker und Kokosmilch in den Wok geben. 2 Minuten köcheln lassen. Fisch zugeben und 2–3 Minuten köcheln lassen, hierbei die Kokoscreme einrühren.
4 Grüne Chillies, Fischsauce, Limettensaft und Salz unterrühren. Vor dem Servieren das Zitronengras und die ganzen Chillies entfernen.

NÄHRWERT PRO PORTION: 25 g Eiweiß, 20 g Fett, 10 g Kohlenhydrate, 5 g Ballaststoffe, 75 mg Cholesterin, 1380 kJ (330 kcal)

•

LARB
(PIKANTER SALAT MIT SCHWEINEFLEISCH)

•

Vorbereitungszeit: 20 Minuten
Gesamtkochzeit: 8 Minuten
Für 4–6 Personen

1 EL Öl
2 Stengel Zitronengras (nur der weiße Teil), in feine Ringe geschnitten
2 frische grüne Chillies, in feine Ringe geschnitten
500 g mageres Schweine- oder Rinderhackfleisch
60 ml Limettensaft
2 TL Limettenschale, feingerieben
2–6 TL Chilisauce
10 g frische Korianderblätter, gehackt
5 g frische Minze, gehackt
1 kleine rote Zwiebel, in feine Ringe geschnitten
50 g ungesalzene geröstete Erdnüsse, gehackt
25 g Knoblauch, knusprig gebraten
zum Garnieren: Kopfsalatblätter

•

1 Öl in einem Wok erhitzen und Zitronengras, Chillies und Hackfleisch unter ständigem Rühren bei starker Hitze 6 Minuten garen, dabei Klumpen zerdrücken. In einer Schüssel abkühlen lassen.
2 Limettensaft, Limettenschale und Chilisauce zufügen. Salatblätter auf einer Servierplatte anordnen. Einen Großteil des Korianders, der Minze, der Zwiebel, der Erdnüsse und des gebratenen Knoblauchs unter das Hackfleisch rühren, die Mischung auf dem Kopfsalat verteilen und das Gericht mit dem Rest des Korianders, der Minze, der Zwiebel, der Erdnüsse und des Knoblauchs bestreuen.

NÄHRWERT PRO PORTION (6): 20 g Eiweiß, 15 g Fett, 3 g Kohlenhydrate, 3 g Ballaststoffe, 45 mg Cholesterin, 965 kJ (230 kcal)

GEDÜNSTETER FISCH IN BANANENBLÄTTERN

Die eingeschnittenen Ecken einschlagen, dann andrücken und/oder am Rand mit einem Bindfaden umwickeln.

Jedes Förmchen mit der Fischmischung füllen, dabei Platz für den Weißkohl lassen.

Den geschnittenen Kohl mit ein wenig Fischsauce über jedes Förmchen streuen.

GEDÜNSTETER FISCH IN BANANENBLÄTTERN

•

Vorbereitungszeit: 45 Minuten
Gesamtkochzeit: 10 Minuten
Ergibt 10 Stück

☆

2 große Bananenblätter
350 g feste weiße Fischfilets, in dünne Streifen geschnitten
1–2 EL rote Currypaste (s. S. 112) oder Fertigpaste
250 ml Kokoscreme
150 g Weißkohl, feingeschnitten
2 EL Fischsauce
2 EL Limettensaft
1–2 EL süße Chilisauce
1 frischer roter Chili, gehackt (nach Belieben)

1 Bananenblätter in Quadrate von 10 x 10 cm schneiden und diese diagonal von den Ecken her 3 cm einschneiden. Die Enden einschlagen und andrücken und/oder mit einem Stück Bindfaden umwickeln, so daß sich daraus Förmchen ergeben. Die Ecken beschneiden, falls dies erforderlich sein sollte.

2 Den Fisch mit der Currypaste und der Kokoscreme in eine Schüssel legen und vorsichtig umrühren. Einige Löffel von der Fischfüllung in das Bananenblatt füllen.

3 Einen großen Dämpfeinsatz mit zusätzlichen Bananenblättern oder Kohlblättern auslegen und die vorbereiteten Förmchen in den Einsatz legen. Jedes Stück Fisch mit Kohl und etwas Fischsauce bedecken. Den Einsatz in einen Wok mit kochendem Wasser hängen und den Fisch zugedeckt 7 Minuten dünsten. Die Förmchen mit Limettensaft und süßer Chilisauce beträufeln und mit dem roten Chili bestreuen, dann sofort servieren.

HINWEIS: Der Fisch kann auch in Förmchen aus Alufolie gegart werden.

NÄHRWERT PRO FÖRMCHEN: 10 g Eiweiß, 10 g Fett, 5 g Kohlenhydrate, 1 g Ballaststoffe, 25 mg Cholesterin, 545 kJ (130 kcal)

Oben:
Gedünsteter Fisch in Bananenblättern

SCHARFES SCHWEINE-CURRY MIT KÜRBIS

•

Vorbereitungszeit: 20 Minuten
Gesamtkochzeit: 25 Minuten
Für 4 Personen

1 EL Öl
1–2 EL rote Currypaste (s. S. 112) oder Fertigpaste
500 g mageres Schweinefleisch, in dicke Streifen oder große Würfel geschnitten
250 ml Kokosmilch
125 ml Wasser
350 g Kürbis, in kleine Würfel geschnitten
6 Kaffir-Limettenblätter
60 ml Kokoscreme
1 EL Fischsauce
1 TL brauner Zucker
2 rote Chillies, in dünne Ringe geschnitten

•

1 Öl erhitzen, Currypaste zugeben und 1 Minute rühren. Schweinefleisch zufügen und unter ständigem Rühren goldbraun anbraten.
2 Die Kokosmilch, das Wasser, den Kürbis und die Zitronenblätter zugeben, die Hitze reduzieren und alles 20 Minuten köcheln lassen bzw. bis das Schweinefleisch gar ist.
3 Kokoscreme, Fischsauce und Zucker zugeben und rühren. Chillies über das Gericht streuen. Nach Belieben mit dem Basilikumsträußchen garnieren und mit gedämpftem Reis servieren.

NÄHRWERT PRO PORTION: 35 g Eiweiß, 30 g Fett, 10 g Kohlenhydrate, 0 g Ballaststoffe, 65 mg Cholesterin, 1860 kJ (465 kcal)

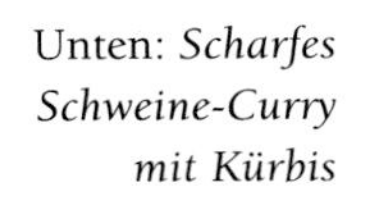

Unten: *Scharfes Schweine-Curry mit Kürbis*

•

GARNELEN IN LIMETTEN-KOKOS-SAUCE

•

Vorbereitungszeit: 20 Minuten
Gesamtkochzeit: 30 Minuten
Für 4 Personen

15 g Kokosflocken
500 g rohe Garnelen
1 TL Garnelenpaste
250 ml Kokosmilch
250 ml Wasser
2 Stengel Zitronengras (nur der weiße Teil), feingehackt
2–4 Kaffir-Limettenblätter
2 TL rote Chillies, gehackt
2 EL Tamarindenkonzentrat
2 TL Fischsauce
1 TL brauner Zucker
Schalen von 2 frischen Limetten

•

1 Kokosflocken auf einem Backblech verteilen und bei 150 °C im Ofen rösten, bis sie dunkelgolden werden; dabei gelegentlich am Blech rütteln. Die Garnelen schälen und den Darm entfernen, den Schwanz dabei ganz lassen.
2 Die Garnelenpaste auf ein kleines Stück Alufolie geben und dann zu einem Päckchen falten. Im heißen Ofengrill 2 Minuten auf jeder Seite backen.
3 Kokosmilch und Wasser in einem Wok oder einer Pfanne vermischen und bei mittlerer Hitze kurz aufkochen lassen. Zitronengras, Limettenblätter und Chillies zufügen; 7 Minuten köcheln lassen. Garnelenpaste, Tamarindenkonzentrat, Fischsauce und Zucker zugeben und 8 Minuten köcheln lassen.
4 Die Garnelen in die Sauce geben und 5 Minuten kochen lassen, bis sie eine rosa Farbe angenommen haben. Mit den Kokosflocken und langen, dünnen Streifen einer Limettenschale bestreuen; anschließend sofort mit gedämpftem Reis servieren.
HINWEIS: Die Garnelen können auch ungeschält gekocht und serviert werden. In diesem Fall für jeden Gast eine Schale und eine Serviette bereitstellen.

NÄHRWERT PRO PORTION: 15 g Eiweiß, 15 g Fett, 5 g Kohlenhydrate, 0 g Ballaststoffe, 120 mg Cholesterin, 840 kJ (200 kcal)

HÜHNCHEN-PANANG-CURRY MIT ERDNÜSSEN

•

Vorbereitungszeit: 25 Minuten
Gesamtkochzeit: 30–40 Minuten
Für 4 Personen

1 EL Öl
1 große rote Zwiebel, gehackt
1–2 EL fertige Panang-Currypaste
250 ml Kokosmilch
500 g Hühnerschenkel, in mundgerechte Stücke filetiert
4 Kaffir-Limettenblätter
60 ml Kokoscreme
1 EL Fischsauce
1 EL Limettensaft
2 TL brauner Zucker
80 g ungesalzene geröstete Erdnüsse, gehackt
15 g Blätter von thailändischem Basilikum
80 g frische Ananas, zerkleinert
1 Gurke, in Scheiben geschnitten
zum Servieren: Chilisauce (nach Belieben)

1 Öl in einem Wok oder einer großen Pfanne erhitzen; Zwiebel und Currypaste zugeben und 2 Minuten bei mittlerer Hitze ständig rühren. Kokosmilch hinzufügen und zum Kochen bringen.
2 Hühnerfleisch und Limettenblätter in den Wok geben, die Hitze reduzieren und 15 Minuten kochen lassen. Das Fleisch mit einer Siebkelle oder einem Schaumlöffel herausnehmen. Die Sauce 5 Minuten köcheln lassen, bis sie eingedickt ist.
3 Das Fleisch in den Wok zurückgeben. Kokoscreme, Fischsauce, Limettensaft und Zucker zufügen und 5 Minuten kochen lassen. Erdnüsse, Basilikum und Ananas einrühren. Mit einigen Gurkenscheiben am Rand und – nach Belieben – mit etwas Chilisauce sowie gedämpftem Reis servieren.
HINWEIS: Die Panang-Currypaste basiert auf gemahlenen Nüssen (gewöhnlich Erdnüssen). Panang-Curry stammt aus Malaysia, ist mittlerweile aber auch in der thailändischen und der indonesischen Küche zu finden.

NÄHRWERT PRO PORTION: 35 g Eiweiß, 40 g Fett, 15 g Kohlenhydrate, 5 g Ballaststoffe, 90 mg Cholesterin, 2330 kJ (555 kcal)

Oben: *Hühnchen-Panang-Curry mit Erdnüssen*

GARNELENOMELETT

Das Omelett etwas anheben und den Wok so neigen, daß die noch nicht gekochte Flüssigkeit nach unten läuft.

Die Seiten des Omeletts über der Mischung zu einem Quadrat einschlagen.

Oben: *Garnelenomelett*

GARNELENOMELETT

•

Vorbereitungszeit: 15 Minuten
Gesamtkochzeit: 15 Minuten
Für 2–4 Personen

2 EL Öl
3 Knoblauchzehen, gehackt
2 Stengel Zitronengras (nur der weiße Teil), feingehackt
2 Korianderwurzeln, feingehackt
1–2 TL roter Chili, gehackt
500 g kleine rohe Garnelen, geschält
3 Frühlingszwiebeln, gehackt
1/2 TL schwarzer Pfeffer
1 EL Fischsauce
2 TL brauner Zucker
4 Eier
2 EL Wasser
2 TL Fischsauce
zum Garnieren: kleingeschnittene Frühlingszwiebeln, Koriandersträußchen
zum Servieren: Chilisauce

•

1 1 EL Öl in einem großen Wok erhitzen; Knoblauch, Zitronengras, Korianderwurzeln und Chili zugeben und 20 Sekunden bei mittlerer Hitze rühren. Die Garnelen zufügen und unter ständigem Rühren anbraten, bis sie ihre Farbe verändern. Frühlingszwiebeln, Pfeffer, Fischsauce und Zucker zugeben, gut vermischen und alles aus dem Wok herausnehmen.
2 Eier, Wasser und zusätzliche Fischsauce in einer Schüssel schaumig schlagen. Öl in den Wok geben und auf die Ränder verteilen. Die Eiermasse in dem heißen Wok herumschwenken. Die Eiermasse oft anheben, dabei den Wok leicht neigen, damit die noch nicht gestockte Masse nach unten fließt. Mehrmals wiederholen, bis das Omelett fast fest ist.
3 Dreiviertel der Garnelenmischung in der Mitte des Omeletts verteilen und die Seiten zu einem Quadrat einschlagen oder das Omelett einfach in der Mitte umschlagen.
4 Eine Servierplatte vorbereiten, Omelett vorsichtig darauf gleiten lassen, den Rest der Mischung darauf geben, mit Frühlingszwiebeln und Koriander garnieren und mit gedämpftem Reis servieren.
HINWEIS: Sie können die Garnelen auch mit Meeresfrüchten, z. B. Jakobsmuscheln, mischen.

NÄHRWERT PRO PORTION (4): 20 g Eiweiß, 15 g Fett, 5 g Kohlenhydrate, 1 g Ballaststoffe, 350 mg Cholesterin, 1020 kJ (240 kcal)

•

KNUSPRIG FRITIERTER FISCH MIT SAURER PFEFFER- UND KORIANDERSAUCE

•

Vorbereitungszeit: 20 Minuten
Gesamtkochzeit: 15 Minuten
Für 4 Personen

1 ganzer Süßwasserfisch, ca. 1 kg, mit festem Fleisch (z. B. Schnappbarsch oder Red Emperor), gesäubert und geschuppt
Öl zum Fritieren
4 Frühlingszwiebeln, gehackt
5 cm frischer Ingwer, gerieben
2–4 TL frische grüne Pfefferkörner, zerstoßen
2 TL rote Chillies, gehackt
125 ml Kokosmilch
1 EL Tamarindenkonzentrat
1 EL Fischsauce
30 g frische Korianderblätter
zum Servieren: süße Chilisauce und Kopfsalatblätter

•

1 Fisch auf beiden Seiten leicht kreuzweise einschneiden. Zu lange Flossen mit einer Küchenschere oder einem scharfen Messer abschneiden.
2 Öl in einem großen Wok erhitzen. Den Fisch hineinlegen und 4 bis 5 Minuten auf jeder Seite anbraten, dabei schwenken, um sicher zu sein, daß er knusprig und gar ist. Den Fisch gut auf Küchenpapier abtropfen lassen und warm stellen.
3 Fast das gesamte Öl abgießen. Den Wok erwärmen, Frühlingszwiebeln, Ingwer, Pfefferkörner und die Chillies hineingeben und 3 Minuten unter

ständigem Rühren anbraten. Kokosmilch, Tamarindenkonzentrat und Fischsauce zufügen und 2 Minuten kochen.

4 Den Fisch auf eine mit Salatblättern ausgelegte Servierplatte legen und die Sauce darüber gießen. Mit Korianderblättern bestreuen und mit Chilisauce servieren.

HINWEIS: Nicht vergessen, auch Fischmesser zu decken, mit denen man die Fischstücke von den Gräten heben kann.

NÄHRWERT PRO PORTION: 30 g Eiweiß, 25 g Fett, 0 g Kohlenhydrate, 0 g Ballaststoffe, 80 mg Cholesterin, 1540 kJ (370 kcal)

•

PFANNENGERÜHRTER BLUMENKOHL MIT SCHLANGENBOHNEN

•

Vorbereitungszeit: 15 Minuten
Gesamtkochzeit: 10 Minuten
Für 4 Personen

4 Korianderwurzeln, gehackt, oder 1 EL Blätter und Stengel, gehackt
1 TL brauner Zucker
1/2 TL Kurkuma, gemahlen
2 Knoblauchzehen, gepreßt
2 EL Fischsauce
400 g Blumenkohl
6 Frühlingszwiebeln
200 g Schlangenbohnen
2 EL Öl
4 Knoblauchzehen extra, der Länge nach in Scheiben geschnitten
20 Spinatblätter, grob zerkleinert
1/2 TL schwarze Pfefferkörner, zerstoßen
125 ml Wasser
1 EL Limettensaft

•

1 Koriander, Zucker, Kurkuma, gepreßten Knoblauch und 1 EL Fischsauce mit einem Mörser oder einem Mixer zu einer glatten Paste verarbeiten.

2 Blumenkohl in Röschen schneiden. Frühlingszwiebeln der Länge nach halbieren, dann den weißen Teil in kurze Stücke schneiden, dabei einige der grünen Enden zum Garnieren lassen. Die Schlangenbohnen in kurze Stücke schneiden.

3 Die Hälfte des Öls in einer großen Pfanne erhitzen, den zusätzlichen, in Scheiben geschnittenen Knoblauch zufügen und unter ständigem Rühren anbraten, bis er allmählich braun wird. Einen Teil des Knoblauchs zum Garnieren lassen.

4 Spinat in die Pfanne geben und unter ständigem Rühren anbraten, bis er in sich zusammenfällt. Pfeffer und übrige Fischsauce zugeben und gut vermischen; warm halten.

5 Das restliche Öl erhitzen; die Paste zufügen und bei starker Hitze 1 Minute anbraten. Blumenkohl zugeben und unter ständigem Rühren anbraten, bis sich beides gut vermischt hat. Wasser zugießen, zum Kochen bringen und 3 Minuten zugedeckt köcheln lassen. Bohnen zugeben und zugedeckt weitere 3 Minuten kochen.
Frühlingszwiebeln untermischen und rühren, bis sie weich werden. Gemüse über den Spinat geben, mit Limettensaft beträufeln und gebratenen Knoblauch und Frühlingszwiebeln darüber verteilen.

NÄHRWERT PRO PORTION: 5 g Eiweiß, 10 g Fett, 10 g Kohlenhydrate, 5 g Ballaststoffe, 5 mg Cholesterin, 675 kJ (160 kcal)

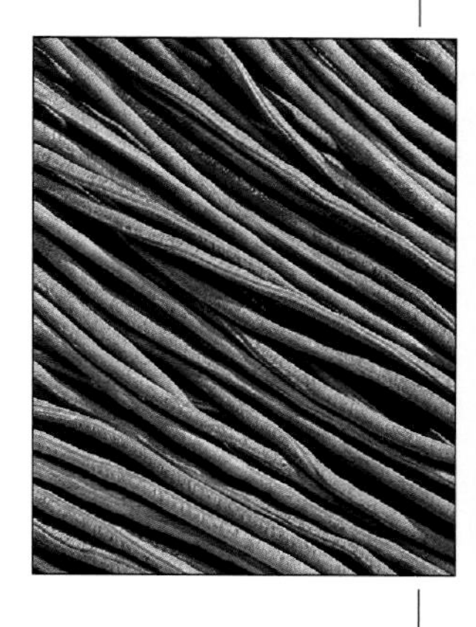

Oben: *Knusprig fritierter Fisch mit saurer Pfeffer- und Koriandersauce*
Unten: *Pfannengerührter Blumenkohl mit Schlangenbohnen*

GEDÜNSTETE FISCHSCHNITZEL MIT INGWER UND CHILI

•

Vorbereitungszeit: 15 Minuten
Gesamtkochzeit: 10 Minuten
Für 4 Personen

4 feste weiße Fischschnitzel, z. B. Schnappbarsch, jedes ungefähr 200 g
5 cm frischer Ingwer, in kleine Stückchen geschnitten
2 Knoblauchzehen, gehackt
2 TL rote Chillies, gehackt
2 EL Korianderstengel, feingehackt
3 Frühlingszwiebeln, in dünne, je 4 cm lange Stückchen geschnitten
2 EL Limettensaft

•

1 Einen Bambusdämpfer mit Bananenblättern oder Backpapier auslegen (damit der Fisch nicht haften bleibt oder nach Bambus schmeckt).
2 Die Fischschnitzel im Korb anordnen und mit Ingwer, Knoblauch, Chillies und Koriander bedecken. Zudecken und über kochendem Wasser 5–6 Minuten dünsten.
3 Den Deckel abnehmen und Frühlingszwiebeln und Limettensaft auf dem Fisch verteilen. Wieder zudecken und 30 Sekunden dünsten, bis der Fisch gar ist. Mit Zitronenstückchen und gedämpftem Reis, der mit Zwiebeln oder Kräutern garniert ist, sofort servieren.

NÄHRWERT PRO PORTION: 40 g Eiweiß, 5 g Fett, 0 g Kohlenhydrate, 0 g Ballaststoffe, 120 mg Cholesterin, 850 kJ (205 kcal)

•

SCHWEINEFLEISCH MIT KORIANDER UND FRISCHER ANANAS

•

Vorbereitungszeit: 25 Minuten
Gesamtkochzeit: 10–12 Minuten
Für 4 Personen

400 g Schweinelende oder -filet
1/4 einer mittelgroßen Ananas
1 EL Öl
4 Knoblauchzehen, gehackt
4 Frühlingszwiebeln, gehackt
1 EL Fischsauce
1 EL Limettensaft
15 g frische Korianderblätter
15 g frische Minze, gehackt

•

1 Schweinefleisch gerade so lange anfrieren lassen, bis es ein wenig fest ist, und dann in dünne Scheiben schneiden. Das Fruchtfleisch einer geschälten Ananas in mundgerechte Stückchen schneiden.
2 Öl in einem Wok erhitzen. Knoblauch und Frühlingszwiebel zugeben, 1 Minute anbraten und dann herausnehmen.
3 Den Wok stark erhitzen, das Fleisch in 2 oder 3 Portionen hineingeben und unter ständigem Wenden jeweils 3 Minuten braten. Das gesamte Fleisch mit Knoblauch und Frühlingszwiebeln zurück in den Wok geben und mit den Ananasstückchen, Fischsauce und Limettensaft gut mischen. Korianderblätter und Minze darüber streuen und leicht untermischen. Mit Reis servieren.

NÄHRWERT PRO PORTION: 25 g Eiweiß, 15 g Fett, 10 g Kohlenhydrate, 5 g Ballaststoffe, 55 mg Cholesterin, 1105 kJ (265 kcal)

•

GRÜNE CURRYPASTE

•

Vorbereitungszeit: 20 Minuten
Gesamtkochzeit: 6 Minuten
Ergibt 250 ml Currypaste

1 EL Koriandersamen
2 TL Kreuzkümmelsamen
1 TL schwarze Pfefferkörner
2 TL Garnelenpaste
8 große grüne Chillies, grobgehackt
20 rote asiatische Schalotten
5 cm frischer Galgant, gehackt
12 kleine Knoblauchzehen, gehackt
100 g frische Korianderblätter, -stengel und -wurzeln, gehackt
6 Kaffir-Limettenblätter, gehackt
3 Stengel Zitronengras (nur der weiße Teil), feingehackt
2 TL Limettenschale, feingerieben
2 TL Salz
2 EL Öl

•

1 Koriander- und Kreuzkümmelsamen in eine trokkene Pfanne geben und 2–3 Minuten bei mittlerer Hitze unter ständigem Schwenken rösten.
2 Die gerösteten Gewürze und Pfefferkörner in einem Mörser fein zerstoßen.
3 Die Garnelenpaste in ein Stück Folie einwickeln und 3 Minuten in einem heißen Grill garen; dabei das Päckchen zweimal wenden.
4 Die gemahlenen Gewürze mit der Garnelenpaste in eine Küchenmaschine geben und kurz mixen. Die übrigen Zutaten zugeben und mixen, bis die Masse geschmeidig ist, dabei zwischendurch die Paste immer wieder von den Wänden abschaben.

NÄHRWERT PRO 100 g: 5 g Eiweiß, 10 g Fett, 5 g Kohlenhydrate, 5 g Ballaststoffe, 0 mg Cholesterin, 440 kJ (105 kcal)

THAILÄNDISCHE CURRYPASTEN

Thailändische Currypasten werden üblicherweise aus frischen Kräutern hergestellt; man zieht sie den trockenen Gewürzen, die in der indischen Küche Verwendung finden, vor (z. B. Kreuzkümmel, Koriandersamen, Kardamom, Zimt und Gewürznelken). Marktstände bieten in ganz Thailand eine Vielzahl frisch zubereiteter Pasten für die häusliche Küche an. Von allen ist die grüne Currypaste trotz ihrer ›kalten‹ Farbe die allerschärfste; ihre Farbe rührt von den frischen grünen Chillies und den Korianderblättern her. Rote Currypaste ist nur geringfügig milder; hier geht die Farbe in erster Linie auf getrocknete oder frische rote Chillies zurück.

Vorherige Seite: *Gedünstete Fischschnitzel mit Ingwer und Chili* (oben), *Schweinefleisch mit Koriander und frischer Ananas* (unten)

GEDÜNSTETE MUSCHELN MIT ZITRONENGRAS, BASILIKUM UND WEIN

•

Vorbereitungszeit: 30 Minuten
Gesamtkochzeit: 15 Minuten
Für 4–6 Personen

1 kg frische, kleine Miesmuscheln
1 EL Öl
1 mittelgroße Zwiebel, gehackt
4 Knoblauchzehen, gehackt
2 Stengel Zitronengras (nur der weiße Teil), gehackt
1–2 TL rote Chillies, gehackt
250 ml Weißwein oder Wasser
1 EL Fischsauce
30 g frisches thailändisches Basilikum, gehackt

•

Oben: *Gedünstete Muscheln mit Zitronengras, Basilikum und Wein*

1 Geöffnete Muscheln wegwerfen. Die Außenseite der Muscheln mit einer Bürste schrubben; den Bart entfernen. Die Muscheln in kaltem Wasser 10 Minuten einweichen, dann abtropfen lassen.
2 Öl in einem Wok erhitzen. Zwiebel, Knoblauch, Zitronengras und Chillies zugeben und alles 4 Minuten bei mittlerer Hitze unter gelegentlichem Rühren anbraten; dann Wein und Fischsauce zugeben und weitere 3 Minuten kochen.
3 Muscheln in den Wok geben, gut durchschütteln und bei reduzierter Hitze 3–4 Minuten zugedeckt weiterkochen, bis die Muscheln sich öffnen. Nicht zu lange kochen, da sie sonst hart werden. Muscheln, die sich nach 4 Minuten nicht geöffnet haben, wegwerfen. Basilikum zufügen, alles gut durchschütteln und mit gedämpftem Reis servieren.

NÄHRWERT PRO PORTION (6): 15 g Eiweiß, 5 g Fett, 1 g Kohlenhydrate, 1 g Ballaststoffe, 85 mg Cholesterin, 470 kJ (110 kcal)

•

MEE GROB
(KNUSPRIG GEBRATENE NUDELN)

•

Vorbereitungszeit: 30 Minuten
Gesamtkochzeit: 20 Minuten

Für 4 Personen

200 g rohe Garnelen
100 g getrocknete Reis-Vermicelli
500 ml Öl
100 g gebratener Tofu, in streichholzgroße Stücke geschnitten
2 Knoblauchzehen, feingehackt
4 cm frischer Ingwer, gerieben
150 g Hühner- oder Schweinehackfleisch oder eine Mischung aus beidem
1 EL heller Essig
2 EL Fischsauce
2 EL brauner Zucker
2 EL Chilisauce
1 TL rote Chillies, gehackt
2 eingelegte Knoblauchzehen, gehackt
30 g Schnittlauch, gehackt
30 g frische Korianderblätter

1 Garnelen schälen und den Darm entfernen. Fein hacken und beiseite legen.
2 Die Nudeln 1 Minute in eine Schüssel mit heißem Wasser legen, abtropfen lassen und 20 Minuten trocknen.
3 Öl in einem Wok erhitzen. Den Tofu in zwei Portionen zugeben und 1 Minute knusprig braten; abtropfen lassen.
4 Die Nudeln in mehreren Portionen in den Wok geben und 10 Sekunden braten, dann sofort aus dem Wok nehmen, damit sie nicht zuviel Öl aufsaugen. Auf Küchenpapier abtropfen lassen.
5 Fast das ganze Öl aus dem Wok ablaufen lassen. Den Wok stark erhitzen und Knoblauch, Ingwer, das Gehackte und das Garnelenfleisch zugeben; alles unter Rühren anbraten, bis es goldbraun ist. Essig, Fischsauce, Zucker, Chilisauce und Chillies zufügen und rühren, bis es aufkocht.
6 Nudeln und Tofu kurz vor dem Servieren in den Wok geben und eingelegten Knoblauch, Schnittlauch und Koriander rasch untermischen.

NÄHRWERT PRO PORTION: 20 g Eiweiß, 5 g Fett, 35 g Kohlenhydrate, 2 g Ballaststoffe, 120 mg Cholesterin, 1145 kJ (270 kcal)

•

PAD THAI

(GEBRATENE THAILÄNDISCHE NUDELN)

•

Vorbereitungszeit: 25 Minuten
Gesamtkochzeit: 10–15 Minuten
Für 4 Personen

200 g rohe Garnelen
250 g getrocknete Reisnudeln
2 EL Öl
3 Knoblauchzehen, gehackt
2 TL rote Chillies, gehackt
150 g Schweinefleisch, in dünne Streifen geschnitten
60 g chinesischer Schnittlauch, gehackt
2 EL Fischsauce
2 EL Limettensaft
2 TL brauner Zucker
2 Eier, geschlagen
90 g Sojabohnensprossen
frische Koriandersträußchen
40 g ungesalzene, geröstete Erdnüsse, gehackt
zum Servieren: knusprig gebratene Zwiebeln, brauner Zucker und ungesalzene geröstete Erdnüsse

•

1 Garnelen schälen und den Darm entfernen. Das Fleisch fein hacken und beiseite legen.
2 Nudeln 10 Minuten in warmem Wasser einweichen lassen. Abtropfen lassen und beiseite stellen.
3 Öl in einem Wok oder einer großen Pfanne erhitzen. Knoblauch, Chillies und Schweinefleisch zugeben; 2 Minuten kontinuierlich rühren. Dann das Garnelenfleisch hinzufügen und alles unter ständigem Rühren 3 Minuten braten. Den Schnittlauch und die abgetropften Nudeln zugeben; zudecken und eine weitere Minute braten.
4 Fischsauce, Limettensaft, Zucker und Eier in den Wok geben. Mit einer Zange oder zwei hölzernem Löffeln gut durchrühren, bis alles gleichmäßig erhitzt ist.
5 Sojabohnensprossen, Koriander und Erdnüsse darüber verteilen. Dieses Gericht wird üblicherweise mit knusprig gebratenen Zwiebeln, braunem Zucker und gehackten Erdnüssen als Beilage serviert.

NÄHRWERT PRO PORTION: 30 g Eiweiß, 25 g Fett, 55 g Kohlenhydrate, 2 g Ballaststoffe, 235 mg Cholesterin, 2298 kJ (545 kcal)

EINGELEGTER KNOBLAUCH

In China, Korea und Thailand serviert man ganze Knoblauchzehen, in eine Essigmischung eingelegt, als Fleisch- und Geflügelbeilage. Sie werden auch Nudelgerichten sowie süßen und sauren Saucen beigemischt oder als Garnierung verwendet. Der süße, mild eingelegte Knoblauch, der in thailändischen Gerichten Verwendung findet, ist in Gläsern erhältlich; der kräftigere nach koreanischer Art wird, in Scheiben geschnitten und eingefroren, vakuumverpackt verkauft.

Oben: *Pad Thai*

CURRYPASTEN & -PULVER

Das Geheimnis asiatischer Currys besteht darin, frische Gewürze zu mahlen und daraus Pulver oder Pasten herzustellen. Schon einige Minuten starke Hitze sorgen dafür, daß die Gewürze Aroma entfalten.

CEYLON-CURRYPULVER
In einer kleinen Pfanne 6 EL Koriandersamen, 3 EL Kreuzkümmelsamen, 1 EL Fenchelsamen und 1/2 TL Bockshornkleesamen 8–10 Minuten trocken rösten, bis die Gewürze dunkelbraun sind; gelegentlich umrühren. Die gerösteten Gewürze dann mit 3 kleinen getrockneten Chillies, 3 Gewürznelken, 1/4 TL Kardamomsamen, 1 zerstoßenen Zimtstange und 2 getrockneten Curryblättern in einer Küchenmaschine zu feinem Pulver zermahlen. Abkühlen lassen und in ein luftdicht verschließbares Glas umfüllen.

NÄHRWERT PRO 100 g: 5 g Eiweiß, 15 g Fett, 5 g Kohlenhydrate, 3 g Ballaststoffe, 0 mg Cholesterin, 675 kJ (160 kcal)

INDONESISCHE SAMBALPASTE
12 große, getrocknete Chillies 30 Minuten in heißem Wasser einweichen und abtropfen lassen. Die Chillies, 2 grobgehackte, große, rote Zwiebeln, 6 Knoblauchzehen, 1 TL Garnelenpaste und 125 ml Öl in einer Küchenmaschine zu einer geschmeidigen Paste vermischen; dabei regelmäßig die Masse von den Innenseiten der Maschine abschaben. Dann eine Pfanne leicht erhitzen und die Paste unter regelmäßigem Rühren 10 Minuten kochen. 185 ml Tamarindenkonzentrat, 1 EL Palmzucker oder braunen Zucker, 2 TL Salz und 1 TL gemahlenen Pfeffer einrühren. 2 Minuten köcheln, dann ab-

kühlen lassen und in warme, sterilisierte Gläser füllen. Kann bis zu 2 Wochen im Kühlschrank und eingefroren bis zu 3 Monaten aufbewahrt werden.

NÄHRWERT PRO 100 g: 1 g Eiweiß, 15 g Fett, 5 g Kohlenhydrate, 2 g Ballaststoffe, 0 mg Cholesterin, 735 kJ (175 kcal)

GARAM MASALA

4 EL Koriandersamen, 3 EL Kardamomkapseln, 2 EL Kreuzkümmelsamen, 1 EL ganze schwarze Pfefferkörner, 1 TL ganze Gewürznelken und 3 Zimtstangen in einen Topf geben und trocken rösten, bis sich das Aroma entfaltet. Die Kardamomkapseln öffnen und nur die Samen weiterverwenden. Die gerösteten Gewürze mit einer geriebenen, frischen Muskatnuß in eine Küchenmaschine geben und zu Pulver verarbeiten. Unverzüglich verbrauchen oder in einem luftdicht verschließbaren Glas aufbewahren.

NÄHRWERT: zu vernachlässigen

BALTI MASALA-PASTE

4 EL Koriandersamen, 2 EL Kreuzkümmelsamen, 2 zerkrümelte Zimtstangen, je 2 TL Fenchelsamen, schwarze Senfkörner und Kardamomsamen, 1 TL Bockshornkleesamen, 6 Gewürznelken, 4 Lorbeerblätter und 20 Curryblätter in einen kleinen Topf geben. Bei mittlerer Hitze trocken rösten, bis sich das Aroma entfaltet. Die Gewürze dann in einem Mörser zerstoßen und anschließend abkühlen lassen, bevor sie zu Pulver zermahlen werden. Je 4 TL gemahlene Kurkuma und Knoblauchpulver, 2 TL gemahlenen Ingwer, 1 1/2 TL Chilipulver und 250 ml Essig zufügen. 250 ml Öl im Topf erhitzen, die Paste zugeben und unter ständigem Rühren 5 Minuten braten. In warme, sterilisierte Gläser füllen und luftdicht verschließen.

NÄHRWERT PRO 100 g: 1 g Eiweiß, 40 g Fett, 2 g Kohlenhydrate, 0 g Ballaststoffe, 0 mg Cholesterin, 1470 kJ (350 kcal)

CHILIPASTE

Von 200 g kleinen roten Chillies die Stiele entfernen; die Schoten mit 250 ml Wasser in einen kleinen Topf geben und zum Kochen bringen. Bei halboffenem Deckel 15 Minuten köcheln lassen, dann ein wenig abkühlen lassen. Die Chillies und die Flüssigkeit in eine Küchenmaschine geben; je 1 TL Salz und Zucker sowie je 1 EL Essig und Öl hinzufügen. Solange mixen, bis die Schoten ganz zerkleinert sind. In einem verschlossenen Behälter bis zu 2 Wochen im Kühlschrank haltbar.

NÄHRWERT PRO 100 g: 1 g Eiweiß, 4 g Fett, 3 g Kohlenhydrate, 1 g Ballaststoffe, 0 mg Cholesterin, 205 kJ (50 kcal)

Von links: *Ceylon-Currypulver, Indonesische Sambalpaste, Chilipaste, Garam Masala, Balti Masala-Paste*

MUSAMAN-CURRY
Bei diesem Curry zeigt sich der Einfluß der muslimischen indischen Küche in der Verwendung trockener Gewürze (Kreuzkümmel, Koriander, Kardamom, Zimt und Gewürznelken), die mit thailändischen Gewürzen und frischen Kräutern kombiniert werden. Das Fleisch wird beim Musaman-Curry in größere Stücke geschnitten als es in der thailändischen Küche üblich ist. Es erfordert daher längeres Köcheln.

MUSAMAN CURRYPASTE

•

Vorbereitungszeit: 10 Minuten
Gesamtkochzeit: 3 Minuten
Ergibt 250 ml

1 EL Koriandersamen
1 EL Kreuzkümmelsamen
die Samen aus 4 Kardamomkapseln
2 TL schwarze Pfefferkörner
1 EL Garnelenpaste
1 TL Muskatnuß
1/2 TL Gewürznelken, gemahlen
15 getrocknete rote Chillies
10 rote asiatische Schalotten, gehackt
2 Stengel Zitronengras (nur der weiße Teil), feingehackt
6 kleine Knoblauchzehen, gehackt
1 EL Öl

1 Koriander-, Kreuzkümmel- und Kardamomsamen in eine trockene Pfanne geben und bei mittlerer Hitze 2–3 Minuten rösten; dabei die Pfanne kontinuierlich schwenken.
2 Die gerösteten Gewürze und Pfefferkörner in einen Mörser geben und fein zerstoßen.
3 Die gemahlenen Gewürze mit den übrigen Zutaten in eine Küchenmaschine geben. 20 Sekunden mixen und dann die Masse von der Innenseite der Küchenmaschine abschaben. Dies so oft wiederholen, bis eine geschmeidige Paste entsteht.

NÄHRWERT PRO 100 g: *2 g Eiweiß, 5 g Fett, 5 g Kohlenhydrate, 2 g Ballaststoffe, 3 mg Cholesterin, 305 kJ (75 kcal)*

Unten: *Musaman Rindfleisch-Curry*

•

MUSAMAN RINDFLEISCH-CURRY

•

Vorbereitungszeit: 25 Minuten
Gesamtkochzeit: 50 Minuten
Für 4 Personen

1 EL Öl
500 g Rinderoberschale, in große Würfel geschnitten
1–2 EL Musaman Currypaste (s. o.)
2 große Zwiebeln, in Stücke oder dicke Scheiben geschnitten
2 große Kartoffeln, geschält und in Würfel geschnitten
375 ml Kokosmilch
250 ml Wasser
2 Kardamomkapseln
2 Lorbeerblätter
2 EL Tamarindenkonzentrat
2 TL brauner Zucker
80 g ungesalzene geröstete Erdnüsse (nach Belieben)
2 rote Chillies, in dünne Ringe geschnitten

•

1 Öl in einem Wok erhitzen. Das Fleisch portionsweise hineingeben und jede Portion bei mittlerer Hitze unter ständigem Rühren gut bräunen. Das Fleisch auf Küchenpapier legen und beiseite stellen.
2 Currypaste in den Wok geben und 1 Minute rühren. Zwiebeln und Kartoffeln zufügen und unter häufigem Rühren golden braten; anschließend aus dem Wok nehmen und beiseite legen.
3 Kokosmilch und Wasser hineingeben und unter Rühren zum Kochen bringen; die Hitze dann herabsetzen und 15 Minuten ohne Deckel köcheln lassen.
4 Fleisch, Zwiebeln und Kartoffeln wieder zurück in den Wok geben. Kardamom, Lorbeerblätter,

Tamarindenkonzentrat und Zucker zufügen. Gut umrühren und ohne Deckel 20 Minuten köcheln lassen bzw. bis das Fleisch zart ist. Die Kardamomkapseln und die Lorbeerblätter entfernen. Eventuell Erdnüsse zugeben. Mit den Chillies bestreuen und mit gedämpftem Reis servieren.

NÄHRWERT PRO PORTION: 35 g Eiweiß, 40 g Fett, 25 g Kohlenhydrate, 5 g Ballaststoffe, 65 mg Cholesterin, 2445 kJ (585 kcal)

•

CHIANG MAI-NUDELN

•

Vorbereitungszeit: 20 Minuten
Gesamtkochzeit: 15 Minuten
Für 4 Personen

500 g Hokkien-Nudeln
1 EL Öl
3 rote asiatische Schalotten, gehackt
6 Knoblauchzehen, gehackt
2 TL rote Chillies, feingehackt (nach Belieben)
1–2 EL rote Currypaste (s. S. 112) oder Fertigpaste
350 g mageres Hühner- oder Schweinefleisch, in dünne Streifen geschnitten
1 Möhre, in feine Streifen geschnitten
2 EL Fischsauce
2 TL körniger Zucker
3 Frühlingszwiebeln, in dünne Ringe geschnitten
7 g frische Korianderblätter

•

1 Nudeln in sprudelnd kochendem Wasser 2–3 Minuten kochen; abtropfen lassen und warm halten. Öl erhitzen. Schalotten, Knoblauch, Chillies und Currypaste hineingeben und unter ständigem Rühren 2 Minuten braten. Das Hühner- oder Schweinefleisch in 2 Portionen in den Wok geben und braten, bis sich die Farbe des Fleisches verändert.
2 Das Fleisch zurück in den Wok geben. Möhre, Fischsauce und Zucker zufügen und zum Kochen bringen.
3 Die Nudeln auf Schälchen verteilen; Portionen der Mischung und Frühlingszwiebeln untermischen. Mit Korianderblättern garnieren. Dieses Gericht schmeckt besonders gut mit Thaidip (s. S. 169).

NÄHRWERT PRO PORTION: 35 g Eiweiß, 20 g Fett, 102 g Kohlenhydrate, 10 g Ballaststoffe, 65 mg Cholesterin, 2905 kJ (690 kcal)

Oben: *Chiang Mai-Nudeln*

Oben: *Gebratene Nudeln mit Pilzen und gegrilltem Fleisch*

GEBRATENE NUDELN MIT PILZEN UND GEGRILLTEM FLEISCH

•

Vorbereitungszeit: 30 Minuten
Gesamtkochzeit: 6 Minuten
(+ 20 Minuten Einweichen)
Für 4 Personen

8 getrocknete chinesische Pilze
2 EL Öl
4 Knoblauchzehen, gehackt
4 cm frischer Ingwer, gerieben
1–2 TL rote Chillies, gehackt
100 g gegrilltes Schweinefleisch nach chinesischer Art, in kleine Stücke geschnitten
200 g Hokkien-Nudeln
2 TL Fischsauce
2 EL Limettensaft
2 TL brauner Zucker
2 EL Knoblauch, knusprig gebraten
2 EL Zwiebeln, knusprig gebraten
zum Abschmecken: Chiliflocken

•

1 Pilze 20 Minuten in heißem Wasser einweichen, dann abtropfen lassen und vierteln.
2 Öl in einem großen Wok erhitzen. Knoblauch, Ingwer und Chillies hineingeben und bei starker Hitze unter ständigem Rühren 1 Minute braten. Das Fleisch zugeben und 1 Minute umrühren.
3 Nudeln und Pilze zufügen und alles gut durchmischen. Fischsauce, Limettensaft und Zucker über das Fleisch verteilen und durchmischen; abdecken und 30 Sekunden dünsten. Knoblauch, Zwiebeln und Chillies darüber streuen. Mit dem grünen Teil von Frühlingszwiebeln garnieren.

HINWEIS: Dieses Gericht ist recht salzig, daher mit milderen Gerichten servieren. Gegrilltes Schweinefleisch kann man in einem chinesischen Grill-Imbiß kaufen.

NÄHRWERT PRO PORTION: 10 g Eiweiß, 15 g Fett, 45 g Kohlenhydrate, 5 g Ballaststoffe, 15 mg Cholesterin, 1550 kJ (370 kcal)

•

SCHWEINEFLEISCHBÄLLCHEN-CURRY MIT NUDELN

•

Vorbereitungszeit: 15 Minuten
Gesamtkochzeit: 20 Minuten
Für 4 Personen

200 g Schweinehackfleisch
3 Knoblauchzehen, gehackt
2 Stengel Zitronengras (nur der weiße Teil), feingehackt
3 cm frischer Ingwer, gerieben
1 EL Öl
1–2 EL grüne Currypaste (s. S. 123) oder Fertigpaste
375 ml Kokosmilch
250 ml Wasser
2 EL Fischsauce
2 TL brauner Zucker
25 g frisches thailändisches Basilikum, gehackt
200 g Hokkien-Nudeln
3 Frühlingszwiebeln, in Ringe geschnitten
2 rote oder grüne Chillies, in Streifen geschnitten
zum Servieren: frische Korianderblätter

•

1 Gehacktes, Knoblauch, Zitronengras und Ingwer gut durchmischen. Teelöffelgroße Portionen der Mischung zu kleinen Bällchen formen.
2 Öl in einem Wok oder einer Pfanne erhitzen, Currypaste hineingeben und bei niedriger Hitze unter Rühren 1 Minute anbraten. Kokosmilch und Wasser zufügen. Rühren, bis die Mischung zu kochen beginnt, dann 5 Minuten ohne Deckel köcheln lassen. Fleischbällchen zugeben und weitere 5 Minuten köcheln lassen. Dann die Fischsauce, den Zucker und das Basilikum zufügen.
3 Nudeln 4 Minuten abkochen; abtropfen lassen und auf Servierteller geben, Fleischbällchen und Currysauce gut untermischen. Frühlingszwiebeln, Chillies und Korianderblätter darüber streuen.
HINWEIS: Sofort servieren, da die Nudeln sonst die Sauce aufsaugen.

NÄHRWERT PRO PORTION: 20 g Eiweiß, 40 g Fett, 45 g Kohlenhydrate, 5 g Ballaststoffe, 35 mg Cholesterin, 2515 kJ (600 kcal)

ZWIEBEL UND KNOBLAUCH KNUSPRIG GEBRATEN

Diese schmackhaften Garnierungen sind fertig erhältlich; Sie können sie aber auch selbst herstellen. Schälen Sie die Zwiebel (oder verwenden Sie rote asiatische Schalotten, falls Sie sie bekommen können) und den Knoblauch und schneiden Sie sie in sehr dünne, gleichmäßige Scheiben. Legen Sie sie vor dem Kochen einige Stunden auf einem Tablett zum Trocknen aus. Erhitzen Sie Öl in einem Wok oder einem Topf und fritieren Sie den Knoblauch und die Zwiebeln portionsweise, bis sie goldbraun und knusprig sind; gut abtropfen lassen und zum Kühlen auf Küchenpapier auslegen. Am besten brät man Zwiebeln und Knoblauch getrennt, da der Knoblauch weniger Zeit benötigt. Sie können beides in einem luftdichten Behälter im Kühlschrank oder im Gefrierfach lagern. Kurz vor Gebrauch mit Salz würzen.

VEGETARISCHE REISNUDELN

•

Vorbereitungszeit: 25 Minuten (+ 20 Minuten Einweichen)
Gesamtkochzeit: 5 Minuten
Für 4–6 Personen

8 getrocknete chinesische Pilze
100 g Tofu, fritiert
250 g getrocknete Reis-Vermicelli
2 EL Öl
3 Knoblauchzehen, gehackt
4 cm frischer Ingwer, gerieben
1 mittelgroße Möhre, in dünne Streifen geschnitten
100 g grüne Bohnen, in kurze Stückchen geschnitten
1/2 rote Paprika, in dünne Streifen geschnitten
2 EL Golden Mountain-Sauce
1 EL Fischsauce
2 TL brauner Zucker
100 g Sojabohnensprossen, die braunen Enden entfernt
75 g Weißkohl, in feine Streifen geschnitten
zum Garnieren: Sojabohnensprossen extra
zum Servieren: süße Chilisauce

1 Pilze 20 Minuten in heißem Wasser einweichen, dann in Scheiben schneiden. Den Tofu in kleine Würfel schneiden.
2 Nudeln in eine hitzebeständige Schüssel geben, mit kochendem Wasser bedecken und 5 Minuten einweichen lassen; dann abtropfen lassen.
3 Öl in einem Wok oder einer großen Pfanne erhitzen. Knoblauch, Ingwer und Tofu zufügen und unter ständigem Rühren 1 Minute braten. Möhre, Bohnen, roten Pfeffer und Pilze zugeben und unter ständigem Rühren 2 Minuten braten. Anschließend Golden Mountain-Sauce, Fischsauce und Zucker zugeben; gut durchmischen, abdecken und 1 Minute dünsten.
4 Nudeln, Sojabohnensprossen und drei Viertel des Kohls zufügen und vermischen. Zudecken und 30 Sekunden dünsten. Die Nudeln auf ein Serviertablett geben, mit den zusätzlichen Sojabohnensprossen und dem übrigen Kohl garnieren und mit süßer Chilisauce servieren.

NÄHRWERT PRO PORTION (6): 5 g Eiweiß, 10 g Fett, 40 g Kohlenhydrate, 3 g Ballaststoffe, 2 mg Cholesterin, 1075 kJ (255 kcal)

Oben: *Vegetarische Reisnudeln*

Oben: *Hühnchen-Gemüse-Salat*

HÜHNCHEN-GEMÜSE-SALAT

•

Vorbereitungszeit: 30 Minuten
Gesamtkochzeit: 20 Minuten
Für 4–6 Personen

400 g Hühnerbrustfilets
250 ml Wasser
3 Scheiben frischer Ingwer
2 Stengel Zitronengras (nur der weiße Teil), grobgehackt
2 EL Fischsauce
250 g Brokkoli, in Röschen geschnitten
150 g frische Baby-Maiskölbchen
100 g Zuckererbsen, geputzt
1 rote Paprika, in Streifen geschnitten
3 Frühlingszwiebeln, in Streifen geschnitten
125 ml süße Chilisauce
2 EL Honig oder 2 EL geriebener Palmzucker, mit etwas warmem Wasser vermischt
2 EL Limettensaft
2 TL Limettenschale, gerieben
7 g frische Korianderblätter

1 Das Fleisch in kurze, dünne Streifen schneiden.
2 Wasser, Ingwer, Zitronengras und Fischsauce in eine Pfanne geben, zum Kochen bringen, dann 5 Minuten köcheln lassen.
3 Fleisch in die Pfanne geben und 5 Minuten in der heißen Flüssigkeit kochen; dann abtropfen und abkühlen lassen. Die Flüssigkeit abgießen.
4 Brokkoli, Maiskölbchen, Zuckererbsen, Paprika und Frühlingszwiebeln 2 Minuten in reichlich Wasser kochen. Abtropfen lassen und in Eiswasser tauchen; dann wieder abtropfen lassen.
5 Chilisauce, Honig, Limettensaft und Limettenschale zusammen in einer kleinen Schüssel gut mischen. Gemüse und Fleisch in einer Schüssel anordnen; die Sauce darüber geben und vorsichtig mischen. Die Korianderblätter darüber streuen.
HINWEIS: Zum Putzen der Zuckererbsen beide Enden abschneiden oder abbrechen und dann die Fäden an den Seiten entfernen.

NÄHRWERT PRO PORTION (6): 20 g Eiweiß, 3 g Fett, 15 g Kohlenhydrate, 5 g Ballaststoffe, 35 mg Cholesterin, 690 kJ (165 kcal)

•

REISNUDELN MIT CURRY UND HUHN

•

Vorbereitungszeit: 25 Minuten
Gesamtkochzeit: 10–15 Minuten
Für 4–6 Personen

200 g getrocknete Reis-Vermicelli
1½ EL Öl
1 EL rote Currypaste (s. S. 112) oder Fertigpaste
450 g Hühnerschenkel, fein filetiert
1–2 TL rote Chillies, gehackt
2 EL Fischsauce
2 EL Limettensaft
100 g Sojabohnensprossen
80 g ungesalzene, geröstete Erdnüsse, gehackt
20 g Zwiebeln, knusprig gebraten
25 g Knoblauch, knusprig gebraten
25 g frische Korianderblätter

•

1 Nudeln in sprudelnd kochendem Wasser 2 Minuten kochen. Abtropfen lassen und dann mit 2 TL Öl mischen, damit sie nicht aneinanderkleben. Beiseite stellen.
2 Das restliche Öl in einem Wok erhitzen. Currypaste hineingeben und 1 Minute rühren. Das Fleisch portionsweise zufügen und 2 Minuten unter ständigem Rühren braten, bis es goldbraun ist. Dann das gesamte Fleisch zurück in den Wok geben.

AUFBEWAHREN VON FRISCHEM KORIANDER
Um einen Bund frischen Koriander aufzubewahren, lassen Sie ihn ungewaschen in einem Behälter passender Größe mit den Wurzeln 1 cm tief im Wasser stehen. Stekken Sie Blätter und Stengel in eine große Plastiktüte, knoten Sie die Griffe um den Behälter und stellen Sie das Ganze in den Kühlschrank. Der Koriander ist so bis zu 2 Wochen haltbar; brechen Sie bei Bedarf Blätter ab. Die Wurzeln lassen sich auch einfrieren.

3 Chillies, Fischsauce und Limettensaft zugeben und 1 Minute köcheln lassen. Sojabohnensprossen und Nudeln zufügen und gut mischen. Mit Erdnüssen, Zwiebeln, Knoblauch und Korianderblättern bestreuen. Sofort servieren.

NÄHRWERT PRO PORTION (6): 15 g Eiweiß, 15 g Fett, 10 g Kohlenhydrate, 2 g Ballaststoffe, 35 mg Cholesterin, 1040 kJ (245 kcal)

•

SCHARFE, GERÖSTETE AUBERGINE MIT TOFU

•

Vorbereitungszeit: 15 Minuten
Gesamtkochzeit: 10–15 Minuten
Für 4 Personen

4 kleine schmale Auberginen (ca. 400 g)
250 g fester Tofu
2–4 kleine frische Chillies
4 Knoblauchzehen, zerdrückt
4 Korianderwurzeln, gehackt
1 kleine Zwiebel, gehackt
3 TL brauner Zucker
2 EL Limettensaft
2 EL Fischsauce
1 EL Öl
15 g frisches thailändisches Basilikum
2 TL getrocknete Garnelen, feingehackt (nach Belieben)

•

1 Einen Wok oder eine mittelgroße Pfanne erhitzen. Auberginen anbraten, bis die Haut schwarz zu werden beginnt; dabei wenden. Herausnehmen und abkühlen lassen. Auberginen diagonal in 2 cm dicke Scheiben schneiden. Den Tofu abtropfen lassen und in 3 cm dicke Würfel schneiden.

2 Chillies, Knoblauch, Korianderwurzeln, Zwiebel, Zucker, Limettensaft und Fischsauce im Mixer oder in der Küchenmaschine zu einer geschmeidigen Mischung verarbeiten.

3 Öl in derselben Pfanne bzw. demselben Wok erhitzen, die Paste zugeben und bei starker Hitze 1 Minute rühren. Auberginen zufügen und 3 Minuten bei geschlossenem Deckel braten.

4 Tofu und die Hälfte des Basilikums vorsichtig unterheben. Mit übrigem Basilikum und – falls gewünscht – den getrockneten Garnelen garnieren.

HINWEIS: Das Gericht kann sowohl heiß als auch als kalte Beilage gegessen werden. Sollten Sie ein milderes, weniger pikantes Gericht bevorzugen, dann verwenden Sie nur 2 Chillies.

NÄHRWERT PRO PORTION: 10 g Eiweiß, 10 g Fett, 5 g Kohlenhydrate, 5 g Ballaststoffe, 20 mg Cholesterin, 580 kJ (140 kcal)

Oben: *Reisnudeln mit Curry und Huhn*
Unten: *Scharfe, geröstete Aubergine mit Tofu*

FRÜHLINGSROLLEN

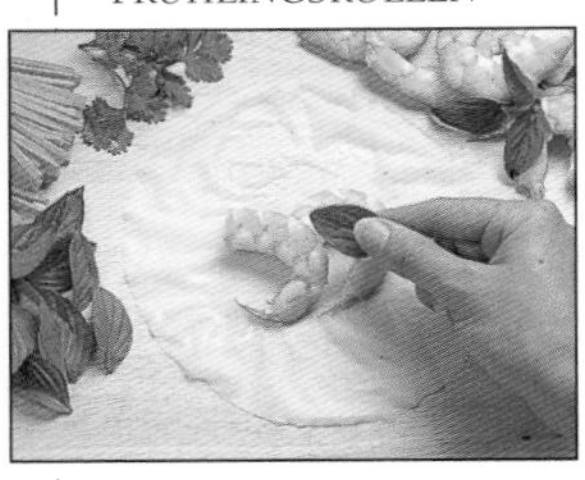

2 Garnelen nebeneinander in die Mitte der Hülle legen und die übrigen Zutaten darauf geben.

Die 2 Seiten der Hülle nach innen schlagen und dann den Rest zu einem Päckchen aufrollen.

Unten: Frische Frühlingsrollen

FRISCHE FRÜHLINGSROLLEN

Vorbereitungszeit: 30 Minuten
Gesamtkochzeit: keine
Ergibt 8 Stück

16 gekochte Garnelen
50 g getrocknete Glasnudeln
500 ml heißes Wasser
8 getrocknete Frühlingsrollen-Hüllen aus Reispapier
16 frische thailändische Basilikumblätter
30 g frische Korianderblätter
1 mittelgroße Möhre, in dünne kurze Streifen geschnitten
1 EL Limettenschale, gerieben
2 EL süße Chilisauce

Dip
80 ml kaltes Wasser
1 TL Zucker
2 EL Fischsauce
1 EL heller Essig
1 kleiner roter Chili, feingehackt
1 EL frische Korianderblätter und -stengel, gehackt

1 Garnelen schälen und den Darm entfernen. Glasnudeln 10 Minuten in heißem Wasser einweichen und dann abtropfen lassen. Eine Frühlingsrollen-Hülle in lauwarmem Wasser einweichen und auf der Arbeitsfläche auslegen. 2 Garnelen nebeneinander in die Mitte der Hülle legen und 2 Basilikumblätter, 1 EL Koriander, etwas Möhre, Limettenschale und Glasnudeln darüberlegen. Ein wenig Chilisauce darüber geben.
2 Auf die Füllung drücken, um sie ein wenig abzuflachen; zwei Seiten nach innen schlagen, dann das Päckchen aufrollen. Mit der Naht nach unten auf eine Servierplatte legen, mit etwas Wasser besprenkeln und mit einer Plastikfolie bedecken. Mit dem Dip und etwas süßer Chilisauce servieren.
3 Für den Dip: Kaltes Wasser in eine kleine Schüssel füllen; den Zucker hineingeben und rühren, bis er sich auflöst. Fischsauce, Essig, Chillies sowie Korianderblätter und -stengel einrühren.
HINWEIS: Frühlingsrollen-Hüllen aus Reispapier müssen feucht gehalten werden, sonst werden sie spröde. Besprenkeln Sie sie fortwährend mit kaltem Wasser, während Sie sie aufrollen oder auch nur kurz liegen lassen.

NÄHRWERT PRO FRÜHLINGSROLLE MIT SAUCE: 5 g Eiweiß, 0 g Fett, 5 g Kohlenhydrate, 1 g Ballaststoffe, 40 mg Cholesterin, 260 kJ (60 kcal)

SALAT MIT GRÜNER PAWPAW UND ERDNÜSSEN

•

***Vorbereitungszeit*:** 25 Minuten
***Gesamtkochzeit*:** 5 Minuten
Für 4–6 Personen

50 g getrocknete Garnelen
100 g grüne Bohnen, in kurze Stückchen geschnitten
1 mittelgroßer Kopfsalat
1/2 mittelgroße grüne Pawpaw, geschält und gerieben
60 ml Limettensaft
2 EL Fischsauce
2 TL brauner Zucker
1–2 TL rote Chillies, gehackt
80 g ungesalzene geröstete Erdnüsse, gehackt
1 roter Chili extra, feingehackt

•

1 Die getrockneten Garnelen in einem Mörser zerstoßen oder fein hacken.
2 Bohnen 2 Minuten in Wasser kochen. Abtropfen lassen, in Eiswasser tauchen und wiederum abtropfen lassen. Den Kopfsalat in Streifen schneiden und auf einer Servierplatte anordnen. Die Garnelen, Bohnen und Pawpaw darauf legen.
3 Limettensaft, Fischsauce, Zucker und Chillies in einer kleinen Schüssel mischen. Über den Salat gießen und die Erdnüsse sowie den zusätzlichen Chili darüberstreuen.
HINWEIS: Grüne Pawpaws und getrocknete Garnelen sind in asiatischen Lebensmittel-Fachgeschäften erhältlich; sie können nicht ersetzt werden. Bevor Sie die Pawpaw reiben, ölen Sie sich die Hände leicht ein oder tragen Sie Handschuhe, denn Pawpaws sind sehr klebrig und schwer abzuwaschen.

NÄHRWERT PRO PORTION (6): 10 g Eiweiß, 10 g Fett, 5 g Kohlenhydrate, 3 g Ballaststoffe, 45 mg Cholesterin, 550 kJ (130 kcal)

Oben: *Salat mit grüner Pawpaw und Erdnüssen*

PIKANTES RINDFLEISCH-CURRY

•

Vorbereitungszeit: 20 Minuten
Gesamtkochzeit: 30–35 Minuten
Für 4 Personen

1 EL Öl
1 große Zwiebel, gehackt
1–2 EL grüne Currypaste (s. S. 123) oder Fertigpaste
500 g Rinderkeule oder -schulter, in dicke Streifen geschnitten
185 ml Kokosmilch
60 ml Wasser
6 Kaffir-Limettenblätter
100 g Erbsenauberginen (s. Hinweis)
2 EL Fischsauce
1 TL brauner Zucker
2 TL Limettenschale, feingerieben
15 g frische Korianderblätter
30 g Basilikum, in Streifen geschnitten

1 Öl in einem Wok erhitzen. Zwiebel und Currypaste zugeben und 2 Minuten bei mittlerer Hitze umrühren, bis sich ihr Aroma entfaltet.
2 Den Wok sehr stark erhitzen. Das Fleisch in 2 Portionen hineingeben und unter ständigem Rühren anbräunen. Dann das gesamte Fleisch wieder in den Wok geben. Kokosmilch, Wasser und Kaffir-Limettenblätter zufügen. Zum Kochen bringen, abdecken und 10 Minuten köcheln lassen. Die Auberginen zugeben und ohne Deckel weitere 10 Minuten köcheln lassen, bis Fleisch und Auberginen gar sind.
3 Fischsauce, Zucker und Limettenschale in den Wok geben und gut untermischen. Koriander und Basilikum einrühren. Mit gedämpftem Reis servieren.
HINWEIS: Erbsenauberginen können durch die hier üblichen Auberginen ersetzt werden, die dann in feine Streifen geschnitten werden sollten.

NÄHRWERT PRO PORTION: 30 g Eiweiß, 30 g Fett, 5 g Kohlenhydrate, 0 g Ballaststoffe, 80 mg Cholesterin, 1675 kJ (545 kcal)

Unten: *Pikantes Rindfleisch-Curry*

•

SCHWIEGERSOHN-EIER

•

Vorbereitungszeit: 15 Minuten
Gesamtkochzeit: 20 Minuten
Für 4 Personen

8 Eier
2 EL Öl
2 EL geriebener Palmzucker oder brauner Zucker
1 EL Fischsauce
2 EL Tamarindenkonzentrat
1 TL rote Chillies, gehackt (nach Belieben)
15 g frische Korianderblätter, gehackt

•

1 Eier in einen Topf mit kaltem Wasser legen. Wenn das Wasser kocht, die Eier noch 7 Minuten im Topf lassen. Mit kaltem Wasser gründlich abschrecken, dann pellen.
2 Öl in einem Wok erhitzen. Die Eier portionsweise hineingeben und bei mittlerer Hitze wiederholt wenden. Die Eier aus dem Wok nehmen, wenn sie goldbraun sind und Blasen werfen. Warm halten.
3 Überschüssiges Öl entfernen und Zucker, Fischsauce, Tamarindenkonzentrat und Chillies hineingeben. 2 Minuten sprudelnd kochen lassen, bis die Mischung sirupähnlich wird. Die Eier mit diesem Sirup übergießen und die Korianderblätter darüber streuen.

NÄHRWERT PRO PORTION: 15 g Eiweiß, 20 g Fett, 10 g Kohlenhydrate, 0 g Ballaststoffe, 455 mg Cholesterin, 1275 kJ (305 kcal)

SALAT AUS BRUNNENKRESSE UND ENTE MIT LITSCHIS

•

Vorbereitungszeit: 25 Minuten
Gesamtkochzeit: 30 Minuten
Für 4 Personen

2 große Stücke Entenbrust mit Haut
1 EL Golden Mountain-Sauce
½ rote Paprika
½ grüne Paprika
½ gelbe Paprika
250 g Brunnenkresse
12 Litschis, frisch oder aus der Dose
2 EL eingelegter Ingwer, kleingeschnitten
1–2 EL grüne Pfefferkörner (nach Belieben)
1 EL heller Essig
2 TL brauner Zucker
1–2 TL rote Chillies, gehackt
15 g frische Korianderblätter

1 Ofen auf 210 °C (Gasherd: Stufe 6–7) vorheizen. Das Fleisch mit der Golden Mountain-Sauce bepinseln und auf ein Gitter über ein Backblech legen. 30 Minuten backen; herausnehmen und abkühlen lassen.

2 Paprika säubern und das Fleisch in dünne Streifen schneiden. Alle zähen, hölzernen Stengel der Brunnenkresse aussortieren. Die frischen Litschis schälen und entkernen; Litschis aus der Dose gründlich abtropfen lassen.

3 Paprika, Brunnenkresse, Litschis und Ingwer auf einer großen Servierplatte anordnen. Das Fleisch in dünne Stückchen schneiden und behutsam unter den Salat heben. Essig, Zucker, Chillies, Koriander und evtl. Pfefferkörner in einer kleinen Schüssel mischen und als Beilage servieren, die über den Salat gegeben werden kann.

NÄHRWERT PRO PORTION: 15 g Eiweiß, 40 g Fett, 10 g Kohlenhydrate, 2 g Ballaststoffe, 100 mg Cholesterin, 2035 kJ (485 kcal)

Oben: *Salat aus Brunnenkresse und Ente mit Litschis*

THAILÄNDISCHE FISCHKÜCHLEIN

Vorbereitungszeit: 25 Minuten
Gesamtkochzeit: 5–10 Minuten
Für 4–6 Personen

450 g feste weiße Fischfilets
3 EL Stärke oder Reismehl
1 EL Fischsauce
1 Ei, geschlagen
15 g frische Korianderblätter
3 TL rote Currypaste (s. S. 112) oder Fertigpaste
1–2 TL rote Chillies, gehackt (nach Belieben)
100 g grüne Bohnen, feingeschnitten
2 Frühlingszwiebeln, feingehackt
125 ml Öl
zum Servieren: Thaidip (s. S. 169)

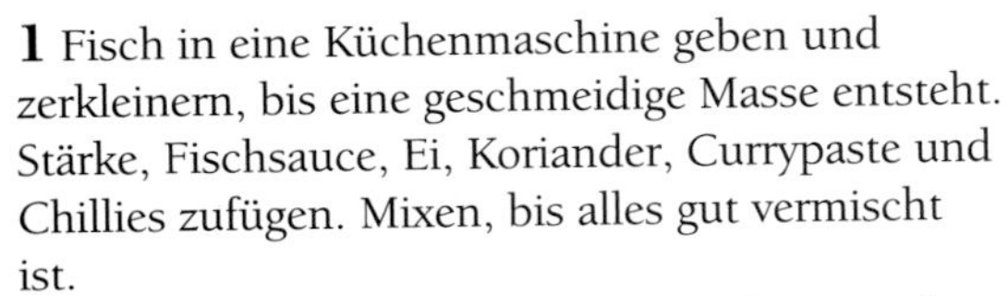

1 Fisch in eine Küchenmaschine geben und zerkleinern, bis eine geschmeidige Masse entsteht. Stärke, Fischsauce, Ei, Koriander, Currypaste und Chillies zufügen. Mixen, bis alles gut vermischt ist.
2 Mischung in einer Schüssel mit Bohnen und Frühlingszwiebeln vermengen. Mit nassen Händen jeweils 2 EL von der Mischung zu recht flachen Häufchen formen.
3 Öl in einer gußeisernen Pfanne erhitzen. Die Fischküchlein anbraten, bis sie auf beiden Seiten dunkel goldbraun sind. Dann auf Küchenpapier abtropfen lassen und sofort mit Thaidip servieren.

HINWEIS: Noch nicht gebratene Fischküchlein können bis zu 4 Stunden zugedeckt im Kühlschrank aufbewahrt werden.

NÄHRWERT PRO PORTION (6): *20 g Eiweiß, 20 g Fett, 10 g Kohlenhydrate, 1 g Ballaststoffe, 90 mg Cholesterin, 1260 kJ (300 kcal)*

INGWERHUHN MIT SCHWARZEN PILZEN

Vorbereitungszeit: 25 Minuten (+ 15 Minuten Einweichen)
Gesamtkochzeit: 15 Minuten
Für 4 Personen

10 g getrocknete schwarze Pilze
1 EL Öl
3 Knoblauchzehen, gehackt
6 cm Ingwer, in dünne Streifen geschnitten
500 g Hühnerbrustfilets, in Streifen geschnitten
4 Frühlingszwiebeln, gehackt
1 EL Golden Mountain-Sauce
1 EL Fischsauce
2 TL brauner Zucker
½ rote Paprika, in Streifen geschnitten
15 g frische Korianderblätter
25 g frisches thailändisches Basilikum, gehackt

1 Pilze mit heißem Wasser übergießen und 15 Minuten einweichen; abtropfen lassen und grob zerhacken.

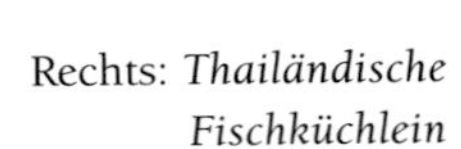

Rechts: *Thailändische Fischküchlein*

GURKENSALAT MIT ERDNÜSSEN UND CHILLIES

•

Vorbereitungszeit: 25 Minuten (+ 45 Minuten Marinieren)
Gesamtkochzeit: keine
Für 4–6 Personen

3 Schmorgurken
2 EL heller Essig
2 TL feiner Zucker
1–2 EL Chilisauce
½ rote Zwiebel, gehackt
15 g frische Korianderblätter
160 g ungesalzene, geröstete Erdnüsse, gehackt
2 EL Knoblauch, knusprig gebraten
½ TL Chillies, gehackt
1 EL Fischsauce

•

2 Öl in einem Wok erhitzen, Knoblauch und Ingwer zugeben und 1 Minute braten. Das Fleisch portionsweise zufügen und bei starker Hitze braten, bis sich seine Farbe verändert. Frühlingszwiebeln und Golden Mountain-Sauce zufügen und 1 Minute unter ständigem Rühren braten.
3 Fischsauce, Zucker und Pilze zugeben. Gründlich umrühren, zudecken und 2 Minuten dünsten. Sofort servieren; Paprika, Koriander und Basilikum darüber streuen.

NÄHRWERT PRO PORTION: 30 g Eiweiß, 10 g Fett, 5 g Kohlenhydrate, 2 g Ballaststoffe, 65 mg Cholesterin, 925 kJ (220 kcal)

1 Gurken schälen und längs halbieren. Die Kerne mit einem Teelöffel entfernen und den Rest in dünne Scheiben schneiden.
2 Essig und Zucker in eine kleine Schüssel geben und rühren, bis sich der Zucker auflöst. Dann in einer anderen, großen Schüssel mit Gurken, Chilisauce, Zwiebel und Koriander vermengen. 45 Minuten marinieren lassen.
3 Erdnüsse, Knoblauch, Chillies und Fischsauce kurz vor dem Servieren vorsichtig untermischen.

NÄHRWERT PRO PORTION (6): 10 g Eiweiß, 15 g Fett, 10 g Kohlenhydrate, 5 g Ballaststoffe, 2 mg Cholesterin, 845 kJ (200 kcal)

EINE THAILÄNDISCHE MAHLZEIT

Eine traditionelle thailändische Mahlzeit besteht aus mehreren Gerichten – üblicherweise einer Suppe, einem Curry oder gedünsteten Gericht, einem pfannengerührten Gericht sowie einem Salat. Man versucht, eine Ausgewogenheit von Geschmacksrichtungen (süß, sauer, scharf, bitter und salzig), Konsistenzen und Farben zu erzielen. Alle Gerichte werden gleichzeitig serviert und warm verzehrt; die Gäste bedienen sich am Tisch und essen mit Messer und Gabel. Es gibt grundsätzlich Reis, und eine Anzahl schmackhafter Saucen und Dips verfeinern die Gerichte. Dem Hauptgericht folgt manchmal eine Platte mit frischen Früchten und Desserts, die aus Mungobohnenmehl, Reis, Palmzukker, Kokosnuß und Eiern hergestellt werden. Tee und Wasser begleiten das Mahl.

Oben: *Ingwerhuhn mit schwarzen Pilzen*
Links: *Gurkensalat mit Erdnüssen und Chillies*

GRÜNES GEMÜSE-CURRY MIT SÜSSKARTOFFEL UND AUBERGINE

•

Vorbereitungszeit: 25 Minuten
Gesamtkochzeit: 30 Minuten
Für 4–6 Personen

1 EL Öl
1 mittelgroße Zwiebel, gehackt
1–2 EL grüne Currypaste (s. S. 123) oder Fertigpaste
375 ml Kokosmilch
250 ml Wasser
1 mittelgroße Süßkartoffel (ca. 300 g), gewürfelt
1 mittelgroße Aubergine (ca. 200 g), geviertelt und in Scheiben geschnitten
6 Kaffir-Limettenblätter
2 EL Fischsauce
2 EL Limettensaft
2 TL Limettenschale
2 TL brauner Zucker
zum Garnieren: frische Korianderblätter

1 Öl in einem großen Wok erhitzen. Zwiebel und Currypaste hineingeben und 3 Minuten bei mittlerer Hitze rühren.
2 Kokosmilch und Wasser zugeben. Zum Kochen bringen, dann die Hitze reduzieren und ohne Deckel 5 Minuten köcheln lassen.
3 Süßkartoffel zufügen und 6 Minuten kochen. Dann die Aubergine und die Kaffir-Limettenblätter zugeben; unter gelegentlichem Rühren 10 Minuten weichkochen.
4 Fischsauce, Limettensaft, Limettenschale und Zucker zugeben; den Wok rütteln. Frische Korianderblätter darüberstreuen. Evtl. mit zusätzlichen Kaffir-Limettenblättern garnieren. Mit gedämpftem Reis servieren.
HINWEIS: Anstelle der in Streifen geschnittenen Aubergine können auch die traditionellen thailändischen, erbsenförmigen Auberginen verwendet werden. 6 Minuten vor dem Servieren in das Curry geben.

NÄHRWERT PRO PORTION (6): *5 g Eiweiß, 20 g Fett, 15 g Kohlenhydrate, 0 g Ballaststoffe, 5 mg Cholesterin, 1080 kJ (255 kcal)*

Unten: *Grünes Gemüse-Curry mit Süßkartoffel und Aubergine*

•

GEBRATENER REIS MIT KORIANDER UND BASILIKUM

•

Vorbereitungszeit: 20 Minuten (+ Ruhezeit über Nacht)
Gesamtkochzeit: 20 Minuten
Für 4 Personen

100 g Schweinelende
300 g Hühnerschenkel, filetiert
2 EL Öl
3 cm fetter Speck, kleingeschnitten
4 Knoblauchzehen, gehackt
4 cm frischer Ingwer, gerieben
2 TL rote Chillies, gehackt
500 g Jasminreis, gekocht und abgekühlt (s. Hinweis)
1 EL Fischsauce
2 TL Golden Mountain-Sauce
2 Frühlingszwiebeln, gehackt
30 g frisches thailändisches Basilikum, gehackt
15 g frische Korianderblätter, gehackt

•

1 Das Fleisch in Würfel schneiden.
2 Das Öl in einem Wok stark erhitzen. Wenn das Öl sehr heiß ist, Speck, Knoblauch, Ingwer und Chillies hineingeben; 2 Minuten rühren.
3 Die Fleischwürfel in den Wok geben und unter ständigem Rühren 3 Minuten braten, bis sich die Farbe des Fleisches verändert. Etwaige Reisklümpchen zerdrücken und den Reis in den Wok

geben; gut durchmischen. Wenn der Reis warm ist, Fischsauce und Golden Mountain-Sauce zufügen, dann Frühlingszwiebeln, Basilikum und den größten Teil des Korianders unterheben. Mit den übrigen Korianderblättern garniert sofort servieren.
HINWEIS: Am besten den Reis am Vortag kochen und ihn über Nacht kühlstellen, damit das Gericht nicht klebrig wird.

NÄHRWERT PRO PORTION: *25 g Eiweiß, 22 g Fett, 100 g Kohlenhydrate, 5 g Ballaststoffe, 60 mg Cholesterin, 2940 kJ (700 kcal)*

•

THAILÄNDISCHER RINDFLEISCHSALAT

•

Vorbereitungszeit: 35 Minuten
Gesamtkochzeit: 10 Minuten
Für 4 Personen

3 Knoblauchzehen, feingehackt
4 Korianderwurzeln, feingehackt
½ TL frisch gemahlener schwarzer Pfeffer
3 EL Öl
400 g Rumpsteak oder Lendensteak
1 kleiner Kopfsalat mit zarten Blättern
200 g Cocktailtomaten
1 mittelgroße Schmorgurke
4 Frühlingszwiebeln
15 g frische Korianderblätter

•

Dressing
2 EL Fischsauce
2 EL Limettensaft
1 EL Sojasauce
2 TL frische rote Chillies, gehackt
2 TL brauner Zucker

1 Knoblauch, Korianderwurzeln, schwarzen Pfeffer und 2 EL Öl mischen. Die Mischung in einem Mörser fein zermahlen und in einer Küchenmaschine gut durchmischen. Dann gleichmäßig über das Steak verteilen.
2 Das übrige Öl in einer Pfanne stark erhitzen. Das Steak in die Pfanne geben und auf jeder Seite ungefähr 4 Minuten braten; während der Bratzeit nur einmal wenden. Das Steak aus der Pfanne nehmen und abkühlen lassen.
3 Kopfsalat waschen und die Blätter abtrennen, Tomaten halbieren, die Gurke grob würfeln und Frühlingszwiebeln hacken.
4 Für das Dressing: Fischsauce, Limettensaft, Sojasauce, Chillies und braunen Zucker in eine kleine Schüssel geben und rühren, bis sich der Zucker auflöst.
5 Das abgekühlte Steak in dünne Streifen schneiden. Die Salatblätter auf eine Servierplatte legen; Tomaten, Gurke, Frühlingszwiebeln und die Steakstreifen darauf anordnen. Mit dem Dressing besprenkeln und die Korianderblätter darüber streuen. Sofort servieren.

NÄHRWERT PRO PORTION: *25 g Eiweiß, 20 g Fett, 5 g Kohlenhydrate, 2 g Ballaststoffe, 70 mg Cholesterin, 1300 kJ (310 kcal)*

THAILÄNDISCHE SALATE
Die Mehrzahl der thailändischen Salate stellen eine subtile Kombination scheinbar gegensätzlicher Geschmacksrichtungen und Konsistenzen dar (knackige, rohe Gemüsesorten und chili-scharfes Fleisch oder Meeresfrüchte) und werden aus einer Vielfalt von Zutaten – von Rosenblättern bis hin zu Tintenfisch – hergestellt. Salate mit rohem oder gebratenem Rindfleisch sind eine Tradition aus dem Nordosten Thailands.

Oben: *Gebratener Reis mit Koriander und Basilikum*
Unten: *Thailändischer Rindfleischsalat*

LAOS & KAMBODSCHA

Die Küche dieser benachbarten Länder ist stark von der Kochkunst des angrenzenden Thailand beeinflußt und besticht durch viel frischen Fisch, der in Laos, im Mekong oder im Golf von Thailand vor Kambodscha gefangen wird. Während der Fisch einfach mit aromatischen Kräutern oder Zitrusmarinaden zubereitet wird, werden Suppen, Fleisch- und Gemüsegerichte mit Knoblauch, Ingwer, Paprika, Galgantwurzel und Limonenblättern gewürzt und mit reichlich frisch gehackten Basilikum-, Koriander- und Pfefferminzblättern verfeinert.

MEERESFRÜCHTESUPPE

•

Vorbereitungszeit: 30 Minuten
Gesamtkochzeit: 40 Minuten
Für 6 Personen

500 g feste weiße Fischfilets
500 g rohe Garnelen
1 EL Öl
5 cm frischer Ingwer, geraspelt
3 EL Zitronengras (nur der weiße Teil), feingehackt
3 kleine rote Chillies, feingehackt
2 mittelgroße Zwiebeln, kleingeschnitten
4 mittelgroße Tomaten, geschält, entkernt und gehackt
750 ml Fischbrühe
750 ml Wasser
4 Kaffir-Limettenblätter, in feine Streifen geschnitten
160 g frische Ananas, kleingeschnitten
1 EL Tamarindenkonzentrat
1 EL geriebener Palmzucker oder brauner Zucker
2 EL Limettensaft
1 EL Fischsauce
2 EL frische Korianderblätter, gehackt

•

1 Fischfilets in 2 cm große Würfel schneiden. Garnelen aus der Schale lösen und säubern.
2 Öl in einer großen Pfanne erhitzen, Ingwer, Zitronengras, Chillies und Zwiebeln zugeben und

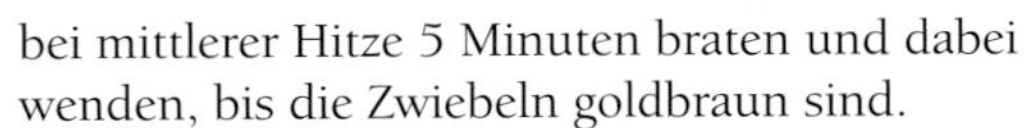

bei mittlerer Hitze 5 Minuten braten und dabei wenden, bis die Zwiebeln goldbraun sind.
3 Tomaten in die Pfanne geben und 3 Minuten garen. Fischbrühe, Wasser, Limettenblätter, Ananas, Tamarindenkonzentrat, Palmzucker und Limettensaft unterrühren, aufkochen lassen und zugedeckt 15 Minuten köcheln lassen.
4 Fischfilets, Garnelen und Koriander in die Pfanne geben und 10 Minuten braten, bis die Meeresfrüchte gar sind. Sofort servieren.

NÄHRWERT PRO PORTION: 25 g Protein, 5 g Fett, 10 g Kohlenhydrate, 3 g Ballaststoffe, 130 mg Cholesterin, 835 kJ (200 kcal)

Oben:
Meeresfrüchtesuppe

•

LAOTISCHE FISCHBÄLLCHEN

•

Vorbereitungszeit: 30 Minuten
Gesamtkochzeit: 10 Minuten
Ergibt 24 Fischbällchen

500 g weiße Fischfilets
2 EL Fischsauce
3 rote Chillies, entkernt, feingehackt
$1\frac{1}{2}$ TL Zitronengras (nur der weiße Teil), feingehackt
4 Knoblauchzehen, zerdrückt
3 Frühlingszwiebeln, feingehackt
2 EL frische Korianderblätter, gehackt
1 Ei, geschlagen
2 EL Reismehl
Fritieröl
zum Garnieren: 2 EL frische Korianderblätter, gehackt
zum Servieren: 1 Zitrone, in Stücke geteilt

•

1 Fischfilets fein hacken. (Falls Sie den Fisch im Mixer zerkleinern möchten, achten Sie darauf, daß die Masse nicht zu breiig wird.) Fisch und Fischsauce in eine Schüssel geben und vermengen. Chillies, Zitronengras, Knoblauch, Frühlingszwiebeln und Koriander unterheben. Eier und Reismehl zugeben und gut mischen.
2 Hände etwas anfeuchten und aus der Masse kleine, etwa 3 cm dicke Bällchen formen.
3 Öl in einer tiefen Pfanne oder Friteuse erhitzen und die Fischbällchen portionsweise bei mittlerer Hitze goldbraun fritieren. Herausnehmen und auf Küchenpapier abtropfen lassen. Die Extraportion Koriander über die Fischbällchen streuen und heiß servieren. Die Zitronenstücke dazu reichen.

NÄHRWERT PRO FISCHBÄLLCHEN: 5 g Eiweiß, 5 g Fett, 1 g Kohlenhydrate, 0 g Ballaststoffe, 20 mg Cholesterin, 305 kJ (75 kcal)

HUHN MIT KÜRBISGEMÜSE

•

Vorbereitungszeit: 20 Minuten
Gesamtkochzeit: 50 Minuten
Für 6 Personen

110 g Rundkornreis
2 EL Öl
1 kg Hühnerfleisch, zerlegt
3 Knoblauchzehen, zerdrückt
3 EL Zitronengras (nur der weiße Teil), feingehackt
2 TL frische Kurkuma, geraspelt (oder 1 TL Kurkumapulver)
2 EL frische Galgantwurzel, geraspelt
6 Kaffir-Limettenblätter, in feine Streifen geschnitten
6 Frühlingszwiebeln, gehackt
1 l Hühnerbrühe
500 g Kürbiswürfel
1 kleine grüne Pawpaw, geschält und gehackt
125 g Schlangenbohnen, in kurze Stücke geschnitten

•

1 Ofen auf 180 °C (Gas: Stufe 4) vorheizen. Reis auf einem Backblech verteilen und 15 Minuten rösten, bis er goldbraun ist. Reis aus dem Ofen nehmen, etwas abkühlen lassen und dann im Mixer feinmahlen.
2 Öl in einer großen Pfanne erhitzen, das Fleisch portionsweise zugeben und 5 Minuten anbraten, bis es braun wird. Zum Abtropfen auf Küchenpapier legen.
3 Knoblauch, Zitronengras, Kurkuma, Galgant, Limettenblätter und Frühlingszwiebeln in die Pfanne geben und bei mittlerer Hitze ca. 3 Minuten anbraten, bis die Zwiebeln goldbraun sind. Fleisch wieder in die Pfanne geben, mit Brühe aufgießen, abdecken und 20 Minuten garen lassen.
4 Kürbiswürfel und Pawpaw zugeben und bei geschlossenem Deckel 10 Minuten garen, Bohnen zufügen und nochmals 10 Minuten garen. Den gemahlenen Reis unterrühren, aufkochen, Platte kleiner stellen und ohne Deckel 5 Minuten weitergaren, bis die Masse leicht andickt.
HINWEIS: Grüne Pawpaws erhalten Sie in asiatischen Lebensmittelläden.

NÄHRWERT PRO PORTION: 25 g Eiweiß, 20 g Fett, 25 g Kohlenhydrate, 3 g Ballaststoffe, 85 mg Cholesterin, 1615 kJ (385 kcal)

Oben: *Huhn mit Kürbisgemüse*

FISCHSUPPE MIT NUDELN

•

Vorbereitungszeit: 15 Minuten
Gesamtkochzeit: 20 Minuten
Für 4 Personen

200 g getrocknete Reis-Vermicelli
1 EL Öl
2,5 cm frischer Ingwer, geraspelt
3 kleine rote Chillies, feingehackt
4 gehackte Frühlingszwiebeln
875 ml Kokosmilch
2 EL Fischsauce
2 EL Tomatenmark (hochkonzentriertes Tomatenpüree)
500 g feste weiße Fischfilets, gewürfelt
2 Schinkensteaks, gewürfelt
150 g Schlangenbohnen, gehackt
180 g Bohnensprossen, geputzt
20 g frische Minze
80 g ungesalzene geröstete Erdnüsse

•

1 Nudeln 5 Minuten in kochendem Wasser einweichen. Öl in einer großen Pfanne erhitzen und Ingwer, Chillies und Frühlingszwiebeln goldbraun anbraten.
2 Kokosmilch, Fischsauce und Tomatenmark unterrühren, abdecken und 10 Minuten garen lassen. Fisch, Schinken und Schlangenbohnen zugeben und weiterkochen, bis der Fisch gar ist.
3 Nudeln auf vier Schälchen verteilen und Bohnensprossen und Minze darübergeben. Suppe in die Schälchen gießen und mit Erdnüssen bestreuen.

NÄHRWERT PRO PORTION: 50 g Eiweiß, 65 g Fett, 60 g Kohlenhydrate, 5 g Ballaststoffe, 105 mg Cholesterin, 4260 kJ (1015 kcal)

Oben: *Fischsuppe mit Nudeln*

GEDÜNSTETES GEWÜRZHUHN

•

Vorbereitungszeit: 40 Minuten
Gesamtkochzeit: 30 Minuten
Für 4 Personen

Gewürzpaste
7 getrocknete Chillies, entkernt
1/2 EL Salz
4 Stengel Zitronengras (nur der weiße Teil), feingehackt
1 Scheibe frische Galgantwurzel, feingehackt
1 Scheibe frische Kurkuma, feingehackt
6 cm Limettenrinde, gehackt
1 TL Krabbenpaste
4 Knoblauchzehen, gehackt
4 rote asiatische Schalotten, gehackt

125 ml Kokoscreme
2 TL geriebener Palmzucker oder brauner Zucker
1 EL Fischsauce
2 Kaffir-Limettenblätter, in feine Streifen geschnitten
500 g Hühnerbrustfilet, in 5 cm breite Streifen geschnitten
180 g Mangold oder Spinat, in Streifen geschnitten

•

1 Für die Gewürzpaste: Chillies 30 Minuten in heißem Wasser einweichen und abtropfen lassen. Die eingeweichten Chillies in einen Mixer geben, salzen und zu einer breiigen Masse pürieren. Die anderen Zutaten für die Gewürzpaste alle zusammen in den laufenden Mixer geben.
2 Kokoscreme, Palmzucker, Fischsauce und Limettenblätter in einer großen Schüssel vermischen. Gewürzpaste zugeben und alles gut verrühren, dann die Fleischstreifen unterheben.
3 Mangold in eine runde, feuerfeste Schüssel geben, die in eine große, tiefe Pfanne paßt. Die Mischung löffelweise über den Mangold verteilen.
4 Auf den Pfannenboden eine Untertasse oder einen Ständer stellen und Pfanne mit kochendem Wasser füllen. Schüssel auf die Untertasse oder den Ständer stellen, Pfanne verschließen und Hähnchen bei mittlerer Hitze etwa 30 Minuten dünsten, bis es gar ist. Hin und wieder nachschauen, ob noch genug Wasser in der Pfanne ist. Mit Reis servieren.

NÄHRWERT PRO PORTION: 30 g Eiweiß, 10 g Fett, 5 g Kohlenhydrate, 3 g Ballaststoffe, 65 mg Cholesterin, 1010 kJ (240 kcal)

GEDÜNSTETE GARNELEN IN BANANENBLÄTTERN

•

Vorbereitungszeit: 25 Minuten (+ 2 Stunden Marinieren)
Gesamtkochzeit: 10 Minuten
Für 4 Personen

1 kg rohe Garnelen
8 kleine Bananenblätter
1 EL Sesamsamen
2,5 cm frischer Ingwer, geraspelt
2 kleine rote Chillies, feingehackt
4 Frühlingszwiebeln, feingehackt
2 Stengel Zitronengras (nur der weiße Teil), feingehackt
2 EL brauner Zucker
1 EL Fischsauce
2 EL Limettensaft
2 EL frische Korianderblätter, gehackt

•

1 Garnelen aus der Schale lösen und ausnehmen. Bananenblätter in einer feuerfesten Schüssel mit kochendem Wasser begießen und 3 Minuten einweichen lassen. Abtropfen lassen und trockentupfen. Bananenblätter in 18 cm große Quadrate schneiden. Sesamsamen in einer trockenen Pfanne bei mittlerer Hitze 3–4 Minuten rösten. Dabei die Pfanne leicht schwenken, bis die Samen goldbraun sind. Alle Samen gleichzeitig aus der Pfanne nehmen, damit sie nicht anbrennen.

2 Ingwer, Chillies, Frühlingszwiebeln und Zitronengras in einen Mixer geben und stoßweise zu einer Paste verarbeiten. Die Paste in eine Schüssel umfüllen. Zucker, Fischsauce, Limettensaft, Sesamsamen und Koriander unterrühren und gut mischen. Garnelen in der Masse wenden, so daß sie gut bedeckt sind. 2 Stunden im Kühlschrank marinieren lassen.

3 Die Mischung in acht Portionen teilen und auf die Bananenblätter geben. Die Blätter mit der Mischung zusammenfalten und das Päckchen mit einem Holzspieß verschließen.

4 Päckchen in einem Bambusdämpfer 8–10 Minuten über kochendem Wasser dämpfen, bis die Garnelenfüllung gar ist.

HINWEIS: Bananenblätter erhalten Sie in asiatischen Lebensmittelgeschäften und beim Obst- und Gemüsespezialitätenhändler.

NÄHRWERT PRO PORTION: 25 g Eiweiß, 4 g Fett, 4 g Kohlenhydrate, 1 g Ballaststoffe, 240 mg Cholesterin, 590 kJ (140 kcal)

GEDÜNSTETE GARNELEN IN BANANENBLÄTTERN

Bananenblätter quadratisch zuschneiden.

Blätter mit der Füllung zusammenfalten und die Päckchen mit einem Holzspieß verschließen.

Oben: *Gedünstete Garnelen in Bananenblättern*

KALTE GETRÄNKE

Diese köstlichen Getränke werden aus frischem Fruchtsaft mit Milch oder Joghurt gemixt. Bereiten Sie gleich einen ganzen Krug zu. Er ist an einem heißen Tag herrlich erfrischend!

WASSERMELONENSAFT MIT INGWER

500 g Wassermelone schälen, entkernen und grob zerschneiden. Mit 2 TL frischem, geraspeltem Ingwer in einen Mixer oder eine Küchenmaschine geben. 2 Minuten pürieren. 6 Eiswürfel zugeben und ca. 1 Minute weiter mixen, bis das Eis zerhackt ist. Mit einer dünnen Scheibe Wassermelone garnieren. Ergibt 3 Gläser (600 ml).

NÄHRWERT PRO 100 ml: 0 g Eiweiß, 0 g Fett, 3 g Kohlenhydrate, 0 g Ballaststoffe, 0 mg Cholesterin, 60 kJ (15 kcal)

LASSI

185 g Joghurt, 250 ml Wasser und 1/4 TL Salz in einen Mixer oder eine Küchenmaschine geben. 1–2 Minuten zu einer glatten, schaumigen Masse schlagen. Mit Eiswürfeln servieren. Ergibt 3 1/2 Tassen (750 ml).
Variationen: Für Minze-Lassi 8–10 Blätter frische Minze vor dem Mixen zugeben. Für Süßen Lassi vor dem Mixen 4 TL Zucker und 1/4 TL Rosenwasser zugeben und das Salz weglassen.

NÄHRWERT PRO 100 ml: 2 g Eiweiß, 1 g Fett, 2 g Kohlenhydrate, 0 g Ballaststoffe, 7 mg Cholesterin, 130 kJ (30 kcal)

MELONENSAFT MIT MINZE

1 grünen Apfel schälen und Gehäuse entfernen. 1/2 kleine Honigmelone zusammen mit dem Apfel grob hacken. Mit 250 ml Orangensaft und 8 frischen Minzblättern in einen Mixer oder eine Küchenmaschine geben. 1–2 Minuten lang zu einer glatten Masse pürieren. 100 g Eiswürfel zugeben und 1 Minute weitermixen. In 4 große Gläser füllen und mit frischen Minzblättern dekorieren. Ergibt 1 1/4 Liter.

NÄHRWERT PRO 100 ml: 0,5 g Eiweiß, 0 g Fett, 10 g Kohlenhydrate, 1 g Ballaststoffe, 0 mg Cholesterin, 155 kJ (35 kcal)

MANGOFRAPPÉ

2 oder 3 frische Mangos schälen und grob hacken. 100 g Eiswürfel in einen Mixer oder eine Küchenmaschine geben und stoßweise 5 Minuten mixen, bis das Eis grob zerkleinert ist. Die Mangos zugeben und zu einer weichen Masse mixen. Falls gewünscht, mit etwas Wasser verdünnen. Ergibt 3 Gläser (600 ml). Variationen: Frische Ananas, Guave, Karambola oder Melone eignen sich ebenfalls gut für tropische Frappés.

NÄHRWERT PRO 100 ml: 1 g Eiweiß, 0 g Fett, 10 g Kohlenhydrate, 1 g Ballaststoffe, 0 mg Cholesterin, 210 kJ (50 kcal)

LIMETTENSODA

250 g Zucker und 600 ml Wasser in eine große Pfanne geben. Zucker bei niedriger Hitze auflösen und gelegentlich umrühren. Aufkochen und bei offener Pfanne 5 Minuten weiterkochen lassen. 375 ml frischen Limettensaft zufügen und 5 Minuten weiterkochen. Abkühlen lassen und dann mindestens 1 Stunde kalt stellen. Ergibt 560 ml Sirup. Pro Glas Limettensoda 2–3 EL mit Soda oder Mineralwasser mit Kohlensäure auffüllen.

NÄHRWERT PRO 50 ml: 0 g Eiweiß, 0 g Fett, 10 g Kohlenhydrate, 0 g Ballaststoffe, 0 mg Cholesterin, 180 kJ (45 kcal)

TROPENMIX

80 g gehackte, frische Ananas, 110 g gehackte Papaya, 2 zerkleinerte Bananen, 125 ml Kokosmilch und 250 ml Orangensaft in eine Küchenmaschine oder einen Mixer geben und 1–2 Minuten mixen, bis die Früchte gut püriert sind. 100 g Eiswürfel zugeben und stoßweise 5 Minuten zerkleinern, bis das Eis vollständig zerhackt ist. Nach Belieben mit Bananenscheiben garnieren. Ergibt 1 Liter.

NÄHRWERT PRO 100 ml: 1 g Eiweiß, 0 g Fett, 10 g Kohlenhydrate, 1 g Ballaststoffe, 0 mg Cholesterin, 195 kJ (45 kcal)

AROMATISCHES MILCHSORBET

100 g Eiswürfel in einen Mixer oder eine Küchenmaschine geben und stoßweise ca. 5 Minuten mixen, bis das Eis zerhackt ist. Das Eis in 4 große Gläser geben. 75 g geschälte Pistazienkerne, 60 g Rohrzucker, 1/2 TL Kardamompulver und 1/2 TL Zimtpulver in den Mixer geben. 2 Minuten zu einer glatten Masse schlagen. 1 1/4 l Milch zugeben, schaumig schlagen und über das Eis gießen. 1 TL grobgehackte Pistazienkerne über das Sorbet streuen. Ergibt 1 1/2 l.

NÄHRWERT PRO 100 ml: 4 g Eiweiß, 6 g Fett, 8 g Kohlenhydrate, 0 g Ballaststoffe, 10 mg Cholesterin, 430 kJ (100 kcal)

Von links nach rechts: *Wassermelonensaft mit Ingwer, Minze-Lassi, Melonensaft mit Minze, Mangofrappé, Limettensoda, Tropenmix, Aromatisches Milchsorbet*

GEFÄSSE ZUM MARINIEREN

Da Marinaden normalerweise Säuren wie z. B. Essig, Reiswein, Limetten- oder Zitronensaft enthalten, sollten Sie zum Marinieren keine Metallgefäße verwenden, da die Säuren mit dem Metall reagieren. Eine Glasschüssel oder glasiertes Porzellan eignen sich am besten. Verwenden Sie zum Rühren oder Wenden einen Holzlöffel.

LAOTISCHER RINDFLEISCHSALAT

•

Vorbereitungszeit: 15 Minuten (+ 2 Stunden Marinieren)
Gesamtkochzeit: 10 Minuten
Für 4 Personen

500 g Rumpsteak
4 EL Wasser
3 EL Zitronensaft
2 EL Zitronengras (nur der weiße Teil), feingehackt
1 EL Fischsauce
1 mittelgroße Zwiebel, in feine Scheiben geschnitten
2 EL frische Korianderblätter, gehackt
1 EL frische Minze, gehackt
2 Schmorgurken, kleingeschnitten
1/2 kleiner Chinakohl, in Streifen geschnitten

•

1 Steak auf jeder Seite braten, bis es medium oder ganz durchgebraten ist. Herausnehmen und 5 Minuten beiseite stellen. Mit einem scharfen Messer in 5 mm dicke Scheiben schneiden.
2 Wasser in einem Wok erhitzen, das Fleisch zufügen und bei mittlerer Hitze 2 Minuten kochen, nicht länger. Fleisch und Flüssigkeit in eine Schüssel (kein Metallgefäß!) umfüllen.
3 Zitronensaft, Zitronengras, Fischsauce, Zwiebeln, Koriander und Minze zugeben und gut mischen. Abdecken und 2 Stunden im Kühlschrank marinieren lassen.
4 Die gehackten Gurken unterrühren. Den Salat auf einem Bett aus Kohl servieren und nach Wunsch mit zusätzlicher Minze garnieren.
HINWEIS: Wenn Sie Ihr Steak lieber gut durchgegart möchten, einfach länger braten.

NÄHRWERT PRO PORTION: 45 g Eiweiß, 10 g Fett, 105 g Kohlenhydrate, 2 g Ballaststoffe, 4 mg Cholesterin, 1130 kJ (270 kcal)

Oben: *Laotischer Rindfleischsalat*
Rechts: *Huhn mit Kräutern und Gewürzen*

•

HUHN MIT KRÄUTERN UND GEWÜRZEN

•

Vorbereitungszeit: 30 Minuten
Gesamtkochzeit: 20 Minuten
Für 4–6 Personen

55 g Rundkornreis
1 kg Hühnerschenkel, filetiert
2 EL Erdnußöl
4 Knoblauchzehen, zerdrückt
2 EL frische Galgantwurzel, geraspelt
2 kleine rote Chillies
4 Frühlingszwiebeln, feingehackt
60 ml Fischsauce
1 EL Garnelenpaste
3 EL frische vietnamesische Minze, gehackt
2 EL frisches Basilikum, gehackt
4 EL Limettensaft

•

1 Ofen auf 180 °C (Gas: Stufe 4) vorheizen. Reis auf ein Backblech streuen und 15 Minuten rösten, bis er goldbraun ist. Etwas abkühlen lassen, in einen Mixer füllen und fein mahlen. Zur Seite stellen.
2 Hühnerfleisch in eine Küchenmaschine geben und fein zerkleinern.
3 Öl in einem Wok erhitzen, Knoblauch, Galgant, Chillies und Frühlingszwiebeln zugeben und bei mittlerer Hitze 3 Minuten anbraten. Das zerkleinerte Fleisch in den Wok geben, 5 Minuten unter ständigem Rühren anbräunen und dabei zusammenklebende Stücke mit einem Holzlöffel trennen. Fischsauce und Garnelenpaste unterrühren, aufkochen und bei niedriger Hitze 5 Minuten weitergaren.
4 Wok vom Herd nehmen, Reis, Minze, Basilikum und Limettensaft unterrühren und alles vermengen.

NÄHRWERT PRO PORTION (6): 40 g Eiweiß, 15 g Fett, 10 g Kohlenhydrate, 1 g Ballaststoffe, 125 mg Cholesterin, 1315 kJ (315 kcal)

LAOTISCHES GETROCKNETES RINDFLEISCH MIT PAWPAWSALAT

Vorbereitungszeit: 30 Minuten (+ 4 Stunden Marinieren)
Gesamtkochzeit: 5 Stunden
Für 6 Personen

1 kg Rückensteak, angefroren
2 TL Salz
1/4 TL gemahlener schwarzer Pfeffer
1 EL brauner Zucker
4 Knoblauchzehen, zerdrückt
2 TL Sesamöl
1 EL Erdnußöl

Grüner Pawpawsalat
1 kleine grüne Pawpaw, geschält und entkernt
1 Möhre
2 Knoblauchzehen, zerdrückt
6 cm frischer Ingwer, geraspelt
2 kleine rote Chillies
2 EL Fischsauce
4 Kaffir-Limettenblätter, feingeschnitten
1 EL Limettensaft
2 TL brauner Zucker
1 TL Sesamöl
30 g frische Korianderblätter
160 g ungesalzene geröstete Erdnüsse

1 Ofen langsam auf 120 °C (Gas: Stufe 1–2) vorheizen.
2 Überschüssiges Fett von den Steaks abschneiden. Steaks in 2,5 mm dicke Scheiben und dann in Streifen schneiden. Salz, Chillies, Pfeffer, Zucker, Knoblauch, Sesam- und Erdnußöl in einer Schüssel mischen. Steak zugeben und in der Ölmischung wenden, bis das Fleisch gut bedeckt ist. Abdecken und 4 Stunden im Kühlschrank marinieren lassen.
3 Fleisch auf ein Gitter legen und dies in eine große Backform stellen. Ca. 5 Stunden backen, bis es getrocknet ist.
4 Rindfleisch 3 Minuten stark grillen, dann mit grünem Pawpawsalat servieren.
5 Zubereitung des Pawpawsalats: Pawpaw und Möhre mit einem Sparschäler (ansonsten mit einem normalen Messer) in feine Streifen schneiden. Pawpaw und Möhre in einer Schüssel mit den übrigen Zutaten vermischen.
HINWEIS: Das getrocknete Rindfleisch hält sich in einem luftdichten Behälter 3 Wochen oder tiefgefroren 6 Monate.

NÄHRWERT PRO PORTION: 45 g Eiweiß, 30 g Fett, 15 g Kohlenhydrate, 5 g Ballaststoffe, 95 mg Cholesterin, 2020 kJ (480 kcal)

LAOTISCHES GETROCKNETES RINDFLEISCH MIT PAWPAWSALAT

Fleischstreifen auf ein Gitter legen und dieses auf ein Backblech legen.

Grüne Pawpaw mit einem Sparschäler in feine Streifen schneiden.

Oben: *Laotisches getrocknetes Rindfleisch mit Pawpawsalat*

WÜRZIGES BRATHUHN

•

Vorbereitungszeit: 15 Minuten
Gesamtkochzeit: 50 Minuten
Für 6 Personen

1 EL Erdnußöl
2 mittelgroße Zwiebeln, gehackt
250 g Schweinehackfleisch
80 g ungesalzene geröstete Erdnüsse, grobgehackt
3 EL Limettensaft
1 EL frische Minze, gehackt
2 EL frische Korianderblätter, gehackt
3 kleine rote Chillies, getrocknet
1 TL Fenchelsamen
1 TL Kreuzkümmelsamen
1 TL Koriandersamen
1/8 TL Salz
1 Huhn (ca. 1,5 kg)
2 Knoblauchzehen, zerdrückt
1 TL Öl extra
125 ml Kokosmilch

•

1 Ofen auf 180 °C (Gas: Stufe 4) vorheizen.
2 Öl im Wok erhitzen, Zwiebeln zufügen und bei mittlerer Hitze 3 Minuten goldbraun braten. Hackfleisch zugeben und 10 Minuten anbräunen. Wok vom Herd nehmen, Erdnüsse, Limettensaft, Minze und Koriander unterrühren und die Mischung leicht abkühlen lassen.
3 Chillies, Fenchel-, Kreuzkümmel- und Koriandersamen mit Salz in der Küchenmaschine oder einem Mörser zerstoßen und dann zu Pulver mahlen.
4 Überschüssiges Fett von dem Huhn schneiden, dann das Fleisch innen und außen mit Knoblauch einreiben. Das Huhn mit der Schweinehackfleischmischung füllen. Öffnung mit einem Holzspieß schließen und Beine mit einer Schnur zusammenbinden. Das Huhn außen leicht mit Öl einpinseln und mit der Gewürzmischung einreiben. Das Huhn auf ein Gitter über ein Backblech legen und 20 Minuten backen. Aus dem Ofen nehmen und mit Kokosmilch und dem Bratensaft übergießen. 40 Minuten weiterbacken und so oft begießen, bis das Huhn gar ist. Holzspieß und Schnur vor dem Servieren entfernen.

NÄHRWERT PRO PORTION: 35 g Eiweiß, 20 g Fett, 5 g Kohlenhydrate, 0 g Ballaststoffe, 95 mg Cholesterin, 1455 kJ (345 kcal)

Unten: *Würziges Brathuhn*

•

SCHWEINEHACKFLEISCH MIT SPARGEL UND TOFU

•

Vorbereitungszeit: 20 Minuten
Gesamtkochzeit: 10 Minuten
Für 4 Personen

1 Bund Spargel (155 g)
150 g fester Tofu
1 EL Öl
2 Knoblauchzehen, zerdrückt
400 g Schweinehackfleisch
1 roter Chili, in Scheiben geschnitten und entkernt (nach Belieben)
3 EL chinesischer Schnittlauch, feingehackt
3 TL Austernsauce
3 TL Fischsauce
1 TL Zucker

•

1 Spargel putzen und in mundgerechte Stücke schneiden. In eine feuerfeste Form geben, mit kochendem Wasser aufgießen, 3 Minuten stehen und abtropfen lassen. Tofu in mundgerechte Stücke schneiden.
2 Den Wok stark erhitzen. Öl zugießen und schwenken. Knoblauch, Fleisch und evtl. Chili zugeben und schnell anbräunen. Dabei das Fleisch wenden. Wenn es braun ist, Spargel und Tofu zufügen und alles gut mischen.
3 Schnittlauch, Austernsauce, Fischsauce und Zucker zugeben und unter die Fleischmischung heben. Sofort mit Reis servieren.

NÄHRWERT PRO PORTION: 25 g Eiweiß, 10 g Fett, 4 g Kohlenhydrate, 1 g Ballaststoffe, 50 mg Cholesterin, 830 kJ (195 kcal)

PIKANTER FRITIERTER FISCH

•

Vorbereitungszeit: 20 Minuten
Gesamtkochzeit: 20 Minuten
Für 6 Personen

1 TL Sesamöl
2 Knoblauchzehen, zerdrückt
2,5 cm frischer Ingwer, geraspelt
1 Zwiebel, in Ringe geschnitten
4 Frühlingszwiebeln, in Stücke geschnitten
1 EL Fischsauce
2 EL helle Sojasauce
1 EL brauner Zucker
¼ l Wasser
125 g Weizenmehl
1 TL Kreuzkümmel, gemahlen
1 TL Koriander, gemahlen
1 TL Paprika, gemahlen
750 g feste weiße Fischfilets
2 Eiweiß, leicht geschlagen
Öl zum Fritieren
1 EL Stärke
1 EL Wasser extra

1 Sesamöl in einer Pfanne erhitzen. Knoblauch, Ingwer, Zwiebel und Frühlingszwiebeln zufügen und bei mittlerer Hitze anbraten, bis die Zwiebeln goldbraun sind. Fischsauce, Sojasauce, Zucker und Wasser unterrühren. Zur Seite stellen und in der Zwischenzeit Fisch vorbereiten.

2 Mehl, Kreuzkümmel, Koriander und Paprika in einer Schüssel mischen. Fischfilets in 2 cm große Würfel schneiden. Würfel in Eiweiß tauchen und leicht mit dem gewürzten Mehl bestäuben. Überschüssige Panade abschütteln. Öl in einem Wok erhitzen, Fischstücke portionsweise hineingeben und bei großer Hitze 3–4 Minuten fritieren, bis sie goldbraun sind. Auf Küchenpapier abtropfen lassen und warm stellen.

3 Stärke in Wasser auflösen und unter die Sauce rühren, bis die Masse kocht und andickt. Die heiße Sauce über die gebackenen Fischstücke geben und servieren. Mit Frühlingszwiebelringen garnieren.

NÄHRWERT PRO PORTION: 30 g Eiweiß, 5 g Fett, 20 g Kohlenhydrate, 2 g Ballaststoffe, 140 mg Cholesterin, 1070 kJ (225 kcal)

Oben: *Pikanter fritierter Fisch*

GEGRILLTES SCHWEINEFLEISCH

•

Vorbereitungszeit: 10 Minuten
(+ 4 Sunden Marinieren)
Gesamtkochzeit: 15 Minuten
Für 4 Personen

1 kg Schweinekoteletts
8 Knoblauchzehen, zerdrückt
2 EL Fischsauce
1 EL Sojasauce
2 EL Austernsauce
1/2 TL gemahlener schwarzer Pfeffer
2 EL Frühlingszwiebeln, feingehackt

•

1 Koteletts in eine große Schüssel geben und Knoblauch, Fischsauce, Sojasauce, Austernsauce und schwarzen Pfeffer zugeben. Gut verrühren, damit das Fleisch vollständig bedeckt ist. Abdecken und 4 Stunden im Kühlschrank marinieren lassen.
2 Ofengrill auf hoher Stufe vorheizen, Schweinefleisch von allen Seiten braun grillen, bis es gar ist. Sobald das Fleisch braun wird, Grillrost weiter nach unten setzen. Alternativ können Sie das Fleisch auch auf einem Gartengrill zubereiten.
3 Schweinefleisch auf einer Platte anrichten und die Frühlingszwiebeln darüber streuen.

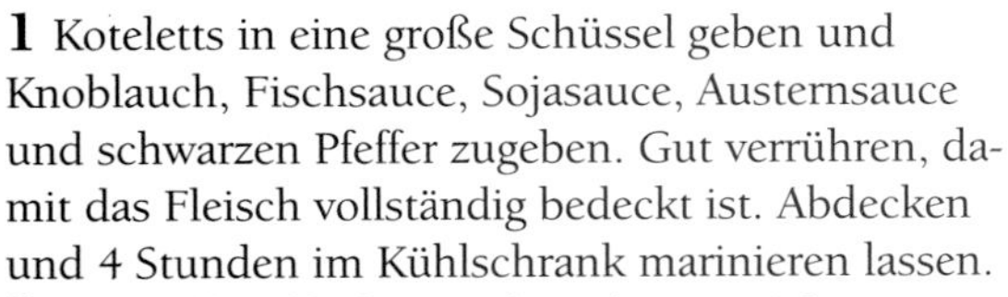

NÄHRWERT PRO PORTION: 60 g Eiweiß, 5 g Fett, 4 g Kohlenhydrate, 1 g Ballaststoffe, 130 mg Cholesterin, 1265 kJ (300 kcal)

Oben: *Gegrilltes Schweinefleisch*

PIKANTE AUBERGINEN MIT FISCHPÜREE IN SALATBLÄTTERN

•

Vorbereitungszeit: 45 Minuten
Gesamtkochzeit: 60 Minuten
Für 6 Personen

1 große Aubergine (ca. 800 g)
12 Knoblauchzehen, ungeschält
4 rote asiatische Schalotten, ungeschält
600 g weiße Fischfilets
100 g getrocknete Glasnudeln
2 EL Fischsauce
3 rote Chillies, entkernt und feingehackt
2 EL frische Minze, grobgehackt
2 EL frische Korianderblätter, grobgehackt
1 Kopfsalat
1 Romanasalat
50 g frische Korianderzweige

•

Sauce
3 EL Fischsauce
3 EL Limettensaft
1 TL feiner Zucker
1 roter Chili, entkernt und in feine Ringe geschnitten

1 Ofen auf 180 °C (Gas: Stufe 4) vorheizen. Aubergine auf ein Backblech legen und 50 Minuten backen, bis sie weich und gar ist. Knoblauch und Schalotten nach 15 Minuten dazulegen. Abkühlen lassen.
2 Fischfilets mit Öl einpinseln und grillen, bis sie gar sind. Fisch abkühlen lassen und in Stücke teilen.
3 Glasnudeln in heißes Wasser geben und 1–2 Minuten kochen, bis sie gar sind. Abtropfen und abkühlen lassen und dann grob zerschneiden.
4 Aubergine halbieren, das weiche Fleisch herauslösen und in eine Küchenmaschine geben. 6 weiche Knoblauchzehen und alle Schalotten aus der Schale drücken und zugeben. Fisch, Fischsauce, Chillies, Minze und Koriander zufügen und alles zu einem sämigen Püree verarbeiten. Püree in eine Schüssel umfüllen, mit Salz abschmecken und unter die Glasnudeln heben.
5 Für die Sauce: Fischsauce, Limettensaft, Zucker und Chili in eine Küchenmaschine geben. Die restlichen Knoblauchzehen aus der Schale drükken, in eine Küchenmaschine geben und zu einer glatten Sauce pürieren. Sauce in einer Pfanne erhitzen, Zucker unter Rühren auflösen und dann auf Zimmertemperatur abkühlen lassen.
6 Zum Servieren die Schüssel mit dem Püree auf eine Platte stellen und mit Salatblättern und Korianderzweigen ringsum garnieren. Die Gäste bedienen sich selbst. Jeder nimmt sich ein Salatblatt, legt einen Korianderzweig darauf, garniert das Ganze mit einem Löffel Püree und einem Teelöffel Sauce und rollt es dann mundgerecht zusammen.

NÄHRWERT PRO PORTION: 25 g Eiweiß, 4 g Fett, 20 g Kohlenhydrate, 5 g Ballaststoffe, 70 mg Cholesterin, 935 kJ (220 kcal)

GEGRILLTE RINDFLEISCHSPIESSCHEN

•

Vorbereitungszeit: 15 Minuten (+ 4 Stunden Marinieren)
Gesamtkochzeit: 8 Minuten
Für 4 Personen

500 g Lendensteak
2 TL Chiliflocken
4 Stengel Zitronengras (nur der weiße Teil), feingehackt
2 Scheiben frische Galgantwurzel, feingehackt
2 Scheiben frische Kurkuma, feingehackt
4 Knoblauchzehen, zerdrückt
4 TL geriebener Palmzucker oder brauner Zucker
125 ml Austernsauce
1 TL Salz
2 EL Öl

•

1 Steak in lange dünne Streifen schneiden. Fleischstreifen in eine Glasschüssel legen.
2 Chili, Zitronengras, Galgant, Kurkuma und Knoblauch in einem Mörser zerstoßen. Palmzucker, Austernsauce, Salz und Öl zugeben und mischen.
3 Die Marinade löffelweise über das Fleisch geben und vermengen. Dicht abdecken und 4 Stunden kalt stellen. Fleisch auf Holzspießchen stecken (diese zuvor 30 Minuten in Wasser einweichen).
4 Ofengrill auf höchster Stufe vorheizen. Fleischspießchen von beiden Seiten knusprig braun grillen. Alternativ können Sie das Fleisch auch auf einem Gartengrill zubereiten.

NÄHRWERT PRO PORTION: 30 g Eiweiß, 20 g Fett, 15 g Kohlenhydrate, 1 g Ballaststoffe, 60 mg Cholesterin, 1365 kJ (325 kcal)

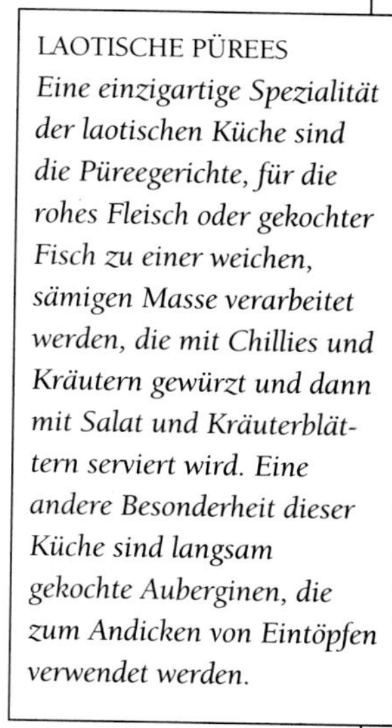

LAOTISCHE PÜREES
Eine einzigartige Spezialität der laotischen Küche sind die Püreegerichte, für die rohes Fleisch oder gekochter Fisch zu einer weichen, sämigen Masse verarbeitet werden, die mit Chillies und Kräutern gewürzt und dann mit Salat und Kräuterblättern serviert wird. Eine andere Besonderheit dieser Küche sind langsam gekochte Auberginen, die zum Andicken von Eintöpfen verwendet werden.

Links: *Gegrillte Rindfleischspießchen*

VIETNAM

In der üppig grünen Vegetation Vietnams gedeihen zahlreiche Gemüse- und Kräutersorten, die der vietnamesischen Küche ihren unverwechselbaren frischen Duft und Geschmack verleihen. Koriander und Minze etwa werden großzügig über dampfende Schüsseln mit Pho gestreut, einem suppenartigen Nudel-Fleisch-Gericht, das an jeder Straßenecke angeboten wird. Die geschmackliche Basis vieler Gerichte bildet Nuoc Mam, eine Fischsauce, mit der Pfannengerührtes oder Suppen verfeinert werden. Man verwendet sie auch für Marinaden aus Zitronengras, Zitronensaft und Chillies, die Fleisch- und Fischgerichten ihren seetangartigen, scharfen Geschmack verleihen.

ZITRONENGRAS

Dieses lange, grasige Kraut schmeckt und duftet nach Zitrone. Den Strunk, die harten Außenschichten und dann das weiße Innere in feine Scheiben schneiden, hacken oder zerstampfen. Für Pasten und Salat wird der zarte, weiße Teil direkt über der Wurzel verwendet. Der gesamte Stengel eignet sich geputzt, gewaschen und mit dem Messerrücken zerdrückt gut als Zutat für Currys und Suppen, die lange kochen müssen (vor dem Servieren herausnehmen). Getrocknetes Zitronengras hat recht wenig Geschmack. Daher sollten Sie lieber Zitronenschale verwenden, obwohl sie kein wirklich guter Ersatz für Zitronengras ist.

Oben: *Gebratenes Huhn mit Zitronengras, Ingwer und Chili*

GEBRATENES HUHN MIT ZITRONENGRAS, INGWER UND CHILI

•

Vorbereitungszeit: 30 Minuten
Gesamtkochzeit: 20 Minuten
Für 4 Personen

2 EL Öl
2 mittelgroße braune Zwiebeln, grobgehackt
4 Knoblauchzehen, feingehackt
5 cm frischer Ingwer, feingeraspelt
3 Stengel Zitronengras (nur der weiße Teil), in feine Ringe geschnitten
2 EL grüne Chillies, gehackt
500 g Hühnerschenkel, fein filetiert
2 TL Zucker
1 EL Fischsauce
zum Garnieren: frische Korianderblätter und vietnamesische Minze, feingehackt

•

1 Öl in einem Wok erhitzen. Zwiebeln, Knoblauch, Ingwer, Zitronengras und Chili zugeben und 3–5 Minuten bei mittlerer Hitze unter ständigem Rühren anbräunen.
2 Den Wok stark erhitzen, Fleisch hineingeben und wenden. Zucker darüber streuen und 5 Minuten unter regelmäßigem Wenden weitergaren.
3 Fischsauce zugeben, noch 2 Minuten weitergaren und mit Koriander und Minze garniert servieren.

NÄHRWERT PRO PORTION: 30 g Eiweiß, 15 g Fett, 5 g Kohlenhydrate, 0 g Ballaststoffe, 90 mg Cholesterin, 1135 kJ (270 kcal)

KREBS-, GARNELEN- UND KARTOFFELREIBEKÜCHLEIN

•

Vorbereitungszeit: 25 Minuten
Gesamtkochzeit: 20 Minuten
Ergibt 18 Reibeküchlein

200 g rohe Garnelen
200 g Krebsfleisch aus der Dose
200 g Kartoffeln
60 g Mehl
1/4 TL Backpulver
250 ml Kokosmilch
2 TL Fischsauce
1/2 TL Salz
1/2 TL frisch gemahlener schwarzer Pfeffer
1 TL Zucker
Öl zum Braten
zum Servieren: Salatblätter; vietnamesischer Dip (s. S. 169)
zum Garnieren: frisch gehackte Minzblätter

•

1 Garnelen aus der Schale lösen, ausnehmen und fein hacken. Krebsfleisch abtropfen lassen. Kartoffeln reiben und dabei möglichst viel Wasser herausdrücken.
2 Garnelen- und Krebsfleisch, Kartoffeln, Mehl, Kokosmilch, Fischsauce, Salz, Pfeffer und Zucker in eine große Schüssel geben und gut mischen.
3 Öl in einem Wok erhitzen. Mit einem Eßlöffel jeweils 3 Portionen formen und unter Wenden goldbraun braten. Die Küchlein auf Küchenpapier abtropfen lassen.

4 Küchlein auf einem Salatbett anrichten und mit Minzblättern garnieren. Mit vietnamesischem Dip servieren.
HINWEIS: Kartoffeln erst kurz vor dem Braten reiben, damit sie sich nicht verfärben.

NÄHRWERT PRO REIBEKÜCHLEIN: 5 g Eiweiß, 5 g Fett, 5 g Kohlenhydrate, 0 g Ballaststoffe, 25 mg Cholesterin, 425 kJ (100 kcal)

•

KARAMELISIERTE GARNELEN

•

Vorbereitungszeit: 25 Minuten
Gesamtkochzeit: 5 Minuten
Für 4 Personen

500 g mittelgroße rohe Garnelen
6 Frühlingszwiebeln
1 EL Öl
3 Knoblauchzehen, feingehackt
2 EL Karamelsauce (s. Hinweis)
1 EL Fischsauce
1 EL Limettensaft
1 EL brauner Zucker
1/2 TL Salz
1/4 rote Paprika, in feine Streifen geschnitten

•

1 Garnelenköpfe abtrennen und Garnelen ausnehmen. Schwänze, Schale und Beine nicht ablösen. Garnelen unter fließendem Wasser abspülen und mit Küchenpapier trockentupfen.
2 Die Hälfte der Frühlingszwiebeln fein hacken, den Rest in 4 cm lange Stücke und dann in dünne Streifen schneiden.

3 Öl in einer gußeisernen Bratpfanne mit dickem Boden erhitzen. Knoblauch und Frühlingszwiebeln zugeben und bei mittlerer Hitze 3 Minuten anbraten. Dabei die Garnelen wenden, bis sie rosa werden. Karamel- und Fischsauce darüber träufeln und 1 Minute weitergaren. Limettensaft, Zucker, Salz und restliche Frühlingszwiebeln gut unterheben, mit der roten Paprika garnieren und sofort servieren. Wenn die Garnelenschalen weich sind, kann man sie mitessen. Stellen Sie in jedem Falle Wasserschälchen und Servietten auf den Tisch, damit die Gäste die Garnelen nach Wunsch selbst mit den Fingern schälen können.
HINWEIS: Für die Karamelsauce 4 EL Zucker mit 3 EL Wasser in eine kleine Pfanne geben. Bei geringer Hitze verrühren. Erst aufkochen, wenn sich der Zucker gelöst hat. Hitze reduzieren und etwa 5 Minuten leicht köcheln lassen, bis der Sirup goldbraun wird. Nicht anbrennen lassen! Pfanne vom Herd nehmen und 4 EL Wasser zugeben. Der Karamel verformt sich knisternd und zischend zu harten Klumpen. Die Pfanne wieder auf den Herd stellen und die Masse unter Rühren wieder flüssig werden lassen. Die Sauce kann im Kühlschrank bis zu einer Woche aufbewahrt werden.

NÄHRWERT PRO PORTION: 15 g Eiweiß, 5 g Fett, 20 g Kohlenhydrate, 0 g Ballaststoffe, 95 mg Cholesterin, 790 kJ (190 kcal)

KARAMELISIERTE GARNELEN

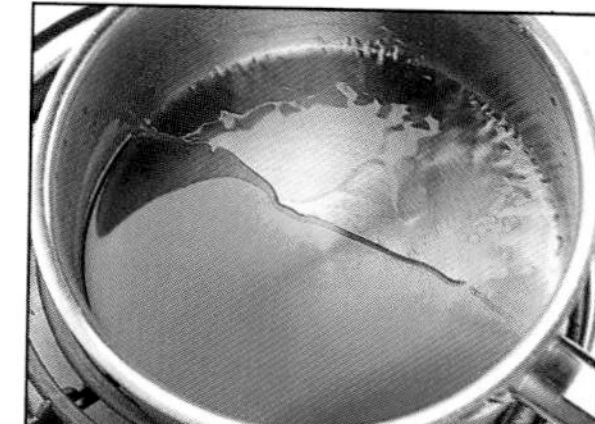

Wird Wasser auf den Karamel gegeben, so bildet er harte Klumpen.

Die ungeschälten Garnelen in der Pfanne wenden, bis sie rosa werden.

Limettensaft, Zucker, Salz und die restlichen Frühlingszwiebeln in die Pfanne geben.

Oben: *Karamelisierte Garnelen*

Oben: *Gegrillter Fisch*

GEGRILLTER FISCH

•

Vorbereitungszeit: 20 Minuten (+ 20 Minuten Marinieren)
Gesamtkochzeit: 25 Minuten
Für 4–6 Personen

750 g kleiner Schnappbarsch oder Brasse, gesäubert und geschuppt
2 TL grüne Pfefferkörner, fein zerdrückt
2 TL rote Chillies, gehackt
3 TL Fischsauce
1 EL Öl
2 mittelgroße Zwiebeln, in feine Ringe geschnitten
4 cm frischer Ingwer, in hauchdünne Scheiben geschnitten
3 Knoblauchzehen, hauchdünn geschnitten
2 TL Zucker
4 Frühlingszwiebeln, in 4 cm lange Stücke und dann in feine Streifen geschnitten
zum Servieren: Zitronen-Knoblauch-Dip (s. S. 169)

1 Fisch innen und außen waschen, mit Küchenpapier trockentupfen und auf beiden Seiten an der dicksten Stelle zweimal diagonal einschneiden.

2 Pfefferkörner, Chili und Fischsauce in die Küchenmaschine oder in einen Mörser geben, zerstoßen und zu einer feinen Paste mahlen. Den Fisch leicht mit der Paste einpinseln, abdekken und 20 Minuten im Kühlschrank kalt stellen.

3 Grill auf höchste Stufe stellen und leicht mit Öl einpinseln. Fisch von jeder Seite 8 Minuten grillen, dann sollte sich das Fleisch leicht abheben lassen. Andernfalls noch etwas weitergrillen.

4 Während der Fisch gart, in einer Bratpfanne Öl erhitzen, Zwiebeln hineingeben und bei mittlerer Hitze unter Rühren goldbraun braten. Ingwer, Knoblauch und Zucker zugeben und 3 Minuten weiterbraten.

5 Fisch auf eine Servierplatte legen, Zwiebelmischung darüber verteilen, Frühlingszwiebeln darüber streuen und sofort mit Zitronen-Knoblauch-Sauce und gedämpftem Reis servieren.

NÄHRWERT PRO PORTION (6): 25 g Eiweiß, 5 g Fett, 5 g Kohlenhydrate, 0 g Ballaststoffe, 80 mg Cholesterin, 780 kJ (185 kcal)

RINDFLEISCH-PHO

(RINDFLEISCHSUPPE)

•

Vorbereitungszeit: 45 Minuten
Gesamtkochzeit: 5 Stunden
Für 4 Personen

1 kg Rinderknochen
350 g Rindersaftbraten
5 cm frischer Ingwer, in dünne Scheiben geschnitten
1 TL Salz
2½ l Wasser
6 schwarze Pfefferkörner
1 Zimtstange
4 Gewürznelken
6 Koriandersamen
2 EL Fischsauce
400 g frische dicke Reisnudeln
150 g Rumpsteak, in dünne Scheiben geschnitten
3 Frühlingszwiebeln, feingehackt
1 mittelgroße Zwiebel, in dünne Scheiben geschnitten

•

Garnierung
roter Chili, gehackt
Sojabohnensprossen
frische weinrote Basilikumblätter
Frühlingszwiebeln, gehackt
dünne Limettenspalten
frische Korianderblätter
Chilisauce und Hoisin-Sauce (nach Belieben)

1 Knochen, Rindersaftbraten, Ingwer, Salz und Wasser in eine Pfanne geben und bei offener Pfanne auf kleiner Flamme 3½ Stunden köcheln lassen. Schaum, der sich an der Oberfläche bildet, abschöpfen. Pfeffer, Zimt, Nelken, Koriander und Fischsauce zugeben und 40 Minuten weiterkochen. Saftbraten herausnehmen und abkühlen lassen. Brühe in ein Gefäß gießen und dabei feste Teile abseihen. Dann in die Pfanne zurückgießen. Wenn der Saftbraten nur noch lauwarm ist, gegen die Faserrichtung in feine Scheiben schneiden. Beiseite stellen.

2 Kurz vor dem Servieren Nudeln 10 Sekunden kochen; andernfalls werden sie zu weich und fallen auseinander. Abgießen und auf große Suppenschüsseln verteilen.

3 Garnierung auf einer Platte anrichten und auf die Mitte des Tisches stellen.

4 Rinderbrühe schnell aufkochen. Einige Scheiben gekochtes Fleisch und einige Scheiben rohes Steak in die Suppenschüsseln geben. Mit der kochenden Brühe übergießen, Frühlingszwiebeln und Zwiebelscheiben darüber streuen und servieren. Jeder Gast kann das Gericht nach Wunsch garnieren und mit Saucen würzen.

HINWEIS: Der Erfolg dieses Gerichts hängt wesentlich von der Geschmacksintensität der Brühe ab, die nicht einfach durch eine normale Brühe ersetzt werden kann. Die Brühe kann aber auch eingefroren werden, so daß sich das Gericht bei Bedarf schnell zubereiten läßt.

NÄHRWERT PRO PORTION: 40 g Eiweiß, 10 g Fett, 5 g Kohlenhydrate, 0 g Ballaststoffe, 105 mg Cholesterin, 1145 kJ (270 kcal)

PHO

Pho, die berühmte Nudelsuppe aus Hanoi, gilt als vietnamesisches Nationalgericht und wird gerne zum Frühstück oder als Zwischenmahlzeit gegessen. In den Straßen der Innenstadt bieten zahlreiche Stände und kleine Restaurants dampfende Schalen mit Suppe an, die häufig statt mit dem teuren, seltenen Rindfleisch mit gekochtem Hühnerfleisch garniert sind.

Links: *Rindfleisch-Pho*

Oben: *Vietnamesischer Salat mit Huhn*

VIETNAMESISCHER SALAT MIT HUHN

Vorbereitungszeit: 40 Minuten
Gesamtkochzeit: 5 Minuten
Für 4 Personen

600 g gekochte Hühnerschenkel, filetiert
125 g Sellerie, feingeschnitten
2 mittelgroße Möhren, in 5 cm lange Stücke geschnitten
75 g Kohl, feingeschnitten
1 kleine Zwiebel, in Scheiben geschnitten
3 EL frische Korianderblätter
3 EL frische Minze, fein zerpflückt

Dressing
3 EL feiner Zucker
2 EL Wasser
1 EL Fischsauce
1 TL Knoblauch, zerdrückt
2 EL heller Essig
1 roter Chili, entkernt und feingehackt

Garnierung
2 EL Erdnußöl
1½ TL Knoblauch, gehackt
50 g ungesalzene geröstete Erdnüsse, feingehackt
1 EL brauner Zucker (oder 2 TL feiner Zucker)

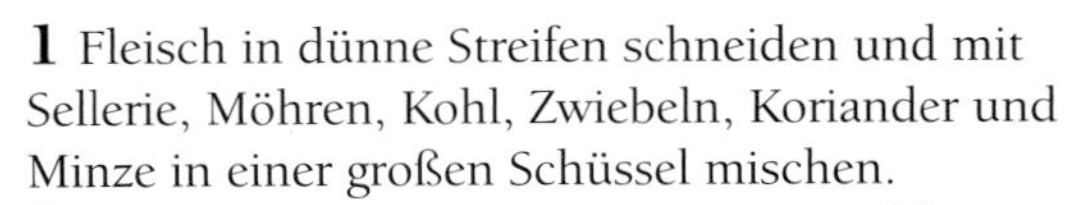

1 Fleisch in dünne Streifen schneiden und mit Sellerie, Möhren, Kohl, Zwiebeln, Koriander und Minze in einer großen Schüssel mischen.
2 Für das Dressing: Alle Zutaten in eine kleine Schüssel geben. Verquirlen, bis der Zucker aufgelöst ist und die Zutaten gut vermischt sind.
3 Für die Garnierung: Öl in einem Wok erhitzen, Knoblauch zugeben und bei mäßiger Hitze unter Rühren goldbraun dünsten. Erdnüsse und Zucker unterrühren.
4 Dressing über den Salat gießen und gut unterheben. Auf einer Servierplatte anrichten und kurz vor dem Servieren die Erdnußgarnierung darüber streuen.

NÄHRWERT PRO PORTION: 25 g Eiweiß, 20 g Fett, 25 g Kohlenhydrate, 5 g Ballaststoffe, 70 mg Cholesterin, 1590 kJ (380 kcal)

AUBERGINENSCHEIBEN IN SCHWARZER BOHNENSAUCE

Vorbereitungszeit: 20 Minuten
Gesamtkochzeit: 35 Minuten
Für 4 Personen

1 mittelgroße Aubergine (ca. 500 g)
80 ml Öl
4 Knoblauchzehen, feingehackt
4 cm frischer Ingwer, gerieben
2 mittelgroße Zwiebeln, feingehackt
80 ml Hühnerbrühe
2 TL schwarze Bohnen aus der Dose, gut abgespült und grobgehackt
2 EL Austernsauce
1 EL Sojasauce
2 TL Fischsauce
4 Frühlingszwiebeln, in lange diagonale Streifen geschnitten

1 Aubergine längs in Scheiben schneiden und diese von beiden Seiten leicht mit Öl einpinseln.
2 Bratpfanne vorwärmen, jeweils 4–5 Scheiben hineingeben, beidseitig goldbraun anbraten und aus der Pfanne nehmen. Nicht zu schnell anbraten, da das langsame Garen den Zucker der Aubergine zum Karamelisieren bringt und einen herrlichen Geschmack erzeugt. Falls die Aubergine anbrennen sollte, Hitze sofort reduzieren und mit etwas Wasser benetzen.
3 Das restliche Öl, Knoblauch, Ingwer, Zwiebeln und etwa 1 EL Hühnerbrühe in die heiße Pfanne geben. Abdecken und 3 Minuten kochen lassen. Restliche Brühe, schwarze Bohnen, Austern-, Soja- und Fischsauce zugeben. Aufkochen und 2 Minuten weiterkochen. Aubergine wieder in die Pfanne geben und zum Wiederaufwärmen 2 Minuten

KREBSFLEISCH
Am besten ist immer frisches Krebsfleisch, doch es ist teuer und manchmal schwer zu bekommen. Krebsfleisch in Dosen unterscheidet sich in Geschmack und Konsistenz etwas von frischem, da es gesalzen ist. Nach dem Abtropfen nach restlichen Membran- oder Muschelstückchen untersuchen und mit einem Messer oder mit den Fingern entfernen. Das Abtropfgewicht von Krebsfleisch ist übrigens nur halb so groß wie das auf der Dose angegebene Gewicht.

mitgaren. Frühlingszwiebeln darüberstreuen und servieren.
HINWEIS: Schwarze Bohnen vor der Zubereitung immer gut abspülen, da sie sehr salzig sind. Im Kühlschrank halten sie sich nach dem Öffnen unbegrenzt.

NÄHRWERT PRO PORTION: 5 g Eiweiß, 20 g Fett, 10 g Kohlenhydrate, 5 g Ballaststoffe, 0 mg Cholesterin, 985 kJ (235 kcal)

GLASNUDELN MIT GEBRATENEM KREBSFLEISCH

Vorbereitungszeit: 20 Minuten (+ 20 Minuten Einweichen)
Gesamtkochzeit: 15 Minuten
Für 4 Personen

200 g getrocknete Glasnudeln
2 EL Öl
10 rote asiatische Schalotten, in feine Scheiben geschnitten
3 Knoblauchzehen, feingehackt
2 Stengel Zitronengras (nur der weiße Teil), in feine Scheiben geschnitten
1 rote Paprika, in 4 cm lange Stifte geschnitten
170 g Krebsfleisch aus der Dose, gut abgetropft
2 EL Fischsauce
2 EL Limettensaft
2 TL Zucker
3 Frühlingszwiebeln, in sehr feine diagonale Streifen geschnitten

1 Nudeln 20 Minuten in heißem Wasser einweichen, abgießen und in kurze Stücke schneiden.
2 Öl im Wok erhitzen, Schalotten, Knoblauch und Zitronengras zugeben und 2 Minuten bei hoher Temperatur braten. Paprika zugeben und 30 Sekunden unter Rühren weiterkochen. Glasnudeln zugeben. Abgedeckt 1 Minute weiterdünsten.
3 Krebsfleisch, Fischsauce, Limettensaft und Zucker zugeben und gut unterheben. Mit Salz und Pfeffer würzen, mit Frühlingszwiebeln bestreuen und servieren.

NÄHRWERT PRO PORTION: 15 g Eiweiß, 10 g Fett, 45 g Kohlenhydrate, 5 g Ballaststoffe, 40 mg Cholesterin, 1410 kJ (335 kcal)

Oben: *Auberginenscheiben in schwarzer Bohnensauce*
Unten: *Glasnudeln mit gebratenem Krebsfleisch*

SALATPÄCKCHEN MIT SCHWEINEFLEISCH

•

Vorbereitungszeit: 60 Minuten
Gesamtkochzeit: 55 Minuten
Für 4–6 Personen

500 g Schweinelende
5 cm frischer Ingwer, in dünne Scheiben geschnitten
1 EL Fischsauce
20 dünne Frühlingszwiebeln
2 Köpfe weichblättriger Salat
1 Schmorgurke, in dünne Scheiben geschnitten
3 EL frische Minze
3 EL frische Korianderblätter
2 grüne Chillies, entkernt und in feine Ringe geschnitten (nach Belieben)
2 TL Zucker
zum Servieren: Zitronen-Knoblauch-Dip (s. S. 169)

•

1 Fleisch, Ingwer und Fischsauce in eine große Pfanne geben und mit kaltem Wasser aufgießen. Aufkochen und bei geschlossenem Deckel etwa 45 Minuten köcheln lassen. Herausnehmen und abkühlen lassen. Flüssigkeit abgießen.

2 Frühlingszwiebeln an den Enden auf die gleiche Länge kürzen. In einem großen Topf 2–3 Frühlingszwiebeln portionsweise blanchieren, bis sie weich sind. Dann aus dem heißen Wasser nehmen und in eine Schale mit Eiswasser legen. Abtropfen lassen und flach und gerade auf ein Tablett legen, da sie später weiterverarbeitet werden müssen.

3 Salatblätter abtrennen und den harten Strunk gegebenenfalls abschneiden (da sich sonst kein Päckchen daraus formen läßt).

4 Wenn das Schweinefleisch handwarm abgekühlt ist, zuerst in dünne Scheiben und dann in feine Streifen schneiden. Jeweils 1 EL Fleischstreifen auf die Mitte eines Salatblatts legen. Einige Gurkenscheiben, etwas Minze und Koriander, etwas Chili und eine kleine Prise Zucker darüber geben. Einen Teil des Salatblatts über die Füllung legen, die beiden Seiten zur Mitte klappen und das Päckchen zusammenrollen. Eine der Frühlingszwiebeln um das Päckchen binden, überstehende Enden abschneiden oder zur Schleife binden. Die Päckchen auf einer Servierplatte arrangieren und mit Zitronen-Knoblauch-Dip servieren.

NÄHRWERT PRO PORTION (6): 20 g Eiweiß, 10 g Fett, 5 g Kohlenhydrate, 5 g Ballaststoffe, 50 mg Cholesterin, 755 kJ (180 kcal)

Unten: *Salatpäckchen mit Schweinefleisch*

•

GEBRATENE SCHWEINEFLEISCHSPIESSCHEN

•

Vorbereitungszeit: 15 Minuten (+ 20 Minuten Marinieren)
Gesamtkochzeit: 8 Minuten
Für 4 Personen

500 g Schweinefilet, in 2 cm große Würfel geschnitten
5 cm frischer Ingwer, geraspelt
2 Knoblauchzehen, feingehackt
2 EL Fischsauce
1 EL trockener Sherry
1/2 TL Salz
1/2 TL Pfeffer
2 TL Öl
zum Garnieren: frische Minze
zum Servieren: Vietnamesischer Dip (s. S.169)

•

1 Die 8 Holzspießchen in Wasser einweichen.

2 Fleisch mit Ingwer, Knoblauch, Fischsauce, Sherry, Salz und Pfeffer in eine Schüssel geben und 20 Minuten marinieren lassen. Fleisch abtropfen lassen und Marinade aufbewahren. Spießchen mit Küchenpapier abtrocknen und die Würfel aufspießen.

3 Eine Pfanne mit Öl auspinseln und stark erhitzen. Jeweils 3 Spießchen portionsweise 3–4 Minu-

ten unter regelmäßigem Wenden braten, bis das Fleisch gar und dunkelbraun wird, dann etwas Marinade darüber träufeln. Nicht zu lange kochen, weil das Fleisch sonst trocken wird.

4 Mit Minze garnieren und mit vietnamesischem Dip und gedämpftem Reis oder gekochten Reisnudeln servieren.

NÄHRWERT PRO PORTION: 30 g Eiweiß, 15 g Fett, 0 g Kohlenhydrate, 0 g Ballaststoffe, 70 mg Cholesterin, 1025 kJ (245 kcal)

•

WARMES RINDFLEISCH MIT BRUNNENKRESSESALAT

•

Vorbereitungszeit: 25 Minuten (+ 30 Minuten Marinieren)
Gesamtkochzeit: 10 Minuten
Für 4 Personen

50 g Filetsteak, angefroren (s. Hinweis)
1 EL grüne Pfefferkörner, grobgehackt
4 Knoblauchzehen, zerdrückt
3 Stengel Zitronengras (nur der weiße Teil), in feine Ringe geschnitten
3 EL Öl
1/4 TL Salz
1/4 TL frisch gemahlener schwarzer Pfeffer
250 g Brunnenkresse
125 g Cocktailtomaten, halbiert
4 Frühlingszwiebeln, gehackt
2 EL Limettensaft

•

1 Steak in dünne Scheiben schneiden, mit Pfefferkörnern, Knoblauch, Zitronengras, 2 EL Öl, Salz und Pfeffer in eine Schüssel geben. Gut mischen, abdecken und 30 Minuten im Kühlschrank marinieren lassen.

2 Brunnenkressesprossen von den Stengeln entfernen, zerkleinern, waschen und gut abtropfen lassen. Die Kresse auf einer Servierplatte anrichten und am Rand mit Tomaten verzieren.

3 Restliches Öl in einem Wok stark erhitzen, bis es leicht raucht. Fleisch zugeben und schnell braten, bis es fast gar ist. Frühlingszwiebeln unterheben, dann die Mischung aus der Pfanne nehmen, auf der Brunnenkresse aufschichten und mit Zitronensaft beträufeln. Sofort servieren.

HINWEIS: Vor der Zubereitung das Fleisch evtl. 30 Minuten anfrieren, damit es fest wird. So läßt es sich besser in feine Scheiben schneiden.

NÄHRWERT PRO PORTION: 20 g Eiweiß, 20 g Fett, 0 g Kohlenhydrate, 5 g Ballaststoffe, 60 mg Cholesterin, 1135 kJ (270 kcal)

Oben: *Warmes Rindfleisch mit Brunnenkressesalat*

Oben: *Geschmorte Ente mit Pilzen*

GESCHMORTE ENTE MIT PILZEN

•

Vorbereitungszeit: 20 Minuten
(+ 20 Minuten Einweichen)
Gesamtkochzeit: 70 Minuten
Für 6 Personen

15 g getrocknete chinesische Pilze
1 Ente (1,5 kg)
2 TL Öl
2 EL Sojasauce
2 EL chinesischer Reiswein
2 TL Zucker
2 breite Streifen frische Orangenschale
125 g Brunnenkresse

•

1 Pilze in heißem Wasser 20 Minuten einweichen. Gut ausdrücken und in Scheiben schneiden.
2 Ente in kleine Stücke hacken oder schneiden. Knochen mit durchschneiden. Die Teile auf ein Gitter legen und mit kochendem Wasser übergießen, damit die Haut straff wird und die Ente saftig bleibt. Abtropfen lassen und mit Küchenpapier trockentupfen.
3 Den Boden einer gußeisernen Pfanne mit Öl bepinseln, Ente in 2 oder 3 Portionen hineingeben und bei mittlerer Hitze ca. 8 Minuten von allen Seiten anbräunen. Je stärker sie in dieser Phase anbräunt, eine desto schönere Farbe erhält sie. Zwischendurch die Pfanne mit zerknülltem Küchenpapier auswischen, um überschüssiges Öl zu entfernen.
4 Pfanne nochmals mit Küchenpapier auswischen und die gesamte Ente wieder hineingeben. Pilze, Sojasauce, Wein, Zucker und Orangenschale zufügen. Die Mischung aufkochen, dann Hitze reduzieren, abdecken und 35 Minuten leicht köcheln lassen, bis die Ente gar ist.
5 Öl an der Oberfläche vorsichtig abschöpfen. Mit Salz und Pfeffer nach Geschmack würzen und vor dem Servieren 10 Minuten zugedeckt stehen lassen. Ente und Orangenschale aus der Sauce heben. Kleine Brunnenkressezweige abzwicken und auf der einen Seite einer großen Servierplatte arrangieren. Die Ententeile vorsichtig auf die andere Seite der Platte legen, doch nicht auf die Brunnenkresse, damit sie nicht weich wird. Etwas Sauce über die Ente geben und servieren.
HINWEIS: Wird die Ente bei geringer Temperatur geschmort, entsteht eine köstliche Sauce und das Fleisch wird besonders zart. Bei zu großer Hitze trocknet sie aus und verliert an Geschmack.

NÄHRWERT PRO PORTION: 20 g Eiweiß, 55 g Fett, 5 g Kohlenhydrate, 0 g Ballaststoffe, 130 mg Cholesterin, 2450 kJ (585 kcal)

•

VIETNAMESISCHER KOHLSALAT

•

Vorbereitungszeit: 35 Minuten
(+ 20 Minuten Ruhezeit)
Gesamtkochzeit: 10 Minuten
Für 4 Personen

500 g Hühnerbrustfilet
350 g Chinakohl, in feine Streifen geschnitten
3 Stangen Sellerie, in dünne Scheiben geschnitten
1 mittelgroße Möhre, in feine Stifte geschnitten
1½ EL Öl
2 EL vietnamesische Minze, zerkleinert
1 EL Knoblauchzehe, gehackt
1 EL Zwiebeln, geröstet

•

Dressing
4 EL Reisessig
2 EL feiner Zucker
1 EL Fischsauce
1 EL Limettensaft
½ TL Salz
½ TL frisch gemahlener schwarzer Pfeffer
1 Zwiebel, in feine Scheiben geschnitten

1 Huhn in eine Bratpfanne legen und mit Wasser bedecken. Fleisch bei geringer Hitze 8–10 Minuten pochieren, bis es gar ist. Das Wasser darf dabei nicht kochen, sondern nur leicht sieden. Abgießen und abkühlen lassen. Wenn das Huhn handwarm ist, mit den Fingern in feine Stücke reißen.
2 Für das Dressing: Essig, Zucker, Fischsauce, Limettensaft, Salz, Pfeffer und Zwiebeln in eine Schüssel geben und gut mischen. Mindestens 20 Minuten ruhen lassen, damit die Zwiebeln den Geschmack gut aufnehmen.
3 Huhn, Kohl, Sellerie, Möhren, Öl und Sauce in eine Schüssel geben und gut vermengen. Salat auf einer Servierplatte arrangieren, Minze, Knoblauch und geröstete Zwiebeln darüber streuen und sofort servieren.

NÄHRWERT PRO PORTION: 35 g Eiweiß, 15 g Fett, 15 g Kohlenhydrate, 5 g Ballaststoffe, 70 mg Cholesterin, 1442 kJ (345 kcal)

•

VIETNAMESISCHE FRÜHLINGSROLLEN IN SALATBLÄTTERN

•

Vorbereitungszeit: 50 Minuten
Gesamtkochzeit: 20 Minuten
Ergibt 20 Frühlingsrollen

50 g getrocknete Glasnudeln
2 EL schwarze Pilze
500 g Garnelen
20 Reispapier-Hüllen
150 g Schweinehackfleisch
4 Frühlingszwiebeln, gehackt
45 g Sojabohnensprossen, grobgehackt
1 TL Zucker
1 Ei, geschlagen
Öl zum Fritieren
20 Salatblätter
90 g Sojabohnensprossen extra, die braunen Enden entfernt
20 g frische Minze
zum Servieren: vietnamesischer Dip (s. S. 169)

•

1 Glasnudeln und Pilze separat in feuerfeste Schalen geben. Mit heißem Wasser aufgießen und 10 Minuten einweichen lassen. Beides abgießen und die Pilze grob hacken. Garnelen aus der Schale lösen, ausnehmen und das Fleisch fein hacken.
2 Reispapier-Hüllen beidseitig mit Wasser bepinseln. 2 Minuten liegen lassen, bis sie weich werden und sich falten lassen. Hüllen auf einem Teller übereinanderschichten. Zusätzlich noch mit etwas Wasser benetzen und den Stapel mit Frischhaltefolie abdecken, damit die Blätter feucht bleiben.

3 Glasnudeln, Pilze, Garnelen, Hackfleisch, Frühlingszwiebeln, Bohnensprossen, Zucker, Salz und Pfeffer in einer Schale mischen und gut verrühren. 1 EL der Füllung auf den unteren Rand des Reispapiers setzen. Seitliche Ränder nach innen schlagen, Papier fest zusammenrollen und Rand mit Ei bestreichen. Die restlichen Portionen genauso zubereiten.
4 Die Rollen mit Küchenpapier zusammendrükken, um das restliche Wasser herauszupressen. Öl 4–5 cm hoch in eine Pfanne geben und mäßig erhitzen. Frühlingsrollen portionsweise hineingeben und 2–3 Minuten fritieren, bis sie goldbraun sind. Auf Küchenpapier abtropfen lassen.
5 Je eine Frühlingsrolle auf ein Salatblatt setzen, 1 EL Bohnensprossen und 2 Minzblätter darüber geben und zu Päckchen rollen.
Mit vietnamesischem Dip servieren.

NÄHRWERT PRO FRÜHLINGSROLLE: 10 g Eiweiß, 2 g Fett, 10 g Kohlenhydrate, 1 g Ballaststoffe, 65 mg Cholesterin, 385 kJ (90 kcal)

Oben: *Vietnamesische Frühlingsrollen in Salatblättern*

DIPS & SAUCEN

In kleinen Schälchen zu den unterschiedlichsten Gerichten wie Frühlingsrollen, Satays, Nudeln und Fischgerichten gereicht, setzen sie individuelle geschmackliche Akzente.

SÜSSE CHILISAUCE

6 große rote Chillies entkernen und 15 Minuten in heißem Wasser einweichen lassen. Mit 1 EL gehackten roten Chillies, 60 ml Weißweinessig, 250 g feinem Zucker, 1 TL Salz und 4 gehackten Knoblauchzehen sämig pürieren. In eine Pfanne geben und 15 Minuten bei mittlerer Hitze unter häufigem Rühren kochen, bis die Sauce eindickt. Abkühlen lassen. 2 TL Fischsauce unterrühren.

NÄHRWERT PRO 100 g: 1 g Eiweiß, 0 g Fett, 55 g Kohlenhydrate, 1 g Ballaststoffe, 0 mg Cholesterin, 910 kJ (215 kcal)

SESAMSAUCE

100 g weiße japanische Sesamsamen in einer trockenen Pfanne bei mittlerer Hitze 3–4 Minuten rösten. Die Pfanne dabei leicht schwenken, bis die Samen goldbraun sind. Alles zusammen aus der Pfanne nehmen, damit die Samen nicht anbrennen. Den Sesam im Mörser zerstoßen und zu einer Paste mahlen. Gegebenenfalls 2 TL Öl zugeben, damit sich die Paste leichter bindet. Paste mit 125 ml japanischer Sojasauce, 2 EL Mirin, 3 TL feinem Zucker, 1/2 TL Dashi-Instantbrühe und 125 ml warmem Wasser mischen. Abgedeckt im Kühlschrank aufbewahren und innerhalb von 2 Tagen nach Zubereitung verbrauchen.

NÄHRWERT PRO 100 g: 2 g Eiweiß, 4 g Fett, 1 g Kohlenhydrate, 1 g Ballaststoffe, 0 mg Cholesterin, 220 kJ (50 kcal)

SOJA-INGWER-SAUCE

1 EL geraspelten frischen Ingwer, 2 TL Zucker und 250 ml Sojasauce in eine Schüssel geben. Gut mischen und sofort servieren.

NÄHRWERT PRO 100 g: 5 g Eiweiß, 0 g Fett, 5 g Kohlenhydrate, 0 g Ballaststoffe, 0 mg Cholesterin, 210 kJ (50 kcal)

ERDNUSS-SATAY-SAUCE

160 g ungesalzene geröstete Erdnüsse in der Küchenmaschine fein hacken. 2 EL Öl in einer mittelgroßen Pfanne erhitzen. 1 gehackte Zwiebel zugeben und bei mittlerer Hitze 5 Minuten dünsten, bis sie weich ist. 2 zerdrückte Knoblauchzehen, 2 TL frischen geraspelten Ingwer, 1/2 TL Chilipulver, 2 TL Currypulver und 1 TL gemahlenen Kreuzkümmel zugeben und unter Rühren 2 Minuten mitdünsten. 410 ml Kokosmilch, 3 EL braunen Zucker und die gehackten Erdnüsse zugeben. Hitze reduzieren und 5 Minuten weiterkochen, bis die Sauce gut eindickt. 1 EL Zitronensaft zugeben, würzen und servieren. (Wenn die Sauce noch glatter werden soll, dann 30 Sekunden im Mixer schlagen.)

NÄHRWERT PRO 100 g: 5 g Eiweiß, 15 g Fett, 10 g Kohlenhydrate, 2 g Ballaststoffe, 0 mg Cholesterin, 830 kJ (200 kcal)

ZITRONEN-KNOBLAUCH-DIP

In einer kleinen Schüssel 60 ml Zitronensaft, 2 EL Fischsauce und 1 EL Zucker verrühren, bis der Zucker sich auflöst. 2 kleine gehackte rote Chillies und 3 feingehackte Knoblauchzehen unterrühren.

NÄHRWERT PRO 100 g: 2 g Eiweiß, 0 g Fett, 15 g Kohlenhydrate, 2 g Ballaststoffe, 0 mg Cholesterin, 325 kJ (80 kcal)

VIETNAMESISCHER DIP

In einer Schüssel 2 EL Fischsauce, 2 EL kaltes Wasser, 2 EL gehackte frische Korianderblätter, 1 TL gehackte frische Chillies und 1 TL braunen Zucker mischen und servieren.

NÄHRWERT PRO 100 g: 3 g Eiweiß, 0 g Fett, 5 g Kohlenhydrate, 1 g Ballaststoffe, 0 mg Cholesterin, 170 kJ (40 kcal)

THAIDIP

In einer kleinen Pfanne 125 g Zucker, 125 ml Wasser, 60 ml Weißweinessig, 1 EL Fischsauce und 1 kleinen gehackten roten Chili mischen. Aufkochen und ohne Deckel 5 Minuten köcheln lassen, bis die Mischung leicht eindickt. Vom Herd nehmen und leicht abkühlen lassen. 1/4 kleine, geschälte, entkernte und feingehackte Gurke, 1/4 kleine, feingehackte Möhre und 1 EL gehackte, geröstete Erdnüsse unterrühren.

NÄHRWERT PRO 100 g: 1 g Eiweiß, 2 g Fett, 30 g Kohlenhydrate, 1 g Ballaststoffe, 0 mg Cholesterin, 550 kJ (130 kcal)

Von links nach rechts: *Vietnamesischer Dip, Sesamsauce, Thaidip, Soja-Ingwer-Sauce, Erdnuß-Satay-Sauce, süße Chilisauce, Zitronen-Knoblauch-Dip*

GLASNUDELN
Glasnudeln werden aus einem Teig aus Mungobohnenmehl und Wasser gepreßt und nehmen den Geschmack anderer Speisen schnell auf. Sie sind in China, Südostasien und Japan sehr beliebt. Für Vegetarier können die gekochten Nudeln anstelle von Fleisch mit Kräutern, Gewürzen und anderen Aromen verfeinert werden. In Indonesien, Malaysia und Singapur werden Glasnudeln als Zutat für süße Getränke und Nachspeisen verwendet.

Oben: *Reisnudel-Pfannkuchen mit Knoblauchrindfleisch*

REISNUDEL-PFANNKUCHEN MIT KNOBLAUCHRINDFLEISCH

•

Vorbereitungszeit: 20 Minuten (+ 30 Minuten Marinieren)
Gesamtkochzeit: 30 Minuten
Für 4–6 Personen

350 g Filetsteak vom Rind, in dünne Scheiben geschnitten
1 rote Paprika, in kurze dünne Streifen geschnitten
6 Knoblauchzehen, feingehackt
1/4 TL Pfeffer
4 EL Öl
400 g frische dicke Reisnudeln
1 EL Zucker
2 EL Fischsauce
125 ml Rinderbrühe
2 TL Stärke
4 Frühlingszwiebeln, diagonal in lange, dünne Streifen geschnitten

•

1 Steak, rote Paprika, Knoblauch, Pfeffer und die Hälfte des Öls in einer großen Schale gut vermischen und 30 Minuten ziehen lassen.
2 Nudeln vorsichtig trennen. Restliches Öl in einer Pfanne verteilen und leicht erhitzen. Nudeln zugeben und fest zusammendrücken, so daß ein großer, flacher Pfannkuchen in Pfannengröße entsteht. Diesen 10–15 Minuten braten und gelegentlich andrücken, bis der Boden kross und goldbraun ist. Nicht rühren oder anheben, damit der Pfannkuchen fest wird. Vom Boden lösen, dann mit Hilfe von zwei Pfannenmessern wenden und die andere Seite anbraten. Nicht zu früh herausnehmen, da der Pfannkuchen sonst auseinanderbricht. Auf einen Teller legen, zudecken und warm stellen.
3 Eine Pfanne erhitzen. Zucker und Fischsauce über das Rindfleisch geben. Fleischmischung in 2 Portionen in die Pfanne geben und bei großer Hitze 2–3 Minuten anbraten, dabei wenden. Brühe und Stärke in einer Schüssel verrühren, bis eine glatte Masse entsteht. Diese Paste zum Fleisch geben, unterheben und 1 Minute mitbraten. Das Fleisch nicht zu lange braten, da es sonst zäh wird.
4 Pfannkuchen in servierfertige Stücke schneiden und Fleischmischung in der Mitte aufschichten und mit Frühlingszwiebeln garnieren. Sofort servieren.

NÄHRWERT PRO PORTION (6): 15 g Eiweiß, 15 g Fett, 20 g Kohlenhydrate, 2 g Ballaststoffe, 45 mg Cholesterin, 1210 kJ (290 kcal)

•

GRÜNE PAWPAW, HUHN UND FRISCHER KRÄUTERSALAT

•

Vorbereitungszeit: 40 Minuten
Gesamtkochzeit: 10 Minuten
Für 4 Personen

350 g Hühnerbrustfilets
1 große grüne Pawpaw
20 g vietnamesische Minze
15 g frische Korianderblätter
2 rote Chillies, entkernt und in feine Ringe geschnitten
2 EL Fischsauce
1 EL Reisweinessig
1 EL Limettensaft
2 TL Zucker
2 EL ungesalzene geröstete Erdnüsse, feingehackt

•

1 Fleisch in eine Bratpfanne legen und mit Wasser knapp bedecken. 8–10 Minuten leicht köcheln lassen, bis es fast gar ist. Herausnehmen, abkühlen lassen und dann in feine Scheiben schneiden.
2 Pawpaw schälen und in lange Streifen schneiden. Vorsichtig mit Minze, Koriander, Chillies, Fischsauce, Essig, Limettensaft und Zucker mischen.
3 Pawpawmischung auf einer Servierplatte anrichten und das Hühnerfleisch darauf arrangieren. Mit Erdnüssen bestreuen und sofort servieren.
ANMERKUNG: Grüne Pawpaws sind nicht ganz reife Früchte. Durch sie werden Gerichte leicht säuerlich und fest.

NÄHRWERT PRO PORTION: 25 g Eiweiß, 5 g Fett, 10 g Kohlenhydrate, 5 g Ballaststoffe, 50 mg Cholesterin, 802 kJ (190 kcal)

HUHN MIT ANANAS UND CASHEWNÜSSEN

•

Vorbereitungszeit: 35 Minuten
Gesamtkochzeit: 20 Minuten
Für 4 Personen

2 EL Kokosflocken
80 g rohe Cashewnüsse
2 EL Öl
1 große Zwiebel, grobgewürfelt
4 Knoblauchzehen, feingehackt
2 TL rote Chillies, gehackt
350 g Hühnerschenkel, filetiert und kleingeschnitten
1/2 rote Paprika, gehackt
1/2 grüne Paprika, gehackt
2 EL Austernsauce
1 EL Fischsauce
1 TL Zucker
320 g frische Ananas, gehackt
3 Frühlingszwiebeln, gehackt

•

1 Ofen langsam auf 150 °C (Gas: Stufe 2) vorheizen. Kokosflocken auf einem Backblech verteilen und 10 Minuten lang im Ofen goldbraun rösten. Dabei gelegentlich das Blech schütteln. Kokosflocken sofort vom Blech nehmen, damit sie nicht anbrennen, und beiseite stellen.

2 Ofen auf 180 °C stellen (Gas: Stufe 4). Cashewnüsse auf einem Backblech im Ofen 15 Minuten goldbraun rösten. Vom Blech nehmen und zum Abkühlen wegstellen.

3 Öl in einem Wok erhitzen. Zwiebeln, Knoblauch und Chillies zugeben und bei mittlerer Hitze 2 Minuten unter Wenden fritieren, dann herausnehmen. Temperatur auf höchste Stufe stellen, Fleisch und Paprika in 2 Portionen zufügen und fritieren, bis das Huhn leicht braun ist. Zwiebelmischung wieder in den Wok geben, Austernsauce, Fischsauce, Zucker und Ananas zufügen und 2 Minuten mitbräunen. Cashewnüsse unterheben.

4 Fleischmischung auf einer Servierplatte anrichten, geröstete Kokosflocken und Frühlingszwiebeln darüber streuen und sofort servieren.

NÄHRWERT PRO PORTION: 25 g Eiweiß, 25 g Fett, 20 g Kohlenhydrate, 5 g Ballaststoffe, 65 mg Cholesterin, 1705 kJ (405 kcal)

Oben: *Huhn mit Ananas und Cashewnüssen*

REIS ZUM BRATEN
Damit gebratener Reis nicht zusammenklebt, sollte der gekochte Reis kalt und fest sein. Am besten am Vortag kochen und kühl stellen, sonst beim Kochen etwas weniger Wasser als normalerweise nehmen und den garen Reis auf ein Backblech oder eine andere glatte Fläche streuen, damit er schneller abkühlt.

VIETNAMESISCHER GEBRATENER REIS

•

Vorbereitungszeit: 30 Minuten
Gesamtkochzeit: 35 Minuten
Für 4 Personen

3 Eier
1/4 TL Salz
125 ml Öl
1 große Zwiebel, feingehackt
6 Frühlingszwiebeln, gehackt
4 Knoblauchzehen, feingehackt
5 cm frischer Ingwer, feingeraspelt
2 kleine rote Chillies, entkernt und feingehackt
250 g Schweinelende, feingehackt
125 g getrocknete chinesische Schweinewurst, in dünne Scheiben geschnitten (s. Hinweis)
100 g grüne Bohnen, gehackt
100 g Möhren, kleingewürfelt
1/2 große rote Paprika, feingewürfelt
200 g Langkornreis, gedünstet und abgekühlt
3 EL Fischsauce
2 EL Sojasauce
2 TL Zucker
1/4 TL Salz extra
zum Garnieren: frische Korianderblätter

1 Eier und Salz in einer Schüssel schaumig schlagen. 1 EL Öl in einem Wok erhitzen und den Wok dabei schwenken, damit sich das Öl gut an den Seiten verteilt. Ei hineingießen und bei mittlerer Hitze unter regelmäßigem Rühren 2–3 Minuten leicht stocken lassen. Rührei aus dem Wok nehmen und beiseite stellen.
2 Noch 1 EL Öl in den Wok geben und erhitzen. Zwiebel, Frühlingszwiebeln, Knoblauch, Ingwer und Chili zugeben und 7 Minuten unter regelmäßigem Rühren dünsten, bis die Zwiebeln goldbraun sind. Zwiebelmischung herausnehmen. Noch 1 EL Öl zufügen, wieder erhitzen, Schweinefleisch und Wurst zugeben und 3–4 Minuten braten, bis das Fleisch gar ist, dann herausnehmen.
3 Restliches Öl in den Wok geben und Wok schwenken, damit sich das Öl gut verteilt. Bohnen, Möhre und Paprika zugeben und bei großer Hitze 1 Minute braten. Reis in den Wok geben, gut unter Gemüse und Öl heben und 2 Minuten braten. Zwiebelmischung und Fleischmischung wieder in den Wok geben und Fischsauce, Sojasauce, Zucker und Salz zufügen. 30 Sekunden gut unterheben, bis alles heiß ist. Das Rührei unterheben, mit Korianderblättern bestreuen und servieren.
HINWEIS: Die würzigen getrockneten Würste (Lup Chiang) sind in asiatischen Lebensmittelgeschäften erhältlich. Sie halten sich im Kühlschrank bis zu 3 Monaten.

NÄHRWERT PRO PORTION: 35 g Eiweiß, 48 g Fett, 25 g Kohlenhydrate, 5 g Ballaststoffe, 235 mg Cholesterin, 2780 kJ (660 kcal)

Unten: *Vietnamesischer gebratener Reis*

•

NORDVIETNAMESISCHES GESCHMORTES SCHWEINEFLEISCH

•

Vorbereitungszeit: 35 Minuten (+ 60 Minuten Marinieren)
Gesamtkochzeit: 1 Stunde 40 Minuten
Für 4 Personen

4 cm frische Galgantwurzel
3 cm frische Kurkuma
10 Pfefferkörner
1 TL Garnelenpaste
4 Knoblauchzehen
1 TL Zucker
1 TL Fischsauce
500 g Schweineschulter (mit Fett und Haut)
2 EL Öl
1 mittelgroße Zwiebel, gehackt
250 ml Wasser
1 TL Essig

1 Galgant und Kurkuma in dünne Scheiben schneiden, dann im Mörser mit den Pfefferkörnern zerstoßen. Mischung aus dem Mörser nehmen und weiter zerkleinern, Garnelenpaste und Knoblauch zugeben und kleinstoßen. Alles in eine große Schale mit Zucker und Fischsauce geben und beiseite stellen.
2 Fleisch (mit der Haut nach oben) auf ein mit Alufolie belegtes Backblech legen und grillen, bis die Kruste knusprig braun wird. Wenden und die andere Seite bräunen. Wenn das Fleisch handwarm abgekühlt ist, in mundgerechte Stücke schneiden. Fleisch mit der Gewürzpaste mischen und 1 Stunde marinieren lassen. Dann abtropfen lassen und die Marinade aufheben. Das Fleisch mit Küchenpapier leicht trockentupfen (damit es gut anbräunt und nicht matschig wird).
3 Öl in einer Pfanne erhitzen, Fleisch und Zwiebeln in 3 Portionen zugeben und bei hoher Temperatur gut anbräunen. Überschüssiges Öl aus der Pfanne abgießen. Marinade, Wasser und Essig zugeben und aufkochen, abdecken und 1 Stunde köcheln, bis das Fleisch zart ist. Deckel abnehmen und weitere 10 Minuten kochen, bis die Sauce eindickt. Gut mit Salz und Pfeffer würzen und mit gedämpften Reis servieren.

NÄHRWERT PRO PORTION: 30 g Eiweiß, 10 g Fett, 5 g Kohlenhydrate, 0 g Ballaststoffe, 65 mg Cholesterin, 1005 kJ (240 kcal)

HÜHNER-CURRY

Vorbereitungszeit: 30 Minuten
Gesamtkochzeit: 55 Minuten
Für 4 Personen

1,5 kg Hühnerfleisch, z. B. Schenkel, Unterschenkel oder Flügel
2 EL Öl
4 Knoblauchzehen, feingehackt
5 cm frischer Ingwer, feingehackt
2 Stengel Zitronengras (nur der weiße Teil), gehackt
2 TL Chiliflocken
2 EL Currypulver (s. Hinweis)
2 mittelgroße braune Zwiebeln, gehackt
2 TL Zucker
1 TL Salz
375 ml Kokosmilch
125 ml Wasser

Garnierung
Knoblauchzehen, grobgehackt
frische Korianderblätter
ungesalzene geröstete Erdnüsse

1 Die einzelnen Fleischstücke mit einem großen, schweren Küchenmesser oder einem Küchenbeil in 2 Stücke zerteilen und dabei die Knochen zerhacken. Waschen und mit Küchenpapier trockentupfen.
2 Öl in einer großen Pfanne erhitzen, Knoblauch, Ingwer, Zitronengras, Chili und Currypulver zugeben und bei mittlerer Hitze 3 Minuten unter regelmäßigem Rühren dünsten. Huhn, Zwiebeln, Zucker und Salz zugeben und vorsichtig unterheben. Abdecken und 8 Minuten weiterdünsten, bis die Zwiebeln weich sind, anschließend gut vermengen, damit die Fleischstücke gleichmäßig mit der Currymischung bedeckt sind. Deckel aufsetzen und 15 Minuten bei geringer Hitze weiterkochen. Das Huhn schmort dabei sanft im eigenen Fett.
3 Kokosmilch und Wasser in die Pfanne gießen und unter gelegentlichem Rühren aufkochen. Hitze reduzieren und bei offener Pfanne 30 Minuten weitergaren, bis das Huhn gar ist. Mit Knoblauch, Koriander und Erdnüssen garnieren und servieren.
HINWEIS: Verwenden Sie mildes asiatisches Currypulver mit der Aufschrift »Für Geflügel«, das in asiatischen Lebensmittelgeschäften erhältlich ist. Das normale Currypulver aus dem Supermarkt eignet sich nicht für dieses Rezept.

NÄHRWERT PRO PORTION: 60 g Eiweiß, 45 g Fett, 10 g Kohlenhydrate, 5 g Ballaststoffe, 175 mg Cholesterin, 2920 kJ (700 kcal)

Oben: *Hühner-Curry*

Oben: *Chili-Garnelen mit gebratenen Schlangenbohnen* (ganz oben), *süßer geschmorter Kürbis*

CHILI-GARNELEN MIT GEBRATENEN SCHLANGENBOHNEN

•

Vorbereitungszeit: 35 Minuten
Gesamtkochzeit: 15 Minuten
Für 4 Personen

300 g mittelgroße rohe Garnelen
250 g Schlangenbohnen
2 EL Öl
2 mittelgroße Zwiebeln, sehr fein gehackt
5 Knoblauchzehen, feingehackt
2 Stengel Zitronengras (nur der weiße Teil), in hauchdünne Ringe geschnitten
3 rote Chillies, in dünne Ringe geschnitten
2 TL Zucker
1 EL Fischsauce
1 EL Reisessig
zum Garnieren: gehackte Knoblauchzehen

1 Garnelen schälen und ausnehmen. Bohnenenden abschneiden und Bohnen in 2 cm lange Stücke schneiden.
2 Öl in einem großen Wok erhitzen, Zwiebeln, Knoblauch, Zitronengras und Chillies hineingeben und bei mäßig hoher Hitze 4 Minuten unter Wenden anbraten, bis die Zwiebeln goldbraun sind.
3 Bohnen in den Wok geben und 2–3 Minuten mitbraten, bis sie kräftig grün werden. Garnelen und Zucker zugeben und 2 Minuten lang vorsichtig umrühren. Fischsauce und Essig zugießen, gut unterheben, alles mit Knoblauchstückchen bestreuen und sofort servieren.
HINWEIS: Statt Schlangenbohnen kann auch die gleiche Menge grüne Bohnen verwendet werden.

NÄHRWERT PRO PORTION: 15 g Eiweiß, 10 g Fett, 10 g Kohlenhydrate, 5 g Ballaststoffe, 145 mg Cholesterin, 850 kJ (200 kcal)

•

SÜSSER GESCHMORTER KÜRBIS

•

Vorbereitungszeit: 20 Minuten
Gesamtkochzeit: 15 Minuten
Für 4 Personen

750 g Kürbis
1½ EL Öl
3 Knoblauchzehen, feingehackt
4 cm frischer Ingwer, geraspelt
6 rote asiatische Schalotten, gehackt
1 EL brauner Zucker
125 ml Hühnerbrühe
2 EL Fischsauce
1 EL Limettensaft

•

1 Kürbis schälen und in große Stücke schneiden.
2 Öl in einer Bratpfanne erhitzen, Knoblauch, Ingwer und Schalotten zugeben und bei mittlerer Hitze 3 Minuten unter Rühren andünsten.
3 Kürbis zufügen und Zucker darüber streuen. 7–8 Minuten garen. Stücke regelmäßig wenden, bis der Kürbis goldbraun und fast gar ist.
4 Hühnerbrühe und Fischsauce zugeben und aufkochen, dann die Hitze reduzieren und die Flüssigkeit verkochen lassen. Den Kürbis dabei regelmäßig wenden. Mit Limettensaft beträufeln, mit Salz und Pfeffer abschmecken und servieren. Köstlich als Beilage zu Fleischgerichten mit Curry oder allein mit viel gedämpftem Reis.
HINWEIS: Süße Kürbisse wie Butternußkürbisse oder japanische Kürbisse sind ein köstlich schmeckendes, saftiges Gericht.

NÄHRWERT PRO PORTION: 5 g Eiweiß, 8 g Fett, 20 g Kohlenhydrate, 3 g Ballaststoffe, 0 mg Cholesterin, 700 kJ (165 kcal)

VIETNAMESISCHE PFANNKUCHEN IN SALATPÄCKCHEN

•

Vorbereitungszeit: 20 Minuten (+ 45 Minuten Ruhezeit)
Gesamtkochzeit: ca. 30 Minuten
Ergibt 10 Stück

175 g Reismehl
2 TL Stärke
½ TL Currypulver (s. Hinweis)
½ TL Kurkuma, gemahlen
250 ml Kokosmilch
125 ml Wasser
60 ml Kokoscreme
2 TL Öl
150 g Schweinerippchen ohne Knochen, in dünne Scheiben geschnitten
300 g rohe Garnelen, geschält, ausgenommen und feingehackt
4 Frühlingszwiebeln, gehackt
150 g Sojabohnensprossen, die braunen Enden entfernt
10 große Blätter Kopfsalat
20 g frische Minze

•

Dip
2 EL Fischsauce
2 EL Limettensaft
1–2 TL gehackter frischer Chili
½ TL Zucker

•

1 Reismehl, Stärke, Curry, Kurkuma, Kokosmilch, Wasser und Kokoscreme in die Küchenmaschine geben und 30 Sekunden zu einer glatten Masse schlagen. Abdecken und etwa 45 Minuten beiseite stellen, damit der Teig dick wird.
2 1 TL Öl in einer kleinen Bratpfanne erhitzen und Fleisch ohne Knochen bei mäßiger Hitze 1–2 Minuten portionsweise anbräunen.
3 Teig verrühren. Restliches Öl erhitzen, 2 TL Teig in die Pfanne geben und diese schwenken, damit sich ein runder Pfannkuchen ergibt. Diesen 30 Sekunden backen, bis er an der Unterseite knusprig wird. 2 Stücke Fleisch, 1 EL Garnelenfleisch, 1 EL Frühlingszwiebeln und 1 EL Bohnensprossen auf die Mitte des Pfannkuchens setzen. Deckel auf die Pfanne setzen und 1–2 Minuten backen, bis die Garnelen rosa und die Gemüsestücke weich werden. (Der Pfannkuchen wird an der Unterseite knusprig, die Oberseite stockt zwar, bleibt aber weich.)
4 Die einzelnen gebackenen Pfannkuchen auf ein Salatblatt setzen und 2 Minzblätter darauf geben. Salatblatt zu einem Päckchen falten und mit Dip servieren.
5 Für den Dip: Fischsauce, Limettensaft, Chili und Zucker in einer Schüssel gut mischen.
HINWEIS: Verwenden Sie mildes asiatisches Currypulver mit der Aufschrift ›Für Fleisch‹, das in asiatischen Lebensmittelgeschäften erhältlich ist. Das normale Currypulver aus dem Supermarkt eignet sich für dieses Rezept nicht.

NÄHRWERT PRO PÄCKCHEN MIT SAUCE: 10 g Eiweiß, 10 g Fett, 15 g Kohlenhydrate, 2 g Ballaststoffe, 60 mg Cholesterin, 770 kJ (185 kcal)

SCHWEINEHACKFLEISCH
Für einige Gerichte, wie zum Beispiel Fleischbällchen, benötigen Sie ganz feingehacktes Hackfleisch, das nicht auseinanderfällt, sondern beim Kochen die Form behält. Hackfleisch, das Sie beim Fleischer gekauft haben, können Sie zu Hause nachhacken, damit es besonders fein wird.

Links: *Vietnamesische Pfannkuchen in Salatpäckchen*

Oben: *Pikante gegrillte Fischstückchen*

PIKANTE GEGRILLTE FISCHSTÜCKCHEN

•

Vorbereitungszeit: 15 Minuten (+ 15 Minuten Marinieren)
Gesamtkochzeit: 6 Minuten
Für 4 Personen

3 Knoblauchzehen
4 rote asiatische Schalotten
3 Stengel Zitronengras (nur der weiße Teil), in feine Ringe geschnitten
1 TL Kurkuma, gemahlen
1 TL Galgantpulver
2 rote Chillies
1/4 TL Salz
1/4 TL Pfeffer
2 EL Öl
500 g weiße Fischfilets, entgrätet
1 EL Fischsauce
zum Garnieren: frische Korianderblätter oder Brunnenkresse

•

1 Knoblauch, Schalotten, Zitronengras, Kurkuma, Galgantpulver, Chillies, Salz und Pfeffer in eine Küchenmaschine geben und unter Zugabe von Öl zu einer Paste pürieren.
2 Fisch in mundgerechte Stücke schneiden, in eine Schüssel mit der Gewürzpaste geben, gut unterheben, abdecken und 15 Minuten kalt stellen.
3 Fisch auf ein mit Folie belegtes Backblech legen und 3–4 Minuten heiß grillen. Die Stücke dabei wenden, damit der Fisch von allen Seiten anbräunt.
4 Fisch auf einer Servierplatte anrichten und Fischsauce darüberträufeln. Sofort mit Reis servieren.

NÄHRWERT PRO PORTION: 25 g Eiweiß, 15 g Fett, 0 g Kohlenhydrate, 0 g Ballaststoffe, 90 mg Cholesterin, 980 kJ (235 kcal)

•

GLASNUDELN MIT GEBRATENEM TINTENFISCH UND TOMATEN

•

Vorbereitungszeit: 20 Minuten (+ 15 Minuten Marinieren)
Gesamtkochzeit: 20 Minuten
Für 4 Personen

100 g getrocknete Glasnudeln
350 g Tintenfischringe
2 EL Fischsauce
2 EL Öl
3 Knoblauchzehen, feingehackt
3 Stengel Zitronengras (nur der weiße Teil), in feine Ringe geschnitten
2 TL Zucker
1/4 TL Salz
1/4 TL Pfeffer
1 rote Gemüsezwiebel, in feine Scheiben geschnitten
2 reife Tomaten, gewürfelt
2 EL Limettensaft
2 EL Knoblauchzehen, gehackt

1 Glasnudeln 5–10 Minuten in heißem Wasser einweichen und gut abtropfen lassen.
2 Tintenfischringe in einer Schüssel mit 1 EL Fischsauce, 1 EL Öl, einer halben Knoblauchzehe, der Hälfte des Zitronengrases, Zucker, Salz und Pfeffer gut vermischen und 15 Minuten marinieren lassen.
3 Wok auf den Herd stellen und auf höchster Stufe erhitzen. Tintenfischringe in 2 Portionen zugeben, fritieren, bis sich die Farbe ändert, und herausnehmen. Das restliche Öl, Knoblauch, Zitronengras und Zwiebel hineingeben und 1 Minute braten. Nacheinander Tomaten, Glasnudeln und Tintenfisch (mit dem gesamten Saft) in die Pfanne geben und unterheben. Limettensaft, Knoblauchzehen und restliche Fischsauce zufügen und sofort servieren.

NÄHRWERT PRO PORTION: 20 g Eiweiß, 10 g Fett, 25 g Kohlenhydrate, 2 g Ballaststoffe, 180 mg Cholesterin, 1210 kJ (290 kcal)

•

SALAT MIT SCHWEINEFLEISCH UND GARNELEN

•

Vorbereitungszeit: 30 Minuten (+ 60 Minuten Marinieren)
Gesamtkochzeit: 6 Minuten
Für 6–8 Personen

250 g Schweinefilet
300 g rohe Garnelen
60 ml heller Essig
125 ml Wasser
1 EL Zucker
1 Möhre, in Stifte geschnitten
1 Schmorgurke, in Stifte geschnitten
1 rote Paprika, in Stifte geschnitten
1 Chinakohl, feingeschnitten
1 EL Öl
100 g ungesalzene geröstete Erdnüsse, grobgehackt

•

Dressing
2 rote asiatische Schalotten, feingehackt
1 Knoblauchzehe, zerdrückt
1 EL Fischsauce
1 EL Limettensaft
1 TL brauner Zucker
1 TL Sesamöl
1 EL vietnamesische Minze, gehackt

•

1 Schweinefleisch in dünne Streifen schneiden. Garnelen schälen und ausnehmen. Schwänze nicht abtrennen.
2 Essig, Wasser und Zucker in eine Schüssel geben und verquirlen. Möhre, Gurke, rote Paprika und Chinakohl zugeben und in der Marinade wenden, bis alles bedeckt ist. Abdecken und 1 Stunde kalt stellen.
3 Öl im Wok stark erhitzen. Fleisch in 2 Portionen 3 Minuten anbräunen, dann herausnehmen. Garnelen zugeben und bei großer Hitze 3 Minuten braten, bis sie kräftig rosa werden.
4 Gemüse aus der Marinade nehmen, gut abtropfen lassen und mit Fleisch, Garnelen und Erdnüssen mischen. Dressing über den Salat geben und unterheben.
5 Für das Dressing: Schalotten, Knoblauch, Fischsauce, Limettensaft, braunen Zucker und Sesamöl mischen. Vietnamesische Minze zugeben und nochmals mischen.

NÄHRWERT PRO PORTION (8): 20 g Eiweiß, 10 g Fett, 5 g Kohlenhydrate, 2 g Ballaststoffe, 90 mg Cholesterin, 820 kJ (195 kcal)

Oben: *Salat mit Schweinefleisch und Garnelen*

SUPPE MIT SCHWEINEFLEISCH-BÄLLCHEN UND NUDELN

•

Vorbereitungszeit: 25 Minuten
Gesamtkochzeit: 30 Minuten
Für 4 Personen

☆

250 g Schweineknochen
5 cm frischer Ingwer, in dünne Scheiben geschnitten
1 TL Salz
1 TL Pfeffer
1 l Wasser
6 Frühlingszwiebeln, gehackt
300 g Shanghai-Nudeln
250 g Schweinehackfleisch
2 EL Fischsauce
150 frische Ananas, in kleine Stücke geschnitten
100 g Sojabohnensprossen, die braunen Enden entfernt
2 EL frische Minze, in Streifen geschnitten

•

1 Knochen, Ingwer, Salz, Pfeffer und Wasser in einer Pfanne aufkochen. Schaum abschöpfen, Frühlingszwiebeln zufügen und 20 Minuten weitergaren. Abgießen, Knochen herausnehmen und Brühe beiseite stellen.
2 Nudeln 5 Minuten abkochen. Abgießen und in kaltem Wasser abschrecken.
3 Hackfleisch mit dem Küchenbeil oder einem breiten Küchenmesser 3 Minuten bearbeiten, bis sich das Fleisch weich und schwammig anfühlt. Hände anfeuchten und je 2 TL Hackfleisch zu kleinen Bällchen formen.
4 Brühe wieder auf den Herd stellen und aufkochen. Fleischbällchen zugeben und 4 Minuten kochen. Fischsauce und Ananas zugeben.
5 Nudeln in Suppenschälchen geben und die heiße Brühe mit der Kelle darüber verteilen, so daß in jedem Schälchen Schweinefleischbällchen und Ananas sind. Mit Bohnensprossen und Minze bestreuen und sofort servieren.

NÄHRWERT PRO PORTION: 25 g Eiweiß, 10 g Fett, 60 g Kohlenhydrate, 5 g Ballaststoffe, 40 mg Cholesterin, 1825 kJ (435 kcal)

Unten: *Suppe mit Schweinefleischbällchen und Nudeln*

•

SCHWEINEFLEISCH MIT PFEFFER UND GEMÜSE

•

Vorbereitungszeit: 40 Minuten (+ 20 Minuten Marinieren)
Gesamtkochzeit: 20 Minuten
Für 4 Personen

2 TL schwarze Pfefferkörner
350 g Schweinelende
2 EL Fischsauce
4 Knoblauchzehen, feingeschnitten
1/4 TL Salz
4 Frühlingszwiebeln, sehr fein gehackt
3 EL Öl
8 rote asiatische Schalotten, in feine Ringe geschnitten
200 g Baby-Maiskölbchen, längs halbiert
100 g grüne Bohnen, in kleine Stücke geschnitten
1 EL Wasser
1 TL Zucker
150 g Brokkoli, in kleine Röschen geschnitten
200 g Sojabohnensprossen, die braunen Enden entfernt

•

1 Pfefferkörner in heißer Bratpfanne 2 Minuten trocken braten. Die Pfanne dabei ständig schwenken. Pfefferkörner in einen Mörser geben und grob zerstoßen.
2 Fleisch in dünne Scheiben schneiden und mit Pfeffer, Fischsauce, Knoblauch, Salz, Frühlingszwiebeln und der Hälfte des Öls in einer Schüssel gut mischen. Zugedeckt 20 Minuten in den Kühlschrank stellen.
3 Einen Wok sehr stark erhitzen und das Fleisch in 3 Portionen etwa 1 1/2 Minuten goldbraun braten. Den Wok immer wieder neu erhitzen.

4 Restliches Öl im Wok erhitzen, Schalotten, Maiskölbchen und Bohnen zufügen und bei mittlerer Hitze 1 Minute anbraten. Wasser und Zucker darüber geben, Deckel aufsetzen und 1 Minute dünsten. Brokkoli zugeben und eine weitere Minute dünsten. Fleisch samt Bratensaft wieder in den Wok geben, Bohnensprossen zufügen und 30 Sekunden weitergaren. Mit gedämpftem Reis servieren.

NÄHRWERT PRO PORTION: 25 g Eiweiß, 20 g Fett, 5 g Kohlenhydrate, 5 g Ballaststoffe, 50 mg Cholesterin, 1330 kJ (315 kcal)

•

RINDFLEISCHFONDUE MIT REISPAPIER UND SALAT

•

Vorbereitungszeit: 20 Minuten
Gesamtkochzeit: ca. 30 Minuten
Für 4 Personen

1 rote Zwiebel, in feine Scheiben geschnitten
190 ml Reisessig
3 rote Chillies, in feine Ringe geschnitten
2 EL Fischsauce
2 EL Limettensaft
6 Knoblauchzehen, feingehackt
2 EL Zucker
500 g Rindfleischfilet
½ TL frisch gemahlener schwarzer Pfeffer
1 l Wasser
410 g gehackte Tomaten aus der Dose
12 Reispapier-Hüllen (etwas mehr zurücklegen, falls einige brechen)
75 g Kopfsalatblätter, in feine Streifen geschnitten
10 g frische Minze
1 kleine Schmorgurke, in Scheiben geschnitten

•

1 Zwiebel und 3 EL Essig in einer kleinen Schüssel gut vermischen und beiseite stellen. Für den Dip Chillies, Fischsauce, Limettensaft und die Hälfte des Knoblauchs und des Zuckers in einer Schüssel mischen. Beiseite stellen. Fleisch in dünne Scheiben schneiden, pfeffern und beiseite stellen.
2 Wasser in einer großen Pfanne aufkochen. Tomaten und den restlichen Knoblauch, Zucker und Essig zugeben und 20 Minuten köcheln lassen.
3 Reispapier-Hüllen beidseitig mit reichlich Wasser bestreichen. 2 Minuten liegen lassen, bis sie weich werden und sich falten lassen. Auf einem Teller übereinanderschichten, mit etwas Wasser benetzen und den Stapel mit Frischhaltefolie abdecken, damit die Blätter feucht bleiben.
4 Tomatenmischung in einer Küchenmaschine zu einer glatten Masse pürieren, dann in einer Pfanne leicht köcheln lassen. Rindfleisch portionsweise zugeben und schnell garen, bis sich die Farbe verändert. In eine Servierschüssel geben.
5 Zum Servieren Reispapier-Hüllen, Salat, Minze und Gurke getrennt auf einer Platte arrangieren. Jeder nimmt eine Hülle, legt einige Fleischscheiben mit etwas Salat, Gurke, Minze und Zwiebeln darauf, rollt es zusammen und taucht es in den Dip.

NÄHRWERT PRO PORTION: 35 g Eiweiß, 10 g Fett, 40 g Kohlenhydrate, 5 g Ballaststoffe, 90 mg Cholesterin, 1585 kJ (380 kcal)

Oben: *Rindfleischfondue mit Reispapier und Salat*

GESCHWENKTES RINDFLEISCH

Vorbereitungszeit: 30 Minuten (+ 60 Minuten Marinieren)
Gesamtkochzeit: 15 Minuten
Für 4 Personen

500 g Rinderfilet
4 Knoblauchzehen, feingehackt
2 EL Öl
1 EL Fischsauce
1 TL Zucker
1/2 TL Salz
1/2 TL frisch gemahlener schwarzer Pfeffer
1 kleiner Kopfsalat
1 kleine Schmorgurke
1/2 rote Zwiebel

1 Fleisch in Würfel schneiden, in eine Schüssel mit Knoblauch, Öl, Fischsauce, Zucker, Salz und Pfeffer geben und gut mischen. Abdecken und 1 Stunde im Kühlschrank ziehen lassen.
2 Kopfsalat waschen und Blätter abtrennen. Gurke und Zwiebel in hauchdünne Scheiben schneiden.
3 Einen Wok mit dickem Boden sehr stark erhitzen. Fleisch in 3 Portionen hineingeben und anbraten. Den Wok dabei schwenken und das Fleisch wenden, bis es außen knusprig braun wird. Innen soll es jedoch roh bleiben.

Oben: *Geschwenktes Rindfleisch*

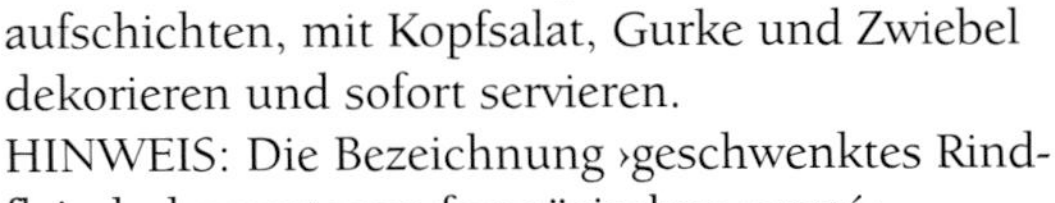

4 Fleisch auf einer Servierplatte in der Mitte aufschichten, mit Kopfsalat, Gurke und Zwiebel dekorieren und sofort servieren.
HINWEIS: Die Bezeichnung ›geschwenktes Rindfleisch‹ kommt vom französischen ›sauté‹.

NÄHRWERT PRO PORTION: 30 g Eiweiß, 20 g Fett, 5 g Kohlenhydrate, 2 g Ballaststoffe, 90 mg Cholesterin, 1180 kJ (280 kcal)

GARNELEN-SPIESSE

Vorbereitungszeit: 50 Minuten (+ 60 Minuten Marinieren)
Gesamtkochzeit: 20 Minuten
Ergibt ca. 10 Bällchen

1 kg rohe Garnelen
50 g fetter Speck, gehackt
5 cm frischer Ingwer, geraspelt
4 Knoblauchzehen, feingehackt
1 EL Stärke
1 EL Zucker
1 TL Salz
12 Zuckerrohrstangen (s. Hinweis)
2 EL Öl

zum Servieren
24 runde Reispapier-Hüllen, jeweils 15 cm Durchmesser
10 weichblättrige Salatblätter
90 g Sojabohnensprossen, die braunen Enden entfernt
20 g frische Minze
50 g ungesalzene geröstete Erdnüsse, feingehackt
süße Chilisauce (s. S. 168)

1 Garnelen schälen und ausnehmen. Das Fleisch grob hacken, dann auf Küchenpapier legen und trockentupfen. Garnelenfleisch und Schweinefett in eine Küchenmaschine geben und stoßweise zerkleinern.
2 Garnelenmischung, Ingwer, Knoblauch, Stärke, Zucker und Salz in eine Schüssel geben und mischen. Mischung 2 Minuten mit den Händen kneten, da sie so geschmeidiger wird und sich dann besser um die Zuckerrohrstangen legen läßt.
3 Mit angefeuchteten Händen 2 EL der Mischung ringförmig um die Mitte einer Zuckerrohrstange legen, dabei die Stangenenden 4 cm herausstehen lassen. Leicht andrücken. Stange auf ein Stück fettundurchlässiges Papier oder Backpapier legen und die restliche Garnelenmischung auf die gleiche Art um die Zuckerrohrstangen legen. Im Kühlschrank kalt stellen.

4 Reispapier-Hüllen beidseitig mit reichlich Wasser bestreichen. 2 Minuten liegen lassen, bis sie weich werden und sich falten lassen. Hüllen auf einem Teller übereinanderschichten. Zusätzlich noch mit etwas Wasser benetzen und den Stapel mit einer Frischhaltefolie abdecken, damit die Blätter feucht bleiben. Salatblätter, Bohnensprossen und Minze getrennt auf einer Servierplatte arrangieren.
5 Backblech leicht mit Öl einpinseln und Ofengrill anstellen. Garnelenspießchen etwa 7 Minuten bei mäßiger Hitze unter regelmäßigem Wenden grillen, bis das Garnelenfleisch gar und goldbraun ist. Alternativ können die Spieße auch auf dem Gartengrill zubereitet werden.
6 Zum Essen nimmt jeder Gast einen Garnelenspieß, schiebt das Fleisch von dem Spieß und schneidet es in dünne Scheiben. Dann wird das Garnelenfleisch auf eine Reispapier-Hülle gelegt und mit ein paar Bohnensprossen und etwas Minze garniert. Das Bündel fest in ein Salatblatt wickeln und mit süßer Chilisauce beträufeln.
HINWEIS: Zuckerrohr bekommt man in asiatischen Lebensmittelgeschäften tiefgefroren oder in Dosen. Es ist aufgrund seiner harten Fasern nicht eßbar, entfaltet aber ein süßes Aroma und hält das Garnelenfleisch feucht und saftig. Fetten Speck bekommt man beim Fleischer. Er ist eine wichtige Zutat und verleiht dem Gericht Feuchtigkeit und Geschmack.

NÄHRWERT PRO SPIESS: 10 g Eiweiß, 10 g Fett, 5 g Kohlenhydrate, 2 g Ballaststoffe, 100 mg Cholesterin, 685 kJ (165 kcal)

GEBRATENES HÜHNERFLEISCH

•

Vorbereitungszeit: 10 Minuten
Gesamtkochzeit: 30 Minuten
Für 4 Personen

☆

1½ kg Hühnerfleisch, zerlegt
2 TL Salz
1 TL frisch gemahlener schwarzer Pfeffer
1 TL 5-Gewürze-Pulver
Öl zum Fritieren
1 EL Fischsauce
1 EL Limettensaft
zum Servieren: rote Chillies, gehackt

•

1 Fleischstücke in einer mittelgroßen Pfanne mit kaltem Wasser aufgießen und aufkochen. Schaum von oben abschöpfen. Salz, Pfeffer und 5-Gewürze-Pulver zugeben und 15 Minuten köcheln lassen, bis das Huhn zart ist. Fleisch abtropfen lassen und mit Küchenpapier trockentupfen.
2 Öl in einer tiefen Pfanne erhitzen, jeweils 3 Fleischstücke hineingeben und knusprig braun fritieren. Auf Küchenpapier abtropfen lassen.
3 Fleisch auf eine Servierplatte legen und Fischsauce, Limettensaft und Chili darüber träufeln.

NÄHRWERT PRO PORTION: 50 g Eiweiß, 45 g Fett, 0 g Kohlenhydrate, 0 g Ballaststoffe, 200 mg Cholesterin, 2515 kJ (600 kcal)

FREMDE EINFLÜSSE IN DER VIETNAMESISCHEN KÜCHE

Die vietnamesische Küche hat zwar ihre eigenen typischen Gerichte, aber trotzdem einiges mit der chinesischen und thailändischen Küche gemeinsam. Eßstäbchen, Suppenschalen und Zutaten wie Sojasauce, Sojabohnenquark, Bohnensprossen und Eiernudeln stammen aus der chinesischen Küche. Aus der thailändischen Kochkunst wurden die sauren Fischaromen, eine Reihe Kräuter und Zucker zum Abschmekken übernommen, obwohl vietnamesische Gerichte gewöhnlich süßer und nicht so scharf wie thailändische sind. Die Zubereitung von Saucen aus Fleisch und Fisch und würzig gefüllten Baguettes, die sich zu einem beliebten Mittagsimbiß entwickelt haben, ist dagegen ein Überbleibsel aus der französischen Kolonialzeit.

Oben: *Gebratenes Hühnerfleisch*

KOREA

Auf einzigartige Weise hat die koreanische Küche Elemente aus Japan und China vereint und dabei mit eigenen Spezialitäten Akzente gesetzt. Ein typisches Nationalgericht ist Kim Chi, ein würzig eingelegtes Gemüse, das zu jeder Mahlzeit gereicht wird. Koreanische Mahlzeiten bestehen aus vielen kleinen verführerischen Speisen, die mit Sojasauce, Ingwer, Bohnenpaste und gerösteten Sesamsamen geschmacklich verfeinert werden. Sie ergänzen hervorragend das Hauptgericht – einen dampfenden Eintopf oder dünn geschnittenes, am Tisch gegrilltes Fleisch.

Oben: *Gegrilltes Rindfleisch*

GEGRILLTES RINDFLEISCH

•

Vorbereitungszeit: 15 Minuten
(+ 30 Minuten Einfrieren
+ 120 Minuten Marinieren)
Gesamtkochzeit: 15 Minuten
Für 4–6 Personen

500 g Rinderfilet oder Lendensteak
40 g weiße Sesamsamen
125 ml Sojasauce
2 Knoblauchzehen, feingehackt
3 Frühlingszwiebeln, feingehackt
1 EL Sesamöl
1 EL Öl

•

1 Steak 30 Minuten einfrieren.
2 Sesamsamen in einer trockenen Pfanne bei mittlerer Hitze 3–4 Minuten rösten. Dabei die Pfanne leicht schwenken, bis die Körner goldbraun sind. Sofort alle gleichzeitig aus der Pfanne nehmen, damit sie nicht anbrennen, und in einer Mühle mahlen oder im Mörser zerstoßen.
3 Steak quer zur Faserrichtung in dünne Streifen schneiden.

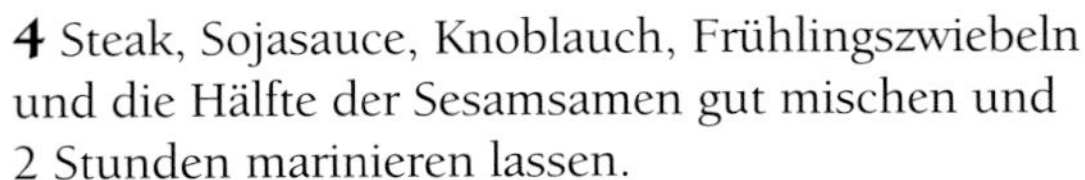

4 Steak, Sojasauce, Knoblauch, Frühlingszwiebeln und die Hälfte der Sesamsamen gut mischen und 2 Stunden marinieren lassen.
5 Öle verrühren und auf eine gußeiserne Grillplatte oder Bratpfanne pinseln. Grill bzw. Herd auf höchste Stufe stellen und Fleisch in 3 Portionen garen. Dabei jede Seite 1 Minute scharf anbraten (Steaks nicht zu lange garen, da sie sonst zäh werden). Zwischendurch Grillplatte nochmals mit Öl bepinseln und neu erhitzen. Den Rest der Sesamsamen über die Steaks streuen und mit Kim Chi servieren (s. nächste Seite).

NÄHRWERT PRO PORTION (6): 20 g Eiweiß, 15 g Fett, 1 g Kohlenhydrate, 1 g Ballaststoffe, 40 mg Cholesterin, 930 kJ (220 kcal)

•

EIERSTREIFENPÄCKCHEN

•

Vorbereitungszeit: 25 Minuten
Gesamtkochzeit: 15 Minuten
Für 4 Personen

1 EL weiße Sesamsamen
10 Frühlingszwiebeln
5 Eier
1/4 TL Salz
1/4 TL weißer Pfeffer
3 TL Öl
2 EL Reisessig
2 EL japanische Sojasauce

•

1 Sesamsamen in einer trockenen Pfanne bei mittlerer Hitze 3–4 Minuten rösten, bis sie goldbraun sind. Dabei die Pfanne leicht schwenken. Samen alle zusammen aus der Pfanne nehmen, damit sie nicht anbrennen.
2 Die weißen Enden von den Frühlingszwiebeln abschneiden und wegwerfen. Äußere Schicht entfernen und wegwerfen. Die grünen Stengel zu einem Bündel binden, alles auf eine Länge stutzen und die dünnen Spitzen abschneiden. Je 2 Frühlingszwiebeln ca. 30 Sekunden kochen, bis sie weich sind. Mit einer Küchenzange herausnehmen und in Eiswasser legen. Ebenso mit den restlichen Frühlingszwiebeln verfahren. Gut abtropfen lassen und vorsichtig mit Küchenpapier trockentupfen. Jede Frühlingszwiebel mit einem scharfen Schälmesser längs halbieren.
3 Die Eier mit Salz und Pfeffer gut schaumig schlagen.
4 Eine mittelgroße Bratpfanne mit Öl auspinseln und Herd auf mittlere Stufe stellen. Die Hälfte der Eier hineingießen, zudecken und 2 Minuten stokken lassen. Den Omelettrand ringsherum lösen. Das Omelett wenden und 2 Minuten weiterbakken. Omelett aus der Pfanne nehmen und restliche

Oben: *Kim Chi*

KIM CHI

Jede Kohlschicht mit Salz bestreuen.

Schüssel gut abdecken, den Teller mit Gewichten beschweren.

Nach dem Abspülen den Kohl gut auspressen, um soviel Wasser wie möglich zu entfernen.

Eimasse backen. Die gebogenen Omeletteränder so abschneiden, daß ein Viereck entsteht und das Omelett in 7 cm lange und 5 mm breite Streifen schneiden.

5 8 Streifen zusammenlegen, in der Mitte ein Stück Frühlingszwiebel vorsichtig mehrmals umwickeln und die Enden einschlagen. Die Bündel auf einer Servierplatte anrichten. Essig, japanische Sojasauce und Sesamsamen mischen, über die Päckchen geben und servieren.

NÄHRWERT PRO PORTION: 10 g Eiweiß, 10 g Fett, 2 g Kohlenhydrate, 1 g Ballaststoffe, 235 mg Cholesterin, 640 kJ (150 kcal)

KIM CHI

Vorbereitungszeit: 9 Tage
Gesamtkochzeit: keine
Ergibt 750 ml

1 großer Chinakohl
160 g Meersalz
1/2 TL Cayennepfeffer
5 Frühlingszwiebeln, feingehackt
2 Knoblauchzehen, feingehackt
5 cm frischer Ingwer, geraspelt
3 TL oder 3 EL Chillies, frisch gehackt (s. Hinweis)
1 EL feiner Zucker
600 ml kaltes Wasser

1 Kohl halbieren und dann in große mundgerechte Stücke schneiden. Eine Schicht Kohl in eine große Schüssel legen und mit etwas Salz bestreuen. Den restlichen Kohl ebenfalls schichtweise darüber legen und jede Schicht salzen. Mit einem flachen Teller, der möglichst dicht über dem Kohl abschließt, abdecken. Teller mit Dosen oder einem anderen Gewicht beschweren und Schüssel 5 Tage in einen kühlen Raum stellen.

2 Teller von der Schüssel abnehmen, Flüssigkeit abgießen und Kohl gut unter kaltem Wasser abspülen. Wasser gut herauspressen und Kohl mit Cayennepfeffer, Frühlingszwiebeln, Knoblauch, Ingwer, Chili und Zucker mischen. Gut durchmischen und Kohl in ein großes sterilisiertes Glas füllen. Wasser darüber gießen und mit einem passenden Deckel luftdicht verschließen. Vor dem Verzehr noch 3 bis 4 Tage kühl stellen.

HINWEIS: Kim Chi wird als Beilage zu koreanischen Hauptmahlzeiten und zu gedämpftem Reis gereicht. Den echten Geschmack erzielt man mit 3 EL Chili. Anstatt der frischen Chillies kann auch gehackter Chili aus dem Glas verwendet werden.

NÄHRWERT PRO PORTION (6): 1 g Eiweiß, 0 g Fett, 5 g Kohlenhydrate, 1 g Ballaststoffe, 0 mg Cholesterin, 90 kJ (20 kcal)

GEBRATENE NUDELN

•

Vorbereitungszeit: 30 Minuten
Gesamtkochzeit: 25 Minuten
Für 4 Personen

40 g weiße Sesamsamen
2 EL Öl
2 TL Sesamöl
4 Frühlingszwiebeln, gehackt
2 Knoblauchzehen, feingehackt
2 TL rote Chillies, feingehackt
300 g rohe Garnelen, geschält und ausgenommen
150 g fester Tofu, in Würfel geschnitten
100 g Strohpilze, in dünne Scheiben geschnitten
1 rote Paprika, in dünne Scheiben geschnitten
2 EL Wasser
2 EL Sojasauce
2 TL Zucker
300 g Hokkien-Nudeln

•

1 Sesamsamen in einer trockenen Pfanne bei mittlerer Hitze 3–4 Minuten rösten. Dabei die Pfanne leicht schwenken, bis die Samen goldbraun sind. Samen alle zusammen aus der Pfanne nehmen, damit sie nicht anbrennen, und in einer Mühle mahlen oder im Mörser zerstoßen.
2 Öle in einer kleinen Schüssel mischen und zur Hälfte in einen Wok oder eine gußeiserne Pfanne gießen. Mäßig heiß werden lassen. Zwiebeln, Knoblauch, Chillies und Garnelen 2 Minuten unter Rühren anbraten, aus der Pfanne nehmen und beiseite stellen. Tofu unter gelegentlichem Wenden goldbraun anbraten, aus der Pfanne nehmen und beiseite stellen. Restliches Öl in die Pfanne geben, Pilze und rote Paprika zugeben und unter Rühren 3 Minuten knusprig braun braten.
3 Wasser, Sojasauce, Zucker und Nudeln in die Pfanne geben. Pfanne rütteln, damit sich die Nudeln gut in der Flüssigkeit verteilen. Abdecken und 5 Minuten dünsten. Gut wenden. Garnelen und Tofu zugeben und 3 Minuten bei mittlerer Hitze gut unterheben. Mit den gemahlenen Sesamsamen bestreuen und servieren.

NÄHRWERT PRO PORTION: 20 g Eiweiß, 20 g Fett, 25 g Kohlenhydrate, 4 g Ballaststoffe, 95 mg Cholesterin, 1530 kJ (365 kcal)

Oben: *Gebratene Nudeln*

GEKOCHTER GEMÜSESALAT

•

Vorbereitungszeit: 45 Minuten (+ 20 Minuten Ruhezeit)
Gesamtkochzeit: 15 Minuten
Für 4 Personen

1 kleine Steckrübe, in feine Streifen geschnitten
2 TL Salz
80 g Pinienkerne
2 EL Sesamöl
1 EL Öl
2 Knoblauchzehen, feingehackt
1 große Zwiebel, in dünne Ringe geschnitten
2 Selleriestangen, in Scheiben geschnitten
200 g Strohpilze, in Scheiben geschnitten
1 große Möhre, in feine Streifen geschnitten
1/2 rote Paprika, in feine Streifen geschnitten
4 Frühlingszwiebeln, gehackt

•

Dressing
60 ml Sojasauce
1 EL heller Essig
3 cm frischer Ingwer, in hauchdünne Scheiben und dann in feine Streifen geschnitten
1–2 TL brauner Zucker

•

1 Rübe auf eine mit Küchentuch abgedeckte Platte legen. Mit Salz bestreuen und mindestens 20 Minuten stehen lassen. Dann unter kaltem Wasser abspülen und mit Küchenpapier trockentupfen.

2 Pinienkerne in einer trockenen Pfanne bei mittlerer Hitze 3–4 Minuten rösten. Dabei die Pfanne leicht schwenken, bis die Kerne goldbraun sind. Alle gleichzeitig aus der Pfanne nehmen, damit sie nicht anbrennen.
3 Öle mischen und in einer Bratpfanne oder einem Wok erhitzen. Rübe, Knoblauch und Zwiebel 3 Minuten bei mittlerer Hitze unter Rühren leicht goldbraun anbraten. Sellerie, Pilze, Möhren, rote Paprika und Frühlingszwiebeln zugeben und den Wok rütteln. Abdecken und 1 Minute dünsten. Gemüse herausnehmen und zum Abkühlen beiseite stellen.
4 Für das Dressing: Sojasauce, Essig, Ingwer und Zucker in einer Schüssel verrühren.
5 Dressing über das abgekühlte Gemüse gießen und unterheben. Auf einer Servierplatte anrichten und die Pinienkerne darüberstreuen. Nach Wunsch mit gedünstetem Reis servieren.

NÄHRWERT PRO PORTION: 5 g Eiweiß, 30 g Fett, 10 g Kohlenhydrate, 5 g Ballaststoffe, 0 mg Cholesterin, 1375 kJ (325 kcal)

•

GEGRILLTER FISCH

•

Vorbereitungszeit: 20 Minuten (+ 15 Minuten Marinieren)
Gesamtkochzeit: 6 Minuten
Für 4 Personen

4 feste weiße Fischfilets, z. B. Tiefseebarsch oder Dorsch (insgesamt ca. 600 g)
3 Knoblauchzehen, feingehackt
3 cm frischer Ingwer, geraspelt
2 TL koreanisches Chilipulver (s. Hinweis)
2 TL Zucker
1 1/2 EL japanische Sojasauce
1 EL Reisessig

•

1 Fisch mit Küchenpapier trockentupfen und in eine flache Schüssel geben.
2 Knoblauch, Ingwer, Chili, Zucker, Sojasauce und Essig verrühren, dann löffelweise über den Fisch verteilen und 15 Minuten marinieren lassen.
3 Filets auf ein mit Alufolie belegtes Backblech legen und bei mittlerer Hitze ca. 5 Minuten grillen, bis sie gar sind. Fisch während des Grillens nicht wenden. Mit reichlich gedünstetem Reis servieren.
HINWEIS: Koreanisches Chilipulver erhält man in asiatischen Spezialitätengeschäften. Man kann es aber auch durch je 1 TL Cayennepfeffer und süßen Paprika pro TL Chilipulver ersetzen.

NÄHRWERT PRO PORTION: 30 g Eiweiß, 3 g Fett, 3 g Kohlenhydrate, 0 g Ballaststoffe, 90 mg Cholesterin, 655 kJ (155 kcal)

KIM CHI
Eingelegtes Gemüse wird zu allen Jahreszeiten gern als Beilage zu koreanischen Gerichten gereicht. Am häufigsten wird eingelegter Kohl gegessen, der traditionell im Spätherbst geerntet und über den Winter eingelegt wird. Dafür werden gesalzene Kohlblätter abwechselnd mit einer kräftig gewürzten Mischung aus feingeschnittenem Gemüse, Knoblauch, rotem Chili und teilweise auch mit gesalzenen Krabben schichtweise in großen Keramikkrügen eingelagert. Die Öffnung wird mit Plastik abgedeckt und dicht mit einem Deckel verschlossen, der mit einem Stein beschwert wird, damit die gärende Mischung nicht austritt. Die Krüge werden vergraben, damit sie im Winter nicht einfrieren. Diese sauer-würzige Beilage ist reich an wertvollen Mineralien und Vitamin C und in den kargen Wintermonaten ein Ersatz für frisches Gemüse.

Links: *Gekochter Gemüsesalat*

Pickles & Chutneys

Ein kleiner Löffel würzige Chutneypaste ist die Krönung jedes indischen Gerichts. Eingelegtes Gemüse mit Ingwer hingegen ist in der japanischen und koreanischen Küche zu Hause.

LIMETTEN-PICKLE

12 Limetten jeweils in 8 Stücke teilen, salzen und beiseite stellen. In einer mittelgroßen Pfanne 3 TL Senfkörner und jeweils 2 TL gemahlene Kurkuma, Kreuzkümmel, Fenchel und Bockshornkleesamen 1–2 Minuten trocken rösten. Aus der Pfanne nehmen, im Mörser zerstampfen und zu einem feinen Pulver mahlen. Bei niedriger Hitze 5 gehackte grüne Chillies, 4 in Scheiben geschnittene Knoblauchzehen und 2 TL geraspelten frischen Ingwer in Öl (1 EL) goldbraun braten. 500 ml Öl, 1 EL Zucker, die Limettenstücke und Gewürze zugeben und bei geringer Hitze 10 Minuten köcheln lassen, dabei gelegentlich umrühren. In warme, sterilisierte Gläser füllen und luftdicht verschließen. Im Kühlschrank aufbewahren.

NÄHRWERT PRO 100 g: 1 g Eiweiß, 40 g Fett, 2 g Kohlenhydrate, 1 g Ballaststoffe, 0 mg Cholesterin, 1565 kJ (370 kcal)

SÜSSES MANGO-CHUTNEY

3 große, grüne Mangos schälen, entkernen, in dicke Scheiben schneiden und mit Salz bestreuen. 2 rote Chillies entkernen und fein hacken. 1/2 TL Garam Masala mit 330 g Rohzucker mischen, in eine große Pfanne mit 250 ml Weißweinessig geben und aufkochen. Herd niedriger stellen und 5 Minuten köcheln lassen. Mango, Chillies, 1 EL feingeraspelten frischen Ingwer und 95 g feingehackte Datteln zugeben. 1 Stunde köcheln lassen, bis die Mangos gar sind. In warme, sterilisierte Gläser füllen und luftdicht verschließen. Im Kühlschrank aufbewahren.

NÄHRWERT PRO 100 g: 1 g Eiweiß, 0 g Fett, 30 g Kohlenhydrate, 1 g Ballaststoffe, 0 mg Cholesterin, 520 kJ (125 kcal)

EINGELEGTES GEMÜSE

80 ml Reis- oder Weißweinessig, 2 TL Salz und 1 TL Zucker in eine große Schüssel geben, die aber nicht aus Metall sein darf. 500 ml kochendes Wasser darüber gießen, gut mischen und lauwarm abkühlen lassen. 250 g Kohl in 4 cm lange Streifen, 1 kleine Schmorgurke und 2 mittelgroße Möhren in kurze Stifte und 1 mittelgroße weiße Zwiebel in dicke Ringe schneiden und zu der warmen Essigmischung geben. Das Gemüse mit einem flachen Teller abdecken und eine Schüssel Wasser zum Beschweren auf den Teller stellen – so bleibt das Gemüse eingetaucht. 3 Tage stehen lassen. In sterilisierte Gläser füllen, luftdicht verschließen und im Kühlschrank aufbewahren. Das Gemüse ist 1 Monat haltbar.

NÄHRWERT PRO 100 g: 1 g Eiweiß, 0 g Fett, 2 g Kohlenhydrate, 2 g Ballaststoffe, 0 mg Cholesterin, 55 kJ (15 kcal)

EINGELEGTE AUBERGINEN

1 kg schlanke Auberginen längs in Scheiben schneiden und leicht salzen. In der Küchenmaschine 6 Knoblauchzehen, 2,5 cm grobgehackten frischen Ingwer, 4 TL Garam Masala, 1 TL gemahlene Kurkuma, 1 TL Chilipulver und 1 EL Öl zu einer Paste verarbeiten. Salz von den Auberginen abspülen und trockentupfen. 80 ml Öl in einer großen Pfanne erhitzen und Auberginen 5 Minuten braten, bis sie goldbraun sind. Paste zufügen und 2 Minuten weiterbraten. 410 ml Öl unterrühren und ohne Deckel 10–15 Minuten unter gelegentlichem Rühren kochen lassen. In warme, sterilisierte Gläser füllen und luftdicht verschließen. An einem kühlen, dunklen Ort lagern. Bis zu 2 Monaten haltbar.

NÄHRWERT PRO 100 g: 1 g Eiweiß, 30 g Fett, 2 g Kohlenhydrate, 2 g Ballaststoffe, 0 mg Cholesterin, 1235 kJ (295 kcal)

EINGELEGTER INGWER

125 g frischen Ingwer in 2,5 cm große Stücke schneiden. Mit 2 TL Salz bestreuen, zudecken und 1 Woche kalt stellen. Mit einem sehr scharfen Messer quer zum Faserverlauf in hauchdünne Scheiben schneiden. Bei niedriger Hitze 2 EL Zucker in 125 ml Reisessig und 2 EL Wasser auflösen. Aufkochen und 1 Minute köcheln lassen. Ingwer in sterilisierte Gläser füllen, mit der Marinade aufgießen, luftdicht verschließen und eine Woche vor Verzehr kalt stellen. Der Ingwer verfärbt sich blaßrosa oder kann mit 1 TL Grenadine gefärbt werden. Im Kühlschrank bis zu 3 Monaten haltbar.

NÄHRWERT PRO 100 g: 0 g Eiweiß, 0 g Fett, 15 g Kohlenhydrate, 1 g Ballaststoffe, 0 mg Cholesterin, 260 kJ (60 kcal)

Von links: *Limetten-Pickle, süßes Mango-Chutney, eingelegtes Gemüse, eingelegte Auberginen und eingelegter Ingwer*

SCHWEINEFLEISCH MIT SPINAT

Vorbereitungszeit: 20 Minuten
Gesamtkochzeit: 15 Minuten
Für 4 Personen

1 EL weiße Sesamsamen
400 g Spinat
2 Knoblauchzehen, in dünne Scheiben geschnitten
3 Frühlingszwiebeln, gehackt
1/2 TL Cayennepfeffer
300 g Schweinelende, in dicke Streifen geschnitten
2 EL Öl
2 TL Sesamöl
2 EL japanische Sojasauce
2 TL Zucker

1 Sesamsamen in einer trockenen Pfanne bei mittlerer Hitze 3–4 Minuten rösten, bis die Samen goldbraun sind. Dabei die Pfanne leicht schwenken. Samen alle gleichzeitig aus der Pfanne nehmen, damit sie nicht anbrennen, und beiseite stellen.
2 Spinatenden abschneiden, Blätter grob hacken und gründlich waschen.
3 Knoblauch, Frühlingszwiebeln, Cayennepfeffer und Fleisch gut mischen. Öl in einer gußeisernen Bratpfanne erhitzen und Fleisch unter Wenden auf höchster Stufe in 3 Portionen schnell goldbraun anbraten. Das Fleisch aus der Pfanne nehmen und beiseite stellen.
4 Sojasauce, Zucker und Spinat zugeben und vorsichtig unterheben. Abdecken und 2 Minuten garen, bis der Spinat weich wird. Fleisch wieder in die Pfanne geben, Sesamsamen zugeben, gut unterheben und sofort servieren.

NÄHRWERT PRO PORTION: 20 g Eiweiß, 25 g Fett, 4 g Kohlenhydrate, 3 g Ballaststoffe, 35 mg Cholesterin, 1265 kJ (300 kcal)

Oben: *Schweinefleisch mit Spinat*
Rechts: *Kartoffelpuffer*

KARTOFFELPUFFER

Vorbereitungszeit: 25 Minuten
Gesamtkochzeit: 30 Minuten
Ergibt ca. 18 Stück

Dip
2 TL weiße Sesamsamen
2 Knoblauchzehen, feingehackt
2 Frühlingszwiebeln, in hauchdünne Scheiben geschnitten
60 ml Sojasauce
1 EL Weißwein
1 EL Sesamöl
2 TL feiner Zucker
1 TL rote Chillies, gehackt

500 g Kartoffeln
1 große Zwiebel, in hauchdünne Scheiben geschnitten
2 Eier, geschlagen
2 EL Stärke
60 ml Öl

1 Für den Dip: Sesamsamen in einer trockenen Pfanne bei mittlerer Hitze 3–4 Minuten rösten, dabei die Pfanne leicht schwenken. Samen gemeinsam aus der Pfanne nehmen, damit sie nicht anbrennen. 5 Minuten abkühlen lassen. Mit Knoblauch, Frühlingszwiebeln, Sojasauce, Weißwein, Sesamöl, Zucker und Chillies mischen. Gut vermengen und in eine Servierschüssel füllen.
2 Kartoffeln schälen und reiben. Mit Zwiebeln, Eiern und Stärke in eine Schüssel geben und mit Salz und Pfeffer würzen. Gut verrühren, damit sich die Stärke gleichmäßig verteilt.
3 Öl in einer großen, gußeisernen Bratpfanne erhitzen. 1 gehäuften EL der Mischung auf die heiße Fläche geben und mit einem Löffel vorsichtig zu einem Kartoffelpuffer flachdrücken. 2–3 Minuten goldbraun braten. Wenden und von der anderen Seite ebenfalls 2 Minuten braten, Pfanne aber nicht überhitzen, damit die Kartoffelpuffer nicht anbrennen und innen nicht gar werden. Je nach Größe der Pfanne 4 oder 5 Kartoffelpuffer gleichzeitig braten. Bei 120 °C im Ofen (Gas: Stufe 1–2) warm stellen.
4 Mit der Sauce als Imbiß oder mit Reis und Kim Chi (s. S. 185) als Hauptmahlzeit servieren.
HINWEIS: Alle Zutaten sollten vor dem Reiben der Kartoffeln schon fertig sein, da diese sich schnell verfärben.

NÄHRWERT PRO KARTOFFELPUFFER: 2 g Eiweiß, 5 g Fett, 5 g Kohlenhydrate, 1 g Ballaststoffe, 20 mg Cholesterin, 325 kJ (75 kcal)

•

FLEISCHTASCHEN-SUPPE

•

Vorbereitungszeit: 45 Minuten
Gesamtkochzeit: 35 Minuten
Für 4–6 Personen

1 EL weiße Sesamsamen
2 EL Öl
2 Knoblauchzehen, feingehackt
150 g mageres Schweinehackfleisch
200 g mageres Rinderhackfleisch
80 ml Wasser
200 g Chinakohl, in feine Streifen geschnitten
100 g Sojabohnensprossen, gehackt, die braunen Enden entfernt
100 g Champignons, feingehackt
3 Frühlingszwiebeln, feingehackt
150 g Gow-Gee-Hüllen

•

Suppe
$2^1/_2$ l Rinderbrühe
2 EL Sojasauce
3 cm frischer Ingwer, in hauchdünne Scheiben geschnitten
4 Frühlingszwiebeln, gehackt

1 Sesamsamen in einer trockenen Pfanne bei mittlerer Hitze 3–4 Minuten rösten. Dabei die Pfanne leicht schwenken, bis die Samen goldbraun sind. Samen alle zusammen aus der Pfanne nehmen, damit sie nicht anbrennen, und in einer Mühle mahlen oder im Mörser zerstoßen.
2 Öl in einer Pfanne erhitzen. Knoblauch und Hackfleisch bei mittlerer Hitze braten, bis sich die Farbe des Fleisches verändert, und dabei etwaige Klumpen zerdrücken. Wasser, Kohl, Sprossen und Pilze zufügen, unter gelegentlichem Rühren 5–6 Minuten mitgaren, bis das Wasser verkocht und das Gemüse gar ist. Frühlingszwiebeln und gemahlene Samen zufügen und mit Salz und Pfeffer abschmecken. Beiseite stellen.
3 Jeweils nur eine Gow-Gee-Hülle verarbeiten und die übrigen Blätter mit einem feuchten Tuch abdecken. 1 TL der Füllung leicht außermittig auf ein Blatt setzen und vorsichtig andrücken. Blattränder mit etwas Wasser bepinseln und über die Füllung klappen, so daß ein Halbkreis entsteht. Ränder dicht aufeinanderdrücken.
4 Für die Suppe: Brühe, Sojasauce, Ingwer und die Hälfte der Frühlingszwiebeln in eine große Pfanne geben, aufkochen und 15 Minuten weiterköcheln lassen.
5 Fleischtaschen in die Suppe geben und 5 Minuten leicht mitkochen, bis sich ihre Farbe verändert und sie prall werden. Mit den restlichen Frühlingszwiebeln garnieren und sofort servieren.

NÄHRWERT PRO PORTION (6): 15 g Eiweiß, 15 g Fett, 10 g Kohlenhydrate, 2 g Ballaststoffe, 35 mg Cholesterin, 925 kJ (220 kcal)

FLEISCHTASCHEN-SUPPE

1 TL der Füllung leicht außermittig auf das Gow-Gee-Blatt setzen.

Blatt über die Füllung klappen, so daß ein Halbkreis entsteht, und Ränder aufeinanderdrücken.

Oben: *Fleischtaschen-Suppe*

Oben: *Kartoffel-Nudeln mit Gemüse*

KARTOFFEL-NUDELN MIT GEMÜSE

•

Vorbereitungszeit: 25 Minuten (+ 10 Minuten Einweichen)
Gesamtkochzeit: 25 Minuten
Für 4 Personen

300 g getrocknete Kartoffel-Nudeln (s. Hinweis)
4 EL getrocknete schwarze Pilze
60 ml Sesamöl
2 EL Pflanzenöl
3 Knoblauchzehen, feingehackt
4 cm frischer Ingwer, geraspelt
2 Frühlingszwiebeln, feingehackt
2 Möhren, in 4 cm lange Stifte geschnitten
2 Frühlingszwiebeln extra, in 4 cm lange Stücke geschnitten
500 g Baby-Bok-Choy oder 250 g Spinat, grobgehackt
60 ml japanische Sojasauce
2 EL Mirin
1 TL Zucker
2 EL Sesam- und Algenstreupulver

•

1 Nudeln in einem großen Topf 5 Minuten in Wasser kochen, bis sie durchsichtig werden. Abtropfen lassen und unter fließendem kalten Wasser gründlich abspülen, bis sie kalt sind (hierdurch wird auch überschüssige Stärke entfernt). Mit der Küchenschere grob in kürzere Stücke schneiden, damit man sie leichter mit Eßstäbchen essen kann. Heißes Wasser über die schwarzen Pilze gießen und 10 Minuten einweichen lassen.

2 1 EL Sesamöl mit dem Pflanzenöl in einer großen, gußeisernen Pfanne oder im Wok erhitzen. Knoblauch, Ingwer und Frühlingszwiebeln 3 Minuten bei mittlerer Hitze unter regelmäßigem Rühren anbraten.

3 Möhren zugeben und 1 Minute mitbraten. Abgetropfte Nudeln, Extraportion Frühlingszwiebeln, Bok Choy, restliches Sesamöl, Sojasauce, Mirin und Zucker zugeben. Gut unterheben, damit Nudeln und Sauce gut vermischt werden. Abdekken und bei niedriger Hitze 2 Minuten kochen. Pilze zugeben, abdecken und 2 Minuten weiterkochen. Mit Sesam und Algen bestreuen und sofort servieren.

HINWEIS: Nudeln aus Kartoffelstärke werden auch als ›Koreanische Pasta‹ bezeichnet und sind in asiatischen Lebensmittelgeschäften erhältlich.

NÄHRWERT PRO PORTION: 10 g Eiweiß, 30 g Fett, 20 g Kohlenhydrate, 10 g Ballaststoffe, 0 mg Cholesterin, 1515 kJ (360 kcal)

SESAM- UND ALGENSTREUPULVER
Diese Mischung aus feingehackten Nori, schwarzen Sesamsamen und Salz wird auch als Gomashio bezeichnet und in der japanischen und koreanischen Küche über Nudeln, Salat und Eiergerichte gestreut. Sie ist in japanischen Lebensmittelgeschäften erhältlich und wird im Streuer angeboten.

RIPPCHEN MIT SESAM

•

Vorbereitungszeit: 30 Minuten
Gesamtkochzeit: 60 Minuten
Für 4–6 Personen

1 EL weiße Sesamsamen
1 kg Schweinerippchen, in 3 cm große Stücke geschnitten
2 EL Öl
2 Frühlingszwiebeln, feingehackt
4 cm frischer Ingwer, geraspelt
3 Knoblauchzehen, feingehackt
2 EL feiner Zucker
2 EL Sake
1 EL Sojasauce
2 TL Sesamöl
315 ml heißes Wasser
2 TL Stärke

•

1 Sesamsamen in einer trockenen Pfanne bei mittlerer Hitze 3–4 Minuten rösten. Dabei die Pfanne leicht schwenken, bis die Samen goldbraun sind. Samen alle zusammen aus der Pfanne nehmen, damit sie nicht anbrennen, und in einer Mühle mahlen oder im Mörser zerstoßen.
2 Überschüssiges Fett vom Schweinefleisch abtrennen. Öl in einer gußeisernen Bratpfanne erhitzen. Das Rippenfleisch auf höchster Stufe unter regelmäßigem Wenden knusprig braun braten. Überschüssiges Öl aus der Pfanne abgießen. Die Hälfte der Sesamsamen, Frühlingszwiebeln, Ingwer, Knoblauch, Zucker, Sake, Sojasauce, Sesamöl und Wasser zugeben und gut verrühren, damit das Fleisch gleichmäßig mit der Flüssigkeit bedeckt ist. Bei mittlerer Hitze aufkochen, dann abdecken und 45–50 Minuten unter gelegentlichem Rühren garen.
3 Stärke mit etwas kaltem Wasser zu einer glatten Masse verrühren. Unter den Pfanneninhalt rühren, bis die Mischung kocht und andickt. Die restlichen Sesamsamen darüber streuen. Mit gedünstetem Reis und nach Wunsch mit Kim Chi (s. S. 185) servieren.

NÄHRWERT PRO PORTION (6): 25 g Eiweiß, 55 g Fett, 10 g Kohlenhydrate, 1 g Ballaststoffe, 165 mg Cholesterin, 2805 kJ (665 kcal)

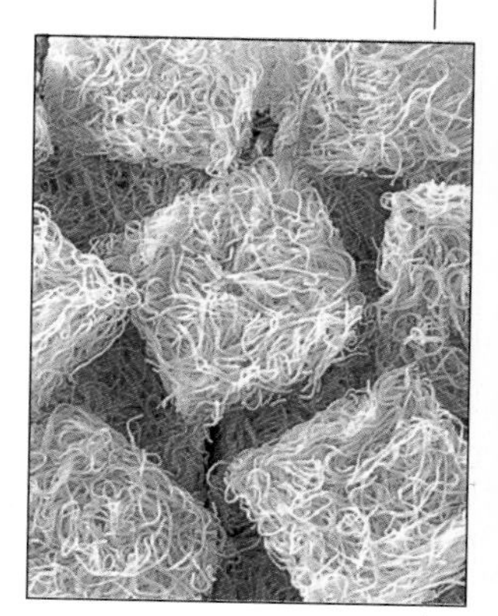

Oben: *Rippchen mit Sesam*

ERBSEN- UND REISPÜREEKÜCHLEIN MIT GEMÜSE

Abgekühlte Erbsen und Reis in der Küchenmaschine pürieren.

Gemüse mit einem scharfen Messer in Stifte schneiden.

Wenn die Unterseite fest ist, vorsichtig anheben, wenden und noch 2 Minuten weiterbacken.

Oben: *Erbsen- und Reispüreeküchlein mit Gemüse*

ERBSEN- UND REISPÜREEKÜCHLEIN MIT GEMÜSE

•

Vorbereitungszeit: 30 Minuten
Gesamtkochzeit: 50 Minuten
Ergibt ca. 15 Stück

☆☆

200 g getrocknete grüne Erbsen, halbiert (für das Püree)
100 g Rundkornreis
60 g Weizenmehl
2 Eier, geschlagen
250 ml Wasser
1 mittelgroße Möhre
½ grüne Paprika
½ rote Paprika
6 Frühlingszwiebeln
3 cm frischer Ingwer
2 Knoblauchzehen
2 TL Sojasauce
2 EL Öl
1 EL Sesamöl
zum Garnieren: in feine Scheiben geschnittene Frühlingszwiebeln
zum Servieren: süße Chilisauce

•

1 Erbsen und Reis im Sieb unter fließendem kaltem Wasser waschen, bis das Wasser klar wird. In eine Pfanne geben, mit kaltem Wasser aufgießen und aufkochen. 25 Minuten kochen, bis die Erbsen richtig weich sind (evtl. noch Wasser zugeben). Abkühlen lassen und in der Küchenmaschine pürieren. Mehl, Eier und einen Großteil des Wassers zugeben und zu einem glatten Teig schlagen. Noch etwas Wasser zugeben, bis die Mischung zu einer dickflüssigen Masse wird. (Eventuell etwas mehr Wasser als im Rezept nehmen.)

2 Möhren, Paprika und Frühlingszwiebeln in feine, ca. 3 cm lange Stifte schneiden. Ingwer fein raspeln und Knoblauch hacken. Teig in eine Schüssel gießen und Gemüse, Ingwer, Knoblauch und Sojasauce unterrühren.

3 Gußeiserne Pfanne auf mittlerer Stufe erhitzen und anschließend mit etwas Öl und Sesamöl auspinseln. 2 EL Teig hineingießen und 3–5 Minuten backen. Wenn die Unterseite fest ist, das Küchlein vorsichtig vom Pfannenboden lösen und wenden. Von der anderen Seite 2 Minuten backen. Pfanne ca. 30 Sekunden abdecken, damit der Kuchen gar wird, dann auf einen Teller geben. Während der Zubereitung die fertigen Küchlein im Ofen warm stellen.

4 Frühlingszwiebeln über die Küchlein streuen und mit süßer Chilisauce servieren.

NÄHRWERT PRO KÜCHLEIN: 5 g Eiweiß, 5 g Fett, 15 g Kohlenhydrate, 2 g Ballaststoffe, 25 mg Cholesterin, 565 kJ (135 kcal)

GLASNUDELN MIT GEBRATENEM RINDFLEISCH UND GEMÜSE

•

Vorbereitungszeit: 40 Minuten (+ 30 Minuten Einweichen und Marinieren)
Gesamtkochzeit: 25 Minuten
Für 4 Personen

8 getrocknete chinesische Pilze
150 g getrocknete Glasnudeln
1 EL weiße Sesamsamen
150 g Lendensteak, angefroren
4 Knoblauchzehen, feingehackt
2 EL Sojasauce
2 EL Wasser
2 TL Sesamöl
1–2 TL rote Chillies, frisch gehackt
1 große Möhre
½ mittelgroße rote Paprika
75 g Spargelspitzen
2 EL Öl
6 Frühlingszwiebeln, in dünne Ringe geschnitten
zum Servieren: Sojasauce und Sesamöl

•

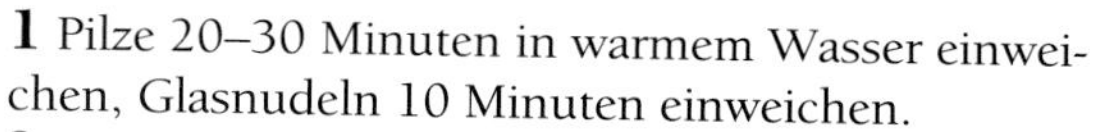

1 Pilze 20–30 Minuten in warmem Wasser einweichen, Glasnudeln 10 Minuten einweichen.
2 Sesamsamen in einer trockenen Pfanne bei mittlerer Hitze 3–4 Minuten rösten, bis sie goldbraun sind, dabei Pfanne leicht schwenken. Alle Samen sofort herausnehmen, damit sie nicht anbrennen.
3 Steak in hauchdünne Streifen schneiden. Steak, Knoblauch, Sojasauce, Wasser, Sesamöl und Chillies mischen und 15 Minuten ziehen lassen. Möhre und Spargel in dünne, ca. 4 cm lange Streifen schneiden. Glasnudeln und Pilze abtropfen lassen und 2 EL Pilzflüssigkeit auffangen. Pilze in feine Scheiben schneiden, den harten Stiel aber nicht verwenden. Pilze und Fleisch mischen, abtropfen lassen und beiseite stellen.
4 Wok auf mittlerer Stufe heiß werden lassen. Öl hineingeben und Fleisch- und Pilzemischung in 2 Portionen unter Rühren braten. Fleisch schnell knusprig braten, doch nicht zu lange garen. Herausnehmen. Öl hineingeben und Gemüse 2 Minuten unter Rühren braten, dann abdecken und 1 Minute dünsten, bis es leicht weich wird. Glasnudeln, aufgefangene Flüssigkeit und Frühlingszwiebeln zugeben und gut unterheben. Fleisch wieder in die Pfanne geben, zudecken und 1 Minute dünsten.
5 Glasnudeln auf vier Eßschüsselchen verteilen, Sesamsamen darüber streuen und mit einer Extraportion Sojasauce und Sesamöl servieren.

NÄHRWERT PRO PORTION: 15 g Eiweiß, 15 g Fett, 35 g Kohlenhydrate, 3 g Ballaststoffe, 20 mg Cholesterin, 1440 kJ (340 kcal)

HÜHNEREINTOPF

•

Vorbereitungszeit: 30 Minuten
Gesamtkochzeit: 50 Minuten
Für 4 Personen

1 Huhn (gut 1½ kg)
6 Knoblauchzehen, feingehackt
4 Frühlingszwiebeln, gehackt
1 TL koreanisches Chilipulver (s. Hinweis S. 187)
2 EL japanische Sojasauce
2 EL Sesamöl
1 EL Reisessig
2 Zucchini, in dicke Scheiben geschnitten

•

1 Huhn in Viertel und dann in mundgerechte Stücke schneiden. Die Knochen dabei gerade durchhacken.

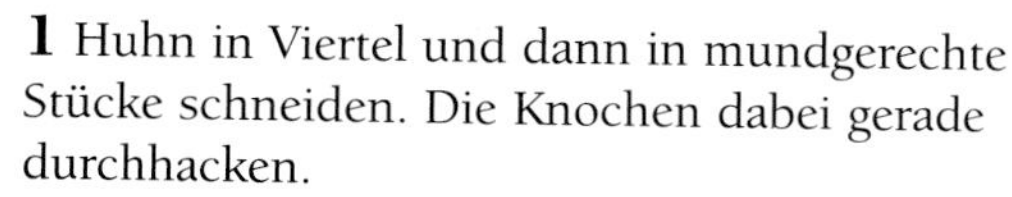

2 Huhn, Knoblauch, Frühlingszwiebeln, Chilipulver, Sojasauce, Sesamöl, Essig und Zucchini in einer gußeisernen Pfanne oder feuerfesten Kasserolle mischen. Fleisch gut von allen Seiten in der Sauce wenden. Abdecken und die Mischung bei niedriger Hitze 45–50 Minuten backen, bis das Huhn ganz zart ist.

NÄHRWERT PRO PORTION: 35 g Eiweiß, 15 g Fett, 2 g Kohlenhydrate, 2 g Ballaststoffe, 115 mg Cholesterin, 1280 kJ (305 kcal))

Oben: *Hühnereintopf*

JAPAN

Essen in Japan ist ein Hochgenuß für Augen und Gaumen. Die Gerichte werden kunstvoll angerichtet, nur ganz frische Zutaten verarbeitet. Gewürze finden in der japanischen Küche nur sehr sparsam Verwendung; vielmehr kommt es darauf an, den Eigengeschmack der einzelnen Zutaten hervorzuheben und zu unterstreichen. Der für japanische Gerichte charakteristische Geschmack beruht auf verschiedenen Grundzutaten: Dashi, einer Brühe aus getrocknetem Fisch und getrocknetem Seetang, den Reisweinen Mirin und Sake sowie den aus Sojabohnen hergestellten Produkten Miso, Tofu und Sojasauce.

SUSHI

Ein Viertel der Reismenge auf die untere Hälfte des Nori-Blattes streichen, einen schmalen Rand freilassen.

Das Nori-Blatt mit Reis und Zutaten von der unten liegenden Seite her fest aufrollen.

Mit einem scharfen Messer die Rolle in etwa 2,5 cm dicke Scheiben schneiden.

Oben: *Sushi*

SUSHI

•

Vorbereitungszeit: 45 Minuten
Gesamtkochzeit: 10 Minuten
Ergibt ca. 30 Stück

220 g Rundkornreis
500 ml Wasser
2 EL Reisessig
1 EL feiner Zucker
1 TL Salz
125 g frischer Lachs, Thunfisch oder Forelle
1 kleine Salatgurke, geschält
½ kleine Avocado (nach Belieben)
4 Nori-Blätter
zum Abschmecken: Wasabi
3 EL eingelegter Ingwer (s. S. 189)
zum Servieren: japanische Sojasauce und Wasabi

•

1 Reis in einem Sieb unter fließendem Wasser waschen, gut abtropfen lassen. Mit dem Wasser in einen Topf geben und zum Kochen bringen. Hitze reduzieren und 4–5 Minuten köcheln lassen, bis das Wasser aufgesogen ist, dann zugedeckt bei schwacher Hitze weitere 4–5 Minuten garen. Vom Herd nehmen und 10 Minuten nachquellen lassen.
2 Essig, Zucker und Salz mischen und zum Reis geben. Mit einem Holzlöffel so lange rühren, bis der Reis abgekühlt ist.
3 Fisch in dünne Streifen schneiden. Gurke und evtl. Avocado in etwa 5 cm lange Stifte schneiden.
4 Ein Nori-Blatt quer auf Pergamentpapier oder einer Sushimatte auslegen. Ein Viertel der Reismenge auf die untere Blatthälfte streichen, dabei an allen drei Seiten einen 2 cm breiten Rand lassen. Einen sehr dünnen Strang Wasabipaste quer über die Mitte auf den Reis geben, dann die Fischstreifen, die Gurken- und Avocadostifte und den Ingwer auf dem Wasabistrang verteilen.
5 Mit Hilfe des Pergamentpapiers oder der Sushimatte das Nori-Blatt von unten fest aufrollen, so daß sich der Reis um die Zutaten in der Mitte legt. Die obere Längsseite gut andrücken. Mit den verbleibenden Nori-Blättern und Zutaten ebenso verfahren. Vor dem Servieren die Rolle mit einem scharfen Messer in 2,5 cm breite Scheiben schneiden. Das Sushi auf kleinen Tellern anrichten. Dazu in Schälchen Sojasauce und Wasabi reichen, die nach Geschmack gemischt und als Dip verwendet werden.
HINWEIS: Der Fisch muß unbedingt ganz frisch sein! Das Sushi kann bis zu 4 Stunden vorher zubereitet und zugedeckt im Kühlschrank aufbewahrt werden. Die Rollen am besten erst direkt vor dem Servieren aufschneiden. Sushimatten (gibt es in asiatischen Lebensmittelgeschäften) erleichtern das Aufrollen.

NÄHRWERT PRO STÜCK: 2 g Eiweiß, 1 g Fett, 10 g Kohlenhydrate, 0 g Ballaststoffe, 2 mg Cholesterin, 235 kJ (55 kcal)

GEDÄMPFTES HUHN MIT SAKE

•

Vorbereitungszeit: 25 Minuten (+ 30 Minuten Marinieren)
Gesamtkochzeit: 15–20 Minuten
Für 4 Personen

500 g Hühnerbrustfilets mit Haut
1 EL Salz
80 ml Sake
2 EL Zitronensaft
4 cm frischer Ingwer, in ganz feine Stifte geschnitten

•

Sauce
2 EL japanische Sojasauce
1 EL Mirin
1 TL Sesamöl
1 Frühlingszwiebel, in Ringe geschnitten

•

Garnierung
2 Frühlingszwiebeln
1/2 rote Paprika

•

1 Mit einer Gabel die Haut der Filets an mehreren Stellen einstechen. Das Fleisch mit der Haut nach oben in eine flache Schale legen, mit Salz bestreuen. Sake, Zitronensaft und Ingwer mischen und diese Marinade über das Fleisch gießen. Zudecken und im Kühlschrank 30–40 Minuten ziehen lassen.
2 Die Zutaten für die Sauce in einer kleinen Schüssel mischen.
3 Für die Garnierung die geputzten Frühlingszwiebeln schräg in dünne, ovale Scheiben schneiden. Die halbe rote Paprika mit der Haut nach unten auf ein Brett legen und mit einem flach gehaltenen Messer die weißen Scheidewände entfernen. Dann die Paprikahälfte in feine, 3 cm lange Streifen schneiden.
4 Ein Bambussieb oder einen Dämpfeinsatz mit Backpapier auslegen und die Hühnerbrust mit der Haut nach oben hineinlegen. In einen Wok oder einen entsprechend großen Topf 500 ml Wasser füllen, den Dämpfeinsatz hineinstellen. Zudecken und über sacht kochendem Wasser das Fleisch in 15–20 Minuten gar dämpfen.
5 Das Fleisch in mundgerechte Stücke schneiden (Haut nach Wunsch entfernen). Die Stücke auf einer Servierplatte anrichten und die Sauce darüber träufeln. Mit den Paprikastreifen und den Frühlingszwiebeln garnieren. Warm oder kalt, auf Wunsch mit Reis, servieren.

NÄHRWERT PRO PORTION: 25 g Eiweiß, 15 g Fett, 5 g Kohlenhydrate, 1 g Ballaststoffe, 75 mg Cholesterin, 1085 kJ (260 kcal)

Oben: *Sashimi*

SASHIMI

•

Vorbereitungszeit: 30 Minuten
Gesamtkochzeit: keine
Für 4 Personen

500 g frischer Fisch, z. B. Thunfisch, Lachs, Königsmakrele, Lachsforelle, Schnappbarsch, Wittling, Brassen oder Zackenbarsch
1 Möhre
1 Daikon-Rettich
zum Servieren: japanische Sojasauce und Wasabi

•

1 Falls nötig, die Haut mit einem scharfen Messer vom Fisch entfernen. Den Fisch im Tiefkühlfach so weit anfrieren lassen, daß er sich gut in gleichmäßige, etwa 5 mm dünne Scheiben schneiden läßt. Jede Scheibe sollte möglichst mit nur einem durchgehenden Schnitt in einer Richtung abgetrennt werden.
2 Von der Möhre und dem Rettich lange feine Streifen schaben oder sehr fein schneiden.
3 Die rohen Fischscheiben (Sashimi) auf einer Platte anrichten. Mit den Möhren- und Rettichstreifen garnieren und mit Sojasauce und Wasabi servieren.
HINWEIS: Der Fisch muß absolut frisch sein!

NÄHRWERT PRO PORTION: 30 g Eiweiß, 5 g Fett, 2 g Kohlenhydrate, 1 g Ballaststoffe, 55 mg Cholesterin, 740 kJ (175 kcal)

SASHIMI UND SUSHI

Die zufällige Entdeckung, daß frische Fischfilets, auf Reis gebettet und mit Reisessig beträufelt, nicht nur frisch bleiben, sondern auch ein angenehmes Aroma entwickeln, wurde der Legende nach in den Hütten einfacher japanischer Fischer gemacht. Heute haben sich spezialisierte Sushi-Bars diesen Gerichten verschrieben; Sashimi und Sake werden dort traditionell als erster Gang serviert, gefolgt von einer breiten Auswahl Sushi mit verschiedenen Beilagen. Die hochqualifizierten Köche sind Meister ihres Fachs.

SUNOMONO
(GARNELEN-GURKEN-SALAT)

•

Vorbereitungszeit: 20 Minuten
(+ 60 Minuten Marinieren)
Gesamtkochzeit: 5 Minuten
Für 4 Personen

1 Schmorgurke
375 g frische Garnelen
60 ml Reisessig
1 EL feiner Zucker
1 EL japanische Sojasauce
1 TL frischer Ingwer, feingerieben
1 EL japanische weiße Sesamsamen

•

1 Gurke schälen und der Länge nach teilen. Mit einem Teelöffel die Kerne herausschaben. Die Gurkenhälften in Scheiben schneiden, mit Salz bestreuen und 5 Minuten zur Seite stellen. Dann unter fließendem Wasser abspülen, um das Salz zu entfernen, und mit Küchenpapier trockentupfen.
2 Garnelen in einen Topf mit leicht gesalzenem, kochendem Wasser geben und etwa 2 Minuten köcheln. Mit einem Schaumlöffel herausnehmen und in kaltes Wasser geben. Die abgekühlten Garnelen schälen und ausnehmen, ohne die Schwanzflosse zu entfernen.
3 Essig, Zucker, Sojasauce und Ingwer in einer Schüssel mischen und so lange rühren, bis sich der Zucker aufgelöst hat. Garnelen und Gurke in die Marinade geben und zugedeckt im Kühlschrank 1 Stunde ziehen lassen.
4 Die Sesamsamen in einer trockenen Pfanne bei mittlerer Hitze 3–4 Minuten goldbraun rösten; dabei die Pfanne ab und zu schütteln, damit sie nicht verbrennen. Dann sofort aus der Pfanne nehmen.
5 Garnelen und Gurkenscheiben aus der Marinade nehmen und gut abtropfen lassen. Auf einer Platte anrichten, mit Sesam bestreuen und servieren.

NÄHRWERT PRO PORTION: 15 g Eiweiß, 5 g Fett, 5 g Kohlenhydrate, 1 g Ballaststoffe, 180 mg Cholesterin, 525 kJ (125 kcal)

Oben: *Sunomono*

REISBÄLLCHEN

•

Vorbereitungszeit: 40 Minuten
Gesamtkochzeit: 2 Minuten
Für 4–6 Personen

275 g Rundkornreis
350 ml Wasser
2 TL schwarze Sesamsamen
50 g geräucherter Lachs, kleingeschnitten
2 EL eingelegter Ingwer (s. S. 189), kleingeschnitten
2 Frühlingszwiebeln, feingeschnitten

•

1 Reis unter fließendem Wasser gründlich waschen. In einem schweren Topf mit dem Wasser zum Kochen bringen. Hitze stark reduzieren, Deckel auflegen und weitere 15 Minuten kochen. Vom Herd nehmen und zugedeckt 20 Minuten nachquellen lassen.
2 Sesamsamen in einer trockenen Pfanne bei schwacher Hitze 1–2 Minuten leicht rösten.
3 Den geschnittenen Lachs, Ingwer und Frühlingszwiebeln in einer kleinen Schüssel mischen. Mit nassen Händen aus dem Reis ein kleines Bällchen (etwa 60 g) formen; 2 TL der Lachsmischung in die Mitte drücken und den Ball durch Drehen in den Händen wieder schließen. Den gesamten Reis und die Füllung so verarbeiten, dabei die Hände zwischendurch immer wieder nass machen.
4 Die Reisbällchen auf einer Platte anrichten und mit Sesam bestreuen.

NÄHRWERT PRO PORTION (6): 5 g Eiweiß, 2 g Fett, 40 g Kohlenhydrate, 1 g Ballaststoffe, 5 mg Cholesterin, 770 kJ (185 kcal)

TOFU-MISO-SUPPE

•

Vorbereitungszeit: 15 Minuten
Gesamtkochzeit: 7 Minuten
Für 4 Personen

250 g fester Tofu
1 Frühlingszwiebel
1 l Wasser
80 g Dashi-Granulat
100 g Miso
1 EL Mirin

•

1 Tofu mit einem scharfen Messer in 1 cm große Würfel schneiden. Frühlingszwiebel schräg in 1 cm dicke Stücke schneiden.
2 Das Dashi-Granulat mit Wasser in einen kleinen Topf füllen, mit einem Holzlöffel verrühren und zum Kochen bringen.
3 Hitze reduzieren, Miso und Mirin einrühren; dabei darauf achten, daß die Brühe nicht kocht (damit sich das Miso-Aroma nicht verflüchtigt). Die Tofuwürfel in der heißen, aber nicht kochenden Brühe bei mittlerer Hitze etwa 5 Minuten erhitzen. Die Suppe portionsweise anrichten und mit der geschnittenen Frühlingszwiebel garnieren.

NÄHRWERT PRO PORTION: 5 g Eiweiß, 5 g Fett, 1 g Kohlenhydrate, 0 g Ballaststoffe, 0 mg Cholesterin, 260 kJ (60 kcal)

DASHI AUS GRANULAT HERSTELLEN

Dashi gibt es als gekörnte Brühe (Dashi-Nomoto) zu kaufen. Das Granulat wird in heißem Wasser aufgelöst. Beim Zubereiten hält man sich am besten an die Mengenangaben des jeweiligen Herstellers. Im allgemeinen löst man 80 g Granulat in 1 l Wasser auf. Nach Belieben kann man die Brühe kräftiger oder schwächer bereiten.

Oben: *Tofu-Miso-Suppe*
Links: *Reisbällchen*

TEPPAN YAKI

(GEGRILLTES FLEISCH MIT GEMÜSE)

•

Vorbereitungszeit: 45 Minuten
Gesamtkochzeit: 25 Minuten
Für 4 Personen

350 g Rinderfilet, leicht angefroren
4 kleine längliche Auberginen
100 g frische Shiitake-Pilze
100 g zarte grüne Bohnen
6 Baby-Kürbisse, grün oder gelb
1 rote oder grüne Paprika, entkernt
6 Frühlingszwiebeln, äußere Schicht entfernt
200 g Bambussprossen (Abtropfgewicht) aus der Dose
60 ml Öl
zum Servieren: Soja-Ingwer-Sauce oder Sesamsauce (s. S. 168)

•

1 Rinderfilet in sehr dünne Scheiben schneiden und diese auf einer großen Platte anrichten. Mit reichlich Salz und frisch gemahlenem Pfeffer würzen, beiseite stellen.

2 Von den Auberginen die Enden abschneiden und die Früchte diagonal in sehr dünne, lange Scheiben schneiden. Von den Pilzen die harten Stielenden entfernen. Bohnen putzen; sind sie länger als etwa 7 cm, einmal teilen. Die Baby-Kürbisse je nach Größe halbieren oder vierteln. Paprika putzen und in feine Streifen, Frühlingszwiebeln in etwa 7 cm lange Stücke schneiden. Das gesamte Gemüse nebeneinander auf einer Platte anrichten.

3 Einen elektrischen Tischgrill in die Mitte des Tisches stellen; heiß werden lassen und leicht mit Öl bepinseln. Etwa ein Viertel des Fleisches auflegen, von beiden Seiten rösten und dann an die Seite schieben. Nun etwa ein Viertel des Gemüses unter ständigem Bewegen braten, evtl. noch etwas Öl zufügen. Jeweils eine kleine Portion Fleisch und Gemüse mit den Saucen als Dip servieren. Den Vorgang wiederholen, bis alle Zutaten verarbeitet sind. Dazu paßt Reis.

NÄHRWERT PRO PORTION: 25 g Eiweiß, 20 g Fett, 20 g Kohlenhydrate, 10 g Ballaststoffe, 60 mg Cholesterin, 1440 kJ (345 kcal)

TEPPAN YAKI

In auf Teppan Yaki spezialisierten japanischen Restaurants werden die Speisen vor den Augen der Gäste zubereitet. Die Gäste sitzen an einer Art Tresen mit einer Heizplatte in der Mitte. Auf die Optik und Präsentation wird großer Wert gelegt. Fleisch und Gemüse werden kunstgerecht geschnitten, fein gewürzt, dann auf der Heizplatte gegart und jedem Gast einzeln serviert. Mit einem Tischgrill geht das auch zu Hause.

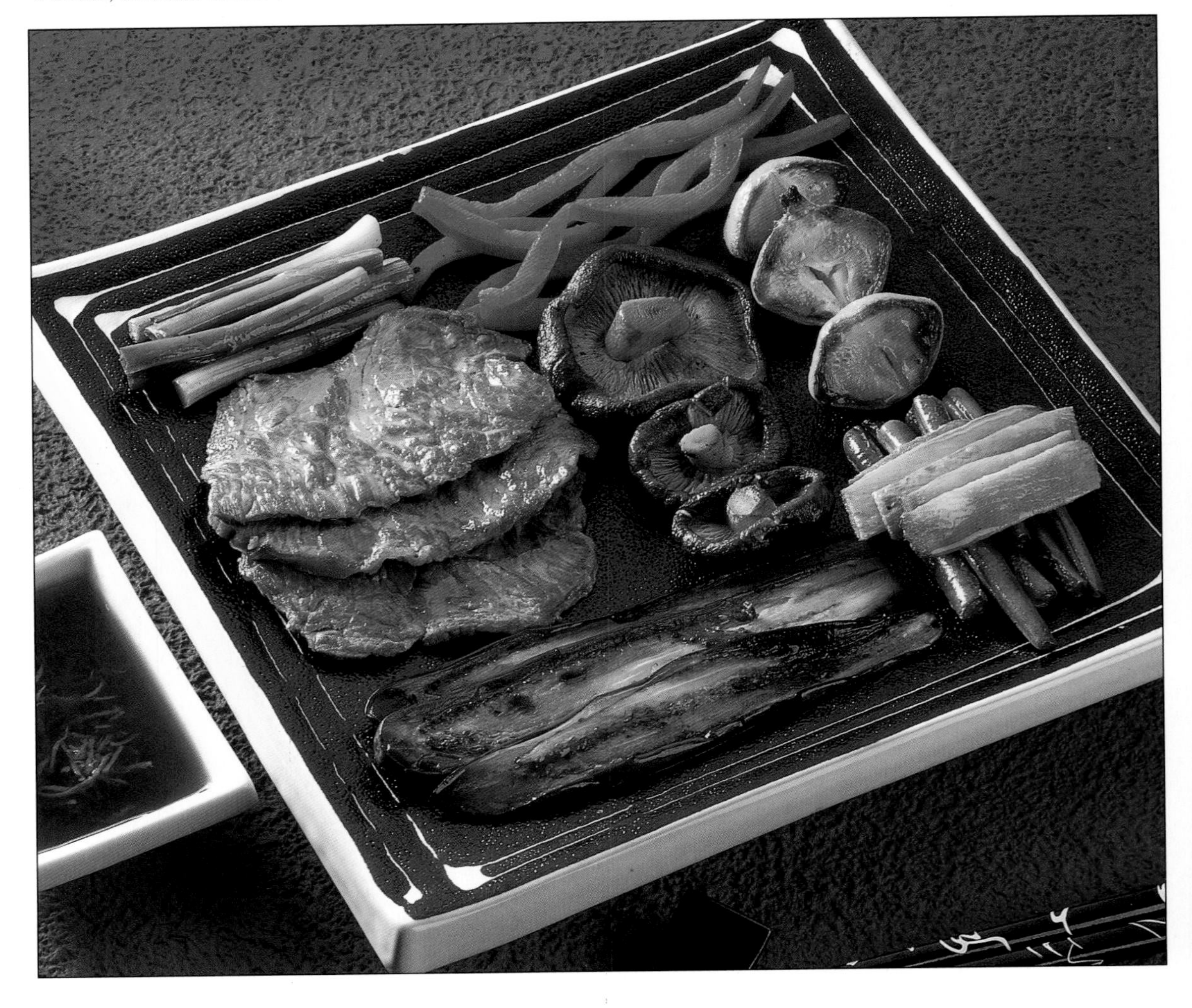

Rechts: *Teppan Yaki*

SHABU-SHABU
(RINDFLEISCH-GEMÜSE-TOPF)

•

Vorbereitungszeit: 50 Minuten
(+ 30 Minuten Einfrieren)
Gesamtkochzeit: 30 Minuten
Für 4 Personen

750 g Rinderfilet, leicht angefroren
15 Frühlingszwiebeln
3 Möhren
400 g junge Champignons
½ Chinakohl
150 g fester Tofu
220 g Rundkornreis, gekocht
2 l Hühnerbrühe
zum Servieren: Sesamsauce (s. S. 168) oder fertige Shabu-Shabu-Sauce

•

1 Rinderfilet in sehr dünne Scheiben schneiden und beiseite stellen. Frühlingszwiebeln (ohne Grün) in 4 cm lange Stücke, Möhren und Champignons in dünne Scheiben schneiden. Chinakohl in mundgerechte Stücke teilen, dabei die festen Blattrippen entfernen. Tofu in mundgerechte Würfel schneiden.

2 Das vorbereitete Gemüse, den Tofu und das Fleisch nebeneinander auf einer Platte anrichten. Mit Folie abdecken und bis etwa eine halbe Stunde vor Beginn des Essens im Kühlschrank aufbewahren.

3 Den Tisch vorbereiten – für jeden Gast einen tiefen Teller, ein Schälchen Sesamsauce, eine Schüssel Reis, Stäbchen, einen Suppenlöffel und eine Serviette.

4 Die Hühnerbrühe in den Topf (s. Hinweis) gießen, zudecken und bis kurz vor dem Sieden erhitzen. Mit den Stäbchen nimmt sich nun jeder ein oder zwei Stücke und hält sie für etwa 1 Minute in die siedende Brühe; nicht zu lange, denn das Gemüse soll knackig und das Fleisch in der Mitte noch leicht rosa sein. Die gegarten Stücke werden in die Sauce gedippt und mit Reis gegessen. Zum Schluß kann die Hühnerbrühe als Suppe serviert werden.

HINWEIS: Anstelle der Hühnerbrühe kann auch Dashi, zubereitet aus Granulat, verwendet werden. Als Gefäß für die Brühe eignet sich ein elektrischer Wok, ein Kochtopf auf einem Spiritusbrenner oder ein asiatischer Feuertopf.

NÄHRWERT PRO PORTION: 50 g Eiweiß, 15 g Fett, 25 g Kohlenhydrate, 5 g Ballaststoffe, 130 mg Cholesterin, 1775 kJ (425 kcal)

GERÖSTETE SESAMSAMEN
Sesam ist die Hauptzutat der Shabu-Shabu-Sauce. Die Samen werden bei schwacher Hitze sanft geröstet, entweder in einer Pfanne ohne Fett oder im Backofen. So entfalten sie ihr nussiges Aroma.

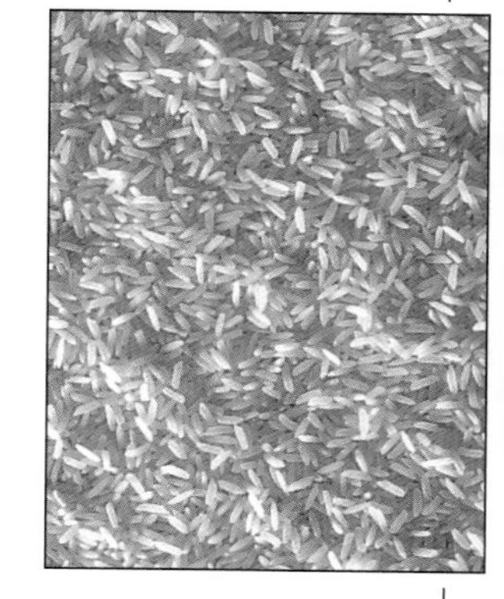

Oben: *Shabu-Shabu*

PIKANTER EIERSTICH

Vorbereitungszeit: 20 Minuten
Gesamtkochzeit: 20 Minuten
Für 6 Personen

200 g Hühnerbrustfilets, in mundgerechte Stücke geschnitten
2 TL Sake
2 TL japanische Sojasauce
2 Lauchstangen, in Scheiben geschnitten
1 kleine Möhre, in Scheiben geschnitten
200 g Spinat, grobgehackt

Eierstich
1 l kochendes Wasser
80 g Dashi-Granulat
2 EL japanische Sojasauce
6 Eier

1 Das geschnittene Hühnerfilet auf 6 ofenfeste Suppentassen oder Schüsselchen verteilen. Sake und Sojasauce mischen und über das Fleisch gießen.
2 Das vorbereitete Gemüse auf die 6 Portionen verteilen.
3 Für den Eierstich: Dashi-Granulat in kochendem Wasser auflösen, die Brühe ganz abkühlen lassen. Eier und Sojasauce mischen und in die Brühe rühren. Durch ein Sieb zu gleichen Teilen in die Suppenschalen gießen.
4 Die Suppenschalen mit Alufolie bedecken und 20–30 Minuten in ein siedendes Wasserbad stellen. Um festzustellen, ob der Eierstich fertig ist, mit einer Spicknadel in die Mitte stechen; nach dem Herausziehen dürfen keine Eireste an der Nadel kleben. Sofort servieren.

NÄHRWERT PRO PORTION: 15 g Eiweiß, 5 g Fett, 2 g Kohlenhydrate, 2 g Ballaststoffe, 240 mg Cholesterin, 595 kJ (140 kcal)

TEMPURA
Die japanische Küche kennt verschiedene Arten des Fritierens, die bekannteste ist jedoch Tempura, das Ausbacken in Teig. Überall in Japan gibt es Tempura-Bars und -Restaurants, die die Zubereitung der knusprigen Delikatessen bis zur Perfektion beherrschen. Das verwendete Öl sollte leicht und rein sein; am besten eignet sich Pflanzenöl, das mit einigen Tropfen Sesamöl aromatisiert werden kann.

GARNELEN- UND GEMÜSE-TEMPURA

Vorbereitungszeit: 40 Minuten
Gesamtkochzeit: 15 Minuten
Für 4 Personen

20 große, frische Garnelen
etwas Weizenmehl oder Tempuramehl für den Teigmantel
215 g Tempuramehl
440 ml Eiswasser
2 Eigelb
Öl zum Fritieren
1 große Zucchini, in Streifen geschnitten
1 rote Paprika, in Streifen geschnitten
1 Zwiebel, in Ringe geschnitten
zum Servieren: japanische Sojasauce

1 Garnelen schälen und ausnehmen, ohne den Schwanz abzutrennen. An den Unterseiten je 4 flache Einschnitte vornehmen und die Garnelen geradeziehen. Dann die Garnelen in Mehl wälzen, den Schwanz aber unbedeckt lassen. Überschüssiges Mehl abschütteln.
2 In einer großen Schüssel Eiswasser, Mehl und Eigelb schnell zu einem dünnflüssigen Teig verquirlen; nicht zu kräftig rühren. Kleine Klümpchen sind normal. Den Teig sofort weiterverarbeiten.
3 Öl in einer Friteuse oder einem Topf mäßig erhitzen; es ist heiß genug, wenn sich an einem hineingehaltenen Holzlöffelstiel kleine Blasen bilden. Die Garnelen in den Teig tauchen (der Schwanz bleibt frei) und im heißen Öl goldgelb ausbacken. Immer 2–3 Stück zusammen fritieren. Herausnehmen und auf Küchenpapier abtropfen lassen. Mit den vorbereiteten Gemüsestücken ebenso verfahren. Sofort mit Sojasauce, die mit kleingeschnittenem frischen Ingwer verfeinert werden kann, servieren.
HINWEIS: Tempuramehl ist in speziellen asiatischen Lebensmittelgeschäften erhältlich. Mit diesem Mehl wird der Tempura-Teig am leichtesten. Man kann auch Weizenmehl verwenden, doch dann wird der Teig ein wenig schwerer.

NÄHRWERT PRO PORTION: 30 g Eiweiß, 25 g Fett, 50 g Kohlenhydrate, 5 g Ballaststoffe, 231 mg Cholesterin, 2190 kJ (520 kcal)

Rechts: *Garnelen- und Gemüse-Tempura*

Oben: *Fritiertes Hühnerfleisch mit Nori*

FRITIERTES HÜHNERFLEISCH MIT NORI

•

Vorbereitungszeit: 25 Minuten (+ 15 Minuten Marinieren)
Gesamtkochzeit: 20 Minuten
Für 4 Personen

400 g Hühnerbrustfilets
60 ml japanische Sojasauce
60 ml Mirin
4 cm frischer Ingwer, feingerieben
1 Nori-Blatt, feingehackt oder in sehr kleine Stücke zerkrümelt
40 g Stärke
Öl zum Fritieren
zum Servieren: eingelegter Ingwer *(s. S. 189)* *und Gurkenscheiben*

•

1 Sorgfältig das Hühnerfleisch von sämtlichen Sehnen befreien, dann in mundgerechte, gleichmäßige Würfel schneiden; dünne Enden dabei entfernen. In eine Schüssel legen.
2 Sojasauce, Reiswein und Ingwer mischen und das Fleisch in dieser Marinade etwa 15 Minuten ziehen lassen. Danach abtropfen lassen.

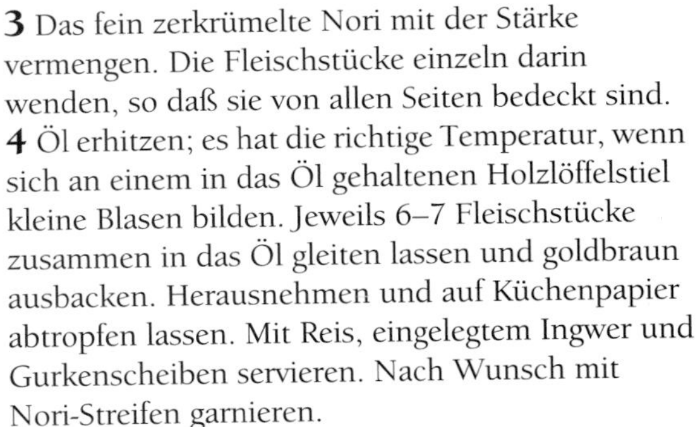

3 Das fein zerkrümelte Nori mit der Stärke vermengen. Die Fleischstücke einzeln darin wenden, so daß sie von allen Seiten bedeckt sind.
4 Öl erhitzen; es hat die richtige Temperatur, wenn sich an einem in das Öl gehaltenen Holzlöffelstiel kleine Blasen bilden. Jeweils 6–7 Fleischstücke zusammen in das Öl gleiten lassen und goldbraun ausbacken. Herausnehmen und auf Küchenpapier abtropfen lassen. Mit Reis, eingelegtem Ingwer und Gurkenscheiben servieren. Nach Wunsch mit Nori-Streifen garnieren.

NÄHRWERT PRO PORTION: 25 g Eiweiß, 20 g Fett, 10 g Kohlenhydrate, 0 g Ballaststoffe, 50 mg Cholesterin, 1370 kJ (325 kcal)

•

MARINIERTE CHAMPIGNONS MIT FRÜHLINGSZWIEBELN

•

Vorbereitungszeit: 15 Minuten (+ 15 Minuten Marinieren)
Gesamtkochzeit: keine
Für 4 Personen

2 cm frischer Ingwer
500 g junge Champignons
6 Frühlingszwiebeln
60 ml japanischer Reisessig
60 ml japanische Sojasauce
2 EL Mirin

•

1 Ingwer in feine Scheiben schneiden und diese in eine Schüssel mit Eiswasser legen.
2 Champignons mit feuchtem Küchenpapier abreiben, Stielenden abschneiden. Frühlingszwiebeln samt dem grünen Teil in feine Röllchen schneiden. Dann Champignons und Frühlingszwiebeln in einer Schüssel vermengen.
3 Essig, Sojasauce und Mirin mit etwas Salz zu einer Marinade verrühren, über die Pilzmischung gießen und gut mischen. 15 Minuten ziehen lassen.
4 Die Pilzmischung mit einem Schaumlöffel aus der Marinade heben und abtropfen lassen. Auf einer Platte anrichten. Dann die Ingwerscheiben abtropfen lassen und über den Champignons verteilen.

NÄHRWERT PRO PORTION: 5 g Eiweiß, 0 g Fett, 5 g Kohlenhydrate, 5 g Ballaststoffe, 0 mg Cholesterin, 165 kJ (40 kcal)

SUKIYAKI
(RINDFLEISCH-GEMÜSE-TOPF)

•

Vorbereitungszeit: 60 Minuten
Gesamtkochzeit: 15 Minuten
Für 6 Personen

500 g Rinderfilet, leicht angefroren
3 kleine weiße Zwiebeln
5 Frühlingszwiebeln
1 große Möhre
400 g junge Champignons
½ kleiner Chinakohl
180 g Sojabohnensprossen
225 g Bambussprossen (Abtropfgewicht) aus der Dose
100 g fester Tofu
100 g frische Shirataki-Nudeln
6 Eier
60 ml Öl

•

Sauce
80 ml japanische Sojasauce
60 ml Rinderbrühe
60 ml Sake
60 ml Mirin
2 EL feiner Zucker

•

1 Mit einem scharfen Messer das angefrorene Rinderfilet in sehr dünne Scheiben schneiden. Auf einer großen Platte so anrichten, daß noch Platz für Gemüse, Tofu und Nudeln bleibt. Platte zugedeckt in den Kühlschrank stellen.
2 Zwiebeln jeweils in 6 Stücke schneiden. Von den Frühlingszwiebeln das dunkle Grün abschneiden, die hellen Teile in 4 cm lange Stücke schneiden. Möhre in 4 cm lange, streichholzgroße Stifte schneiden. Champignons putzen und einmal durchschneiden. Chinakohl in mundgerechte Stücke schneiden, harte Blattrippen dabei entfernen. Von den Sojabohnensprossen die dünnen Wurzelfäden abschneiden. Bambussprossen in gleich große Stücke, Tofu in 2 cm große Würfel schneiden. Gemüse und Tofu auf der Platte mit dem Fleisch dekorativ anrichten.
3 Nudeln etwa 3 Minuten garen; zu langes Kochen läßt sie auseinanderfallen. Abtropfen lassen und nach Wunsch mit einer Schere in kürzere Stücke schneiden. Die Nudeln ebenfalls auf der Platte anrichten.
4 Für die Sauce: Rinderbrühe, Sojasauce, Sake, Mirin und den Zucker in einer kleinen Schüssel verrühren, bis sich der Zucker aufgelöst hat.
5 Den Tisch decken. An jeden Platz gehören ein Schälchen mit Reis (s. Hinweis), ein weiteres für verquirltes Ei, ein Suppenteller, Stäbchen und Serviette. In die Mitte des Tisches die elektrische Pfanne stellen.
6 Die Pfanne heiß werden lassen und mit etwas Öl bepinseln. Zunächst etwa ein Drittel von jeder Gemüsesorte hineingeben und unter ständigem Bewegen braten. Das Gemüse an den Pfannenrand schieben, dann ein Drittel der Fleischscheiben nebeneinander in die Pfanne legen und von beiden Seiten jeweils etwa 30 Sekunden rösten. Etwas Sojasauce über das Fleisch träufeln. Je einen Teil der Nudeln und des Tofu in die Pfanne geben und mit den anderen Zutaten vermengen.
7 Jede Person schlägt ein Ei in ihr Schälchen und verquirlt es mit den Stäbchen. Die Sukiyaki mit den Stäbchen von der Pfanne nehmen und jeden Bissen in das verquirlte Ei dippen. Nach und nach die restlichen Zutaten zubereiten.
HINWEIS: Zu Sukiyaki wird traditionell kein Reis serviert, doch viele bevorzugen das Gericht mit dieser Beilage.

NÄHRWERT PRO PORTION: 35 g Eiweiß, 20 g Fett, 25 g Kohlenhydrate, 5 g Ballaststoffe, 280 mg Cholesterin, 1865 kJ (445 kcal)

SUKIYAKI
Aufgrund der im Buddhismus geltenden Regeln hinsichtlich des Fleischverzehrs war rotes Fleisch lange auf keiner japanischen Speisekarte zu finden. Erst Mitte des 19. Jahrhunderts wurde mit dieser Tradition gebrochen. Aus jener Zeit stammt das Sukiyaki. Die zu diesem Gericht gehörenden dünnen, gallertartigen Nudeln (Shirataki) werden aus der Stärke einer in Japan als ›Teufelszunge‹ bekannten Pflanze hergestellt. Die Nudeln sind auch getrocknet erhältlich.

Unten: *Sukiyaki*

SHICHIMI TOGARASHI
Diese in Japan sehr beliebte Würzmischung besteht aus grobgemahlenen Chiliflocken, japanischem Pfeffer (Sansho), weißen und schwarzen Sesamsamen (letztere manchmal durch Senfkörner ersetzt), getrockneten Nori-Algen, getrockneten Mandarinen- oder Tangerinenschalen und weißem Mohn; daher auch der Name ›Siebengewürz‹. Die Würzmischung sollte dunkel und trocken aufbewahrt werden, denn Feuchtigkeit und Licht beeinträchtigen das Aroma.

STEAK IN SESAM-MARINADE

•

Vorbereitungszeit: 25 Minuten (+ 30 Minuten Marinieren)
Gesamtkochzeit: 12 Minuten
Für 4 Personen

2 EL japanische weiße Sesamsamen
1 Knoblauchzehe, zerdrückt
3 cm frischer Ingwer, gerieben
2 EL japanische Sojasauce
1 EL Sake
1 TL feiner Zucker
500 g Rinderfilet, in 4 Steaks geschnitten
1 EL Öl
zum Garnieren: 3 Frühlingszwiebeln

•

Dip
4 cm frischer Ingwer
1/2 TL Shichimi Togarashi
125 ml japanische Sojasauce
2 TL Dashi-Granulat
2 EL Wasser

•

1 Sesam in einer trockenen Pfanne bei mittlerer Hitze 2 Minuten rösten, bis die Samen anfangen zu springen; dabei die Pfanne ab und zu rütteln. Die gerösteten Samen im Mörser zerstoßen.
2 Sesam, Knoblauch, Ingwer, Sojasauce, Sake und Zucker in eine Schüssel geben und so lange verrühren, bis sich der Zucker aufgelöst hat. Die Steaks in eine flache Form legen und die Marinade darüber geben; 30 Minuten ziehen lassen.
3 Für den Dip: Ingwer der Länge nach in feine dünne Streifen schneiden. Zusammen mit den anderen Zutaten für den Dip in eine Schüssel geben und alles verrühren.
4 Frühlingszwiebeln (ohne Grün) der Länge nach in etwa 4 cm lange, sehr feine Streifen schneiden. In eine Schüssel mit Eiswasser geben, bis sie sich aufrollen; herausnehmen und abtropfen lassen.
5 Die Steaks dünn mit Öl bepinseln und von jeder Seite etwa 4 Minuten braten oder grillen; 5 Minuten stehen lassen, dann schräg in diagonale Scheiben schneiden. Das Fleisch auf einer Platte anrichten und mit etwas Dip-Sauce beträufeln. Mit den gelockten Frühlingszwiebeln garnieren und zusammen mit Reis und dem Dip servieren.

NÄHRWERT PRO PORTION: 30 g Eiweiß, 20 g Fett, 5 g Kohlenhydrate, 2 g Ballaststoffe, 85 mg Cholesterin, 1265 kJ (300 kcal)

Unten: *Steak in Sesam-Marinade*

•

TONKATSU
(PANIERTE SCHWEINELENDEN-STEAKS)

•

Vorbereitungszeit: 35 Minuten (+ 2 Stunden Kühlen)
Gesamtkochzeit: 12 Minuten
Für 4 Personen

500 g Schweinelende
60 g Weizenmehl
6 Eigelb, mit 2 EL Wasser verquirlt
120 g japanisches Paniermehl
2 Frühlingszwiebeln
eingelegter Ingwer (s. S. 189) und eingelegter Daikon-Rettich
1 Nori-Blatt
Öl zum Braten
90 g Chinakohl, feingeschnitten
250 ml Tonkatsu-Sauce

•

1 Fleisch von Sehnen befreien und in 8 dünne Scheiben schneiden. Mit Salz und Pfeffer sparsam würzen, in Mehl wenden.
2 Jedes Steak zuerst in Eigelb, dann in Paniermehl wälzen. Die Panade mit den Fingern andrücken, damit sie gleichmäßig deckt und gut haftet. Fleischstücke nebeneinander auf eine Platte legen und unbedeckt 2 Stunden in den Kühlschrank stellen.
3 In der Zwischenzeit die Garnierung vorbereiten. Von den Frühlingszwiebeln die äußere Schicht abziehen und das dunkle Grün entfernen. Die Zwiebeln in feine Scheiben schneiden und diese in eine Schüssel mit kaltem Wasser legen. Ingwer und Rettich in Scheiben schneiden. Das Nori-Blatt mit einem scharfen Messer in 4 cm lange, feine Streifen schneiden.
4 In eine Pfanne 1 cm hoch Öl geben. Erhitzen, dann die Steaks bei mittlerer Hitze auf beiden Seiten goldbraun braten. Auf Küchenpapier abtropfen lassen.
5 Jedes Steak vorsichtig in 1 cm dicke Streifen schneiden und diese wieder zu der ursprünglichen

Steakform zusammenfügen. Auf jedes Steak ein kleines Bündel Nori-Streifen legen. Mit den abgetropften Frühlingszwiebeln, den Ingwer- und Rettichscheiben, Chinakohl und der Tonkatsu-Sauce servieren. Reis dazu reichen.
HINWEIS: Tonkatsu, eine Art Grillsauce, wird aus Tomaten, japanischer Sojasauce, Worcestersauce und Senf hergestellt.

NÄHRWERT PRO PORTION: 35 g Eiweiß, 20 g Fett, 35 g Kohlenhydrate, 2 g Ballaststoffe, 335 mg Cholesterin, 1860 kJ (440 kcal)

•

KALTE SOBA-NUDELN

•

Vorbereitungszeit: 25 Minuten
Gesamtkochzeit: 15 Minuten
Für 4 Personen

250 g getrocknete Soba-Nudeln
4 cm frischer Ingwer
1 mittelgroße Möhre
4 Frühlingszwiebeln (äußere Schicht entfernt)

•

Dip
375 ml Wasser
3 EL Dashi-Granulat
125 ml japanische Sojasauce
80 ml Mirin

•

Garnierung
1 Nori-Blatt
eingelegter Ingwer (s. S. 189)
eingelegter Daikon-Rettich, in dünne Scheiben geschnitten

•

1 Nudeln in einen großen Topf mit kochendem Wasser geben. Sobald das Wasser wieder kocht, 250 ml kaltes Wasser zugießen. Wasser erneut zum Kochen bringen und die Nudeln 2–3 Minuten bißfest garen. In ein Sieb abgießen und mit kaltem Wasser abschrecken. Abtropfen lassen und beiseite stellen.
2 Den Ingwer und die Möhre in 4 cm lange, streichholzgroße Stifte schneiden. Die Frühlingszwiebeln in feine Ringe schneiden. Alles in einen kleinen Topf mit kochendem Wasser geben und 30 Sekunden blanchieren. Herausnehmen und in Eiswasser abkühlen. In einem Sieb abtropfen lassen.
3 Alle Zutaten für den Dip in einem kleinen Topf mischen, je eine Prise Salz und Pfeffer zugeben. Die Sauce zum Kochen bringen, dann abkühlen lassen. Auf 4 kleine Schälchen verteilen.
4 Die abgekühlten Nudeln und das blanchierte Gemüse vermengen. Auf 4 Schüsselchen verteilen und jedes auf einen Teller stellen.
5 Das Nori-Blatt bei schwacher Hitze rösten; 15 Sekunden lang hin- und herbewegen. Mit einer Schere in dünne Streifen schneiden und dann über den Nudeln verteilen. Auf jeden Teller etwas eingelegten Ingwer und Rettich legen. Die Nudeln werden in die Sauce gedippt und dann gegessen.

NÄHRWERT PRO PORTION: 10 g Eiweiß, 2 g Fett, 55 g Kohlenhydrate, 1 g Ballaststoffe, 0 mg Cholesterin, 1185 kJ (280 kcal)

JAPANISCHES PANIERMEHL
Echtes japanisches Paniermehl aus getrockneten Weißbrotbröseln verleiht Gerichten wie Tonkatsu den für sie charakteristischen sehr feinen und delikaten Geschmack. Es ist in zwei Varianten erhältlich: fein und grob.

Oben: *Tonkatsu*
Unten: *Kalte Soba-Nudeln*

TEE Von China aus eroberte er die ganze Welt. Ob schwarz oder grün, pur oder aromatisiert – Tee ist in den meisten asiatischen Ländern ein wichtiger Bestandteil der Mahlzeiten.

SCHWARZER TEE
Er kommt hauptsächlich aus Indien, China und Sri Lanka. Durch Fermentation erhält der Tee seinen kräftig aromatischen Geschmack und seine charakteristische Farbe.
ASSAM: Der dunkle, würzig-malzige Tee schmeckt sehr gut mit Milch. Er wird im Nordosten Indiens angebaut.
DARJEELING: Der an den Südhängen des Himalaja angebaute Tee zeichnet sich durch sein edles, an Muskatellerwein erinnerndes Aroma und seine helle, goldgelbe Farbe aus.
CEYLON: Ein kräftiger, hocharomatischer Tee aus dem Hochland Sri Lankas, der für seine ausgezeichnete Qualität bekannt ist.
LAPSANG SOUCHONG: Ein berühmter Tee aus China oder Taiwan mit herzhaft kräftigem Geschmack, der sein typisch rauchig-teeriges Aroma durch ein spezielles Räucherverfahren erhält. Er schmeckt sehr gut mit Zitrone.
YUNNAN: Diesem chinesischen Tee, leicht und von hellgelber Farbe, werden gesundheitsfördernde Eigenschaften nachgesagt.

OOLONG-TEE
Die halbfermentierten Oolong-Tees sind kräftiger als grüne und milder als schwarze Tees. Sie werden oft mit Blütenblättern von Jasmin, Gardenien oder Rosen aromatisiert und dann als Pouchong gehandelt. Oolong-Tee kommt ursprünglich aus China, doch heute werden die besten Qualitäten in Taiwan produziert.
FORMOSA: Dieser Tee aus Taiwan hat einen dunklen Aufguß und schmeckt natürlich fruchtig.

GRÜNER TEE

Der nicht fermentierte Grüntee, vor allem im Osten geschätzt, wird oft zum Essen serviert. Man sagt ihm eine verdauungsfördernde Wirkung nach. Er wird nur schwach zubereitet – ein Teelöffel auf eine ganze Kanne – und nie mit Milch oder Zucker getrunken.

GUNPOWDER: Ein kleinblättriger, qualitativ hochwertiger Tee von blasser grüner Farbe und fruchtigem, leicht bitterem Geschmack.

JASMIN: Ein Grüntee aus China, der mit Jasmin-Blütenblättern aromatisiert wird.

SENCHA: Ein grüner Tee aus Japan von heller Farbe und feinem, delikatem Aroma.

GENMAI-CHA: Die Mischung aus gerollten grünen Teeblättern und geröstetem Reis entfaltet ein nussiges Aroma.

TEEMISCHUNGEN

Sie entstanden, um Preis- und Lieferschwankungen zu begegnen, und können aus 15–20 verschiedenen Teesorten bestehen.

ENGLISH BREAKFAST: Eine vollmundige Mischung aus kräftigem Indien- und Ceylontee.

IRISH BREAKFAST: Eine kräftige, Mischung aus Assam- und Ceylontees.

RUSSISCHER KARAWANENTEE: Eine Mischung aus Keemun- und Assamtee mit chinesischem Grüntee. Früher wurde er mit Karawanen von Indien nach Rußland transportiert.

EARL GREY: Diese Mischung aus Keemun- und Darjeelingtees wird mit Bergamott-Öl aromatisiert.

TEE PERFEKT ZUBEREITEN

1 Nur kaltes, frisches Wasser verwenden. Rasch zum Kochen bringen.

2 Eine glasierte Keramik- oder eine Porzellankanne halten den Tee am besten heiß; Kanne mit etwas heißem Wasser vorwärmen.

3 Pro Tasse einen gehäuften kleinen Löffel Teeblätter rechnen plus einen für die Kanne.

4 Nur sprudelnd kochendes Wasser über die Teeblätter gießen.

5 Den Deckel auf die Kanne legen und den Tee bis zu 5 Minuten ziehen lassen.

6 Den Tee in der Kanne kurz umrühren, dann durch ein Teesieb in die Tassen gießen.

7 Wird der Tee mit Milch getrunken, immer die Milch zuerst in die Tasse geben. Nach Belieben Zucker und eine Scheibe Zitrone zugeben.

Oben: *Duftend und voller Farbe – die Auswahl asiatischer Teesorten ist riesig.*

UDON-NUDELSUPPE

Vorbereitungszeit: 20 Minuten
Gesamtkochzeit: 16 Minuten
Für 4 Personen

400 g getrocknete Udon-Nudeln
1 l Wasser
3 TL Dashi-Granulat
2 mittelgroße Lauchstangen (ohne dunkles Grün), in sehr dünne Scheiben geschnitten
200 g Schweinelende, in dünne Streifen geschnitten
125 ml japanische Sojasauce
2 EL Mirin
4 Frühlingszwiebeln, sehr fein geschnitten
zum Servieren: Shimichi Togarashi

•

1 Nudeln in kochendem Wasser ca. 5 Minuten garen. Abgießen und warm stellen.
2 Wasser mit dem Dashi in einer großen Pfanne mischen und zum Kochen bringen. Lauch zugeben, Hitze reduzieren und 5 Minuten sieden lassen. Dann Schweinefleisch, Sojasauce, Mirin und einen Teil der Frühlingszwiebeln zugeben und etwa 2 Minuten köcheln lassen, bis das Fleisch gar ist.
3 Die Nudeln auf vier Suppenteller verteilen und mit der Suppe auffüllen. Mit Frühlingszwiebeln garnieren und mit Shimichi Togarashi servieren.

NÄHRWERT PRO PORTION: 25 g Eiweiß, 5 g Fett, 75 g Kohlenhydrate, 10 g Ballaststoffe, 26 mg Cholesterin, 1880 kJ (445 kcal)

Oben: *Udon-Nudelsuppe*

•

RÜHREI MIT ERBSEN UND GARNELEN

•

Vorbereitungszeit: 10 Minuten (+ 15 Minuten Einweichen)
Gesamtkochzeit: 7 Minuten
Für 4 Personen

10 g getrocknete Shiitake-Pilze
250 g frische Garnelen
4 Eier
1 TL Dashi-Granulat
2 TL japanische Sojasauce
2 TL Sake
2 TL Öl
100 g Erbsen, tiefgefroren
3 Frühlingszwiebeln, feingehackt

1 Pilze 15 Minuten in heißem Wasser einweichen; abgießen und in Scheiben schneiden. Garnelen schälen, ausnehmen und mit Küchenpapier trockentupfen.
2 Die Eier mit Dashi, Sojasauce und Sake gut verquirlen.
3 Öl in einer Pfanne erhitzen. Die Garnelen unter ständigem Wenden bei mittlerer Hitze ca. 2 Minuten garen. Erbsen zugeben, abdecken und alles 2 Minuten dünsten.
4 Die Eimischung in die Pfanne geben und bei schwacher Hitze leicht stocken lassen. Gelegentlich vorsichtig rühren. Die gehackten Frühlingszwiebeln darüber streuen und sofort servieren. Dazu paßt Reis.

NÄHRWERT PRO PORTION: 15 g Eiweiß, 10 g Fett, 5 g Kohlenhydrate, 2 g Ballaststoffe, 285 mg Cholesterin, 635 kJ (150 kcal)

HÜHNER-DOMBURI

Vorbereitungszeit: 35 Minuten
Gesamtkochzeit: 30 Minuten
Für 4 Personen

440 g Rundkornreis
600 ml Wasser
2 EL Öl
200 g Hühnerbrustfilet, in dünne Streifen geschnitten
2 mittelgroße Zwiebeln, in feine Ringe geschnitten
4 EL Wasser extra
4 EL japanische Sojasauce
2 EL Mirin
1 TL Dashi-Granulat
5 Eier, geschlagen
2 Nori-Blätter
2 Frühlingszwiebeln, in Ringe geschnitten

1 Reis in einem Sieb unter fließendem Wasser waschen. In einem schweren Topf mit Wasser zum Kochen bringen. Hitze reduzieren, Deckel auflegen und 15 Minuten kochen lassen. 15–20 Sekunden auf höchster Stufe kochen, dann den Topf vom Herd nehmen und den Reis im geschlossenen Topf 12 Minuten nachquellen lassen.
2 Öl in einer Pfanne erhitzen. Das Hühnerfleisch unter ständigem Wenden darin braten, bis es goldbraun ist, dann herausnehmen und beiseite stellen. Zwiebeln 3 Minuten in der Pfanne braten, bis sie weich werden. Die 4 EL Wasser, Sojasauce, Mirin und Dashi zugeben. Umrühren und 3 Minuten kochen lassen, bis die Zwiebeln ganz weich sind.
3 Das Fleisch wieder in die Pfanne geben, Eier darüber gießen und sanft rühren. Deckel auflegen und das Ganze bei schwacher Hitze 2–3 Minuten köcheln lassen, bis die Eier anfangen zu stocken. Dann die Pfanne sofort vom Herd nehmen.
4 Die Nori-Blätter mit den Händen über schwacher Hitze hin- und herbewegen und auf diese Weise 15 Sekunden leicht rösten, dann zerkleinern.
5 Den Reis in eine Steingutschüssel füllen, die Fleisch-Eier-Mischung darauf anrichten und mit Nori und Frühlingszwiebeln bestreuen.
HINWEIS: Als ›Domburi‹ wird eigentlich die irdene Servierschüssel bezeichnet, doch wurde der Name auch auf das darin servierte Gericht übertragen.

NÄHRWERT PRO PORTION: 30 g Eiweiß, 20 g Fett, 95 g Kohlenhydrate, 3 g Ballaststoffe, 305 mg Cholesterin, 2770 kJ (660 kcal)

EINE GERÄUSCHVOLLE ANGELEGENHEIT
Mahlzeiten sind in Japan normalerweise eine stille Angelegenheit – mit einer Ausnahme: Nudelgerichte werden mit viel Begeisterung und Geräusch geschlürft. Man sagt, daß die auf diese Weise mit eingesogene Luft die heißen Nudeln abkühlt, doch kalte Nudelgerichte, im Sommer sehr beliebt, werden nicht minder enthusiastisch geschlürft.

Oben: *Hühner-Domburi*

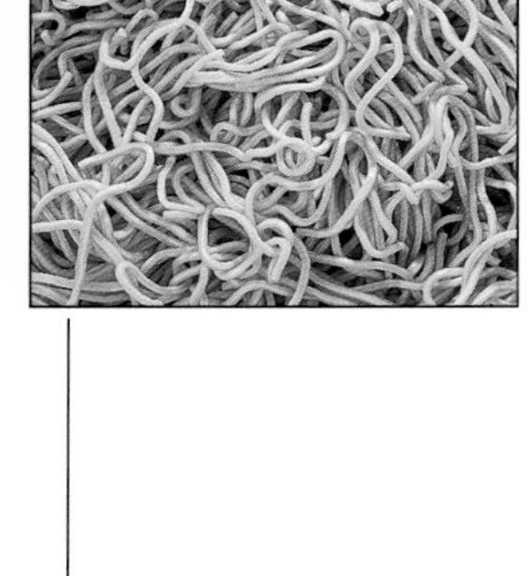

GEBRATENE NUDELN MIT SCHWEINEFLEISCH

Vorbereitungszeit: 25 Minuten
Gesamtkochzeit: 15 Minuten
Für 4 Personen

1 Nori-Blatt
1 EL Öl
150 g Schweinelende, in Streifen geschnitten
5 Frühlingszwiebeln, in Stücke geschnitten
1 mittelgroße Möhre, in Stifte geschnitten
200 g Chinakohl, kleingeschnitten
500 g Hokkien-Nudeln
2 EL Wasser
2 EL japanische Sojasauce
1 EL Worcester-Sauce
1 EL Mirin
2 TL feiner Zucker
90 g Sojabohnensprossen, die braunen Enden entfernt

1 Das Nori-Blatt etwa 15 Sekunden über schwacher Hitze durch Hin- und Herbewegen rösten, dann fein hacken.
2 Öl in einem Wok erhitzen. Fleisch, Frühlingszwiebeln und Möhrenstifte unter ständigem Rühren 1–2 Minuten braten, bis das Fleisch Farbe annimmt. Darauf achten, daß das Fleisch nicht zäh wird. Das Gemüse muß knackig bleiben.
3 Nudeln vorsichtig entwirren. Mit Soja- und Worcester-Sauce, Mirin und Zucker in die Pfanne geben, Deckel auflegen und alles etwa 1 Minute kochen lassen. Dann die Sojabohnensprossen zufügen und alles gut mischen. Das gehackte Nori-Blatt darüber streuen und sofort servieren.

NÄHRWERT PRO PORTION: 25 g Eiweiß, 15 g Fett, 100 g Kohlenhydrate, 10 g Ballaststoffe, 20 mg Cholesterin, 2505 kJ (615 kcal)

GLASIERTE GARNELEN MIT EI

Vorbereitungszeit: 35 Minuten
Gesamtkochzeit: 10 Minuten
Für 4 Personen

12 frische Garnelen
30 g Stärke
1 TL Dashi-Granulat
2 EL Wasser
3 EL Sake
1/2 TL Zucker
1/2 TL Salz
3 Eigelb, leicht geschlagen

1 Garnelen schälen und ausnehmen, ohne den Schwanz zu entfernen. Dann die Garnelen in der Stärke wenden. Jeweils 2–3 zusammen in einen Topf mit kochendem Wasser geben und ca. 7 Sekunden blanchieren. Herausnehmen und unter kaltem Wasser abspülen.
2 Dashi, Wasser, Sake, Zucker und Salz in einer Pfanne verrühren und zum Kochen bringen. Die Garnelen zugeben und mit der Sauce bedecken. Eigelb darüber geben und den Deckel auflegen. Bei schwacher Hitze 3 Minuten köcheln lassen. Sofort mit gedämpftem Gemüse und Reis servieren.

WASABI-PASTE
Wasabi ist eine sehr scharfe grüne Meerrettichpaste, die zu verschiedenen japanischen Gerichten gehört. Wasabi gibt es auch als Pulver zum Anrühren: 1 EL Wasabipulver mit 1 EL Wasser verrühren und 5 Minuten stehen lassen. Dann sofort servieren, denn sonst verliert sich die Schärfe.

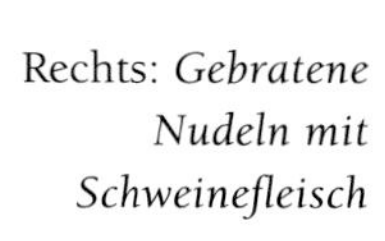

Rechts: *Gebratene Nudeln mit Schweinefleisch*

HINWEIS: Das Wenden in Stärke mit anschließendem Blanchieren und Abspülen unter kaltem Wasser ist wichtig, damit die Garnelen in der Sauce schön fest bleiben; ohne diese Prozedur werden sie weich und matschig.

NÄHRWERT PRO PORTION: 10 g Eiweiß, 5 g Fett, 10 g Kohlenhydrate, 0 g Ballaststoffe, 195 mg Cholesterin, 480 kJ (115 kcal)

•

GEGRILLTER FISCH

•

Vorbereitungszeit: 25 Minuten
Gesamtkochzeit: 20 Minuten
Für 4 Personen

400 g kleine ganze Fische (z. B. Brassen, Schnappbarsche, Wittlinge), geschuppt und ausgenommen
1/2 Zitrone, in dünne Scheiben geschnitten
5 cm frischer Ingwer
1 EL Mirin
2 EL japanische Sojasauce
3 TL Salz

Garnierung
1 große Möhre
1/4 Daikon-Rettich
5 cm frischer Ingwer, in feine Scheibchen geschnitten

•

1 Fische abspülen und trockentupfen. Die Zitronenscheiben in die Bauchhöhlen legen. Den Ingwer sehr fein reiben (am besten mit einer japanischen Ingwerreibe, die es aus Holz oder Porzellan gibt). Mit den Händen so viel Saft wie möglich herauspressen, dann das ausgepreßte Fruchtfleisch wegwerfen.
2 Ingwersaft, Mirin und Sojasauce verrühren. Mit dieser Mischung die Fische einpinseln. Die Fische von beiden Seiten mit je 1/4 TL Salz bestreuen, dabei auf Flossen und Schwanz mehr Salz geben; so verbrennen sie nicht so leicht.
3 Einen Grillrost mit Alufolie belegen und darauf – in größtmöglicher Entfernung von der Hitze – die Fische von beiden Seiten garen, bis sie goldbraun sind und das Fleisch sich leicht ablöst; das dauert etwa 6–8 Minuten, je nach Art und Größe der Fische.
4 Rettich und Möhre mit einer Rohkostreibe in längliche Streifchen reiben. Mit den Ingwerscheiben auf einer Servierplatte arrangieren, darauf die Fische anrichten. Sofort mit gedämpftem Reis servieren.
HINWEIS: Da die Augen der Fische durch das Garen unansehnlich werden, bitten Sie am besten Ihren Fischhändler, sie beim Schuppen und Ausnehmen gleich mit zu entfernen.

NÄHRWERT PRO PORTION: 20 g Eiweiß, 5 g Fett, 1 g Kohlenhydrate, 0 g Ballaststoffe, 75 mg Cholesterin, 570 kJ (135 kcal)

Oben: *Gegrillter Fisch*

MARINIERTE LACHSSTREIFEN

Den frischen Ingwer reiben.

Das Lachsfilet mit einem scharfen Messer in dünne Streifen schneiden.

Die Zutaten für die Marinade in einer kleinen Schüssel gut verrühren.

Folgende Seite: *Inari-Sushi* (oben), *marinierte Lachsstreifen* (Mitte), *Thunfisch-Sushi* (unten)

MARINIERTE LACHSSTREIFEN

•

Vorbereitungszeit: 15 Minuten (+ 60 Minuten Marinieren)
Gesamtkochzeit: keine
Für 4 Personen

2 Lachsfilets à 400 g, ohne Haut
4 cm frischer Ingwer, gerieben
2 Knoblauchzehen, feingehackt (nach Belieben)
3 Frühlingszwiebeln, feingehackt
1 TL Zucker
1 TL Salz
2 EL japanische Sojasauce
125 ml Sake
zum Garnieren: eingelegter Ingwer (s. S. 189) und Gewürzgurke

•

1 Lachsfilets in dünne Streifen schneiden und nebeneinander in eine große flache Schüssel legen.
2 Ingwer, Knoblauch, Frühlingszwiebeln, Zucker und Salz, Sake und Sojasauce verrühren und die Marinade über den Lachs gießen. Abdecken und 1 Stunde im Kühlschrank ziehen lassen.
3 Die Lachsstreifen auf einer Servierplatte anrichten. Mit dem eingelegten Ingwer und der Gurke garnieren. Gekühlt servieren.

NÄHRWERT PRO PORTION: 20 g Eiweiß, 10 g Fett, 5 g Kohlenhydrate, 1 g Ballaststoffe, 70 mg Cholesterin, 905 kJ (215 kcal)

•

THUNFISCH-SUSHI

•

Vorbereitungszeit: 20 Minuten
Gesamtkochzeit: 30 Minuten (+ 10 Minuten Kühlen)
Ergibt ca. 30 Stück

220 g Rundkornreis
500 ml Wasser
2 EL Reisessig
1 EL feiner Zucker
1 TL Salz
300 g frischer Thunfisch
zum Abschmecken: Wasabi
zum Servieren: japanische Sojasauce und Wasabipaste

•

1 Reis in einem Sieb unter fließendem Wasser waschen, gut abtropfen lassen. Wasser und Reis zum Kochen bringen. Hitze reduzieren und ohne Deckel 4–5 Minuten köcheln lassen, bis das Wasser aufgesogen ist. Deckel auflegen und weitere 4–5 Minuten bei schwacher Hitze garen, dann vom Herd nehmen und im geschlossenen Topf 10 Minuten nachquellen lassen.
2 Essig, Zucker und Salz mischen und zum Reis geben. Rühren, bis der Reis abgekühlt ist.
3 Den Thunfisch in dünne, etwa 5 cm lange Scheiben schneiden. Auf jede Scheibe etwas Wasabi geben.
4 Mit den Händen 1 EL Reis zu einem kleinen Ball formen und diesen in eine Thunfischscheibe einrollen. In eine längliche Form drücken. Mit den restlichen Zutaten ebenso verfahren. Die Sushi mit Sojasauce und Wasabi-Paste servieren.

NÄHRWERT PRO ROLLE: 5 g Eiweiß, 0 g Fett, 5 g Kohlenhydrate, 0 g Ballaststoffe, 5 mg Cholesterin, 175 kJ (40 kcal)

•

INARI-SUSHI

•

Vorbereitungszeit: 10 Minuten
Gesamtkochzeit: 40 Minuten (+ 15 Minuten Kühlen)
Ergibt 6 Stück

220 g Rundkornreis
500 ml Wasser
2 EL japanische weiße Sesamsamen
2 EL Reisessig
1 EL feiner Zucker
1 EL Mirin
1 TL Salz
6 Inari-Taschen (s. Hinweis)

•

1 Reis in einem Sieb unter fließendem Wasser waschen, gut abtropfen lassen. Wasser und Reis zum Kochen bringen. Hitze reduzieren und ohne Deckel 4–5 Minuten köcheln lassen, bis das Wasser aufgesogen ist. Deckel auflegen und für weitere 4–5 Minuten bei schwacher Hitze stehen lassen, dann vom Herd nehmen und im geschlossenen Topf 10 Minuten nachquellen lassen.
2 Sesamsamen in einer trockenen Pfanne 3–4 Minuten goldbraun rösten und zwischendurch vorsichtig schwenken; dann sofort herausnehmen.
3 Essig, Zucker, Mirin und Salz mischen und zum Reis geben. Mit einem Holzlöffel rühren, bis der Reis abgekühlt ist.
4 Inari-Taschen vorsichtig voneinander lösen und öffnen. Jede mit 1 EL Reis füllen. Den Reis mit geröstetem Sesam bestreuen, dann die Tasche durch Zusammendrücken schließen. Auf einer Platte anrichten und servieren.
HINWEIS: Inari-Taschen sind aus Bohnenquark hergestellte Taschen zum Füllen. Man kann sie in asiatischen Lebensmittelgeschäften kaufen.

NÄHRWERT PRO INARI: 5 g Eiweiß, 5 g Fett, 35 g Kohlenhydrate, 2 g Ballaststoffe, 0 mg Cholesterin, 905 kJ (215 kcal)

TERIYAKI-HUHN

•

Vorbereitungszeit: 15 Minuten
Gesamtkochzeit: 40 Minuten
Für 6 Personen

125 ml japanische Sojasauce
2 EL Mirin
1 EL Zucker
2 EL Öl
12 Hühnerunterschenkel

•

1 Sojasauce, Mirin und Zucker in einem kleinen Topf bei schwacher Hitze verrühren, bis sich der Zucker aufgelöst hat. Zum Kochen bringen, Hitze reduzieren und 2 Minuten offen köcheln lassen.
2 Öl in einer großen, gußeisernen Pfanne erhitzen. Die Hühnerunterschenkel nacheinander bei starker Hitze von beiden Seiten goldbraun braten.
3 Sämtliche Unterschenkel zurück in die Pfanne geben, die Sauce zufügen und abdecken. Etwa 20 Minuten garen. Mit Reis servieren.

NÄHRWERT PRO PORTION: 30 g Eiweiß, 20 g Fett, 5 g Kohlenhydrate, 0 g Ballaststoffe, 125 mg Cholesterin, 1345 kJ (320 kcal)

Unten: *Teriyaki-Huhn*

GEGRILLTE FISCHSTEAKS

•

Vorbereitungszeit: 15 Minuten
(+ 15 Minuten Marinieren)
Gesamtkochzeit: 10 Minuten
Für 4 Personen

5 cm frischer Ingwer
3 EL japanische Sojasauce
1 EL Mirin
3 Frühlingszwiebeln, sehr fein gehackt
3 EL Zucker
4 kleine Fischsteaks à 150 g, (z. B. Thunfisch, Kabeljau, Zackenbarsch)
zum Garnieren: Gurkenscheiben und eingelegter Ingwer (s. S. 189)

•

1 Ingwer fein reiben. Mit den Fingerspitzen den Saft auspressen, dann das Fruchtfleisch wegwerfen. Ingwersaft, Sojasauce, Mirin, Frühlingszwiebeln und Zucker verrühren, bis sich der Zucker aufgelöst hat.
2 Fischsteaks mit der Marinade begießen und 15 Minuten ziehen lassen. Dann den Fisch abtropfen lassen und dabei die Marinade auf-

fangen. Die Fischstücke auf einen mit Alufolie bedeckten Grillrost legen.
3 Bei mittlerer Hitze von jeder Seite 3 Minuten grillen.
4 Die aufgefangene Marinade in einem kleinen Topf bei starker Hitze etwa 2 Minuten kochen lassen, bis sie eindickt. Den Fisch mit der Marinade beträufeln und mit Gurkenscheiben und Ingwer garnieren. Mit Reis servieren.

NÄHRWERT PRO PORTION: 20 g Eiweiß, 5 g Fett, 5 g Kohlenhydrate, 0 g Ballaststoffe, 40 mg Cholesterin, 585 kJ (140 kcal)

•

AUBERGINEN-KEBAB MIT MISO

•

Vorbereitungszeit: 10 Minuten (+ 15 Minuten Ruhezeit)
Gesamtkochzeit: 15 Minuten
Ergibt 10 Kebabs

2 mittelgroße Auberginen
2 EL japanische weiße Sesamsamen
140 g rotes Miso
2 EL Mirin
2 EL Sake
3 EL Öl

•

1 Während der Zubereitung 10 Holzspieße in kaltem Wasser einweichen (damit sie beim Grillen nicht verbrennen). Auberginen in 2 cm große Würfel schneiden, in ein Sieb geben und mit reichlich Salz bestreuen. 15 Minuten stehen lassen, bis die Flüssigkeit ausläuft, dann gründlich spülen und mit Küchenpapier trockentupfen. Diese Prozedur beseitigt die Bitterstoffe.
2 Die Holzspieße aus dem Wasser nehmen und abtrocknen. Die Auberginenwürfel aufspießen.
3 Sesamsamen in einer trockenen Pfanne bei mittlerer Hitze 3–4 Minuten goldgelb rösten; dabei die Pfanne öfter schwenken. Die Sesamsamen sofort aus der Pfanne nehmen, damit sie nicht verbrennen.
4 In einem kleinen Topf Miso, Mirin und Sake gut mischen. Zum Kochen bringen, dann die Hitze reduzieren und 5 Minuten köcheln lassen.
5 Ein Blech mit dem Öl bestreichen, die Spieße darauf legen und etwa 5 Minuten grillen, bis sie goldbraun sind; ab und zu umdrehen. Die fertigen Spieße mit der Gewürzmischung bestreichen und mit Sesam bestreuen. Mit Reis servieren.

NÄHRWERT PRO PORTION: 5 g Eiweiß, 20 g Fett, 5 g Kohlenhydrate, 5 g Ballaststoffe, 0 mg Cholesterin, 1005 kJ (240 kcal)

Oben: *Gegrillte Fischsteaks*

Oben: *Grüne Bohnen mit Sesamsauce*

GRÜNE BOHNEN MIT SESAMSAUCE

•

Vorbereitungszeit: 15 Minuten
Gesamtkochzeit: 8 Minuten
Für 4 Personen als Beilage oder Vorspeise

500 g zarte grüne Bohnen, geputzt
2 EL japanische weiße Sesamsamen
6 cm frischer Ingwer
1 EL japanische Sojasauce
1 EL Mirin
3 TL Zucker
1 EL weiße Sesamsamen extra

•

1 Grüne Bohnen in einer Pfanne mit Wasser 2 Minuten kochen, dann herausnehmen und in Eiswasser abkühlen. Die Bohnen anschließend abtropfen lassen.
2 Sesamsamen in einer trockenen Pfanne bei mittlerer Hitze etwa 5 Minuten goldbraun rösten; dabei die Pfanne öfter rütteln. Sofort herausnehmen. Im Mörser zerstoßen, bis durch das austretende Öl eine Paste entsteht.
3 Die Sesampaste mit Ingwer, Sojasauce, Mirin und Zucker verrühren. Die Sauce über die Bohnen geben, mit Sesamsamen bestreuen und servieren.
HINWEIS: Man kann die Bohnen auch über Nacht in der Sauce marinieren lassen.
Japanische Sesamsamen sind dicker und größer als andere Sesamsamen und haben ein volleres Aroma.

NÄHRWERT PRO PORTION: 5 g Eiweiß, 5 g Fett, 10 g Kohlenhydrate, 5 g Ballaststoffe, 0 mg Cholesterin, 570 kJ (135 kcal)

•

YAKITORI
(HÜHNERFLEISCHSPIESSE)

•

Vorbereitungszeit: 20 Minuten
Gesamtkochzeit: 10 Minuten
Ergibt 25 Spieße

1 kg Hühnerfleisch (Oberschenkel), ausgelöst
6 Frühlingszwiebeln
125 ml Sake
185 ml Sojasauce (s. Hinweis)
125 ml Mirin
2 EL Zucker

•

1 Während der Vorbereitungszeit 25 Holzspieße in kaltem Wasser einweichen (damit sie später nicht verbrennen). Das Fleisch in mundgerechte Stücke schneiden. Frühlingszwiebeln (ohne das dunkle Grün) schräg in ovale, 2 cm lange Stücke schneiden.
2 Sake, Sojasauce, Mirin und Zucker in einem kleinen Topf gut verrühren und zum Kochen bringen. Vom Herd nehmen und beiseite stellen.
3 Die Spieße aus dem Wasser nehmen und abtrocknen. Abwechselnd Hühnerfleisch und Frühlingszwiebeln aufspießen. Die Spieße auf ein mit Alufolie ausgelegtes Blech legen und bei mittlerer Hitze 7–8 Minuten grillen, bis das Fleisch gar ist. Dabei ab und zu wenden und mit der Sauce bepinseln. Yakitori wird traditionell als leichter Snack mit Bier gereicht.
HINWEIS: Für dieses Gericht eignet sich eine dunkle Sojasauce besser als die helle japanische Sojasauce.

NÄHRWERT PRO SPIESS: 10 g Eiweiß, 2 g Fett, 2 g Kohlenhydrate, 0 g Ballaststoffe, 30 mg Cholesterin, 270 kJ (65 kcal)

LACHS-NABE

•

Vorbereitungszeit: 20 Minuten
Gesamtkochzeit: 40 Minuten
(+ 15 Minuten Einweichen)
Für 3–4 Personen

12 getrocknete Shiitake-Pilze
250 g fester Tofu
½ Chinakohl
4 Lachskoteletts, in Stücke geschnitten
2 Bambussprossen, 5 cm lang, aus der Dose
2 l Dashi-Brühe
80 ml japanische Sojasauce
60 ml Mirin oder Sake
1 Prise Salz
zum Servieren: Sesamsauce (s. S. 168)

•

1 Pilze 15 Minuten in warmem Wasser einweichen, dann abtropfen lassen. Tofu in 12 Würfel und den Chinakohl grob in etwa 5 cm große Stücke schneiden.

2 Die Dashi-Brühe in einem großen Topf mit Lachs, Pilzen, Tofu, Kohl, Bambussprossen, Sojasauce, Mirin und Salz zum Kochen bringen. Die Hitze reduzieren und mit geschlossenem Deckel bei mittlerer Hitze 15 Minuten köcheln lassen. Die Lachsstücke umdrehen und weitere 15 Minuten köcheln, bis sie gar sind.

3 Das Gericht in eine vorgewärmte Schüssel füllen und mit Sesamsauce servieren.

HINWEIS: Traditionell wird dieses Gericht in einem Tontopf auf einem Spiritusbrenner bzw. einem Rechaud am Tisch zubereitet. Die Fisch- und Gemüsestücke werden mit Stäbchen aus der Brühe genommen und in die Sauce gedippt, zum Schluß wird dann die Brühe in Suppenschalen serviert.

NÄHRWERT PRO PORTION (4): 30 g Eiweiß, 20 g Fett, 10 g Kohlenhydrate, 1 g Ballaststoffe, 90 mg Cholesterin, 1330 kJ (315 kcal)

Oben: *Lachs-Nabe*

Oben: *Garnelen in Nudelpäckchen*

GARNELEN IN NUDELPÄCKCHEN

•

Vorbereitungszeit: 20 Minuten
Gesamtkochzeit: 15 Minuten
Für 2 Personen

6 große rohe Garnelen
1/4 Nori-Blatt
100 g Somen-Nudeln
Öl zum Fritieren
zum Servieren: Soja-Ingwer-Sauce (s. S. 168)

•

Teig
125 g Weizenmehl
1 Eigelb
250 ml Eiswasser

•

1 Garnelen schälen und ausnehmen, ohne den Schwanz zu entfernen. An der Unterseite jeweils einen flachen Schnitt anbringen und die Garnelen geradeziehen. Das Viertel Nori-Blatt in 1,5 cm breite Streifen von 5 cm Länge schneiden.
2 Für den Teig Mehl, Eigelb und Eiswasser in einer Schüssel verrühren.
3 Die Nudeln so brechen, daß ihre Länge der Länge der Garnelen (ohne Schwanz) entspricht, dann auf ein Brett legen. Die Garnelen nacheinander in den Teig tauchen und auf je ein Nudelbündel legen. So darin einwickeln, daß sie ganz bedeckt sind. Die Nudeln rundherum fest andrücken, so daß sie an den Garnelen haften bleiben. Die Päckchen in der Mitte jeweils mit einem Nori-Streifen zusammenbinden; die Enden mit Wasser befeuchten und zusammendrücken.
4 Öl in einem großen Topf oder im Wok erhitzen. Die Bündel nacheinander goldbraun fritieren. Sofort mit der Sauce servieren.

NÄHRWERT PRO PORTION: 30 g Eiweiß, 5 g Fett, 110 g Kohlenhydrate, 2 g Ballaststoffe, 175 mg Cholesterin, 2465 kJ (590 kcal)

•

RINDFLEISCH-SPIESSCHEN

•

Vorbereitungszeit: 40 Minuten (+ 20 Minuten Marinieren)
Gesamtkochzeit: 20 Minuten
Ergibt 12 Spießchen

3 EL japanische Sojasauce
2 EL Mirin
2 TL Sesamöl
1 TL Zucker
2 EL japanische weiße Sesamsamen
350 g Rinderfilet
1 grüne Paprika
6 Frühlingszwiebeln
Öl zum Braten
2 Eier, geschlagen
60 g Weizenmehl

1 Sojasauce, Mirin, Sesamöl, Zucker und die Hälfte der Sesamsamen in einer Schüssel verrühren. Das Fleisch in mundgerechte Stücke schneiden und 20 Minuten in der Marinade ziehen lassen. 12 kleine Holzspießchen 15 Minuten in kaltes Wasser legen.
2 Die Paprika putzen und in mundgerechte Stücke schneiden. Die Frühlingszwiebeln ohne das dunkle Grün ebenfalls in kurze Stücke teilen.
3 Das Fleisch aus der Marinade nehmen und abtropfen lassen, mit Küchenpapier trockentupfen. Pro Spießchen 2 Fleischstücke, 2 Paprika- und 2 Zwiebelstücke vorsehen; immer abwechselnd aufspießen.
4 1 cm Öl in eine Pfanne geben und erhitzen. Jedes Spießchen zuerst in dem geschlagenen Ei, dann in Mehl wenden. Jeweils 4 Spießchen gleichzeitig goldbraun ausbacken, dabei öfter wenden. Die fertigen Spießchen mit Sesam bestreuen und sofort servieren.

NÄHRWERT PRO SPIESS: 10 g Eiweiß, 10 g Fett, 5 g Kohlenhydrate, 1 g Ballaststoffe, 55 mg Cholesterin, 560 kJ (135 kcal)

REIS MIT HUHN UND PILZEN

Vorbereitungszeit: 15 Minuten (+ 15 Minuten Einweichen)
Gesamtkochzeit: 40 Minuten
Für 4–6 Personen

500 g Rundkornreis
600 ml Wasser
8 getrocknete Shiitake-Pilze
2 EL japanische Sojasauce
2 EL Sake
2 TL Zucker
600 g Hühnerbrustfilet, in Streifen geschnitten
200 g Erbsen, tiefgefroren
2 Eier, geschlagen

1 Reis unter fließendem Wasser waschen, bis sich das Wasser nicht mehr trübt. In einem schweren Topf mit Wasser zum Kochen bringen. Hitze stark reduzieren, Deckel auflegen und 15 Minuten kochen lassen. Dann vom Herd nehmen und den Reis 20 Minuten nachquellen lassen.
2 Die Pilze in heißem Wasser etwa 15 Minuten einweichen. Abtropfen lassen und in dünne Streifen schneiden; die festen Stielenden entfernen.
3 Sojasauce, Sake und Zucker in einer Pfanne mischen. Bei geringer Hitze so lange rühren, bis sich der Zucker aufgelöst hat. Dann die Pilze, das Hühnerfleisch und die Erbsen zugeben. Zudecken und etwa 5 Minuten garen. Vom Herd nehmen und zugedeckt beiseite stellen.
4 Die geschlagenen Eier in eine heiße beschichtete Pfanne gießen und stocken lassen, dabei die Pfanne etwas bewegen. Das Omelett dann umdrehen und von der anderen Seite braten. Aus der Pfanne nehmen und in dünne Streifen schneiden.
5 Den Reis auf Teller verteilen, die Fleischmischung mit etwas Sauce beträufeln und zum Schluß die Eistreifen darüber geben. Sofort servieren.

NÄHRWERT PRO PORTION (6): 35 g Eiweiß, 5 g Fett, 70 g Kohlenhydrate, 5 g Ballaststoffe, 125 mg Cholesterin, 1967 kJ (470 kcal)

Oben: *Reis mit Huhn und Pilzen*

INDIEN & PAKISTAN

Aromatische Mischungen aus gemahlenen Gewürzen – Masalas genannt – bilden das Herzstück der indischen und pakistanischen Küche. Sie werden für jedes Gericht frisch hergestellt. In Pakistan und Nordindien basiert die Küche auf Fleisch: Currygerichte, Tikkas und Koftas sind typisch, und man ißt sie mit frischem Brot. Im Süden wird vorwiegend vegetarisch und scharf gewürzt gegessen. Für religiöse oder kulturelle Ereignisse werden spezielle Gerichte zubereitet – z. B. eine festliche, mit Safran gewürzte Biryani-Pfanne oder Süßspeisen mit Kokos.

Oben: *Madras-Curry*

MADRAS-CURRY

•

Vorbereitungszeit: 20 Minuten
Gesamtkochzeit: $1^1/_2$ Stunden
Für 4 Personen

1 kg Rinderschmorfleisch
25 g Koriander, gemahlen
6 TL Kreuzkümmel, gemahlen
1 TL braune Senfkörner
½ TL schwarze Pfefferkörner, zerstoßen
1 TL Chilipulver
1 TL Kurkuma, gemahlen
1 TL Salz
2 TL Knoblauch, zerdrückt
2 TL frischer Ingwer, geraspelt
2–3 EL heller Essig
1 EL Öl oder Ghee
1 mittelgroße Zwiebel, zerhackt
60 g Tomatenmark (doppelt konzentriert)
250 ml Fleischbrühe

•

1 Das Fleisch von größeren Fettstücken und Sehnen befreien und in etwa 2,5 cm große Würfel schneiden.

2 Koriander, Kreuzkümmel, Senfkörner, Pfefferkörner, Chilipulver, Kurkuma, Salz, Knoblauch und Ingwer in einer Schüssel mischen. Essig zugeben und alles zu einer glatten Paste verrühren.

3 Öl in einer großen Pfanne erhitzen und Zwiebeln bei mittlerer Hitze glasig dünsten. Die Gewürzpaste zugeben und 1 Minute rühren. Das Fleisch unter Rühren mitkochen, bis es mit der Gewürzpaste überzogen ist. Tomatenmark und Brühe zugeben. Zugedeckt $1^1/_2$ Stunden köcheln lassen, bis das Fleisch gar ist.

NÄHRWERT PRO PORTION: 55 g Eiweiß, 15 g Fett, 5 g Kohlenhydrate, 0 g Ballaststoffe, 185 mg Cholesterin, 1620 kJ (385 kcal)

•

SCHARFE LINSENSUPPE

•

Vorbereitungszeit: 15 Minuten
Gesamtkochzeit: 45 Minuten
Für 6 Personen

95 g braune Linsen (s. Hinweis)
2 EL Ghee oder Öl
1 mittelgroße Zwiebel, feingehackt
½ TL frischer Ingwer, gerieben
1 große Kartoffel, in kleine Würfel geschnitten
2 große Tomaten, kleingeschnitten
2 TL Koriander, gemahlen
1 TL Kreuzkümmel, gemahlen
½ TL Kurkuma, gemahlen
½ TL Chiliflocken
2 TL Kokosraspel
1 l Wasser
1–2 TL Tamarindenkonzentrat
150 g Kohl, in feine Streifen geschnitten
zum Garnieren: 1 EL frische Korianderblätter oder Minze, gehackt

•

1 Linsen mit Wasser bedeckt in einer mittelgroßen Pfanne zum Kochen bringen. Ohne Deckel etwa 20 Minuten weich kochen. Gut abtropfen lassen.

2 Ghee in einer großen Pfanne erhitzen. Zwiebel und Ingwer bei mittlerer Hitze bräunen lassen. Kartoffel und Tomaten 5 Minuten dünsten, dann Koriander, Kreuzkümmel, Chili und die Kokosraspel zugeben; weitere 2–3 Minuten dünsten.

3 Die abgetropften Linsen und das Wasser zugeben und zum Kochen bringen. Köcheln lassen, bis die Kartoffel und die Linsen anfangen auseinanderzufallen. Tamarindenkonzentrat und Kohl zugeben und kochen, bis der Kohl weich ist. Mit schwarzem Pfeffer abschmecken. Mit Koriander oder mit Minze garnieren und mit Chapati servieren.

HINWEIS: Auch gelbe oder rote Linsen eignen sich für dieses Gericht.

NÄHRWERT PRO PORTION: 10 g Eiweiß, 10 g Fett, 15 g Kohlenhydrate, 5 g Ballaststoffe, 20 mg Cholesterin, 800 kJ (190 kcal)

KARTOFFEL-ERBSEN-CURRY

Vorbereitungszeit: 15 Minuten
Gesamtkochzeit: 20–25 Minuten
Für 4 Personen

☆

750 g Kartoffeln
2 TL braune Senfkörner
2 EL Ghee oder Öl
2 mittelgroße Zwiebeln, in Ringe geschnitten
2 Knoblauchzehen, zerstoßen
2 TL frischer Ingwer, gerieben
1 TL Kurkuma, gemahlen
1/2 TL Chilipulver
1 TL Kreuzkümmel, gemahlen
1 TL Garam Masala
125 ml Wasser
100 g Erbsen
2 EL gehackte frische Minze

1 Kartoffeln schälen und in Würfel schneiden.
2 Senfkörner in einer großen trockenen Pfanne bei mittlerer Hitze rösten, bis sie anfangen zu platzen. Ghee, Zwiebeln, Knoblauch und Ingwer zugeben und mitbraten, bis die Zwiebeln glasig sind.
3 Kurkuma, Chilipulver, Kreuzkümmel, Garam Masala und die Kartoffeln zugeben. Rühren, bis die Kartoffeln überzogen sind. Das Wasser zugießen. Unter gelegentlichem Rühren alles etwa 15–20 Minuten köcheln lassen, bis die Kartoffeln weich sind.
4 Erbsen unterrühren. Mit Salz und Pfeffer abschmecken. Zugedeckt weitere 3–5 Minuten köcheln lassen. Die Kartoffeln sollten gar und die Flüssigkeit absorbiert sein. Minze unterrühren und mit Reis servieren.

NÄHRWERT PRO PORTION: 10 g Eiweiß, 10 g Fett, 30 g Kohlenhydrate, 5 g Ballaststoffe, 30 mg Cholesterin, 1095 kJ (260 kcal)

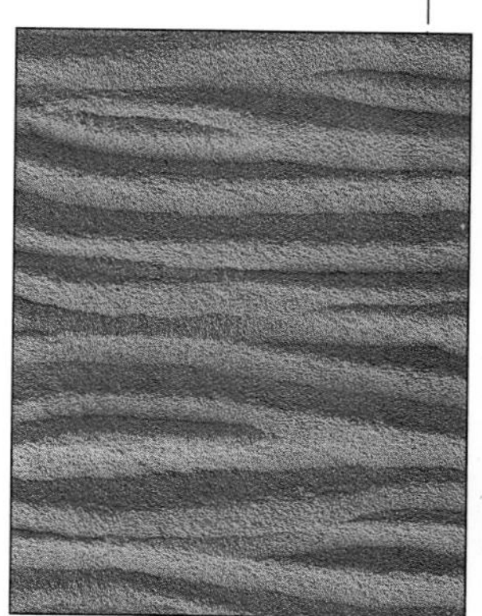

Oben: *Kartoffel-Erbsen-Curry*

GHEE

Ghee ist die indische Bezeichnung für Butterschmalz. Es verleiht Speisen einen butterartigen Geschmack und brennt auch bei hoher Temperatur nicht an. Als Ersatz kann Butter oder ein mildes Öl dienen. Alternativ eignet sich auch eine Mischung aus gleichen Teilen von Ghee und extra leichtem Olivenöl mit wenig Eigengeschmack.

GARNELEN IN KOKOSMILCH

•

Vorbereitungszeit: 10 Minuten
Gesamtkochzeit: 25 Minuten
Für 4–6 Personen

750 g rohe Garnelen
1 EL Ghee oder Öl
2 Zwiebeln, in Ringe geschnitten
2 Knoblauchzehen, zerdrückt
2 rote Chillies, entkernt und gehackt
1 TL Kurkuma, gemahlen
8 Curryblätter
500 ml Kokosmilch
½–1 TL Salz

•

1 Garnelen schälen und ausnehmen. Ghee oder Öl in einer mittelgroßen Pfanne erhitzen. Zwiebeln glasig dünsten, dann Knoblauch, Chillies, Kurkuma und Curryblätter zugeben. Bei mittlerer Hitze 1 Minute umrühren.
2 Kokosmilch und Salz zugeben. Ohne Deckel bei schwacher Hitze 10 Minuten köcheln lassen.
3 Die Garnelen vorsichtig unterrühren und etwa 12 Minuten zart kochen. Nach Belieben mit frischen Curryblättern bestreuen, die für dieses Gericht eine perfekte Garnierung ergeben.

NÄHRWERT PRO PORTION (6): *15 g Eiweiß, 20 g Fett, 5 g Kohlenhydrate, 0 g Ballaststoffe, 105 mg Cholesterin, 1065 kJ (255 kcal)*

•

BOMBAY-CURRY

•

Vorbereitungszeit: 20 Minuten
Gesamtkochzeit: 1¼ Stunden bis 1¾ Stunden
Für 4–6 Personen

1 EL Ghee oder Öl
2 mittelgroße Zwiebeln, gehackt
2 Knoblauchzehen, zerdrückt
2 grüne Chillies, gehackt
1 EL frischer Ingwer, geraspelt
1½ TL Kurkuma, gemahlen
1 TL Kreuzkümmel, gemahlen
1 EL Koriander, gemahlen
½–1 TL Chilipulver
1 kg Rind- oder Lammfleisch, in mundgerechte Würfel geschnitten
1 TL Salz
410 g Dosentomaten, in Stücke geschnitten
250 ml Kokosmilch
zum Garnieren: frische Korianderblätter

1 Ghee in einer großen Pfanne erhitzen. Zwiebeln bei mittlerer Hitze unter Rühren glasig dünsten. Knoblauch, Chili, Ingwer, Kurkuma, Kreuzkümmel, Koriander und Chilipulver zugeben. Umrühren, bis alles gerade erhitzt ist.
2 Fleisch zufügen und bei großer Hitze anbräunen, bis es mit der Gewürzmischung überzogen ist, dabei umrühren. Salz und die nicht abgetropften Tomaten unterrühren. Alles zugedeckt für 1–1½ Stunden köcheln lassen, bis das Fleisch zart ist.
3 Kokosmilch unterrühren. Offen weitere 5 Minuten köcheln lassen, bis die Sauce leicht eingedickt ist. Nach Belieben mit Korianderblättern garniert servieren.
HINWEIS: Rohe ungesalzene Cashewnüsse schmecken köstlich zu diesem Curry. Vor dem Servieren über das Gericht streuen.

NÄHRWERT PRO PORTION (6): *37 g Eiweiß, 25 g Fett, 5 g Kohlenhydrate, 0 g Ballaststoffe, 100 mg Cholesterin, 1640 kJ (390 kcal)*

•

SAFRAN-HÜHNCHEN-PILLAU

•

Vorbereitungszeit: 25 Minuten
Gesamtkochzeit: 30 Minuten
Für 6 Personen

400 g Langkornreis
4 EL Ghee
½ TL Safranpulver
1 Zimtstange, zerbrochen
3 Gewürznelken
2 Kardamomkapseln, leicht zerdrückt
750 ml Wasser
2 EL Sultaninen
2 EL Mandeln, geschält
300 g Hühnerbrustfilet ohne Haut, gewürfelt

•

1 Reis mit der Hälfte des Ghees in eine große gußeiserne Pfanne geben. Umrühren, bis sich der Ghee über den gesamten Reis verteilt hat. Safran, Zimt, Gewürznelken, Kardamomkapseln und Wasser zugeben. Zugedeckt aufkochen lassen. Dann bei geringer Hitze 20 Minuten köcheln lassen, den Deckel dabei nicht öffnen.
2 Das restliche Ghee in einer Bratpfanne erhitzen. Sultaninen, Mandeln und das Hühnerfleisch bei mittlerer Hitze etwa 5 Minuten braten, bis das Fleisch gar ist. Mit Salz abschmecken.
3 Die Hühnerfleischmasse in den Reis rühren und vor dem Servieren noch 5 Minuten ziehen lassen.

NÄHRWERT PRO PORTION: *20 g Eiweiß, 20 g Fett, 60 g Kohlenhydrate, 0 g Ballaststoffe, 65 mg Cholesterin, 1960 kJ (465 kcal)*

Folgende Seite: *Garnelen in Kokosmilch (oben), Bombay-Curry*

TANDOORI-HUHN

Die enthäuteten Hühnerschenkel mit Zitronensaft einpinseln.

Einige Tropfen roter Speisefarbe an die Gewürz-Joghurt-Mischung geben.

Oben: *Tandoori-Huhn*

TANDOORI-HUHN

•

Vorbereitungszeit: 25 Minuten
(+ 4½ Stunden Marinieren)
Gesamtkochzeit: 45 Minuten
Für 4–6 Personen

6 Hühneroberschenkel
60 ml Zitronensaft
½ kleine Zwiebel, gehackt
4 Knoblauchzehen
1 EL frischer Ingwer, gerieben
3 TL Koriandersamen
1 EL Kreuzkümmelsamen
1 EL Zitronensaft extra
1 TL Salz
¼ TL Paprika
1 Prise Chilipulver
250 g Joghurt
rote Speisefarbe

•

1 Die Haut von den Hühnerschenkeln abziehen und das Fleisch mit Zitronensaft bepinseln. Im Kühlschrank 30 Minuten ziehen lassen.

2 Zwiebel, Knoblauch, Ingwer, Koriander, Kreuzkümmel, den zusätzlichen Zitronensaft und Salz in der Küchenmaschine zu einer glatten Paste verarbeiten. Die Gewürzpaste mit Paprika, Chilipulver und Joghurt glattrühren. Ausreichend Speisefarbe zugeben, damit die Masse eine tiefrote Farbe erhält.

3 Die Hühnerschenkel in eine große, flache Form geben. Die gewürzte Joghurtmischung großzügig darüber verteilen. Mit Frischhaltefolie zudecken und mindestens 4 Stunden oder über Nacht im Kühlschrank marinieren lassen.

4 Den Ofen auf 180 °C (Gas: Stufe 4) vorheizen. Das Fleisch über einer großen Auffangschale auf einen Gitterrost legen. Etwa 45 Minuten backen, bis die Schenkel zart und gar sind. Mit Reis servieren.

NÄHRWERT PRO PORTION (6): 20 g Eiweiß, 5 g Fett, 5 g Kohlenhydrate, 0 g Ballaststoffe, 70 mg Cholesterin, 645 kJ (155 kcal)

•

ZWIEBEL-BHAJI

•

Vorbereitungszeit: 20 Minuten
Gesamtkochzeit: 15 Minuten
Ergibt 25–30 Stück

80 g Besan (Kichererbsenmehl)
60 g Weizenmehl
1½ TL Natron
1 TL Chilipulver
1 Ei, leicht geschlagen
315 ml Wasser
4 große Zwiebeln, halbiert und in dünne Scheiben geschnitten
4 Knoblauchzehen, zerdrückt
Öl zum Fritieren

•

1 Das gesamte Mehl, Natron und Chilipulver in eine Schüssel sieben. In einer Mulde in der Mitte die Eier mit Wasser mischen und alles zu einem glatten und cremigen Teig verrühren. Evtl. noch etwas Wasser zufügen. Zwiebeln und Knoblauch zugeben und gut verrühren.

2 Öl in einer großen flachen Pfanne erhitzen, der Boden sollte etwa 1 cm hoch bedeckt sein. Eßlöffelweise den Teig hineingeben und zu kleinen Küchlein formen. Die Bhaji auf beiden Seiten goldbraun braten, bis sie gar sind. Auf Papiertüchern abtropfen lassen. Heiß mit Chilisauce oder Mango-Chutney servieren.

HINWEIS: Das Gericht wird weniger scharf, wenn das Chilipulver durch Paprikapulver ersetzt wird.

NÄHRWERT PRO BHAJI: 1 g Eiweiß, 2 g Fett, 5 g Kohlenhydrate, 1 g Ballaststoffe, 5 mg Cholesterin, 160 kJ (40 kcal)

SCHWEINEFLEISCH-VINDALOO

•

Vorbereitungszeit: 20 Minuten
Gesamtkochzeit: 1¾ Stunden
Für 4 Personen

Vindaloo-Paste
2 EL frischer Ingwer, gerieben
4 Knoblauchzehen, gehackt
3 rote Chillies, gehackt
2 TL Kurkuma, gemahlen
2 TL Kardamom, gemahlen
4 Gewürznelken
6 Pfefferkörner
1 TL Zimt, gemahlen
1 EL Koriander, gemahlen
1 EL Kreuzkümmelsamen
125 ml Zitronensaft

•

1 kg Schweinefilet
60 ml Öl
2 TL braune Senfkörner
600 ml Wasser

1 Für die Vindaloo-Paste Ingwer, Knoblauch, Kardamom, Zimt, Koriander, Chillies, Gewürznelken, Pfefferkörner, Kreuzkümmelsamen, Kurkuma und Zitronensaft in der Küchenmaschine etwa 20 Sekunden zu einer glatten Masse verarbeiten.
2 Größere Fettstücke und Sehnen vom Schweinefilet entfernen und das Fleisch würfeln.
3 Öl in einer schweren Pfanne erhitzen. Das Fleisch portionsweise zufügen und bei mittlerer Hitze bräunen.
4 Das Fleisch aus der Pfanne nehmen. Die Vindaloo-Paste und Senfkörner zugeben und 2 Minuten unter Rühren dünsten. Wasser zugeben und zum Kochen bringen. Die Hitze reduzieren und das Fleisch etwa 1½ Stunden weich kochen. Mit Reis oder Papads servieren.
HINWEIS: Die Vindaloo-Paste kann vorbereitet und in einem luftdichten Behälter im Kühlschrank aufbewahrt werden. Fertige Paste ist oft auch in gutsortierten Supermärkten erhältlich.

NÄHRWERT PRO PORTION: 55 g Eiweiß, 35 g Fett, 0 g Kohlenhydrate, 0 g Ballaststoffe, 130 mg Cholesterin, 2270 kJ (540 kcal)

DER TANDOOR-OFEN
Der Begriff ›Tandoori‹ bezeichnet Speisen, die traditionell als Spieße in einem Tandoor- oder Lehmofen zubereitet werden. Die tonnenförmigen, oft sehr tiefen Öfen sind in der Regel in den Boden eingelassen und haben oben eine kreisrunde Öffnung. Mariniertes Fleisch wird auf langen Spießen hinuntergelassen und über glühenden Kohlen gegart.

Unten: *Schweinefleisch-Vindaloo*

JOGHURT
In Indien ist Joghurt als Dahi bekannt. Er wird zu fast jeder Mahlzeit serviert, entweder als Raita (Joghurtspeise) oder Lassi (Joghurtgetränk). Er wird auch zum Andicken und Abschmecken von Saucen oder als Marinade verwendet. Durch indogermanische Stämme kam im zweiten Jahrtausend v. Chr. Vieh nach Indien, und seither werden Milchprodukte, nämlich Sahne und Joghurt, verzehrt. Heutzutage wird Joghurt in Indien und Sri Lanka aus Büffelmilch hergestellt, die wesentlich fetter als Kuhmilch ist. Kokosmilch ist vor allem in Südindien beliebt.

Oben: *Rogan Josh*

ROGAN JOSH

•

Vorbereitungszeit: 25 Minuten
Gesamtkochzeit: 1–1½ Stunden
Für 4–6 Personen

1 kg Lammfleisch
1 EL Ghee oder Öl
2 mittelgroße Zwiebeln, gehackt
125 g Joghurt
1 TL Chilipulver
1 EL Koriander, gemahlen
2 TL Kreuzkümmel, gemahlen
1 TL Kardamom, gemahlen
½ TL Gewürznelken, gemahlen
1 TL Kurkuma, gemahlen
3 Knoblauchzehen, zerdrückt
1 EL frischer Ingwer, gerieben
1 TL Salz
410 g Dosentomaten, kleingeschnitten
30 g Mandelsplitter
3 TL Garam Masala
zum Garnieren: gehackte Korianderblätter

•

1 Das Lammfleisch in 2,5 cm große Würfel schneiden.
2 Ghee in einer großen Pfanne erhitzen. Zwiebeln glasig braten. Joghurt, Koriander, Kreuzkümmel, Kardamom, Knoblauch, Ingwer, Gewürznelken, Kurkuma und Chilipulver zugeben. Gut mischen. Salz und die nicht abgetropften Tomaten zufügen und ohne Deckel 5 Minuten köcheln lassen.
3 Das Lammfleisch zugeben und umrühren, bis es überzogen ist. Zugedeckt bei schwacher Hitze 1–1½ Stunden köcheln lassen. Dabei gelegentlich umrühren. Ohne Deckel weiterköcheln lassen, bis die Flüssigkeit eingedickt ist.
4 Währenddessen die Mandeln in einer trockenen Pfanne bei mittlerer Hitze etwa 3–4 Minuten rösten. Die Pfanne dabei leicht schwenken. Nach dem Rösten die Mandeln sofort herausnehmen, damit sie nicht anbrennen.
5 Das Lammfleisch mit Garam Masala bestreuen und durchmischen. Mit Mandeln und Korianderblättern garniert servieren.

NÄHRWERT PRO PORTION (6): 40 g Eiweiß, 20 g Fett, 5 g Kohlenhydrate, 0 g Ballaststoffe, 130 mg Cholesterin, 1545 kJ (365 kcal)

•

HÜHNCHEN-TIKKA

•

Vorbereitungszeit: 30 Minuten
(+ 4 Stunden Marinieren)
Gesamtkochzeit: 10–15 Minuten
Ergibt 12 Spießchen

750 g Hühnerschenkel, filetiert
¼ mittelgroße Zwiebel, gehackt
2 Knoblauchzehen, zerdrückt
1 EL frischer Ingwer, gerieben
2 EL Zitronensaft
3 TL Koriander, gemahlen
3 TL Kreuzkümmel, gemahlen
3 TL Garam Masala
90 g Joghurt
1 TL Salz

•

1 Das Hühnerfleisch in 3 cm große Würfel schneiden. 12 Holzspieße in Wasser einweichen.

2 In einer Küchenmaschine Zwiebeln, Knoblauch, Ingwer, Zitronensaft und die Gewürze verarbeiten, bis sie gut zerkleinert sind. Joghurt und Salz zugeben und kurz durchmischen.
3 Die Fleischwürfel auf die Spieße stecken. Diese dann in eine große Auflaufform geben und mit der Gewürzmischung bestreichen. Zugedeckt mindestens 4 Stunden oder über Nacht im Kühlschrank marinieren lassen.
4 Die Spieße auf einem heißen Grill oder in einer großen, gut geölten Bratpfanne bei starker Hitze auf jeder Seite 5 Minuten anbräunen.

NÄHRWERT PRO SPIESS: 15 g Eiweiß, 7 g Fett, 2 g Kohlenhydrate, 0 g Ballaststoffe, 40 mg Cholesterin, 555 kJ (130 kcal)

•

LINSEN-SCHMORTOPF

•

Vorbereitungszeit: 40 Minuten (Einweichen über Nacht + 30 Minuten Abkühlen)
Gesamtkochzeit: 70 Minuten
Für 4–6 Personen

☆☆

370 g grüne Linsen
1 große Zwiebel
1 große Kartoffel
1 TL Kreuzkümmel, gemahlen
1 TL Koriander, gemahlen
1 TL Kurkuma, gemahlen
90 g Weizenmehl
Öl zum Braten
2 EL Öl extra
2 Knoblauchzehen, zerdrückt
1 EL frischer Ingwer, gerieben
250 g Tomaten, püriert
500 ml Gemüsebrühe
250 ml Sahne
200 g grüne Bohnen, geputzt
2 Möhren, in Scheiben geschnitten

•

1 Linsen mit kaltem Wasser bedecken und über Nacht einweichen lassen. Gut abtropfen lassen.
2 Zwiebel und Kartoffel raspeln. Linsen, Zwiebel, Kartoffel, Kreuzkümmel, Koriander, Kurkuma und Mehl in einer Schüssel gut verrühren. Die Masse in walnußgroße Bällchen formen und diese auf ein mit Alufolie ausgelegtes Backblech legen. Zudecken und 30 Minuten kaltstellen.
3 Eine Bratpfanne etwa 2 cm hoch mit Öl füllen und erhitzen. Die Linsenbällchen portionsweise bei starker Hitze etwa 5 Minuten goldbraun fritieren. Auf Papiertüchern abtropfen lassen.
4 Das zusätzliche Öl in einer großen Pfanne erhitzen. Knoblauch und Ingwer bei mittlerer Hitze unter Rühren 1 Minute anbraten. Tomatenpüree, Brühe und Sahne zugeben. Zum Kochen bringen und offen 10 Minuten köcheln lassen. Die Linsenbällchen, Bohnen und Möhren zugeben. Zudecken und 35 Minuten garen, dabei gelegentlich umrühren. Mit Brot servieren.
HINWEIS: Die Linsenbällchen müssen mit trockenen Händen geformt werden. Sie können am Vortag vorbereitet und dann im Kühlschrank aufbewahrt werden.

NÄHRWERT PRO PORTION (6): 20 g Eiweiß, 35 g Fett, 45 g Kohlenhydrate, 10 g Ballaststoffe, 60 mg Cholesterin, 2325 kJ (555 kcal)

LINSEN-SCHMORTOPF

Die Linsenmasse zu Bällchen formen.

Die Linsenbällchen bei starker Hitze goldbraun braten.

Die Linsenbällchen, Bohnen und Möhren in die Currysauce geben.

Links: *Linsen-Schmortopf*

GEMÜSE-KORMA

•

Vorbereitungszeit: 20 Minuten
Gesamtkochzeit: 50 Minuten
Für 4–6 Personen

2 EL Öl
2 EL fertige grüne Masala-Paste
1 TL Chilipulver
1 EL frischer Ingwer, gerieben
1 mittelgroße Zwiebel, gehackt
300 g Blumenkohl, in Röschen geschnitten
300 g Kürbis, in große Stücke geschnitten
3 dünne Auberginen, in Stücke geschnitten
2 Möhren, in große Stücke geschnitten
3 Tomaten, geschält, entkernt und kleingeschnitten
375 ml Gemüsebrühe
125 g grüne Bohnen, gehackt

•

1 Öl in einer großen gußeisernen Pfanne erhitzen. Masala-Paste zugeben und bei mittlerer Hitze für etwa 2 Minuten kochen, bis das Öl anfängt, sich von der Paste zu trennen.
2 Chilipulver, Ingwer und Zwiebel 3 Minuten mitkochen.
3 Blumenkohl, Kürbis, Auberginen und Karotten einrühren, bis sie sich mit der Gewürzpaste überziehen. Die Tomaten und die Brühe zugeben und aufkochen lassen. Anschließend bei reduzierter Hitze offen 30 Minuten köcheln lassen.
4 Bohnen zugeben und etwa 10 Minuten mitkochen, bis das Gemüse zart ist. Mit Reis servieren.
HINWEIS: Für ein Balti-Gemüse-Korma die grüne Masala-Paste durch Balti-Masala-Paste ersetzen (s. S. 127).

NÄHRWERT PRO PORTION (6): 5 g Eiweiß, 10 g Fett, 10 g Kohlenhydrate, 5 g Ballaststoffe, 0 mg Cholesterin, 490 kJ (115 kcal)

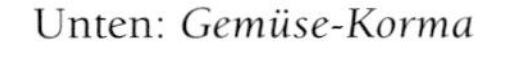

Unten: *Gemüse-Korma*

•

KICHERERBSEN-CURRY

•

Vorbereitungszeit: 20 Minuten
Gesamtkochzeit: 30 Minuten
Für 4–6 Personen

2 x 400 g Kichererbsen aus der Dose
3 EL Ghee, Öl oder Butter
2 mittelgroße Zwiebeln, feingehackt
1 TL frischer Ingwer, gerieben
1/2 TL Knoblauch, zerdrückt
1–2 grüne Chillies, entkernt und feingehackt
1/2 TL Kurkuma, gemahlen
2 große reife Tomaten, entkernt und kleingeschnitten
1 EL Koriander, gemahlen
2 TL Garam Masala
2 EL Zitronensaft
2–3 EL frische Korianderblätter, gehackt

•

1 Kichererbsen abtropfen lassen und die Flüssigkeit aufheben.
2 Ghee in einer großen Pfanne erhitzen. Die Zwiebeln mit Ingwer, Knoblauch, Kurkuma und Chillies bei mittlerer Hitze weich dünsten.
3 Tomaten zugeben und weich kochen. Koriander und die Kichererbsen zufügen und 10 Minuten mitkochen. 250 ml der aufgehobenen Flüssigkeit zugießen und weitere 5 Minuten kochen lassen.
4 Garam Masala, Zitronensaft und Koriander zugeben und 2–3 Minuten köcheln lassen. Bei Bedarf mehr Flüssigkeit zugießen, um eine Sauce zu erhalten. Die Kichererbsen in eine Servierschale geben und mit Reis servieren.

NÄHRWERT PRO PORTION (6): 30 g Eiweiß, 20 g Fett, 70 g Kohlenhydrate, 20 g Ballaststoffe, 30 mg Cholesterin, 2260 kJ (540 kcal)

LAMM-KOFTA

Das Hackfleisch mit den anderen Zutaten gut mischen.

Die Fleischbällchen in zwei Portionen rundherum bräunen.

Den Joghurt mit der Kokosmilch mischen und einrühren.

LAMM-KOFTA

•

Vorbereitungszeit: 25 Minuten
Gesamtkochzeit: 50 Minuten
Für 4–6 Personen

1 kg Lammhackfleisch
1 mittelgroße Zwiebel, feingehackt
2 grüne Chillies, feingehackt
3 TL frischer Ingwer, geraspelt
3 Knoblauchzehen, zerdrückt
1 TL Kardamom, gemahlen
1 Ei
25 g frische Panade
2 EL Ghee oder Öl

•

Sauce
1 EL Ghee oder Öl
1 mittelgroße Zwiebel, in Ringe geschnitten
1 grüner Chili, feingehackt
3 TL frischer Ingwer, geraspelt
2 Knoblauchzehen, zerdrückt
1 TL Kurkuma, gemahlen
3 TL Koriander, gemahlen
2 TL Kreuzkümmel, gemahlen
1 TL Chilipulver
2 EL heller Essig
350 ml Wasser
185 g Joghurt
320 ml Kokosmilch

1 Ein Backblech mit Backpapier auslegen. Das Hackfleisch in eine große Rührschüssel legen. Zwiebel, Chillies, Ingwer, Kardamom, Knoblauch, Ei und Panade zugeben, mit Salz und Pfeffer würzen und gut mischen. Mit einem Eßlöffel die Masse zu Bällchen formen und auf das vorbereitete Backblech legen.
2 Ghee in einer Bratpfanne erhitzen. Die Fleischbällchen in zwei Portionen aufgeteilt bei mittlerer Hitze rundherum bräunen. Die Fleischbällchen in eine große Schüssel umfüllen.
3 Für die Sauce das Ghee in einer Pfanne erhitzen. Zwiebel, Chili, Ingwer, Knoblauch und Kurkuma zugeben und unter Rühren bei schwacher Hitze braten, bis die Zwiebel glasig ist. Koriander, Kreuzkümmel, Chilipulver, Essig, Fleischbällchen und Wasser zugeben und vorsichtig rühren. Zugedeckt 30 Minuten köcheln lassen.
4 Den mit der Kokosmilch vermischten Joghurt unterrühren und alles bei halb geöffnetem Deckel weitere 10 Minuten köcheln lassen. Mit Reis servieren.

NÄHRWERT PRO PORTION (6): 40 g Eiweiß, 45 g Fett, 10 g Kohlenhydrate, 0 g Ballaststoffe, 180 mg Cholesterin, 2450 kJ (585 kcal)

Oben: *Lamm-Kofta*

RAITAS & RELISHES

Würzige Relishes verfeinern Currygerichte; Gemüse- oder Kräuter-Raitas (Joghurtspeisen) sind kühl und erfrischend. Beide werden als Beilage serviert.

GURKEN-RAITA
2 geschälte, feingehackte Gurken mit 250 g Joghurt mischen. Jeweils 1 TL gemahlenen Kreuzkümmel und gemahlene Senfkörner in einer trockenen Pfanne 1 Minute erhitzen, bis sie duften. 1/2 TL geriebenen frischen Ingwer in die Mischung einrühren. Mit Salz und Pfeffer gut abschmecken. Mit Paprika garnieren. Gekühlt servieren.

NÄHRWERT PRO 100 g: 5 g Eiweiß, 2 g Fett, 5 g Kohlenhydrate, 0 g Ballaststoffe, 10 mg Cholesterin, 190 kJ (45 kcal)

MÖHREN-RAITA
35 g gehackte Pistaziennüsse und 40 g Sultaninen in eine Schüssel mit 80 ml kochendem Wasser geben und 30 Minuten ziehen lassen. Anschließend abtropfen lassen und mit Papiertüchern trockentupfen. In einer anderen Schale 2 geriebene Möhren, 185 g Joghurt, 1 TL zerstoßene Kardamomsamen, 1 TL gemahlenen Kreuzkümmel und 1/4 TL Chilipulver gut vermischen. 30 Minuten kühl stellen. Die Pistazienmasse in die Joghurtmischung einrühren, dabei einige Teelöffel für die Garnierung beiseite stellen. Gekühlt servieren.

NÄHRWERT PRO 100 g: 5 g Eiweiß, 5 g Fett, 10 g Kohlenhydrate, 2 g Ballaststoffe, 5 mg Cholesterin, 485 kJ (115 kcal)

KORIANDER-CHUTNEY
1 Bund Koriander (etwa 90 g) mit den Wurzeln waschen, abtrocknen und grob hacken. 25 g getrocknete Kokosraspel, 1 EL braunen Zucker, 1 TL Salz, 1 EL geriebenen frischen

Ingwer, 1 kleine gehackte Zwiebel, 2 EL Zitronensaft und 1–2 kleine grüne entkernte Chillies in die Küchenmaschine geben. Etwa 1 Minute verarbeiten, bis alles gut zerkleinert ist. Gekühlt servieren.

NÄHRWERT PRO 100 g: 2 g Eiweiß, 5 g Fett, 10 g Kohlenhydrate, 5 g Ballaststoffe, 0 mg Cholesterin, 380 kJ (90 kcal)

FRISCHES MINZE-RELISH

50 g frische Minze, 2 Frühlingszwiebeln und 1 grünen Chili fein hacken. Mit 1 zerdrückten Knoblauchzehe, 1 TL Zucker, 1/2 TL Salz und 2 EL Zitronensaft mischen. Zugedeckt mindestens 1 Stunde kühlen. Mit Zitronenscheiben und Frühlingszwiebeln garnieren.

NÄHRWERT PRO 100 g: 2 g Eiweiß, 0 g Fett, 10 g Kohlenhydrate, 5 g Ballaststoffe, 0 mg Cholesterin, 180 kJ (45 kcal)

FRISCHES TOMATEN-RELISH

2 gewürfelte Tomaten mit 3 in feine Scheiben geschnittenen Frühlingszwiebeln, 2 EL feingehackten frischen Korianderblättern, 1 in feine Scheiben geschnittenen grünen Chili, 1 EL Zitronensaft und 1 TL braunen Zucker vermischen. Mit Salz und Pfeffer abschmecken. Gekühlt servieren.

NÄHRWERT PRO 100 g: 1 g Eiweiß, 0 g Fett, 5 g Kohlenhydrate, 1 g Ballaststoffe, 0 mg Cholesterin, 85 kJ (20 kcal)

KOKOS-BANANEN

2 große Bananen schälen und in dicke Scheiben schneiden. Diese in Zitronensaft eintunken und anschließend in Kokosflocken wenden. Bei Zimmertemperatur servieren.

NÄHRWERT PRO 100 g: 2 g Eiweiß, 5 g Fett, 15 g Kohlenhydrate, 5 g Ballaststoffe, 0 mg Cholesterin, 465 kJ (110 kcal)

JOGHURT-MINZE-RAITA

250 ml Joghurt mit 20 g gehackter frischer Minze und einer Prise Cayennepfeffer gut mischen. Gekühlt servieren.

NÄHRWERT PRO 100 g: 5 g Eiweiß, 5 g Fett, 5 g Kohlenhydrate, 0 g Ballaststoffe, 15 mg Cholesterin, 285 kJ (70 kcal)

Im Uhrzeigersinn von links oben: *Koriander-Chutney, Möhren-Raita, frisches Tomaten-Relish, Joghurt-Minze-Raita, Kokos-Bananen, frisches Minze-Relish, Gurken-Raita*

BALTIGERICHTE

Balti ist die Bezeichnung für Currygerichte, die ihren Ursprung im Nordosten Pakistans haben, früher als Baltistan bekannt. Entsprechend der Tradition werden sie in einer gußeisernen Baltipfanne mit zwei Griffen gekocht (›Karahi‹), die einem Wok ähnelt. Jeder schwere Schmortopf mit Deckel eignet sich als Ersatz. Traditionelle Baltigerichte sind leicht ölig. Sie werden mit etwas Chili, frischem Knoblauch, Ingwer, Koriander, Fenchel, schwarzen Senfsamen, Gewürznelken, Kardamom, Koriandersamen, Kreuzkümmel, Kassienrinde und Garam Masala gewürzt.

Oben: *Mulligatawny*

MULLIGATAWNY

•

Vorbereitungszeit: 40 Minuten
Gesamtkochzeit: 1 Stunde 20 Minuten
Für 6 Personen

1 kg Hühnerfleisch, zerlegt
2 EL Weizenmehl
2 TL Madras Currypulver
1 TL Kurkuma, gemahlen
1/2 TL Ingwer, gemahlen
60 g Butter
6 Gewürznelken
12 schwarze Pfefferkörner
1 großer Apfel, geschält und gehackt
1 1/2 l Hühnerbrühe
2 EL Zitronensaft
125 ml Sahne

•

1 Große Fettstücke und Sehnen vom Hühnerfleisch entfernen. Mehl mit Currypulver, Kurkuma und Ingwer mischen und das Fleisch mit der Masse einreiben.
2 Butter in einer großen Pfanne erhitzen. Die Fleischstücke zugeben und bei mittlerer Hitze von allen Seiten leicht bräunen. Gewürznelken und Pfefferkörner in ein kleines Musselintuch binden und mit dem Apfel und der Brühe in die Pfanne geben. Zum Kochen bringen und dann zugedeckt 1 Stunde bei geringer Hitze köcheln lassen.
3 Das Huhn und das Gewürzsäckchen aus der Pfanne nehmen. Das Fleisch von den Knochen schneiden und ohne Haut fein hacken. Das Fett von der Brühe schöpfen.
4 Das Fleisch wieder in die Pfanne geben. Zitronensaft und Sahne einrühren und alles leicht erhitzen. Nicht kochen, die Suppe gerinnt sonst.

NÄHRWERT PRO PORTION: 30 g Eiweiß, 25 g Fett, 10 g Kohlenhydrate, 0 g Ballaststoffe, 140 mg Cholesterin, 1495 kJ (355 kcal)

•

BALTI-LAMM

•

Vorbereitungszeit: 15 Minuten
Gesamtkochzeit: 1 1/2 Stunden
Für 4 Personen

1 kg Lammkeulensteaks
375 ml kochendes Wasser
1 EL Balti Masala-Paste (s. S. 127)
2 EL Ghee oder Öl
3 Knoblauchzehen, zerdrückt
1 EL Garam Masala
1 große Zwiebel, feingehackt
4 EL Balti Masala-Paste extra
2 EL frische Korianderblätter, gehackt
250 ml Wasser
zum Garnieren: frische Korianderblätter extra

1 Backofen auf 190 °C vorheizen (Gas: Stufe 5).
2 Das Fleisch in 3 cm große Würfel schneiden.
3 Die Würfel mit kochendem Wasser und der Masala-Paste in einen großen Schmortopf geben. Zugedeckt 30–40 Minuten garkochen lassen. Abgießen und die Brühe aufbewahren.
4 Ghee in einer Baltipfanne oder einem Wok erhitzen. Knoblauch und Garam Masala 1 Minute unter Rühren braten. Zwiebel zugeben und bei mittlerer Hitze goldbraun dünsten. Die Hitze erhöhen und das Lammfleisch und die zusätzliche Masala-Paste zugeben. Das Fleisch 5 Minuten unter Rühren anbräunen.
5 Die aufgehobene Brühe langsam zugießen. Bei schwacher Hitze 15 Minuten köcheln lassen.
6 Korianderblätter und Wasser zufügen. Etwa 15 Minuten köcheln lassen, bis das Fleisch zart und die Sauce leicht eingedickt ist. Abschmecken. Mit Korianderblättern garnieren und mit Roti- oder Naanbrot servieren.

NÄHRWERT PRO PORTION: 55 g Eiweiß, 30 g Fett, 5 g Kohlenhydrate, 0 g Ballaststoffe, 190 mg Cholesterin, 2130 kJ (510 kcal)

•

LAMM-KORMA

•

Vorbereitungszeit: 30 Minuten (+ 60 Minuten Marinieren)
Gesamtkochzeit: 60 Minuten
Für 4–6 Personen

2 kg Lammkeule, Fleisch von den Knochen geschnitten
1 mittelgroße Zwiebel, gehackt
2 TL frischer Ingwer, gerieben
3 Knoblauchzehen
1 EL Koriandersamen
2 TL Kreuzkümmel, gemahlen
1 TL Kardamomkapseln
1/2 TL Salz
1 große Prise Cayennepfeffer
2 EL Ghee oder Öl
1 mittelgroße Zwiebel extra, in Scheiben geschnitten
2 EL Tomatenmark (doppelt konzentriert)
125 g Joghurt

•

1 Große Fettstücke und Sehnen vom Lammfleisch entfernen, Fleisch in 3 cm große Würfel schneiden und in eine große Schüssel legen.
2 In einer Küchenmaschine Zwiebel, Ingwer, Knoblauch, Koriandersamen, Kreuzkümmel, Kardamomkapseln, Salz und Cayennepfeffer pürieren. Lammfleisch mit der Gewürzmischung überziehen. 1 Stunde ziehen lassen.
3 Ghee in einer großen Pfanne erhitzen. Die zusätzliche Zwiebel weich dünsten. Das Fleisch zugeben und unter ständigem Rühren 8–10 Minuten bräunen. Tomatenmark und 2 EL Joghurt unterrühren. Ohne Deckel köcheln lassen, bis die Flüssigkeit absorbiert ist.
4 Den restlichen Joghurt zugeben, jeweils 2 EL auf einmal. Rühren, bis die Mischung zwischen den Zugaben fast trocken ist.
5 Die Pfanne zudecken und das Fleisch bei schwacher Hitze unter gelegentlichem Rühren 30 Minuten weichköcheln lassen. Evtl. etwas Wasser zugeben. Mit Reis servieren.

NÄHRWERT PRO PORTION (6): 53 g Eiweiß, 20 g Fett, 5 g Kohlenhydrate, 1 g Ballaststoffe, 175 mg Cholesterin, 1645 kJ (390 kcal)

Unten: *Lamm-Korma*

MILDES CURRY MIT GEBRATENEM FISCH UND KORIANDER

•

Vorbereitungszeit: 15 Minuten
Gesamtkochzeit: 10 Minuten
Für 4 Personen

2 EL Ghee oder Öl
4 feste weiße Fischfilets, jedes 125 g
1 mittelgroße Zwiebel, feingehackt
1 TL Knoblauch, feingehackt
1 TL Koriander, gemahlen
2 TL Kreuzkümmel, gemahlen
1/2 TL Kurkuma, gemahlen
1/2 TL Chiliflocken
1 EL Tomatenmark (doppelt konzentriert)
125 ml Wasser
zum Servieren: gehackte Korianderblätter

•

1 Ghee in einer großen Pfanne zerlassen und den Fisch bei mittlerer Hitze auf jeder Seite 1 Minute anbraten. Auf eine Platte legen.
2 Zwiebel und Knoblauch in die Pfanne geben und goldbraun dünsten. Koriander, Kreuzkümmel, Kurkuma und Chili zufügen und 30 Sekunden unter Rühren braten.
3 Tomatenmark und Wasser zugeben und 2 Minuten köcheln lassen. Den Fisch hineinlegen und jede Seite 1 Minute kochen. Mit Koriander bestreuen und mit Reis servieren.

NÄHRWERT PRO PORTION: 30 g Eiweiß, 10 g Fett, 0 g Kohlenhydrate, 0 g Ballaststoffe, 110 mg Cholesterin, 905 kJ (215 kcal)

RINDFLEISCH-VINDALOO

•

Vorbereitungszeit: 20 Minuten
Gesamtkochzeit: 1 3/4 Stunden
Für 4 Personen

1 kg Rinderschmorfleisch
1/2 TL Kreuzkümmel, gemahlen
1 EL Koriandersamen
1/2 TL Kardamomsamen
1 TL Bockshornklee, gemahlen
2 TL Chilipulver
1 TL Kurkuma, gemahlen
1 TL Senfpulver
2 EL Ghee oder Öl
3 mittelgroße Zwiebeln, in Ringe geschnitten
2 TL frischer Ingwer, gerieben
3 Knoblauchzehen, zerdrückt
1 Zimtstange
80 ml schwarzer Reisessig
125 ml Fleischbrühe
1 TL Zucker

•

1 Das Fleisch in 3 cm große Würfel schneiden.
2 Kreuzkümmel, Koriander, Kardamomsamen, Bockshornklee, Chilipulver, Kurkuma und Senfpulver in einer Küchenmaschine fein mahlen.
3 Ghee in einer großen Pfanne erhitzen. Das Fleisch in 2 Portionen bei mittlerer Hitze von allen Seiten bräunen. Anschließend in eine Schüssel umfüllen.
4 Zwiebeln, Ingwer, Knoblauch und Zimt in die Pfanne geben und bei schwacher Hitze anbraten,

EINE INDISCHE MAHLZEIT SERVIEREN
Alle indischen Gerichte werden mit Reis oder Brot oder auch mit beidem serviert. Reis ist der Hauptbestandteil eines Gerichtes und wird in die Mitte gestellt. Ringsherum werden kleine Schälchen mit Currys und Raitas arrangiert. Das Brot wird auch dazu verwendet, einzelne Happen zu greifen und in den Mund zu stecken.

Rechts: *Mildes Curry mit gebratenem Fisch und Koriander*

bis die Zwiebeln glasig sind. Alle Gewürze und das Fleisch zufügen und rühren, bis das Fleisch gut überzogen ist. Essig, Brühe und Zucker zugeben. Mit Salz und Pfeffer abschmecken. Zugedeckt bei schwacher Hitze etwa 1½ Stunden köcheln lassen, bis das Fleisch zart ist. Die Zimtstange vor dem Servieren entfernen.

NÄHRWERT PRO PORTION: 50 g Eiweiß, 20 g Fett, 5 g Kohlenhydrate, 0 g Ballaststoffe, 190 mg Cholesterin, 1720 kJ (410 kcal)

•

CURRY MIT ERBSEN, EIERN UND RICOTTA

•

Vorbereitungszeit: 15 Minuten
Gesamtkochzeit: 30 Minuten
Für 4 Personen

4 hartgekochte Eier
½ TL Kurkuma, gemahlen
3 EL Ghee oder Öl
1 Lorbeerblatt
2 kleine Zwiebeln, kleingehackt
1 TL Knoblauch, feingehackt
1½ TL Koriander, gemahlen
1½ TL Garam Masala
½ TL Chilipulver, nach Belieben
125 g Dosentomaten, geschält und gehackt
1 EL Tomatenmark (doppelt konzentriert)
125 ml Wasser
125 g gebackener Ricotta, in 1 cm große Würfel geschnitten
¼ TL Salz
1 EL Joghurt
80 g Erbsen, tiefgefroren
2 EL frische Korianderblätter, feingehackt

1 Eier schälen und mit Kurkuma bestreichen.
2 Ghee in einer großen Pfanne zerlassen und die Eier bei mittlerer Hitze unter ständigem Rühren 2 Minuten leicht bräunen. Zur Seite stellen.
3 Lorbeerblatt, Zwiebeln und Knoblauch in die Pfanne geben und bei mäßig starker Hitze dünsten. Dabei häufig rühren, bis die Flüssigkeit verkocht ist. Die Hitze herunterschalten, falls die Masse zu schnell bräunt. Koriander, Garam Masala und evtl. Chilipulver zugeben und mitbraten, bis sie duften.
4 Tomaten, Tomatenmark und Wasser zufügen und 5 Minuten köcheln lassen. Die Eier wieder in die Pfanne legen und zusammen mit Ricotta, Salz, Joghurt und Erbsen 5 Minuten köcheln lassen. Das Lorbeerblatt entfernen und das Gericht mit Koriander bestreut sofort servieren.
HINWEIS: Gebackener Ricotta ist in Feinkostgeschäften erhältlich, man kann ihn aber auch selbst zubereiten. Den Ofen auf 160 °C (Gas: Stufe 2–3) vorheizen. 500 g frischen Ricotta in 3 cm dicke Scheiben schneiden. Dann auf einem leicht eingefetteten Backblech 25 Minuten backen.

NÄHRWERT PRO PORTION: 15 g Eiweiß, 20 g Fett, 5 g Kohlenhydrate, 5 g Ballaststoffe, 302 mg Cholesterin, 1075 kJ (255 kcal)

GARAM MASALA
Obwohl Garam Masala eine der bekanntesten indischen Gewürzmischungen ist, enthält es keine Kurkuma – die Zutat, die vielen Currygerichten ihre charakteristische gelbe Farbe verleiht. Seit der Mogulenherrschaft im 17. und 18. Jahrhundert ist Garam Masala in Indien beliebt (s. Rezept auf Seite 127).

Oben: *Rindfleisch-Vindaloo*
Unten: *Curry mit Erbsen, Eiern und Ricotta*

Oben: *Balti-Hühnchen*

BALTI-HÜHNCHEN

•

Vorbereitungszeit: 10 Minuten
Gesamtkochzeit: 50 Minuten
Für 4 Personen

1 kg Hühnerschenkel, filetiert
2 EL Ghee oder Öl
2 Knoblauchzehen, zerdrückt
1 Zimtstange
1/2 TL Kardamomsamen
1 EL Garam Masala
1 TL Sesamsamen
1 TL Mohnsamen
1/2 TL Fenchelsamen
2 mittelgroße Zwiebeln, in feine Scheiben geschnitten
3 EL Balti Masala-Paste (s. S. 127)
250 ml Hühnerbrühe
250 ml Sahne
1 EL frische Korianderblätter

1 Das Hühnerfleisch in 3 cm große Würfel schneiden.
2 Ghee in einer Balti-Pfanne oder einem Wok erhitzen. Knoblauch, Zimtstange, Kardamomsamen und Garam Masala bei mittlerer Hitze 1 Minute unter Rühren braten. Die Hitze reduzieren, Zwiebeln zugeben und etwa 10 Minuten weich und goldbraun dünsten.
3 Balti Masala-Paste und das Hühnerfleisch hineingeben und unter gelegentlichem Rühren 5 Minuten köcheln lassen.
4 Die Hitze reduzieren und die Brühe zugießen. Zugedeckt 20 Minuten köcheln lassen. Sahne zugeben und weitere 10 Minuten köcheln lassen, dabei gelegentlich umrühren.
5 Korianderblätter einrühren. Mit Salz und Pfeffer abschmecken. Mit Roti- oder Naanbrot servieren.

NÄHRWERT PRO PORTION: 35 g Eiweiß, 50 g Fett, 5 g Kohlenhydrate, 0 g Ballaststoffe, 230 mg Cholesterin, 2570 kJ (615 kcal)

SAMOSAS

Das Gemüse mit Korinthen, Gewürzen, Zitronensaft und Sojasauce verrühren.

Den Teig mit der Füllung zu Halbkreisen falten und den Rand mit einer Gabel zusammendrücken.

Immer 2 Samosas gleichzeitig goldbraun und knusprig fritieren.

SAMOSAS

•

Vorbereitungszeit: 30 Minuten
Gesamtkochzeit: 25 Minuten
Ergibt ca. 24 Teigtaschen

2 mittelgroße Kartoffeln, in dicke Stücke geschnitten
80 g Erbsen, tiefgefroren
35 g Korinthen
2 EL frische Korianderblätter, gehackt
2 EL Zitronensaft
1 EL Sojasauce
1 TL Kreuzkümmel, gemahlen
1 TL Chilipulver
1/2 TL frische Chillies, gehackt
1/4 TL Zimt, gemahlen
1 Paket (1 kg) fertig ausgerollter Blätterteig, aufgetaut
Öl zum Fritieren

•

Minze-Joghurt-Sauce
125 g Joghurt
125 ml Buttermilch
15 g frische Minze, feingehackt
1/2 TL Kreuzkümmel, gemahlen

1 Kartoffeln in einem großen Topf mit kochendem Wasser garen. Abkühlen lassen und kleinschneiden. Die Kartoffeln mit Erbsen, Korinthen, Koriander, Zitronensaft, Sojasauce, Kreuzkümmel, Chilipulver, Chillies und Zimt mischen.
2 Etwa 10 cm große Kreise aus dem Teig schneiden. In die Mitte jeweils 1 EL der Kartoffelmasse füllen. Den Teig zu Halbkreisen umfalten und die Füllung dabei einschließen. Die Ränder mit einer Gabel fest zusammendrücken.
3 Öl 2 cm hoch in eine Pfanne gießen und erhitzen. Jeweils 2 Samosas gleichzeitig von jeder Seite 2 Minuten fritieren, bis sie goldbraun und knusprig sind. Auf Papiertüchern abtropfen lassen und mit der Minze-Joghurt-Sauce servieren.
4 Für die Minze-Joghurt-Sauce Joghurt, Buttermilch, Minze und Kreuzkümmel glattrühren.

NÄHRWERT PRO SAMOSA MIT SAUCE: 5 g Eiweiß, 10 g Fett, 15 g Kohlenhydrate, 1 g Ballaststoffe, 10 mg Cholesterin, 635 kJ (150 kcal)

Oben: *Samosas*

ROSENWASSER
Rosenwasser wird in Indien zum Aromatisieren von Getränken, Desserts und einigen pikanten Speisen verwendet. Die verdünnte Essenz wird aus Rosenblättern gewonnen. Sie sollte nicht mit Rosenessenz verwechselt werden – diese ist etwa 40mal konzentrierter.

HÜHNERFLEISCH-MASALA

•

Vorbereitungszeit: 25 Minuten (+ 4 Stunden Marinieren)
Gesamtkochzeit: 45 Minuten
Für 4–6 Personen

6 Hühnerschenkel-Schnitzel
2 TL Bockshornklee, gerieben
2 Knoblauchzehen, zerdrückt
1 TL frischer Ingwer, gerieben
10 g frische Minze
60 ml Essig
15 g frische Korianderblätter
1 TL Salz
2 TL Kurkuma, gemahlen
½ TL Gewürznelken, gemahlen
½ TL Kardamom, gemahlen

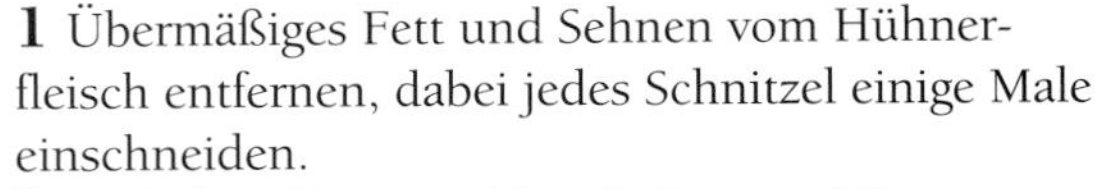

1 Übermäßiges Fett und Sehnen vom Hühnerfleisch entfernen, dabei jedes Schnitzel einige Male einschneiden.
2 Bockshornklee, Knoblauch, Ingwer, Minze, Essig, Koriander, Salz, Kurkuma, Gewürznelken und Kardamom in einer Küchenmaschine zu einer glatten Paste verarbeiten.
3 Das Fleisch in eine flache Backform (nicht aus Metall) legen und von allen Seiten mit der Gewürzpaste einreiben. Zudecken und mindestens 4 Stunden oder über Nacht im Kühlschrank marinieren lassen.
4 Den Ofen auf 180 °C (Gas: Stufe 4) vorheizen. Die Hühnerschenkel 45 Minuten backen. Mit Reis servieren.

NÄHRWERT PRO PORTION: 20 g Eiweiß, 3 g Fett, 0 g Kohlenhydrate, 0 g Ballaststoffe, 55 mg Cholesterin, 420 kJ (100 kcal)

Unten: *Hühnerfleisch-Masala*

•

LAMM-BIRYANI

•

Vorbereitungszeit: 50 Minuten (+ 60 Minuten Marinieren)
Gesamtkochzeit: 1¾ Stunden
Für 6–8 Personen

1 kg Lammfleisch, in Würfel geschnitten
1 mittelgroße Zwiebel, gehackt
4 Knoblauchzehen, zerdrückt
4 cm frischer Ingwer, gehackt
2 grüne Chillies, entkernt und gehackt
2 EL Koriander, gemahlen
500 g Joghurt
2 EL Ghee oder Öl
2 mittelgroße Zwiebeln extra, in feine Ringe geschnitten
2 EL Mandeln, blanchiert
2 EL Sultaninen
500 g Basmatireis
5 Kardamomkapseln
1 Zimtstange
2 EL Rosenwasser
6 EL Ghee
1 TL Salz
1 l Hühnerbrühe
½ TL Safranfäden
2 EL heiße Milch
4 Eier, hartgekocht, in Scheiben geschnitten

•

1 Das Lammfleisch mit Zwiebel, Knoblauch, Ingwer, Chillies, Koriander und Joghurt in einer Schüssel gut mischen. Zudecken und im Kühlschrank 1 Stunde marinieren lassen.
2 Ghee in einer Bratpfanne erhitzen. Die zusätzlichen Zwiebeln bei mittlerer Hitze etwa 15 Minuten goldbraun und leicht knusprig braten.

Die Zwiebeln aus der Pfanne nehmen und auf Papiertüchern abtropfen lassen. Mandeln und Sultaninen in die Pfanne geben und 3 Minuten dünsten, bis die Sultaninen knackig sind. Aus der Pfanne nehmen und beiseite stellen.

3 Den Reis waschen und 15 Minuten abtropfen lassen. Dann in eine große Pfanne geben und Kardamom, Zimt, Rosenwasser und 2 EL Ghee zugeben. Bei mittlerer Hitze kochen lassen, bis der Reis glasig ist. Salz und Hühnerbrühe zufügen und zum Kochen bringen. Anschließend bei reduzierter Hitze 15 Minuten köcheln lassen.

4 Safranfäden 5 Minuten in heißer Milch einweichen. Beides über den gekochten Reis gießen und sorgfältig einrühren.

5 Den Backofen auf 220 °C (Gas: Stufe 7) vorheizen. Die Zutaten schichtweise in einer leicht eingefetteten Kasserolle anordnen, zuerst die Hälfte des Reises, dann das Fleisch, die Eier, die Hälfte der gebratenen Zwiebeln, Mandeln und Sultaninen und zum Abschluß die andere Hälfte des Reises. Das restliche Ghee darüber geben. Zudecken und etwa 50 Minuten im Ofen garen, bis das Fleisch zart ist. Mit den restlichen Zwiebeln, Mandeln und Sultaninen garnieren.

NÄHRWERT PRO PORTION (8): 40 g Eiweiß, 35 g Fett, 60 g Kohlenhydrate, 5 g Ballaststoffe, 275 mg Cholesterin, 2980 kJ (710 kcal)

SÜSSES GEMÜSE-CURRY

Vorbereitungszeit: 20 Minuten
Gesamtkochzeit: 40 Minuten
Für 4 Personen

2 mittelgroße Möhren
1 mittelgroße Pastinake
1 mittelgroße Kartoffel
2 EL Öl
2 mittelgroße Zwiebeln, gehackt
1 TL Kardamom, gemahlen
1/4 TL Gewürznelken, gemahlen
1 1/2 TL Kreuzkümmelsamen
1 TL Koriander, gemahlen
1 TL Kurkuma, gemahlen
1 TL braune Senfkörner
1/2 TL Chilipulver
2 TL frischer Ingwer, gerieben
350 ml Gemüsebrühe
185 ml Aprikosennektar
2 EL Frucht-Chutney
1 mittelgroße grüne Paprika, in 2 cm große Vierecke geschnitten
200 g junge Champignons
300 g Blumenkohl, in kleine Röschen zerteilt
45 g Mandeln, gemahlen

1 Möhren, Pastinake und Kartoffel in 2 cm große Stücke schneiden.

2 Öl in einer gußeisernen schweren Pfanne erhitzen. Zwiebeln etwa 4 Minuten bei mittlerer Hitze weich kochen. Kardamom, Gewürznelken, Kreuzkümmelsamen, Koriander, Kurkuma, Senfkörner, Chilipulver und Ingwer zugeben und unter Rühren 1 Minute anbraten.

3 Möhren, Pastinake, Kartoffel, Brühe, den Nektar und das Chutney zufügen. Zugedeckt bei mittlerer Hitze 25 Minuten kochen. Dabei gelegentlich umrühren.

4 Paprika, Pilze und Blumenkohl unterrühren. Weitere 10 Minuten köcheln lassen, bis das Gemüse zart ist. Die gemahlenen Mandeln einrühren und mit Reis servieren.

HINWEIS: Für dieses Currygericht können auch andere Gemüsesorten verwendet werden, beispielsweise Brokkoli, Zucchini, rote Paprika oder Süßkartoffeln.

NÄHRWERT PRO PORTION: 10 g Eiweiß, 15 g Fett, 25 g Kohlenhydrate, 10 g Ballaststoffe, 0 mg Cholesterin, 1245 kJ (295 kcal)

BIRYANI
Biryanis sind Gerichte, bei denen in Ghee und Gewürzen angebratener Reis schichtweise mit gewürztem Fleisch, Geflügel oder Meeresfrüchten angerichtet wird. Im Gegensatz zu anderen Reisgerichten, wie zum Beispiel Pillaus, werden Biryanis grundsätzlich mit Safran oder Kurkuma verfeinert und gefärbt, Ghee wird in großen Mengen verwendet und der Fleisch- oder Fischanteil ist im Verhältnis zum Reis immer sehr groß, manchmal doppelt so groß.

Oben: *Süßes Gemüse-Curry*

Oben: *Lamm-Dopiaza*

LAMM-DOPIAZA

•

Vorbereitungszeit: 20 Minuten
Gesamtkochzeit: 2 Stunden
Für 4–6 Personen

1 kg Zwiebeln
5 Knoblauchzehen
5 cm frischer Ingwer, gerieben
2 rote Chillies
1 TL Paprika
4 EL frische Korianderblätter, gehackt
2 EL Koriander, gemahlen
2 TL schwarze Kreuzkümmelsamen
4 EL Joghurt
4 EL Ghee oder Öl
1 kg Lammfleisch, gewürfelt
6 Kardamomkapseln, leicht zerdrückt
1 TL Garam Masala

•

1 Die Hälfte der Zwiebeln in Ringe schneiden und beiseite stellen; die restlichen Zwiebeln grob hacken.
2 Die gehackten Zwiebeln mit Knoblauch, Ingwer, Chillies, Paprika, frischem und gemahlenem Koriander, Kreuzkümmelsamen und Joghurt in einer Küchenmaschine zu einer glatten Paste verarbeiten.
3 Ghee in einer großen Pfanne erhitzen. Die Zwiebelringe bei mittlerer Hitze etwa 10 Minuten anbräunen. Anschließend aus der Pfanne nehmen und auf Papiertüchern abtropfen lassen.

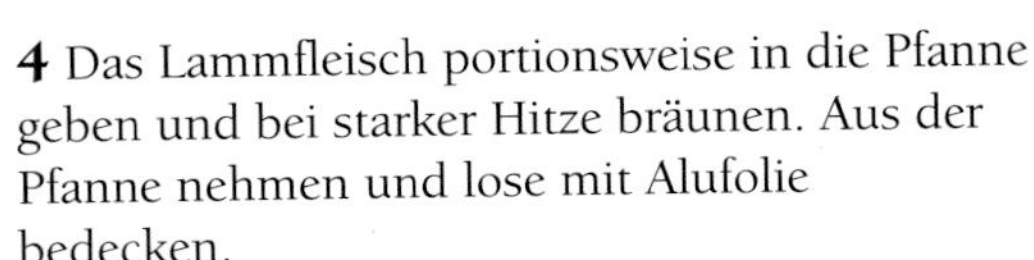

4 Das Lammfleisch portionsweise in die Pfanne geben und bei starker Hitze bräunen. Aus der Pfanne nehmen und lose mit Alufolie bedecken.
5 Die Zwiebelpaste in die Pfanne geben. 5 Minuten kochen lassen, bis sich das Ghee von den Zwiebeln absetzt. Auf schwache Hitze herunterschalten, das Fleisch mit Kardamom zurück in die Pfanne geben und zugedeckt 1 Stunde garen.
6 Die gebratenen Zwiebeln zufügen und das Fleisch mit Garam Masala bestreuen. Zudecken und 15 Minuten weiterkochen. Mit Reis und Naanbrot servieren.

NÄHRWERT PRO PORTION (6): 40 g Eiweiß, 25 g Fett, 10 g Kohlenhydrate, 5 g Ballaststoffe, 150 mg Cholesterin, 1770 kJ (420 kcal)

•

SAAG PANIR
(KÄSEBÄLLCHEN IN SPINATSAUCE)

•

Vorbereitungszeit: 20 Minuten (+ 3 Stunden Ruhezeit)
Gesamtkochzeit: 30 Minuten
Für 4 Personen

2 l Milch
4 EL Zitronensaft
2 EL Joghurt
500 g Spinat
2 Knoblauchzehen
2 cm frischer Ingwer, gerieben
2 grüne Chillies, gehackt
1 mittelgroße Zwiebel, gehackt
2 EL Ghee oder Öl
1 TL Salz
1 TL Kreuzkümmel, gemahlen
1/2 TL Muskatnuß
3 EL Joghurt extra
250 ml Wasser
125 ml Sahne

•

1 Milch in einer großen Pfanne zum Kochen bringen. Die Hitze reduzieren und Zitronensaft und Joghurt einrühren, bis die Mischung anfängt zu gerinnen. Die Pfanne vom Herd nehmen und die Milchmischung etwa 5 Minuten stehen lassen, bis sich Klumpen bilden.
2 Ein Sieb mit einem Musselintuch auslegen. Die geronnene Milch durch das Sieb gießen und die Flüssigkeit abtropfen lassen. Die Ecken des Tuches zusammenfassen und so viel Wasser wie möglich herausdrücken. Das Tuch mit dem Käse wieder in das Sieb geben und an einem kühlen Platz 3 Stunden ruhen lassen, bis der Käse sehr fest und die ganze Molke abgetropft ist. Dann in 4 cm große Würfel schneiden.

3 Den Spinat über kochendem Wasser dämpfen. Wenn er weich ist, die Flüssigkeit herauspressen und den Spinat fein hacken.
4 Knoblauch, Ingwer, Chili und Zwiebel in einer Küchenmaschine pürieren.
5 Ghee im Wok erhitzen. Die Paste bei mittlerer Hitze 5 Minuten braten, bis das Ghee sich von der Paste absetzt. Salz, Kreuzkümmel, Muskatnuß, extra Joghurt und Wasser zugeben und 5 Minuten köcheln lassen. Die Mischung mit dem Spinat in der Küchenmaschine glattrühren. Die Mischung wieder in den Wok geben, den gewürfelten Käse und die Sahne zugeben und kochen, bis die Sauce heiß ist. Mit Reis servieren.

NÄHRWERT PRO PORTION: 25 g Eiweiß, 40 g Fett, 30 g Kohlenhydrate, 5 g Ballaststoffe, 135 mg Cholesterin, 2450 kJ (585 kcal)

BUTTERHÜHNCHEN

Vorbereitungszeit: 30 Minuten (+ 4 Stunden Marinieren)
Gesamtkochzeit: 30 Minuten
Für 4 Personen

1 kg Hühnerschenkel, filetiert
1 TL Salz
60 ml Zitronensaft
60 ml Joghurt
1 mittelgroße Zwiebel, gehackt
2 Knoblauchzehen, zerdrückt
3 cm frischer Ingwer, gerieben
1 grüner Chili, gehackt
2 TL Garam Masala
2 TL gelbe Speisefarbe
1 TL rote Speisefarbe
125 ml Tomaten, püriert
125 ml Wasser
2 cm frischer Ingwer extra, feingerieben
250 ml Sahne
1 TL Garam Masala extra
2 TL Zucker
1/4 TL Chilipulver
1 EL Zitronensaft
1 TL Kreuzkümmel, gemahlen
100 g Butter

1 Das Hühnerfleisch in 2 cm dicke Streifen schneiden. Mit Salz und Zitronensaft würzen.
2 Joghurt, Zwiebel, Knoblauch, Ingwer, Chili und Garam Masala in einer Küchenmaschine zu einer glatten Masse verarbeiten.
3 Speisefarben in einer kleinen Schüssel verrühren und das Fleisch damit von allen Seiten bestreichen. Die Joghurtmischung zugeben und gut verteilen. Zugedeckt 4 Stunden kühlen. Das Hühnerfleisch aus der Marinade nehmen und 5 Minuten abtropfen lassen.
4 Den Backofen auf 220 °C (Gas: Stufe 7) vorheizen. Das Fleisch in einer flachen Form etwa 15 Minuten backen, bis es zart ist. Überschüssigen Saft abtropfen lassen und das Hühnerfleisch lose mit Alufolie bedeckt warm halten.
5 Tomatenpüree mit Wasser mischen. Ingwer, Sahne, zusätzliches Garam Masala, Zucker, Chilipulver, Zitronensaft und Kreuzkümmel unterrühren.
6 Butter bei mittlerer Hitze in einer großen Pfanne zerlassen. Die Tomatenmischung einrühren und zum Kochen bringen. Zwei Minuten kochen lassen, dann die Hitze reduzieren und das Fleisch zugeben. Umrühren, damit sich das Fleisch mit der Sauce überzieht. Weitere 2 Minuten köcheln lassen.

NÄHRWERT PRO PORTION: 60 g Eiweiß, 60 g Fett, 10 g Kohlenhydrate, 0 g Ballaststoffe, 330 mg Cholesterin, 3400 kJ (810 kcal)

Unten: *Butterhühnchen*

BROTE

Die nordindische Küche kennt herrliche Brote – von papierdünnen Parathas bis zu aufgegangenen Naan-Broten. Traditionell werden sie im Lehmofen gebacken. Man ißt mit ihnen z. B. Curry-Gerichte.

PARATHAS

280 g Chapatimehl und eine Prise Salz in eine große Schüssel geben. Mit den Fingerspitzen 40 g Ghee in das Mehl reiben, bis es fein zerkrümelt ist. In der Mitte eine Mulde bilden, 185 ml Wasser zugießen und einen festen Teig formen. Diesen dann durchkneten, bis er glatt ist. Mit Frischhaltefolie abgedeckt 40 Minuten ruhen lassen. Den Teig in 10 Portionen aufteilen. Jede zu einem Kreis von 13 cm Durchmesser ausrollen. Leicht mit geschmolzenem Ghee oder Öl einpinseln. Jeden Kreis bis zur Mitte einschneiden, eng zu einer Kegelform zusammenrollen und anschließend wieder flachdrücken. Erneut in einen 13 cm großen Kreis ausrollen. Parathas einzeln in heißem Ghee oder Öl in einer Bratpfanne braten, bis sie aufgehen und beidseitig leicht gebräunt sind. Auf Papiertüchern abtropfen lassen. Ergibt 10 Stück.

NÄHRWERT PRO PARATHA: 3 g Eiweiß, 15 g Fett, 20 g Kohlenhydrate, 1 g Ballaststoffe, 10 mg Cholesterin, 900 kJ (215 kcal)

NAAN

Den Backofen auf 200 °C (Gas: Stufe 6) vorheizen. 500 g Mehl, 1 TL Backpulver, 1/2 TL Natron und 1 TL Salz in eine Schüssel sieben. 1 geschlagenes Ei, 1 EL Ghee oder Butter und 125 g Joghurt zugeben. Nach und nach Milch zugießen (ca. 250 ml), bis ein weicher Teig entsteht. Mit einem feuchten Tuch bedecken und 2 Stunden an einem warmen Platz ruhen lassen. 2–3 Minuten auf einer bemehlten Oberfläche durchkneten, bis der Teig glatt ist.

In 8 Portionen teilen und jede zu einem 15 cm langen Oval ausrollen. Mit Wasser einpinseln und mit der feuchten Seite nach unten auf eingefettete Backbleche legen. Mit geschmolzener Butter oder Ghee bestreichen. In etwa 8–10 Minuten goldbraun backen. Ergibt 8 Stück.

NÄHRWERT PRO NAAN: 10 g Eiweiß, 5 g Fett, 50 g Kohlenhydrate, 2 g Ballaststoffe, 35 mg Cholesterin, 1185 kJ (280 kcal)

PURIS

375 g Vollkornmehl und eine Prise Salz in eine Schüssel sieben. Mit den Fingerspitzen 1 EL Ghee oder Öl einreiben. Nach und nach mit ca. 250 ml Wasser zu einem festen Teig verarbeiten und auf einer leicht bemehlten Oberfläche glattkneten. Mit Frischhaltefolie bedecken und 50 Minuten beiseite stellen. In 18 Portionen aufteilen und jede zu einem 14 cm großen Kreis ausrollen. In eine tiefe Bratpfanne 3 cm hoch Öl gießen und mäßig erhitzen. Die Fladen einzeln fritieren, bis sie aufgehen und goldbraun sind. Sofort servieren. Ergibt 18 Stück.

NÄHRWERT PRO PURI: 3 g Eiweiß, 5 g Fett, 10 g Kohlenhydrate, 2 g Ballaststoffe, 3 mg Cholesterin, 460 kJ (110 kcal)

CHAPATIS

280 g Chapatimehl mit 1 Prise Salz in eine Schüssel geben. Nach und nach etwa 250 ml Wasser zugießen, bis ein fester Teig entsteht. Auf einer leicht bemehlten Fläche glattkneten. Mit Frischhaltefolie bedecken und 50 Minuten beiseite stellen. In 14 Portionen aufteilen und jede zu einem 14 cm großen Kreis ausrollen. Eine heiße Bratpfanne mit etwas Ghee oder Öl einpinseln. Die Chapatis bei mittlerer Hitze braten, die Oberfläche dabei flachdrücken, bis beide Seiten goldbraun sind und sich Blasen bilden. Ergibt 14 Stück.

NÄHRWERT PRO FLADEN: 2 g Eiweiß, 0 g Fett, 15 g Kohlenhydrate, 1 g Ballaststoffe, 0 mg Cholesterin, 285 kJ (65 kcal)

PAPADS

Papads sind dünne Waffeln aus Linsen-, Reis- oder Kartoffelmehl. Mit Zangen jeweils eine in 2 cm hohes, sehr heißes Öl gleiten lassen. Umdrehen, schnell herausnehmen und auf Papiertüchern abtropfen lassen.

NÄHRWERT PRO PAPAD: 2 g Eiweiß, 2 g Fett, 4 g Kohlenhydrate, 1 g Ballaststoffe, 0 mg Cholesterin, 155 kJ (35 kcal)

Von links nach rechts: *Parathas, Naan, Puris, Chapatis, Papads*

ASAFOETIDA
Dieses Gewürz wird wegen seinem unangenehmen Geruch auch ›Teufelsdreck‹ genannt. Es wird aus den Gummiharzen einer in Afghanistan und im Iran heimischen Pflanze gewonnen und ist eine beliebte Zutat für indische vegetarische Speisen. Sparsam verwendet hat es ein feines Aroma – der Geruch verfliegt bei gekochten Speisen.

DAAL

•

Vorbereitungszeit: 15 Minuten
Gesamtkochzeit: 60 Minuten
Für 4–6 Personen

200 g rote Linsen
1 l Wasser
4 cm frischer Ingwer, in 3 Stücke geschnitten
½ TL Kurkuma, gemahlen
½ TL Salz
3 EL Ghee oder Öl
2 Knoblauchzehen, zerdrückt
1 mittelgroße Zwiebel, feingehackt
1 Prise Asafoetida, nach Belieben
1 TL Kreuzkümmelsamen
1 TL Koriander, gemahlen
¼ TL Chilipulver
1 EL frische Korianderblätter, gehackt

•

1 Die Linsen mit Wasser in einer mittelgroßen Pfanne zum Kochen bringen. Hitze reduzieren, Ingwer und Kurkuma zugeben. Zugedeckt etwa 1 Stunde köcheln lassen, bis die Linsen weich sind. Die letzte halbe Stunde alle 5 Minuten umrühren, damit sich die Linsen nicht am Boden festsetzen. Den Ingwer entfernen und Linsen salzen.
2 Ghee in einer Bratpfanne erhitzen. Knoblauch und Zwiebel darin bei mittlerer Hitze etwa 3 Minuten goldbraun braten. Asafoetida (falls verwendet), Kreuzkümmelsamen, Koriander und Chilipulver zugeben und 2 Minuten dünsten.
3 Die Zwiebelmischung zu den Linsen geben und vorsichtig verrühren. Mit frischem Koriander bestreut servieren.

NÄHRWERT PRO PORTION (6): 10 g Eiweiß, 10 g Fett, 15 g Kohlenhydrate, 5 g Ballaststoffe, 30 mg Cholesterin, 810 kJ (190 kcal)

Unten: *Daal*

•

INDISCHE GARNELENBÄLLCHEN

•

Vorbereitungszeit: 25 Minuten (+ 30 Minuten Ruhezeit)
Gesamtkochzeit: 20 Minuten
Ergibt 15 Stück

350 g rohe Garnelen
1 mittelgroße Zwiebel, grobgehackt
2 Knoblauchzehen, gehackt
4 cm frischer Ingwer, gerieben
1–2 EL fertige Currypaste
2 EL Zitronensaft
15 g frische Korianderblätter
1 TL Kurkuma, gemahlen
½ TL Salz
¼ TL zerstoßener schwarzer Pfeffer
55 g Besan (Kichererbsenmehl)
Öl zum Fritieren

•

1 Die Garnelen schälen und ausnehmen. Garnelen, Zwiebel, Knoblauch, Ingwer, Currypaste, Zitronensaft, Koriander, Kurkuma, Salz und Pfeffer 20–30 Sekunden in der Küchenmaschine verarbeiten, bis sie gründlich vermischt sind. Zugedeckt 20 Minuten kalt stellen.
2 Die Garnelenmasse eßlöffelweise zu Bällchen formen und leicht mit Besan überziehen. Öl 2 cm hoch in eine Bratpfanne gießen und erhitzen. Die Bällchen darin portionsweise bei mittlerer Hitze in etwa 3 Minuten goldbraun fritieren. Auf Papiertüchern abtropfen lassen und nach Wunsch mit Joghurt und Zitronenstückchen servieren.
HINWEIS: Jede indische Currypaste kann hier verwendet werden. Zu Garnelen passen Rogan Josh, Balti, Tikka Masala, Vindaloo und Tandoori.

NÄHRWERT PRO BÄLLCHEN: 5 g Eiweiß, 5 g Fett, 0 g Kohlenhydrate, 0 g Ballaststoffe, 15 mg Cholesterin, 350 kJ (85 kcal)

INDISCHER FRITIERTER FISCH

•

Vorbereitungszeit: 15 Minuten
Gesamtkochzeit: 20 Minuten
Für 4 Personen

500 g feste weiße Fischfilets
80 g Besan (Kichererbsenmehl)
1 TL Salz
1 TL Garam Masala
1/4 TL Chilipulver
1/4 TL Kurkuma, gemahlen
1/4 TL frisch gemahlener schwarzer Pfeffer
2 EL frische Korianderblätter, gehackt
2 Eier, leicht geschlagen
Öl zum Fritieren

1 Die Fischfilets waschen, trockentupfen und längsseits zerschneiden.
2 Besan, Salz, Garam Masala, Chilipulver, Kurkuma und schwarzen Pfeffer in eine Schüssel sieben. Den Koriander einrühren. Die Mischung dann auf einer Platte ausbreiten.
3 Jedes Fischfilet in das Ei tauchen und dann im gewürzten Mehl wenden; überflüssiges Mehl abschütteln.
4 Öl 2 cm hoch in einer Bratpfanne erhitzen. Das panierte Fischfilet darin bei hoher Hitze portionsweise in ca. 5 Minuten goldbraun fritieren. Mit Reis und Raitas (s. S. 236–237) servieren.

NÄHRWERT PRO PORTION: 35 g Eiweiß, 25 g Fett, 10 g Kohlenhydrate, 5 g Ballaststoffe, 200 mg Cholesterin, 1730 kJ (415 kcal)

Oben: *Indischer fritierter Fisch*

INDIEN UND DIE BRITEN
Während ihrer Kolonialherrschaft entdeckten die Briten die vielfältige Küche Indiens. Viele der Aromen gefielen ihnen so gut, daß sie heute Standardkost in Großbritannien sind. Chutney z. B., eine traditionelle englische Beilage zu kaltem Fleisch, hat seinen Ursprung in dem süß-sauren ›Chatni‹, das feurige Currygerichte ergänzt. Sogar Worcestersauce war ursprünglich ein indisches Rezept und verdankt ihr würziges Aroma zum großen Teil der Tamarinde. Das britische Frühstück ›Kedgeree‹ – ein gewürztes Reisgericht mit Fisch und hartgekochten Eiern – leitet sich vom indischen ›Kadgeri‹ ab, einer Reisspeise mit Zwiebeln, Linsen und Eiern.

Folgende Seite:
Hyderabadi-Fisch (oben)
Gewürzte Muscheln nach Goa-Art (unten)

CURRY MIT BLUMENKOHL, TOMATEN UND GRÜNEN ERBSEN

•

Vorbereitungszeit: 25 Minuten
Gesamtkochzeit: 20 Minuten
Für 4–6 Personen

1 Blumenkohl, in kleine Röschen zerteilt
240 g grüne Erbsen
4 EL Ghee oder Öl
1 Zwiebel, in dünne Scheiben geschnitten
1 TL Knoblauch, zerdrückt
1 TL frischer Ingwer, geraspelt
3/4 TL Kurkuma, gemahlen
1 EL Koriander, gemahlen
1 EL fertige Vindaloo-Paste
2 TL Zucker
2 Kardamomkapseln, leicht zerstoßen
185 g Joghurt
2 große Tomaten, in Scheiben geschnitten

•

1 Blumenkohl und Erbsen weich dünsten.
2 Das Ghee in einer großen Pfanne erhitzen. Zwiebel, Knoblauch und Ingwer weich und goldbraun braten. Kurkuma, Koriander, Vindaloo-Paste, Zucker, Kardamom und Joghurt zugeben und 3–4 Minuten köcheln lassen. Tomaten zugeben und 3–4 Minuten köcheln lassen.
3 Den Blumenkohl und die Erbsen zugeben und 3–4 Minuten köcheln lassen. Mit Reis servieren.

NÄHRWERT PRO PORTION (6): *10 g Eiweiß, 15 g Fett, 10 g Kohlenhydrate, 5 g Ballaststoffe, 45 mg Cholesterin, 965 kJ (230 kcal)*

•

HYDERABADI-FISCH

•

Vorbereitungszeit: 20 Minuten
Gesamtkochzeit: 40 Minuten
Für 4 Personen

3 EL Kokosraspel
2 EL Kreuzkümmelsamen
3 EL Sesamsamen
1 EL Bockshornkleesamen
2 mittelgroße Zwiebeln, feingehackt
3 EL Öl
500 g feste weiße Fischfilets, in 5 cm große Stücke geschnitten
1 EL Koriander, gemahlen
1 TL Ingwer, gemahlen
1 TL Chilipulver
1 TL Kurkuma, gemahlen
1 Tomate, gehackt
1 EL Tamarindenkonzentrat
60 ml Wasser

1 Kokosraspel, Kreuzkümmel, Sesamsamen, Bockshornkleesamen und Zwiebel etwa 10 Minuten in einer Pfanne trocken rösten, bis sie duften.
2 Die Mischung in einem Mörser oder einer Küchenmaschine zu einer Paste verarbeiten.
3 Das Öl in einer großen tiefen Bratpfanne erhitzen. Den Fisch darin bei mittlerer Hitze 5 Minuten braten.
4 Die Kokosmischung und die restlichen Zutaten zugeben und vorsichtig verrühren. Zudecken und 5–10 Minuten köcheln lassen, bis der Fisch weich ist. Mit Reis servieren.

NÄHRWERT PRO PORTION: *30 g Eiweiß, 30 g Fett, 5 g Kohlenhydrate, 5 g Ballaststoffe, 90 mg Cholesterin, 1600 kJ (380 kcal)*

•

GEWÜRZTE MUSCHELN NACH GOA-ART

•

Vorbereitungszeit: 20 Minuten
Gesamtkochzeit: 20 Minuten
Für 4 Personen

1 kg Miesmuscheln
3 EL Ghee oder Öl
5 Knoblauchzehen, zerdrückt
5 cm frischer Ingwer, geraspelt
2 mittelgroße Zwiebeln, feingehackt
3 rote Chillies, feingehackt
2 TL Kreuzkümmel, gemahlen
2 TL Koriander, gemahlen
4 Tomaten, geschält, entkernt und gehackt
500 ml Fischbrühe
50 g frische Korianderblätter, gehackt
2 EL Zitronensaft

•

1 Die Muscheln von ihren Bärten befreien und unter kaltem Wasser abschrubben. Bereits geöffnete Muscheln aussortieren.
2 Das Ghee in einem Wok erhitzen und Knoblauch, Ingwer und Zwiebeln darin bei mittlerer Hitze etwa 5 Minuten dünsten, bis die Zwiebeln weich und goldfarben sind. Chillies, Kreuzkümmel, Koriander und Tomaten zufügen und 5 Minuten dünsten.
3 Muscheln und Fischbrühe zugeben und zum Kochen bringen. Die Hitze reduzieren und alles 5 Minuten köcheln lassen. Muscheln, die sich danach nicht geöffnet haben, aussortieren.
4 Den Wok vom Herd nehmen, den gehackten Koriander und den Zitronensaft unterrühren und mit Reis servieren.

NÄHRWERT PRO PORTION: *25 g Eiweiß, 20 g Fett, 5 g Kohlenhydrate, 4 g Ballaststoffe, 165 mg Cholesterin, 1210 kJ (290 kcal)*

Oben: *Gemüse-Pakoras*

GEMÜSE-PAKORAS

Vorbereitungszeit: 30 Minuten
Gesamtkochzeit: 20 Minuten
Ergibt ca. 40 Stück

1 große Kartoffel
1 kleiner Blumenkohl
1 kleine rote Paprika
1 mittelgroße Zwiebel
2 Kohl- oder 5 Spinatblätter
165 g Besan (Kichererbsenmehl)
3 EL Weizenmehl
2 TL Garam Masala
2 TL Koriander, gemahlen
1 TL Natron
1 TL Chilipulver
375 ml Wasser
1 EL Zitronensaft
½ Tasse tiefgefrorene Maiskörner, aufgetaut
Öl zum Fritieren

1 Die Kartoffel in heißem Wasser garen und anschließend schälen und klein hacken.
2 Blumenkohl, rote Paprika und Zwiebel fein hacken. Die Kohl- oder Spinatblätter in feine Streifen schneiden.
3 Mehl, Garam Masala, Koriander, Natron und Chilipulver in eine Schüssel sieben. In der Mitte eine Mulde bilden, Wasser und Zitronensaft zugießen und zu einem glatten, cremigen Teig

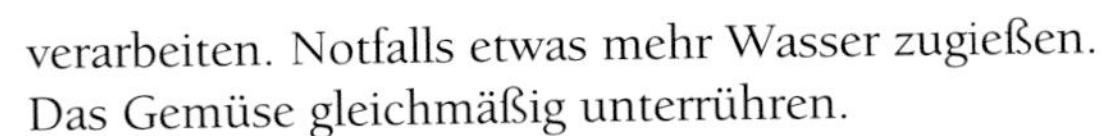

verarbeiten. Notfalls etwas mehr Wasser zugießen. Das Gemüse gleichmäßig unterrühren.
4 Öl etwa 2 cm hoch in eine Bratpfanne gießen und erhitzen. Die Masse eßlöffelweise hineingeben, etwa 8 Stück gleichzeitig bei mäßig starker Hitze goldbraun fritieren. Auf Papiertüchern abtropfen lassen. Warm mit süßem Mango-Chutney oder Tamarindensauce servieren.

NÄHRWERT PRO PAKORA: 2 g Eiweiß, 2 g Fett, 5 g Kohlenhydrate, 1 g Ballaststoffe, 0 mg Cholesterin, 195 kJ (45 kcal)

IN TEIG FRITIERTES HÜHNCHEN

Vorbereitungszeit: 30 Minuten
(+ 3 Stunden Marinieren)
Gesamtkochzeit: 30 Minuten
Für 6 Personen

6 kleine Hühnchenschenkel, zu je ca.150 g
6 Knoblauchzehen, zerdrückt
5 cm frischer Ingwer, feingerieben
½ TL Salz
½ TL frisch gemahlener schwarzer Pfeffer
3 EL Zitronensaft
125 g Joghurt

Teig
80 g Besan (Kichererbsenmehl)
1 TL Backpulver
1 TL Garam Masala
¼ TL Kurkuma, gemahlen
2 Eier, leicht geschlagen
2 EL Joghurt
60 ml Wasser
Öl zum Fritieren

1 Die Hühnchenschenkel enthäuten und in jeden drei tiefe Einschnitte ritzen.
2 In einer großen Schüssel Knoblauch, Ingwer, Salz, Pfeffer, Zitronensaft und Joghurt mischen. Die Hühnchenschenkel darin gründlich wenden und zugedeckt 3 Stunden kalt stellen.
3 Für den Teig: Besan, Backpulver, Garam Masala und Kurkuma in eine Schüssel sieben. In der Mitte eine Mulde formen, die mit Wasser und Joghurt vermischten Eier hineingeben und alles glatt verrühren.
4 Das Öl in einem Wok oder einer großen Pfanne erhitzen. Jeden Hühnchenschenkel in den Teig tauchen und schubweise etwa 8 bis 10 Minuten fritieren, bis die Hühnchenschenkel zart und knusprig sind. Mit Mango-Chutney servieren.

NÄHRWERT PRO PORTION: 15 g Eiweiß, 10 g Fett, 5 g Kohlenhydrate, 0 g Ballaststoffe, 0 mg Cholesterin, 690 kJ (165 kcal)

GEWÜRZTER LAMMKEULENBRATEN

•

Vorbereitungszeit: 35 Minuten
Gesamtkochzeit: 2 Stunden
Für 6 Personen

2 kg Lammkeule
1 EL Zitronensaft
frisch gemahlener schwarzer Pfeffer
1 ganze Knoblauchknolle, ungeschält
2 EL Ghee oder Öl
1½ EL Koriander, gemahlen
2 TL Kreuzkümmel, gemahlen
2 Zimtstangen
2 Gewürznelken
4 Lorbeerblätter
1 TL Chilipulver
4 Kardamomkapseln, leicht zerstoßen
375 ml Wasser
125 g Joghurt

•

1 Den Backofen auf 180 °C (Gas: Stufe 4) vorheizen.

2 Überschüssiges Fett vom Lammfleisch schneiden. Dieses von allen Seiten mit Zitronensaft und Pfeffer einreiben und mit dem Ghee und dem ganzen Knoblauch in einen Bräter geben. Etwa 50 Minuten backen, bis die Knoblauchzehen weich sind.

3 Das weichgekochte Fruchtfleisch des Knoblauchs aus der Schale drücken und über das Fleisch verteilen. Koriander und Kreuzkümmel darüber streuen. Zimtstangen, Gewürznelken, Lorbeerblätter, Kardamomkapseln und Chilipulver zugeben.

4 Das Lammfleisch weitere 50 Minuten braten, bis es gar ist, dabei gelegentlich mit den Bratsäften begießen. Herausnehmen und vor dem Zerlegen 10–15 Minuten ruhen lassen.

5 Das Wasser in den Bräter gießen und mit den Bratsäften verrühren. Die Flüssigkeit bei großer Hitze auf dem Herd reduzieren und eindicken lassen. Die ganzen Gewürze entfernen und mit Salz und Pfeffer abschmecken. Den Joghurt einrühren und erhitzen. Die Sauce löffelweise über das zerlegte Lammfleisch gießen.

NÄHRWERT PRO PORTION: 53 g Eiweiß, 20 g Fett, 0 g Kohlenhydrate, 0 g Ballaststoffe, 180 mg Cholesterin, 1665 kJ (395 kcal)

Oben: *Gewürzter Lammkeulenbraten*

Oben: *Pikante Tomaten-Erbsen-Suppe*

PIKANTE TOMATEN-ERBSEN-SUPPE

•

Vorbereitungszeit: 15 Minuten
Gesamtkochzeit: 20–25 Minuten
Für 6 Personen

5 große, sehr reife Tomaten, gehackt
500 ml Wasser
2 EL Ghee oder Butter
1 große Zwiebel, in dünne Scheiben geschnitten
1 Knoblauchzehe, zerdrückt
2 TL Koriander, gemahlen
2 TL Kreuzkümmel, gemahlen
1/2 TL Fenchelsamen
2 Lorbeerblätter
1 grüner Chili, entkernt und in Scheiben geschnitten
375 ml Kokoscreme
240 g tiefgefrorene Erbsen
1 EL Zucker
1 EL frische Minze, gehackt

•

1 Die Tomaten im Wasser köcheln lassen, bis sie weich sind, und in einer Küchenmaschine pürieren.
2 Das Ghee in einer großen Pfanne erhitzen. Zwiebel und Knoblauch darin bei mittlerer Hitze glasig braten. Koriander, Kreuzkümmel, Fenchelsamen, Lorbeerblätter und Chili zugeben und unter Rühren 1 Minute mitbraten.
3 Kokoscreme und pürierte Tomaten zugeben und zum Kochen bringen. Die Hitze reduzieren und die Erbsen zugeben und garen. Die Lorbeerblätter entfernen, Zucker und Minze zufügen und mit frisch gemahlenem Pfeffer abschmecken. Mit heißen, mit Ghee eingepinselten Chapatis (s. S. 249) servieren.

NÄHRWERT PRO PORTION: 5 g Eiweiß, 20 g Fett, 15 g Kohlenhydrate, 5 g Ballaststoffe, 20 mg Cholesterin, 1110 kJ (265 kcal)

•

GEWÜRZTE FISCHFILETS MIT JOGHURT

•

Vorbereitungszeit: 10 Minuten (+ 20 Minuten Marinieren)
Gesamtkochzeit: 6 Minuten
Für 4 Personen

4 weiße Fischfilets, jedes ca. 180 g
3 EL Joghurt
1 1/2 TL Garam Masala
1 Knoblauchzehe, zerdrückt
1/2 TL Salz
1/2 TL Chiliflocken

•

1 Den Fisch auf eine große Platte legen. Joghurt mit Garam Masala, Knoblauch, Salz und Chili mischen und darüber verteilen. Zugedeckt 20 Minuten an einem kühlen Platz marinieren lassen.

2 Den Fisch auf einen leicht eingefetteten Grillrost legen. Bei großer Hitze auf jeder Seite 2–3 Minuten garen lassen. Der Fisch ist nach wenigen Minuten gar und läßt sich dann mit der Spitze eines Messers leicht zerlegen. Mit Reis servieren.

NÄHRWERT PRO PORTION: 10 g Eiweiß, 10 g Fett, 0 g Kohlenhydrate, 0 g Ballaststoffe, 35 mg Cholesterin, 255 kJ (60 kcal)

•

SAFRAN-JOGHURT-HÜHNCHEN

•

Vorbereitungszeit: 30 Minuten
Gesamtkochzeit: 1¼ Stunden
Für 4–6 Personen

1 Hühnchen (ca. 1,5 kg)
½ TL Safranfäden
2 EL heiße Milch
3 Knoblauchzehen, zerdrückt
3 cm frischer Ingwer, feingerieben
½ TL Kurkuma, gemahlen
½ TL Kreuzkümmel, gemahlen
¼ TL Kardamom, gemahlen
¼ TL Gewürznelken, gemahlen
¼ TL Zimt, gemahlen
¼ TL Muskatblüte, gemahlen
4 EL Joghurt
1 EL Ghee oder Öl

1 Den Ofen auf 180 °C (Gas: Stufe 4) vorheizen.
2 Das Hühnchen waschen und trockentupfen. Übermäßiges Fett aus dem Inneren entfernen.
3 Die Safranfäden 10 Minuten in der heißen Milch einweichen lassen und dann zusammendrücken, damit die Milch aromatisiert und gefärbt wird.
4 Die Safranmilch in eine größere Schüssel gießen. Die restlichen Zutaten zugeben und mischen.
5 Vorsichtig die Haut auf der Brustseite des Hühnchens hochheben, indem man mit den Fingern zwischen die Haut und das Fleisch fährt. Die Hälfte der Gewürzmischung auf das Fleisch, den restlichen Teil der Gewürzmischung auf die Haut reiben.
6 Das Hühnchen in einer Backform auf den Gitterrost legen. 1 Tasse Wasser in die Form gießen, um das Hühnchen während des Garens feucht zu halten. Das Hühnchen 1¼ Stunden backen, bis es zart und gebräunt ist, dann in eine Servierschale umfüllen und lose mit Alufolie bedecken. Vor dem Zerteilen 5 Minuten ruhen lassen.
HINWEIS: Muskatblüte ist ein gemahlenes Gewürz, das aus dem Samenmantel der Muskatnuß gewonnen wird. Sie hat ein feineres Aroma als die Muskatnuß.

NÄHRWERT PRO PORTION (6): 20 g Eiweiß, 10 g Fett, 0 g Kohlenhydrate, 0 g Ballaststoffe, 75 mg Cholesterin, 645 kJ (155 kcal)

SAFRAN
Safran wird wegen seines Duftes, seines feinen Aromas und der orangen Farbe, die er Speisen verleiht, geschätzt. Die drahtförmigen, leuchtend orangeroten Safranfäden sind eigentlich winzige Narben des Safrankrokusses – jede feine Blüte muß von Hand gepflückt und ihre 3 fadenartigen Narben entnommen und getrocknet werden. Für die Herstellung von 1 kg Safran werden mehr als 150 000 frische Blüten benötigt; dies erklärt, warum Safran das teuerste Gewürz der Welt ist. Glücklicherweise braucht man nur sehr geringe Mengen – ¼ TL lose gepackter Fäden reicht aus, um ein Gericht für 6 Personen zu aromatisieren und zu färben.

Oben: *Safran-Joghurt-Hühnchen*

BIRMA
(MYANMAR)

In der Küche Birmas spiegeln sich die Einflüsse seiner vielen Nachbarländer, insbesondere der beiden größten – China und Indien. Der Einfluß Chinas läßt sich an der Verwendung von Nudeln und Sojasauce erkennen. Die birmanischen Currygerichte sind dagegen indischen Ursprungs, sie sind jedoch nicht genauso scharf gewürzt. Ihr Aroma erhalten sie durch große Mengen Knoblauch, Ingwer, Kurkuma, Chili, Zwiebeln und Garnelenpaste. Dazu serviert werden Schalen mit selbstgemachten Chutneys und Pickles. Schüsseln mit kochendheißem Reis reicht man zu jeder Mahlzeit. Im Gegensatz zu anderen asiatischen Ländern wird der Reis jedoch nicht gedämpft, sondern weichgekocht.

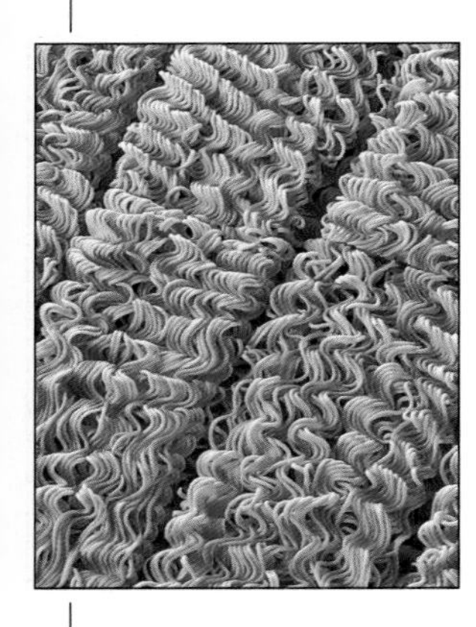

Oben: *Gemischter Gemüsesalat*

GEMISCHTER GEMÜSESALAT

•

Vorbereitungszeit: 25 Minuten
Gesamtkochzeit: 15 Minuten
Für 6 Personen

200 g grüne Bohnen, diagonal in 3 cm lange Stücke geschnitten
1/2 kleiner Kohl, in dünne Streifen geschnitten
2 mittelgroße Möhren, in Scheiben geschnitten
3 EL weiße Sesamsamen
125 ml Öl
2 mittelgroße Zwiebeln, in Scheiben geschnitten
3 Knoblauchzehen, in Scheiben geschnitten
1/2 TL gemahlene Kurkuma
1/2 TL Paprika
125 g Bambussprossen, in Scheiben geschnitten
90 g Sojabohnensprossen, braune Enden entfernt
1 Gurke, in Scheiben geschnitten
1/2 TL Salz
2 EL Zitronensaft

•

1 Bohnen, Kohl und Möhren separat in hitzebeständige Schüsseln geben und mit kochend heißem Wasser übergießen. 1 Minute ruhen lassen und dann abgießen. In eiskaltes Wasser eintauchen und dann wieder abtropfen lassen.

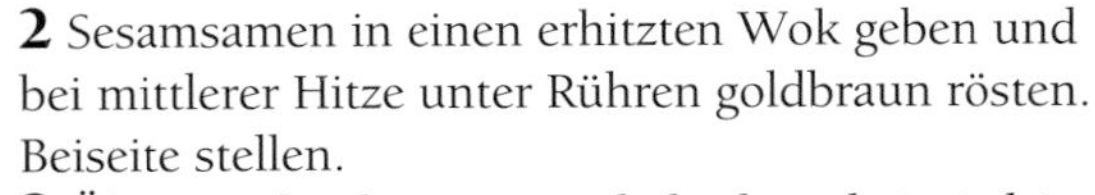

2 Sesamsamen in einen erhitzten Wok geben und bei mittlerer Hitze unter Rühren goldbraun rösten. Beiseite stellen.
3 Öl im Wok erhitzen. Zwiebeln darin bei niedriger Hitze goldbraun braten. Knoblauch zugeben und 2 Minuten mitbraten. Kurkuma und Paprika zufügen und weitere 2 Minuten braten. Auf Papiertüchern abtropfen lassen. Das Öl aufbewahren.
4 Das Gemüse mit Bambussprossen, Sojasprossen und der Gurke mit 2 EL des aufgehobenen Bratöls beträufeln. Zwiebeln und Knoblauch zusammen mit Zitronensaft und Salz unter das Gemüse mischen. Salat mit dem Sesamsamen bestreuen und als Beilage zu einem Curry servieren.

NÄHRWERT PRO PORTION: 5 g Eiweiß, 25 g Fett, 10 g Kohlenhydrate, 6 g Ballaststoffe, 0 mg Cholesterin, 1100 kJ (260 kcal)

•

KOKOS-GARNELEN-CURRY

•

Vorbereitungszeit: 25 Minuten
Gesamtkochzeit: 15 Minuten
Für 4 Personen

750 g rohe Garnelen
1 TL Kurkuma, gemahlen
155 g Zwiebeln, grobgehackt
4 Knoblauchzehen, zerdrückt
1/2 TL Paprika
1 TL rote Chillies, entkernt und feingehackt
1 Prise Gewürznelken, gemahlen
1/4 TL Kardamom, gemahlen
1 TL frischer Ingwer, feingehackt
3 EL Öl
2 Tomaten, gewürfelt
250 ml Kokoscreme
2 EL frische Korianderblätter

•

1 Garnelen schälen und ausnehmen, die Schwänze dabei intakt lassen; mit Kurkuma bestreuen.
2 Zwiebeln, Knoblauch, Paprika, Chillies, Gewürznelken, Kardamom und Ingwer in einer Küchenmaschine zu einer Paste verarbeiten.
3 Das Öl in einer tiefen Bratpfanne erhitzen. Die Gewürzpaste vorsichtig zugeben und in das Öl rühren. Bei niedriger Hitze 10 Minuten köcheln lassen. Notfalls etwas Wasser zugießen, damit die Mischung nicht anbrennt. Die fertige Paste sollte goldbraun sein und Öl am Rand absetzen.
4 Garnelen, Tomaten und Kokoscreme einrühren und etwa 5 Minuten köcheln lassen, bis die Garnelen gar sind. Den Koriander unterrühren, mit Salz abschmecken und mit Reis servieren.

NÄHRWERT PRO PORTION: 25 g Eiweiß, 30 g Fett, 5 g Kohlenhydrate, 5 g Ballaststoffe, 235 mg Cholesterin, 1555 kJ (370 kcal)

FISCHSUPPE MIT NUDELN

•

Vorbereitungszeit: 40 Minuten
Gesamtkochzeit: 25 Minuten
Für 8 Personen

750 g feste weiße Fischfilets
1½ TL Salz
2 TL Kurkuma, gemahlen
3 Stengel Zitronengras
4 EL Erdnußöl
2 mittelgroße Zwiebeln, in feine Scheiben geschnitten
6 Knoblauchzehen, zerdrückt
2 TL frischer Ingwer, feingehackt
2 TL Paprika
1 EL Reismehl
1,5 l Wasser
500 ml Kokosmilch
125 ml Fischsauce
500 g Somen-Nudeln

•

Beilagen
4 hartgekochte Eier, geviertelt
15 g frische Korianderblätter
60 g Frühlingszwiebeln, in feine Ringe geschnitten
4 Limetten, geviertelt
zum Abschmecken: Fischsauce
4 EL Chiliflocken
80 g ungesalzene geröstete Erdnüsse, grobgehackt

•

1 Den Fisch in 3 cm große Würfel schneiden. Die Fischstücke auf eine Platte legen und mit Salz und Kurkuma bestreuen. 10 Minuten beiseite stellen.
2 Die Zitronengrasstengel auf eine Länge von etwa 18 cm stutzen. Die weißen fleischigen Enden zerdrücken, damit sich ihr Duft entfaltet. Die Stengel dann zu Schlaufen binden.
3 Erdnußöl in einer großen Pfanne erhitzen und die Zwiebel darin bei mittlerer Hitze in etwa 10 Minuten goldgelb braten. Knoblauch und Ingwer zugeben und 1 Minute mitbraten. Fischstücke, Paprika und Reismehl zugeben und umrühren.
4 Wasser, Kokosmilch und Fischsauce einrühren. Die Zitronengrasschlaufen zugeben und etwa 10 Minuten köcheln lassen, bis der Fisch gar ist. Die Nudeln 8–10 Minuten garen und dann abtropfen lassen.
5 In 8 Servierschälchen jeweils eine Nudelportion füllen und mit der Fischsuppe übergießen. Die Beilagen in kleinen separaten Schälchen anbieten, so daß sich die Gäste nach Belieben bedienen können.

NÄHRWERT PRO PORTION: 30 g Eiweiß, 30 g Fett, 55 g Kohlenhydrate, 5 g Ballaststoffe, 65 mg Cholesterin, 2410 kJ (575 kcal)

BIRMAS NATIONALGERICHT
Meeresfrüchte sind aufgrund der ausgedehnten Küste des Landes ein wichtiger Bestandteil der birmanischen Küche. Das Nationalgericht heißt Mo Hin Ga – eine würzige Fischsuppe mit Nudeln. In birmanischen Städten kann man es bei Straßenhändlern kaufen. Diese schöpfen dampfende Nudelportionen in Schalen und gießen dann die Suppe darüber, die üblicherweise Scheiben vom Stamm einer Bananenstaude enthält.

Links: *Fischsuppe mit Nudeln*

FISCH IN BANANENBLÄTTERN

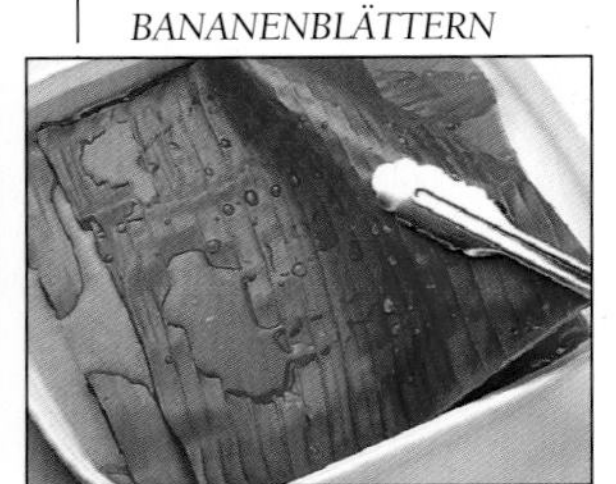

Die Bananenblätter einweichen und biegsam machen.

Die Fischmischung mit den Händen gut verbinden.

Die Fischpäckchen auf ein Dampfgitter legen.

Folgende Seite: *Fisch in Bananenblättern* (oben), *Schweinefleisch-Curry*

FISCH IN BANANENBLÄTTERN

•

Vorbereitungszeit: 30 Minuten
Gesamtkochzeit: 30 Minuten
Für 6 Personen

3 große Bananenblätter (s. Hinweis)
1 kg feste weiße Fischfilets
125 ml Kokoscreme
2 Knoblauchzehen, zerdrückt
1 kleine Zwiebel, feingehackt
1 EL frischer Ingwer, feingehackt
2 TL Sesamöl
2 TL Salz
1 TL Kurkuma, gemahlen
1 TL Paprika
1/4 TL Chilipulver
2 TL Reismehl
2 EL frische Korianderblätter, gehackt

•

1 Die Bananenblätter in sechs etwa 25 cm große Quadrate schneiden. Den Fisch in 3 cm große Würfel schneiden. Die zerteilten Bananenblätter in eine hitzebeständige Schüssel legen und mit kochendem Wasser übergießen. Nach ca. 30 Sekunden müßten die Blätter biegsam sein. Abtropfen lassen.
2 Fischstücke in eine große Schüssel legen. Kokoscreme, Knoblauch, Zwiebel, Ingwer, Sesamöl, Salz, Kurkuma, Paprika, Chilipulver, Reismehl und Koriander zugeben. Mit den Händen alle Zutaten gut mischen; der Fisch muß mit der Mischung gut überzogen sein.
3 Die Fischmischung in gleich große Portionen aufteilen. Jede in die Mitte eines Bananenblattes legen. Die Seiten so falten, daß die Form eines Briefumschlags entsteht. Das Blatt mit einem Zahnstocher oder hölzernen Spieß feststecken.
4 Einen großen Topf oder Dampfkochtopf etwa 5 cm mit Wasser füllen. Die Fischpäckchen auf ein Dampfgitter legen und zugedeckt 10–15 Minuten dämpfen, bis sie gar sind. Vor dem Servieren ein Päckchen öffnen und kontrollieren, ob der Fisch gar ist. Mit gedämpftem Reis servieren.
HINWEIS: Falls keine Bananenblätter erhältlich sind, kann der Fisch auch in Alufolie gedämpft werden.

NÄHRWERT PRO PORTION: 30 g Eiweiß, 10 g Fett, 0 g Kohlenhydrate, 0 g Ballaststoffe, 100 mg Cholesterin, 925 kJ (220 kcal)

SCHWEINEFLEISCH-CURRY

•

Vorbereitungszeit: 30 Minuten
Gesamtkochzeit: 2 Stunden
Für 6 Personen

310 g Zwiebeln, grobgehackt
15 Knoblauchzehen, zerdrückt
4 EL frischer Ingwer, feingehackt
3 EL Erdnußöl
1 EL Sesamöl
1 1/2 TL Chilipulver
1 TL Kurkuma, gemahlen
1,5 kg Schweinefleisch ohne Knochen, in 3 cm große Würfel geschnitten
1 EL Essig
250 ml Wasser oder Brühe
2 EL frische Korianderblätter

•

1 Zwiebeln, Knoblauch und Ingwer in einer Küchenmaschine zu einer glatten Paste verarbeiten.
2 Das Erdnuß- und Sesamöl in einer großen Pfanne erhitzen. Die Paste darin bei mittlerer Hitze etwa 15 Minuten braten, bis sie goldbraun ist und sich Öl am Rand absetzt. Chilipulver, Kurkuma und Schweinefleisch zugeben. Einige Minuten rühren, damit sich das Schweinefleisch gut mit der Mischung überzieht.
3 Essig und Wasser zugießen. Das Fleisch zugedeckt etwa 1 1/2 Stunden köcheln lassen, bis es zart ist. Notfalls die Flüssigkeit reduzieren, indem man den Deckel entfernt und die Sauce verdampfen läßt. Mit Salz abschmecken. Falls Wasser statt Brühe verwendet wird, muß stärker gesalzen werden. Den Koriander darüber streuen und mit Reis servieren.

NÄHRWERT PRO PORTION: 60 g Eiweiß, 15 g Fett, 3 g Kohlenhydrate, 2 g Ballaststoffe, 120 mg Cholesterin, 1675 kJ (400 kcal)

REIS NACH BIRMANISCHER ART

In Birma wird Reis nicht nach der Absorptionsmethode gegart, sondern in viel Wasser gekocht, abgegossen und dann zugedeckt gargekocht.

BIRMANISCHES HUHN

•

Vorbereitungszeit: 15 Minuten
Gesamtkochzeit: 45–60 Minuten
Für 4–6 Personen

1,5 kg ganzes oder zerlegtes Huhn (Keulen, Schenkel, Flügel, Brust)
2 EL Ghee oder Öl
2 mittelgroße Zwiebeln, gehackt
3 Lorbeerblätter
2 TL Kurkuma, gemahlen
1/4 TL Chilipulver
1/2 TL Kardamom, gemahlen
1/2 TL Kreuzkümmel, gemahlen
1/2 TL Koriander, gemahlen
1/2 TL Ingwer, gemahlen
1 Zimtstange
2 Zitronengrasstengel (nur der weiße Teil), gehackt
6 Knoblauchzehen, zerdrückt
1 EL frischer Ingwer, gerieben
250 ml Hühnerbrühe

•

1 Ganzes Huhn in Stücke zerlegen.
2 Ghee in einer großen Pfanne erhitzen. Zwiebeln unter Rühren glasig braten. Lorbeerblätter, Kurkuma, Chilipulver, Kardamom, Kreuzkümmel, Koriander, Ingwer, Zimtstange, Zitronengras, Knoblauch und frischen Ingwer zugeben. Unter Rühren etwa 1 Minute braten, bis sie duften.
3 Hühnerstücke unterrühren, bis sie sich mit der Mischung überzogen haben. Die Brühe einrühren und das Huhn in 45 Minuten bis 1 Stunde zart kochen.

NÄHRWERT PRO PORTION (6): 25 g Eiweiß, 10 g Fett, 2 g Kohlenhydrate, 1 g Ballaststoffe, 95 mg Cholesterin, 840 kJ (200 kcal)

Unten: *Birmanisches Huhn*

•

GEMISCHTER NUDEL-REIS-SALAT

•

Vorbereitungszeit: 60 Minuten
Gesamtkochzeit: 40 Minuten
Für 6 Personen

300 g Langkornreis
120 g dünne getrocknete Eiernudeln
60 g getrocknete Glasnudeln
120 g getrocknete Reis-Vermicelli
90 g Sojabohnensprossen, braune Enden entfernt
2 mittelgroße Kartoffeln, geschält und in Scheiben geschnitten
3 Eier
1/2 TL Salz
1 EL Wasser
1 TL Öl
125 g Erdnußöl
4 große Zwiebeln, geviertelt und in dünne Scheiben geschnitten
20 Knoblauchzehen, in dünne Scheiben geschnitten
2 rote Chillies, entkernt und in Scheiben geschnitten
25 g getrocknete Garnelen, zu einem Pulver gemahlen
125 g Fischsauce
185 ml Tamarindenkonzentrat
2 EL Chilipulver

•

1 In zwei großen Töpfen Salzwasser zum Kochen bringen. Im ersten den Reis in etwa 12 Minuten gar kochen. Abgießen, abspülen und beiseite stellen. Im zweiten Topf die Eiernudeln in einigen Minuten weich kochen, dann in ein Sieb gießen, mit kaltem Wasser abschrecken und beiseite stellen. Die Glasnudeln und Reis-Vermicelli in separaten, hitzebeständigen Schüsseln mit kochendem Wasser übergießen. Nach 1–2 Minuten mit kaltem Wasser abschrecken und dann abtropfen lassen. Die Sojabohnensprossen in einer hitzebeständigen Schale mit kochendem Wasser bedecken und 30 Sekunden ruhen lassen. Unter kaltem Wasser

abspülen und dann abtropfen lassen. Die Kartoffeln in kochendem Wasser garen, dann abgießen, unter kaltem Wasser abspülen und beiseite stellen.
2 Eier zusammen mit Salz und Wasser schlagen. Öl in einer kleinen Bratpfanne erhitzen. Die Eier zugießen und bei mäßig schwacher Hitze braten, dabei die Ränder des Omeletts vorsichtig in die Mitte rühren, damit das flüssige Ei an den Rand fließt. Das gebratene Omelett wenden und leicht anbräunen. Aus der Pfanne nehmen und abkühlen lassen, anschließend in dünne Streifen schneiden.
3 Erdnußöl in einer großen Bratpfanne erhitzen. Bei mäßig schwacher Hitze Zwiebeln, Knoblauch und Chillies getrennt voneinander knusprig braten. Gegebenenfalls etwas mehr Öl zugießen.
4 Die verschiedenen Nudelsorten, den Reis, die Kartoffeln und die Sojasprossen auf einer großen Platte anrichten. Omelettstreifen, Chili, Zwiebeln, Knoblauch, getrocknete Garnelen, Fischsauce, Tamarindenkonzentrat und Chilipulver in separate Schälchen füllen. Die Gäste stellen sich die Salatzutaten und Garnierungen dann selber zusammen.

NÄHRWERT PRO PORTION: 15 g Eiweiß, 25 g Fett, 90 g Kohlenhydrate, 5 g Ballaststoffe, 95 mg Cholesterin, 2750 kJ (655 kcal)

ZWÖLFERLEI-SUPPE

Vorbereitungszeit: 45 Minuten (+ 20 Minuten Einweichen)
Gesamtkochzeit: 20 Minuten
Für 8 Personen

300 g Schweine- oder Lammleber
200 g Hühnerbrustfilet
30 g getrocknete chinesische Pilze
3 EL Öl
3 Zwiebeln, in dünne Scheiben geschnitten
4 Knoblauchzehen, feingehackt
1 TL frischer Ingwer, feingehackt
2 EL Fischsauce
40 g grüne Bohnen, diagonal in dünne Scheiben geschnitten
40 g kleine Blumenkohlröschen
30 g Champignons, in Scheiben geschnitten
2 l Wasser
25 g Chinakohl, in Streifen geschnitten
20 g Spinat, in Streifen geschnitten
30 g Sojabohnensprossen
3 Frühlingszwiebeln, feingeschnitten
1 EL frische Korianderblätter
3 Eier
1 EL Sojasauce
1/4 TL gemahlener schwarzer Pfeffer
zum Servieren: Limettenstücke

1 Leber 5 Minuten in siedendem Wasser kochen, abkühlen lassen und anschließend in dünne Scheiben schneiden. Fleisch in dünne Scheiben schneiden. Chinesische Pilze mit kochendem Wasser übergießen und 20 Minuten einweichen lassen. Gut abtropfen lassen und in Scheiben schneiden.
2 Öl in einem Wok erhitzen. Zwiebeln darin bei mittlerer Hitze 5 Minuten braten, bis sie goldgelb sind. Leber- und Hühnerbruststreifen einrühren. Knoblauch und Ingwer zugeben und eine weitere Minute braten. Fischsauce zugießen und weitere 2 Minuten mitbraten.
3 Chinesische Pilze, Blumenkohl, Bohnen, Champignons und Zwiebelmischung in einen Topf geben. Wasser zugießen, zum Kochen bringen und alles gerade weich kochen. Kohl, Spinat und Sojabohnensprossen zugeben und weitere 5 Minuten kochen. Frühlingszwiebeln und Koriander zugeben.
4 Eier aufschlagen, in die kochende Suppe geben und den Eierstich sofort umrühren. Sojasauce und Pfeffer zugeben und sofort mit den Limettenstückchen, die in die Suppe gepreßt werden können, servieren.

NÄHRWERT PRO PORTION: 20 g Eiweiß, 10 g Fett, 4 g Kohlenhydrate, 2 g Ballaststoffe, 100 mg Cholesterin, 755 kJ (180 kcal)

ZWÖLFERLEI-SUPPE

Die Bohnen und Pilze in Scheiben schneiden, den Blumenkohl in Röschen zerlegen.

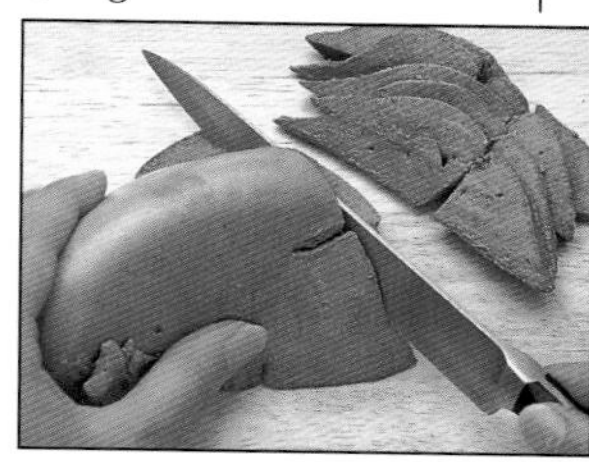

Die Leber in dünne Scheiben schneiden.

Den Kohl, Spinat und die Sojabohnensprossen zur Suppe geben.

Oben: *Zwölferlei-Suppe*

Oben: *Trockenes Fisch-Curry*

TROCKENES FISCH-CURRY

•

Vorbereitungszeit: 20 Minuten
Gesamtkochzeit: 25 Minuten
Für 6 Personen

1 kg feste weiße Fischfilets, z. B. Seebarsch
2 EL Fischsauce
310 g Zwiebeln, grobgehackt
4 Knoblauchzehen, zerdrückt
2 TL frischer Ingwer, feingehackt
2 TL Kurkuma
1 roter Chili, entkernt und feingehackt
1 TL Salz
3 EL Öl
2 EL frische Korianderblätter, gehackt
zum Servieren: Zitronenstücke

•

1 Den Fisch in 4 cm große Würfel schneiden. Die Fischstücke in eine flache Form legen und mit der Fischsauce beträufeln.
2 Zwiebeln, Chili, Knoblauch, Ingwer, Kurkuma und Salz in einer Küchenmaschine zu einer Paste verarbeiten.

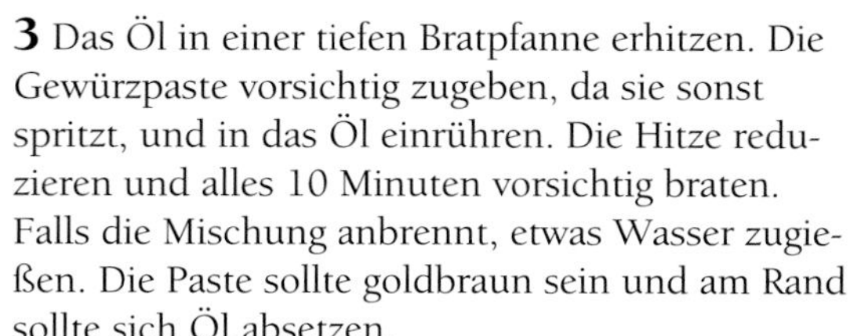

3 Das Öl in einer tiefen Bratpfanne erhitzen. Die Gewürzpaste vorsichtig zugeben, da sie sonst spritzt, und in das Öl einrühren. Die Hitze reduzieren und alles 10 Minuten vorsichtig braten. Falls die Mischung anbrennt, etwas Wasser zugießen. Die Paste sollte goldbraun sein und am Rand sollte sich Öl absetzen.
4 Fischstücke aus der Fischsauce nehmen, in die Pfanne geben und unterrühren, bis sie sich mit der Gewürzpaste überzogen haben. Auf mittlere Hitze hochschalten und den Fisch etwa 5 Minuten braten; dabei wenden, damit er gleichmäßig gart. Den Fisch auf eine warme Servierplatte legen. Falls die verbleibende Sauce sehr dünnflüssig ist, diese bei hoher Hitze reduzieren und eindicken lassen, dann löffelweise über den Fisch geben. Den Fisch mit Koriander bestreuen und mit Reis und Zitronenspalten servieren.

NÄHRWERT PRO PORTION: 30 g Eiweiß, 15 g Fett, 3 g Kohlenhydrate, 1 g Ballaststoffe, 100 mg Cholesterin, 1085 kJ (260 kcal)

•

CURRY MIT RINDFLEISCH, KARTOFFELN UND OKRA

•

Vorbereitungszeit: 35 Minuten
Gesamtkochzeit: 2 Stunden 25 Minuten
Für 4 Personen

800 g Rinderschmorfleisch
2 mittelgroße Kartoffeln
200 g Okra
155 g Zwiebeln, grobgehackt
4 Knoblauchzehen, zerdrückt
3 TL frischer Ingwer, feingehackt
1 TL Kurkuma, gemahlen
½ TL Paprika
½ TL Chilipulver
4 EL Öl
1 EL Sesamöl
1 TL Kreuzkümmel, gemahlen
375 ml Wasser oder Fleischbrühe
2 EL chinesischer Schnittlauch, feingehackt
1 Zitrone, in Stücke geschnitten

•

1 Das Fleisch in 3 cm große Würfel schneiden. Die Kartoffeln schälen und würfeln. Die Okra putzen und, falls sie sehr groß sind, längsseits in Stücke schneiden.
2 Zwiebeln, Paprika, Knoblauch, Ingwer, Kurkuma und Chilipulver in der Küchenmaschine zu einer dicken Paste verarbeiten.
3 Die Öle in einer großen gußeisernen Pfanne erhitzen. Die Zwiebelmischung darin bei schwacher Hitze etwa 20 Minuten braten. Etwas Wasser zufügen, falls die Mischung sich festsetzt oder

anfängt anzubrennen. Die fertige Paste sollte goldbraun sein und am Rand Öl absetzen.
4 Fleisch zugeben und unter Rühren 5 Minuten bräunen. Kreuzkümmel gut untermischen. Wasser oder Brühe zugießen und das Fleisch zugedeckt etwa 2 Stunden köcheln lassen, bis es zart ist. Die Kartoffeln und Okra die letzte 3/4 Stunde mitkochen. Die letzten 10 Minuten den Deckel entfernen, damit sich die Sauce reduziert und eindickt. Mit Salz abschmecken. Den chinesischen Schnittlauch darüber streuen und mit Salz und Zitronenstückchen servieren.

NÄHRWERT PRO PORTION: 45 g Eiweiß, 30 g Fett, 10 g Kohlenhydrate, 4 g Ballaststoffe, 135 mg Cholesterin, 2070 kJ (490 kcal)

•

HÜHNER-CURRY

•

Vorbereitungszeit: 45 Minuten
Gesamtkochzeit: 60 Minuten
Für 6 Personen

1 kg Hühneroberschenkel
2 große Zwiebeln, grobgehackt
3 große Knoblauchzehen, grobgehackt
5 cm frischer Ingwer, grobgehackt
2 EL Erdnußöl
1/2 TL Garnelenpaste
1 TL Salz
500 ml Kokosmilch
1 TL Chilipulver, nach Belieben
200 g getrocknete Reis-Vermicelli

Beilagen
6 Frühlingszwiebeln, in diagonale Streifen geschnitten
10 g frische Korianderblätter, gehackt
2 EL Knoblauch, gehackt und leicht gebraten
2 EL Zwiebel, gehackt und leicht gebraten
3 Zitronen, in Stücke geschnitten
12 getrocknete Chillies, in Öl knusprig gebraten
125 ml Fischsauce

•

1 Hühnerfleisch unter kaltem Wasser waschen und mit Papiertüchern trockentupfen.
2 Zwiebeln, Knoblauch und Ingwer in einer Küchenmaschine zu einer geschmeidigen Masse verarbeiten. Bei Bedarf etwas Wasser zufügen, damit sich die Mischung verbindet.
3 Öl in einer großen Pfanne erhitzen. Die Zwiebelmischung mit der Garnelenpaste bei großer Hitze unter Rühren 5 Minuten braten. Hühnerfleisch zugeben und bei mittlerer Hitze wenden, bis es bräunt. Salz, die Kokosmilch und Chilipulver (falls verwendet) zufügen. Aufkochen lassen, die Hitze reduzieren und zugedeckt 30 Minuten köcheln lassen. Dabei gelegentlich umrühren. Den Deckel entfernen und weitere 15 Minuten kochen lassen, bis das Hühnerfleisch zart ist.
4 Nudeln in einer hitzebeständigen Schale mit kochendem Wasser übergießen und 10 Minuten ruhen lassen. Abgießen und in eine Servierschale geben.
5 Die Beilagen separat in kleinen Schälchen anrichten. Die Gäste können dann eine Portion Nudeln, Curry und einige oder alle der Beilagen aussuchen und so die Schärfe ihrer Speise nach Belieben selbst bestimmen.

NÄHRWERT PRO PORTION: 25 g Eiweiß, 15 g Fett, 30 g Kohlenhydrate, 0 g Ballaststoffe, 75 mg Cholesterin, 1485 kJ (335 kcal)

Unten: *Hühner-Curry*

SRI LANKA

Obwohl sie recht klein ist, hat diese wunderschöne Insel eine erstaunliche Vielfalt an Speisen und Zubereitungsarten zu bieten. Kaufleute und Eroberer haben zwar ihre gastronomischen Spuren hinterlassen, doch gibt es auch eine große Zahl einheimischer Gerichte. In den meisten Haushalten Sri Lankas besteht das Hauptgericht aus Reis mit ein oder zwei Currys, Suppe, Gemüse und verschiedenen Sambals. Sehr beliebt zum Frühstück sind die sogenannten ›Hoppers‹, knusprige Kokos-Reismehl-Pfannkuchen.

DIE KÜCHE IN SRI LANKA

Die Küche Sri Lankas ist durch die Länder geprägt, die die Insel im Laufe der Geschichte kolonialisiert oder Handel mit ihr getrieben haben. Von den Portugiesen, die Sri Lanka im 16./17. Jahrhundert beherrschten, stammt das süße Konfekt, das bei festlichen Anlässen gereicht wird. Die Frikadellen dagegen sind ein Vermächtnis der niederländischen Kolonialherren aus dem 17. und 18. Jahrhundert.

TAMARINDEN-FISCH

•

Vorbereitungszeit: 15 Minuten (+ 60 Minuten Marinieren)
Gesamtkochzeit: 15 Minuten
Für 6 Personen

2 Knoblauchzehen, zerdrückt
2 EL Tamarindenkonzentrat
1 EL Ceylon-Currypulver (s. S. 126)
1/2 TL Kurkuma, gemahlen
1 EL Zitronensaft
2 rote Chillies, feingehackt
6 Fischsteaks zu 150 g (z. B. Schwertfisch, Kabeljau)
3 EL Öl
125 ml Kokosmilch

•

1 Knoblauch, Tamarinden-Konzentrat, Currypulver, Kurkuma, Zitronensaft und Chili mischen.
2 Fischsteaks von beiden Seiten mit der Gewürzmischung bestreichen und in eine flache, ofenfeste Form legen. Zudecken und 1 Stunde im Kühlschrank ziehen lassen.
3 Das Öl in einer Pfanne erhitzen. Die Fischsteaks auf jeder Seite etwa 2 Minuten braten. Kokosmilch zugießen, zudecken und etwa 10 Minuten köcheln lassen.

NÄHRWERT PRO PORTION: 25 g Eiweiß, 15 g Fett, 0 g Kohlenhydrate, 0 g Ballaststoffe, 60 mg Cholesterin, 1045 kJ (250 kcal)

LAMM MIT PALMZUCKER

•

Vorbereitungszeit: 20 Minuten
Gesamtkochzeit: 1 Stunde 40 Minuten
Für 4 Personen

2 EL Öl
500 g Lammfleisch, in Würfel geschnitten
2 TL Chilipulver
1 EL Zitronengras (nur der weiße Teil), gehackt
1 EL frischer Ingwer, gerieben
300 g Süßkartoffeln, geschält und gehackt
2 EL geriebener Palmzucker oder brauner Zucker
2 EL Limettensaft
250 ml Wasser

•

1 Öl in einer gußeisernen Pfanne erhitzen und Fleischwürfel bei starker Hitze anbraten. Auf Küchenpapier abtropfen lassen.
2 Chilipulver, Zitronengras und Ingwer 1 Minute in der Pfanne anrösten.
3 Fleisch wieder in die Pfanne geben und zusammen mit Süßkartoffeln, Zucker, Limettensaft und Wasser zum Kochen bringen; Hitze reduzieren und zugedeckt 1 Stunde köcheln lassen. Deckel abnehmen und weitere 30 Minuten köcheln lassen, bis das Fleisch gar ist.

NÄHRWERT PRO PORTION: 30 g Eiweiß, 15 g Fett, 20 g Kohlenhydrate, 2 g Ballaststoffe, 80 mg Cholesterin, 1365 kJ (325 kcal)

Oben: *Tamarinden-Fisch*

FRIKADELLEN

•

Vorbereitungszeit: 30 Minuten
Gesamtkochzeit: 40 Minuten
Ergibt 26 Stück

45 g Kokosflocken
500 g Rinderhackfleisch
1 Knoblauchzehe, zerdrückt
1 mittelgroße Zwiebel, feingehackt
1 TL Kreuzkümmel, gemahlen
1/4 TL Zimt, gemahlen
1/2 TL Limettenschale, gerieben
1 EL frischer Dill, gehackt
1 Ei, geschlagen
100 g Semmelbrösel
Öl zum Fritieren
zum Servieren: Joghurt-Minze-Raita (s. S. 237)

1 Kokosflocken auf einem Blech ausbreiten und 10 Minuten bei 150 °C (Gas: Stufe 2) im Ofen goldgelb rösten; das Blech ab und zu schütteln.
2 Kokosflocken, Hackfleisch, Knoblauch, Kreuzkümmel, Zimt, Limettenschale und Dill verkneten. Mit Salz und Pfeffer abschmecken.
3 Aus dem Fleischteig kleine Bällchen formen (1 EL pro Stück) und diese in geschlagenem Ei und Semmelbröseln panieren.
4 Das Öl in einem Wok oder einer tiefen Pfanne erhitzen. In mehreren Portionen die Fleischbällchen bei mittlerer Hitze in etwa 5 Minuten goldbraun fritieren, bis sie auch innen gar sind. Auf Küchenpapier abtropfen lassen. Mit Raita servieren.

NÄHRWERT PRO FRIKADELLE: 5 g Eiweiß, 5 g Fett, 3 g Kohlenhydrate, 1 g Ballaststoffe, 20 mg Cholesterin, 260 kJ (60 kcal)

FRIKADELLEN

Die Kokosflocken, das Hackfleisch und die Gewürze mischen.

Mit den Händen aus dem Fleischteig kleine Bällchen formen.

Die Fleischbällchen in Öl goldbraun fritieren, dann auf Küchenpapier abtropfen lassen.

Links: *Frikadellen*

OMELETT MIT HÜHNCHENFLEISCH UND KOKOSSAUCE

•

Vorbereitungszeit: 20 Minuten
Gesamtkochzeit: 25 Minuten
Für 4 Personen

½ gegrilltes Hühnchen
1 große Tomate, feingehackt
1 EL frischer Dill, gehackt
8 Eier
2 Frühlingszwiebeln, feingehackt

•

Kokossauce
410 ml Kokosmilch
½ TL Kurkuma, gemahlen
4 cm frischer Ingwer, gerieben
1 Zimtstange
1 EL Zitronensaft

•

1 Das Hühnchenfleisch von den Knochen lösen und in kleine Stücke schneiden, mit Tomate und Dill mischen. Die Eier schlagen, Frühlingszwiebeln dazugeben.
2 Ein Viertel der Eimischung in eine leicht eingefettete beschichtete Pfanne (25 cm Durchmesser) geben und stocken lassen. Ein Viertel der Fleischmischung in die Mitte geben und das Omelett von vier Seiten zur Mitte hin einschlagen. Auf eine Servierplatte geben. Mit den restlichen Zutaten ebenso verfahren.
3 Für die Kokossauce alle Zutaten mischen und 15 Minuten köcheln lassen, bis die Sauce eindickt.

NÄHRWERT PRO PORTION: 30 g Eiweiß, 30 g Fett, 5 g Kohlenhydrate, 0 g Ballaststoffe, 415 mg Cholesterin, 1770 kJ (420 kcal)

•

WEISSES GEMÜSE-CURRY

•

Vorbereitungszeit: 40 Minuten
Gesamtkochzeit: 30 Minuten
Für 4 Personen als Teil einer Mahlzeit

300 g Kürbis
200 g Kartoffeln
250 g Okra
2 EL Öl
1 Knoblauchzehe, zerdrückt
3 grüne Chillies, sehr fein gehackt
½ TL Kurkuma, gemahlen
½ TL Bockshornkleesamen
1 mittelgroße Zwiebel, gehackt
8 Curryblätter
1 Zimtstange
500 ml Kokosmilch

•

1 Kürbis und Kartoffeln schälen und in 2 cm große Würfel schneiden. Von den Okraschoten den Stielansatz entfernen.
2 Das Öl in einer schweren Pfanne erhitzen. Knoblauch, Chili, Kurkuma, Bockshornkleesamen

Rechts: *Omelett mit Hühnchenfleisch und Kokossauce*

und Zwiebeln etwa 5 Minuten darin braten, bis die Zwiebeln weich sind.

3 Kürbis, Kartoffeln, Okra, Curryblätter, Zimtstange und Kokosmilch zugeben und zum Kochen bringen; ohne Deckel 25–30 Minuten köcheln lassen, bis das Gemüse gar ist. Mit Reis servieren.

NÄHRWERT PRO PORTION: 10 g Eiweiß, 35 g Fett, 15 g Kohlenhydrate, 5 g Ballaststoffe, 0 mg Cholesterin, 1705 kJ (405 kcal)

•

GEKOCHTES RINDFLEISCH IN KOKOSSAUCE

•

Vorbereitungszeit: 30 Minuten
Gesamtkochzeit: 2 Stunden 40 Minuten
Für 4–6 Personen

2 kg Rindfleisch aus der Schulter
2 EL Öl
3 EL Ceylon-Currypulver (s. S. 126)
3 Knoblauchzehen, zerdrückt
2 EL frischer Ingwer, gerieben
3 EL Zitronengras (nur der weiße Teil), gehackt
2 mittelgroße Zwiebeln, gehackt
3 EL Tamarindenkonzentrat
3 EL Essig
500 ml Rinderbrühe
500 ml Kokosmilch

1 Fleisch von Sehnen und Fett befreien und mit Küchengarn zusammenbinden, damit es seine Form behält.

2 Öl in einem schweren Topf erhitzen und das Fleisch über starker Hitze von allen Seiten darin anbraten. Herausnehmen und beiseite stellen.

3 Auf mittlere Hitze herunterschalten; Currypulver, Knoblauch, Ingwer, Zitronengras und Zwiebeln in den Topf geben und 5 Minuten im Öl erhitzen.

4 Das Fleisch wieder in den Topf legen, Tamarindenkonzentrat, Essig, Rinderbrühe und Kokosmilch zugeben, zum Kochen bringen. Hitze reduzieren, Deckel auflegen und 1¾ Stunden sieden lassen, bis das Fleisch zart ist.

5 Fleisch aus dem Topf nehmen und warm stellen. Die Brühe im offenen Topf zu einer dicken Sauce einkochen. Das Fleisch aufschneiden, anrichten und mit der Sauce übergießen.

HINWEIS: Wenn Sie kein Ceylon-Currypulver haben bzw. es nicht selbst zubereiten wollen, gibt es in asiatischen Lebensmittelgeschäften spezielle Currymischungen für Fleisch.

NÄHRWERT PRO PORTION (6): 75 g Eiweiß, 40 g Fett, 5 g Kohlenhydrate, 5 g Ballaststoffe, 175 mg Cholesterin, 2890 kJ (690 kcal)

Oben: *Gekochtes Rindfleisch in Kokossauce*

PFANNKUCHEN MIT AUBERGINEN-SAMBAL

Den gerösteten Reis im Mixer fein mahlen.

Nacheinander den Hefeansatz und die Kokosmilch unter die Reismischung rühren.

Der Pfannkuchen ist fertig, wenn die Ränder knusprig braun sind.

Oben: *Pfannkuchen mit Auberginen-Sambal*

PFANNKUCHEN MIT AUBERGINEN-SAMBAL

•

Vorbereitungszeit: 40 Minuten (+ 1½ Stunden Ruhezeit)
Gesamtkochzeit: 2 Stunden 40 Minuten
Ergibt 12–15 Stück

☆☆☆

7 g Trockenhefe
125 ml warmes Wasser
1 TL feiner Zucker
330 g Rundkornreis
265 g Reismehl
2 TL Salz
1⅛ l Kokosmilch
12–15 Eier

•

Auberginen-Sambal
2 Auberginen, in 2 cm große Würfel geschnitten
60 ml Öl
2 Frühlingszwiebeln, feingehackt
1 TL brauner Zucker
je 2 rote und grüne Chillies, feingehackt
2 EL frischer Koriander, feingehackt
1 EL Zitronensaft

•

1 Den Backofen auf 180 °C (Gas: Stufe 4) vorheizen. Hefe, warmes Wasser und Zucker in einer kleinen Schüssel vermengen und für 10 Minuten an einen warmen, zugfreien Ort stellen.

2 Den Reis auf einem Backblech ausbreiten und im vorgeheizten Ofen in etwa 15 Minuten goldgelb rösten. Etwas abkühlen lassen, dann im Mixer fein mahlen.

3 Den gemahlenen Reis und das Reismehl mit dem Salz in einer Rührschüssel mischen. Nacheinander den Hefeansatz und die Kokosmilch unterrühren. Zudecken und an einem warmen, zugfreien Ort 1 Stunde ruhen lassen.

4 Eine beschichtete Pfanne leicht einfetten. 80 ml Teig in die Pfanne gießen, so daß der Boden dünn und gleichmäßig bedeckt ist. Ein aufgeschlagenes Ei in die Mitte gleiten lassen und den Pfannkuchen 10–15 Minuten braten, bis die Ränder knusprig braun sind und das Ei in der Mitte fest wird; auf eine Servierplatte gleiten lassen und warm stellen. Die restlichen Zutaten ebenso verarbeiten. Die Pfannkuchen mit dem Sambal servieren.

5 Für das Sambal die Auberginenwürfel mit Salz bestreuen und 20 Minuten stehen lassen; dann sorgfältig abspülen und trockentupfen. Das Öl in einer Pfanne erhitzen und die Auberginenwürfel darin bei starker Hitze goldbraun braten. Aus der Pfanne nehmen und mit den restlichen Zutaten mischen.

NÄHRWERT PRO PFANNKUCHEN: 10 g Eiweiß, 30 g Fett, 30 g Kohlenhydrate, 0 g Ballaststoffe, 180 mg Cholesterin, 1880 kJ (450 kcal)

CURRY MIT CASHEWNÜSSEN

•

Vorbereitungszeit: 15 Minuten
Gesamtkochzeit: 55 Minuten
Für 6 Personen als Teil einer Mahlzeit

1 Pandanblatt
750 ml Kokosmilch
1 mittelgroße Zwiebel, gehackt
1 EL frischer Ingwer, gerieben
½ TL Kurkuma, gemahlen
3 cm frischer Galgant
2 grüne Chillies, feingehackt
8 Curryblätter
1 Zimtstange
250 g frische Cashewnüsse
2 EL frischer Koriander, feingehackt

•

1 Das Pandanblatt der Länge nach in 3 Streifen reißen und diese zu einem Knäuel verknoten. Kokosmilch, Zwiebel, Ingwer, Kurkuma, Galgant, Chillies, Curryblätter, Zimtstange und Pandanblatt in einem Topf zum Kochen bringen; dann 20 Minuten köcheln lassen.
2 Cashewnüsse zugeben und das Ganze für weitere 30 Minuten köcheln lassen, bis die Nüsse zart sind.
3 Topf vom Herd nehmen, Galgant, Zimtstange und Pandanblatt entfernen. Das Curry mit Koriander bestreuen und mit Reis servieren.

NÄHRWERT PRO PORTION: 10 g Eiweiß, 45 g Fett, 10 g Kohlenhydrate, 5 g Ballaststoffe, 0 mg Cholesterin, 2025 kJ (485 kcal)

•

ROTES SCHWEINEFLEISCH-CURRY

•

Vorbereitungszeit: 20 Minuten (+ 60 Minuten Marinieren)
Gesamtkochzeit: 20 Minuten
Für 4 Personen

4 getrocknete rote Chillies
125 ml kochendes Wasser
1 mittelgroße Zwiebel, gehackt
2 Knoblauchzehen, feingehackt
2 cm frischer Ingwer, gerieben
1 EL Zitronengras (nur der weiße Teil), feingehackt
500 g Schweinefilet, in Medaillons geschnitten
2 EL Tamarindenkonzentrat
2 EL Ghee, geklärte Butter oder Öl
125 ml Kokosmilch

1 Chillies in kochendem Wasser 10 Minuten einweichen. Mit dem Einweichwasser in einen Mixer füllen; Zwiebel, Knoblauch, Ingwer und Zitronengras dazugeben und alles zu einer Paste verarbeiten.
2 Fleisch mit der Chilipaste und dem Tamarindenkonzentrat vermengen; zugedeckt im Kühlschrank 1 Stunde ziehen lassen.
3 Ghee, Butter oder Öl in einem Wok erhitzen und das Fleisch in mehreren Portionen bei starker Hitze darin braun braten. Das gesamte Fleisch mit der restlichen Marinade in den Wok geben, die Kokosmilch unterrühren und das Curry 5 Minuten lang anbräunen. Mit Reis servieren.

NÄHRWERT PRO PORTION: 30 g Eiweiß, 20 g Fett, 5 g Kohlenhydrate, 0 g Ballaststoffe, 90 mg Cholesterin, 1240 kJ (295 kcal)

Unten: *Rotes Schweinefleisch-Curry*

Oben: *Meeresfrüchte, pikant gewürzt*

MEERESFRÜCHTE, PIKANT GEWÜRZT

•

Vorbereitungszeit: 20 Minuten
Gesamtkochzeit: 15 Minuten
Für 4 Personen

500 g rohe Garnelen
2 Kalmartuben
250 g Miesmuscheln
3 EL Öl
2 mittelgroße Zwiebeln, in Ringe geschnitten
2 Knoblauchzehen, zerdrückt
1 EL frischer Ingwer, gerieben
1/2 TL Kurkuma, gemahlen
1 TL Chilipulver
1 TL Paprikapulver
60 ml Tomatenpüree
1 TL geriebener Palmzucker oder brauner Zucker

•

1 Garnelen schälen und ausnehmen. Fleisch der beutelförmigen Kalmartuben in 6 x 6 cm große Quadrate schneiden; mit einem spitzen scharfen Messer ein Gittermuster in das Fleisch ritzen. Miesmuscheln abbürsten und von den Bärten befreien.
2 Öl in einem schweren Topf oder im Wok erhitzen. Zwiebeln, Knoblauch und Ingwer hineingeben und 3–5 Minuten braten, bis die Zwiebeln weich sind.
3 Kurkuma, Chili- und Paprikapulver in die Pfanne geben und weitere 2 Minuten braten.
4 Meeresfrüchte zufügen und bei starker Hitze braten, bis sich die Garnelen rosa färben. Tomatenpüree und Zucker zugeben und alles unter Rühren 3 Minuten erhitzen. Mit Nudeln servieren.

NÄHRWERT PRO PORTION: 20 g Eiweiß, 15 g Fett, 5 g Kohlenhydrate, 2 g Ballaststoffe, 195 mg Cholesterin, 1025 kJ (245 kcal)

•

FISCH MIT KOKOSFLOCKEN

•

Vorbereitungszeit: 20 Minuten
Gesamtkochzeit: 50 Minuten
Für 4 Personen

45 g Kokosraspel
110 g Kokosflocken
500 g feste weiße Fischfilets
1/2 TL frisch gemahlener schwarzer Pfeffer
1 TL Kurkuma, gemahlen
1 EL Limonensaft
1 Sternanis
1 Zimtstange
2 TL Kreuzkümmelsamen
1 getrockneter Chili
2 EL Öl
3 Knoblauchzehen, zerdrückt
3 mittelgroße Zwiebeln, in Ringe geschnitten

1 Die Kokosraspel und -flocken auf einem Backblech ausbreiten und im Ofen bei 150 °C (Gas: Stufe 2) etwa 10 Minuten rösten, bis sie goldbraun sind; das Blech öfter rütteln.
2 Fisch, Pfeffer, Kurkuma und Limettensaft in eine Pfanne geben und so viel Wasser zugießen, bis alles bedeckt ist. 15 Minuten köcheln lassen, bis der Fisch gar ist. Die Fischfilets aus der Flüssigkeit nehmen, etwas abkühlen lassen, dann in kleine Stücke teilen.
3 Sternanis, Zimtstange, Kreuzkümmel und Chili bei mittlerer Hitze in einer trockenen Pfanne 5 Minuten rösten. In einem Mixer oder im Mörser zu feinem Pulver mahlen.
4 Das Öl in einem Wok erhitzen. Knoblauch, Zwiebeln und das Gewürzpulver zufügen und unter ständigem Rühren bei mittlerer bis starker Hitze 10 Minuten braten, bis die Zwiebeln weich sind.
5 Den Fisch sowie die Kokosraspel und -flocken in den Wok geben. Vorsichtig vermengen und etwa 5 Minuten bewegen, bis alles heiß ist. Auf Reis servieren.

NÄHRWERT PRO PORTION: 30 g Eiweiß, 40 g Fett, 5 g Kohlenhydrate, 10 g Ballaststoffe, 90 mg Cholesterin, 2055 kJ (490 kcal)

LINSEN NACH SRI LANKA-ART

•

Vorbereitungszeit: 15 Minuten
Gesamtkochzeit: 60 Minuten
Für 4 Personen

2 EL Öl
2 mittelgroße Zwiebeln, in feine Ringe geschnitten
2 kleine rote Chillies, feingehackt
2 TL getrocknete Garnelen
1 TL Kurkuma, gemahlen
500 g rote Linsen
4 Curryblätter
500 ml Kokosmilch
250 ml Gemüsebrühe
1 Zimtstange
10 cm Zitronengras

•

1 Öl in einem Topf erhitzen. Zwiebeln zugeben und ca. 10 Minuten goldbraun braten. Die Hälfte herausnehmen und beiseite stellen.
2 Chili, getrocknete Garnelen und Kurkuma in den Topf geben und 2 Minuten erhitzen. Dann Linsen, Curryblätter, Kokosmilch, Gemüsebrühe, Zimtstange und Zitronengras zufügen. Zum Kochen bringen und im offenen Topf 45 Minuten köcheln lassen. Zimtstange und Zitronengras entfernen. Mit den Zwiebelringen garnieren.

NÄHRWERT PRO PORTION: 35 g Eiweiß, 35 g Fett, 50 g Kohlenhydrate, 20 g Ballaststoffe, 0 mg Cholesterin, 2800 kJ (670 kcal)

SRI LANKA-CURRYS

Anders als bei den indischen werden die Zutaten des Ceylon-Currypulvers, die in den für die Insel typischen schwarzen und braunen Currys verwendet werden, dunkel geröstet. Das gibt ihnen ein ganz spezifisches Aroma und eine typische, kräftige Farbe. Die roten Currys erhalten durch gemahlene Chillies nicht nur ihre Farbe, sondern auch die mitunter beißende Schärfe. Dagegen sind weiße Currys, mit Kokosmilch zubereitet, vergleichsweise mild.

Oben: *Linsen nach Sri Lanka-Art*

DESSERTS

Kühle Süßspeisen sind der perfekte Abschluß einer asiatischen Mahlzeit. Die meisten asiatischen Desserts werden aus tropischen Früchten wie Kokosnüssen, Bananen und Mangos zubereitet. Schwarzer oder weißer Klebreis, Pfannkuchen und Weizengrieß werden oft verwendet, um die Fruchtsäuren etwas abzumildern, Eiscremes und gekühlte Eierspeisen erfrischen dagegen herrlich den Gaumen.

CASHEW-BAISERTORTE

Auf jedes Stück Papier mit Hilfe eines Tellers einen Kreis zeichnen.

Die Vanilleessenz, den Essig und die Cashewnüsse in die geschlagene Eiweiß-Zucker-Masse unterziehen.

Mit einem Spachtel die Baisermasse bis an den Rand des Kreises verteilen.

Oben: *Cashew-Baisertorte*

CASHEW-BAISERTORTE

Vorbereitungszeit: 30 Minuten (+ Kühlen)
Gesamtbackzeit: 45 Minuten
Für 8–10 Personen

☆☆☆

Cashew-Baisers
300 g Cashewnüsse
8 Eiweiß
375 g feiner Zucker
2 TL Vanilleessenz
2 TL heller Essig

Füllungen
250 g weiche Butter
125 g Puderzucker
4 EL Crème de Cacao
500 ml Sahne
1 EL Orangenlikör
2 TL Vanilleessenz
zum Verzieren: Borkenschokolade und Kakaopulver

1 Für die Cashew-Baisers den Backofen auf 180 °C (Gas: Stufe 4) vorheizen. Cashewnüsse auf ein Backblech streuen und etwa 5 Minuten goldbraun rösten. Dabei gelegentlich umrühren und wenden. Sorgfältig kontrollieren, damit sie nicht anbrennen. Die Cashewnüsse aus dem Ofen nehmen und abkühlen lassen. Anschließend in einer Küchenmaschine stoßweise fein mahlen.

2 Den Backofen auf 150 °C (Gas: Stufe 2) herunterschalten. 4 Backbleche mit nichthaftendem Backpapier auslegen. Auf jedes Stück Papier einen Kreis mit einem Durchmesser von 21 cm zeichnen.

3 Eiweiße in einer sauberen, trockenen Schüssel steif schlagen, bis sich weiche Spitzen bilden. Nach und nach den Zucker zugeben, jeweils gut umrühren, bis das Eiweiß dick und glänzend ist. Mit einem Metalllöffel die Vanille, den Essig und die gemahlenen Cashewnüsse unterziehen.

4 Die Masse gleichmäßig auf die 4 Kreise aufteilen und sorgfältig bis an die Kreisränder verstreichen. Die Baisers 45 Minuten backen, bis sie knusprig sind. Den Backofen ausschalten und die Baisers bei halboffener Ofentür abkühlen lassen.

5 Für die Füllungen Butter, Puderzucker und Crème de Cacao zu einer leichten und cremigen Masse schlagen. Beiseite stellen. Sahne, Orangenlikör und Vanilleessenz in einer separaten Schüssel schlagen, bis sich weiche Spitzen bilden.

6 Einen Baiserkreis auf eine Servierplatte legen und sorgfältig mit der Hälfte der Buttermasse bestreichen. Einen zweiten Baiserkreis auflegen und diesen mit der Hälfte der Orangen-Sahne-Masse bestreichen. Mit den übrigen Baisers, der Buttermasse und der Orangen-Sahne-Mischung ebenso verfahren.

7 Die Baisertorte kann mit Borkenschokolade verziert und leicht mit Kakaopulver bestreut werden. Zum Servieren vorsichtig in Stücke schneiden.

NÄHRWERT PRO PORTION (10): 10 g Eiweiß, 55 g Fett, 55 g Kohlenhydrate, 2 g Ballaststoffe, 130 mg Cholesterin, 3230 kJ (770 kcal)

BANANEN-KOKOS-PFANNKUCHEN

•

Vorbereitungszeit: 10 Minuten
Gesamtkochzeit: 30 Minuten
Für 4–6 Personen

40 g Weizenmehl
2 EL Reismehl
60 g feiner Zucker
25 g Kokosraspel
250 ml Kokosmilch
1 Ei, leicht geschlagen
Butter zum Braten
4 große Bananen
60 g Butter, extra
60 g brauner Zucker
80 ml Limettensaft
zum Servieren: Limettenschalen-Streifen, 1 EL Kokosflocken

•

1 Die Kokosflocken auf einem Backblech ausbreiten und bei 150 °C (Gas: Stufe 2) in etwa 10 Minuten dunkelbraun rösten. Das Backblech dabei gelegentlich rütteln. Vom Backblech nehmen, damit sie nicht anbrennen, und beiseite stellen.
2 Weizen- und Reismehl in eine mittelgroße Schüssel sieben. Zucker und die getrockneten Kokosflocken mit einem Löffel untermischen. Mit dem Ei vermischte Kokosmilch in eine Mulde im Mehl gießen und glattrühren.
3 Etwas Butter in einer beschichteten Pfanne zerlassen. 3 EL des Pfannkuchenteiges hineingießen und bei mittlerer Hitze braten, bis die Unterseite goldfarben ist. Den Pfannkuchen wenden und von der anderen Seite braten. Fertige Pfannkuchen mit einem Geschirrtuch zugedeckt warm halten. Die Pfanne bei Bedarf erneut einfetten.
4 Bananen diagonal in dünne Streifen schneiden. Butter in der Pfanne erhitzen. Die Bananen darin schwenken, bis sie überzogen sind und sie dann bei mittlerer Hitze weich werden lassen, bis sie anfangen zu bräunen. Den braunen Zucker darüberstreuen und die Pfanne leicht schwenken, bis sich der Zucker aufgelöst hat. Limettensaft einrühren. Bananen auf die Pfannkuchen verteilen. Diese einmal umklappen und mit den gerösteten Kokosflocken und Limettenschalen-Streifen bestreuen.

NÄHRWERT PRO PORTION (6): 5 g Eiweiß, 20 g Fett, 65 g Kohlenhydrate, 5 g Ballaststoffe, 60 mg Cholesterin, 1960 kJ (470 kcal)

•

KOKOS-GRIESS-SCHNITTEN

•

Vorbereitungszeit: 20 Minuten
Gesamtkochzeit: 55 Minuten
Für 8–10 Personen

4 EL Sesamsamen
125 g feines Grießmehl
250 g feiner Zucker
750 ml Kokoscreme
2 EL Ghee oder Öl
2 Eier, getrennt
1/4 TL Kardamom, gemahlen

•

1 Den Ofen auf 160 °C (Gas: Stufe 2–3) vorheizen. Eine flache, 18 x 28 cm große Form leicht einfetten.
2 Sesamsamen bei mittlerer Hitze in einer trockenen Pfanne 3–4 Minuten goldbraun rösten. Die Pfanne dabei vorsichtig schwenken. Gleich herausnehmen, damit die Samen nicht anbrennen.
3 Grießmehl, Zucker und Kokoscreme in eine große Pfanne geben und bei mittlerer Hitze unter Rühren etwa 5 Minuten erhitzen, bis sie kochen. Ghee zugeben und weiterrühren, bis sich die Masse vom Pfannenboden löst. Beiseite stellen.
4 Eiweiß schlagen, bis sich steife Spitzen bilden. Mit Eigelb und Kardamom in die abgekühlte Grießmischung unterziehen. Die Masse in die vorbereitete Ofenform löffeln und mit Sesamsamen bestreuen. Ca. 45 Minuten goldbraun backen. Schnitten in Rautenform schneiden und nach Belieben mit frischen Früchten servieren.

NÄHRWERT PRO PORTION (10): 5 g Eiweiß, 20 g Fett, 35 g Kohlenhydrate, 0 g Ballaststoffe, 45 mg Cholesterin, 1500 kJ (360 kcal)

DER GEWÜRZHANDEL

Bei uns gibt es seit langer Zeit eine starke Nachfrage nach den Gewürzen des Ostens. Beladene Karawanen brachten Pfeffer aus Indien und Gewürznelken und Muskatnüsse von den Molukken (nun ein Teil Indonesiens) über von arabischen Händlern kontrollierte Routen auf die Tische des römischen Reiches. Im Mittelalter hatten die venezianischen Händler ein Monopol auf die Gewürzladungen, die über das heilige Land in Italien ankamen. Als die Landwege im 15. Jahrhundert unsicher wurden, entsandte man Seefahrer wie Kolumbus, Magellan und da Gama, um Seerouten zu den Gewürzinseln zu erkunden, da die westeuropäischen Länder um den lukrativen Handel wetteiferten.

Oben: *Bananen-Kokos-Pfannkuchen*

KLEBREIS

Trotz seines Namens enthält Klebreis keinen Kleber, dafür aber große Mengen Stärke. Vor dem Dämpfen muß er eingeweicht werden. Normalerweise wird er für Desserts verwendet, in einigen asiatischen Ländern (Laos) wird er aber auch statt weißem Langkornreis als Beilage zu pikanten Speisen gereicht.

Oben: *Klebreis mit Mangos*

KLEBREIS MIT MANGOS

•

Vorbereitungszeit: 40 Minuten (+ 12 Stunden Einweichen)
Gesamtkochzeit: 60 Minuten
Für 4 Personen

400 g Klebreis
250 ml Kokosmilch
90 g geriebener Palmzucker oder brauner Zucker
1/4 TL Salz
2–3 Mangos, geschält, entkernt und in Scheiben geschnitten
3 EL Kokoscreme
zum Garnieren: frische Minzezweige
zum Servieren: 1 EL weiße Sesamsamen

•

1 Reis in einem Sieb unter fließendem Wasser waschen, bis das Wasser klar bleibt. Anschließend in eine Glas- oder Keramikschüssel geben, mit Wasser bedecken und über Nacht oder für mindestens 12 Stunden einweichen. Abtropfen lassen.

2 Einen Dämpfeinsatz mit Musselin auslegen. Reis hineingeben und den Einsatz mit einem Deckel fest verschließen. Den Dampfkorb in einen Topf mit kochendem Wasser stellen. Den Reis bei mäßig schwacher Hitze 50 Minuten dämpfen. In eine große Schüssel umfüllen und mit einer Gabel auflockern.

3 Sesamsamen in einer trockenen Pfanne bei mittlerer Hitze etwa 3–4 Minuten goldbraun rösten. Dann sofort aus der Pfanne nehmen, damit sie nicht anbrennen.

4 Kokosmilch in eine kleine Pfanne gießen, Salz und Zucker zufügen. Langsam zum Kochen bringen und ständig rühren, bis sich der Zucker auflöst. Die Mischung bei reduzierter Hitze 5 Minuten leicht eindicken lassen, dabei häufig umrühren; sie darf nicht am Boden der Pfanne kleben bleiben.

5 Die Kokosmilch langsam über den Reis gießen. Mit einer Gabel den Reis auflockern. Die Flüssigkeit sollte jedoch nicht untergerührt werden, da der Reis sonst zu klebrig wird. 20 Minuten stehen lassen, bevor die Reismasse vorsichtig in die Mitte von 4 Serviertellern gegeben wird. Die Mangoscheiben rundherum anrichten. Mit einem Löffel etwas Kokoscreme über den Reis verteilen, Sesamsamen darüberstreuen und das Ganze mit Minzeblättern garnieren.

NÄHRWERT PRO PORTION: 10 g Eiweiß, 20 g Fett, 115 g Kohlenhydrate, 5 g Ballaststoffe, 0 mg Cholesterin, 2785 kJ (660 kcal)

•

WÜRZIGE KOKOS-EIERCREME

•

Vorbereitungszeit: 20 Minuten
Gesamtbackzeit: 35 Minuten
Für 6 Personen

2 Zimtstangen
2 TL ganze Gewürznelken
1 TL Muskatnuß, gemahlen
250 ml Wasser
250 ml Sahne
95 g brauner Zucker
250 ml Kokosmilch
3 Eier, leicht geschlagen
2 Eigelb, leicht geschlagen

•

1 Den Ofen auf 160 °C (Gas: Stufe 2–3) vorheizen.
2 Zimtstangen, Gewürznelken, Muskatnuß, Wasser und Sahne in eine mittelgroße Pfanne geben. Zum Sieden bringen und die Hitze dann auf sehr niedrige Stufe herunterschalten. 5 Minuten ziehen lassen, damit die Gewürze ihr Aroma in der Flüssigkeit entfalten können. Zucker und Kokosmilch zufügen und umrühren, bis sich der Zucker aufgelöst hat.
3 Eier und Eigelb in einer Schüssel schaumig schlagen. Die gewürzte Milchmischung zugeben und unterrühren. Die Masse durch ein Sieb in ein Kännchen gießen und die ganzen Gewürze herausfiltern.
4 Die Eiercreme in 6 kleine Schälchen füllen – jedes mit ca. 125 ml – und diese in eine Backform stellen. Genügend heißes Wasser in die Backform geben, so daß die Schälchen zur Hälfte darin stehen. 30 Minuten backen. Die Eiercreme ist gar, wenn ein hineingestochenes Messer sauber bleibt und die Eiermasse nur noch leicht beweglich ist. Die Schälchen aus der Backform nehmen. Warm oder abgekühlt servieren.

NÄHRWERT PRO PORTION: 5 g Eiweiß, 30 g Fett, 30 g Kohlenhydrate, 0 g Ballaststoffe, 210 mg Cholesterin, 1730 kJ (415 kcal)

CHINESISCHE GLÜCKSKEKSE

•

Vorbereitungszeit: 40 Minuten
(+ 15 Minuten Ruhezeit)
Gesamtbackzeit: 50 Minuten
Ergibt ca. 30 Stück

3 Eiweiß
60 g Puderzucker, gesiebt
45 g Butter, zerlassen
60 g Mehl

•

1 Den Ofen auf 180 °C (Gas: Stufe 4) vorheizen. Das Backblech mit Backpapier auslegen. Drei Kreise zu je 8 cm Durchmesser auf das Papier zeichnen.
2 Eiweiße in einer mittelgroßen Schüssel schlagen, bis sie leicht schaumig sind. Puderzucker und Butter zugeben und glattrühren. Mehl unterrühren, bis der Teig glatt ist.
3 Mit der flachen Klinge eines Messers $1^1/_2$ gestrichene Teelöffel des Teigs auf jedem Kreis verstreichen. 5 Minuten backen, bis die Teigränder leicht braun sind. Mit einer flachen Messerklinge die Kekse rasch vom Blech nehmen. Eine geschriebene Glücksbotschaft auf jedem Keks plazieren. Den Keks zu einem Halbkreis umschlagen und ihn dann über einem stumpfkantigen Gegenstand, z. B. einem Schüsselrand, erneut falten. Auf einem Drahtgitter abkühlen lassen. Mit der restlichen Masse genauso verfahren.
HINWEIS: Nicht mehr als 2 oder 3 Kekse auf einmal backen, da sie sonst zu schnell hart werden und beim Falten brechen.

NÄHRWERT PRO KEKS: 1 g Eiweiß, 1 g Fett, 3 g Kohlenhydrate, 0 g Ballaststoffe, 4 mg Cholesterin, 115 kJ (25 kcal)

CHINESISCHE GLÜCKSKEKSE

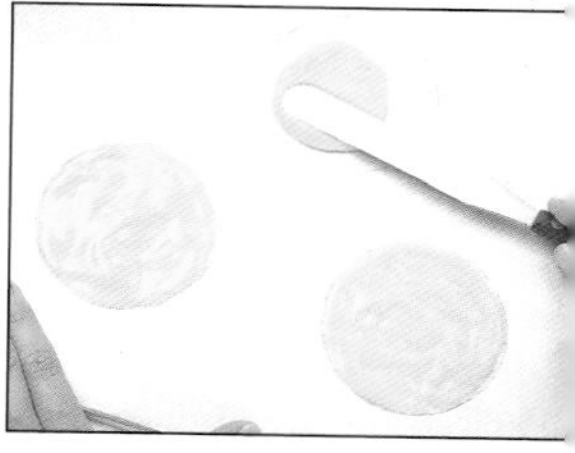

Mit der flachen Klinge eines Messers den Teig auf dem Backpapierkreis verstreichen.

Jeden Keks zur Hälfte falten und über einem stumpfkantigen Gegenstand erneut falten.

Unten: *Chinesische Glückskekse*

TROPISCHE FRÜCHTE

Tropische Früchte sind köstlich, um eine asiatische Mahlzeit abzuschließen. Die Früchte je nach Jahreszeit auswählen, nur noch schälen oder in Scheiben schneiden.

MANGO

Mangos bei Zimmertemperatur reifen lassen, dann im Kühlschrank aufbewahren und innerhalb von 3 Tagen verzehren. Mangos schmecken fruchtig-süß, entweder pur, püriert für Eiscreme oder kleingeschnitten in Salaten. Die Schale einer reifen Mango läßt sich einfach vom Fruchtfleisch lösen. Man kann auch die beiden Seiten der Mango abschneiden, das Fruchtfleisch kreuzweise einschneiden und die Schale vorsichtig vom Fleisch pressen. Mangos können auch grün gegessen werden, in dünne Streifen geschnitten in Salaten oder in Chutneys und Currygerichten.

NÄHRWERT PRO 100 g: 0 g Eiweiß, 0 g Fett, 10 g Kohlenhydrate, 2 g Ballaststoffe, 0 mg Cholesterin, 250 kJ (60 kcal)

PAPAYA UND PAWPAW

Papaya und Pawpaw gehören derselben Familie an, sie sind jedoch nicht identisch. Papayas sind gewöhnlich kleiner und fester als Pawpaws. Grün können beide für Salate oder Currys verwendet werden. Bei Zimmertemperatur nachreifen lassen, bis sie sich leicht orange färben. Danach können sie im Kühlschrank bis zu 2 Tagen aufbewahrt werden. Der Länge nach halbieren und mit einem Löffel die Samen herauskratzen oder die Schale entfernen und die Frucht dann in Scheiben schneiden. Mit Limettensaft beträufeln und mit Joghurt krönen.

NÄHRWERT PRO 100 g: 0 g Eiweiß, 0 g Fett, 7 g Kohlenhydrate, 2 g Ballaststoffe, 0 mg Cholesterin, 120 kJ (30 kcal)

KOKOSNUSS

Beim Einkauf schwere Kokosnüsse auswählen. Durch Schütteln kann man sich vergewissern, daß sie noch Flüssigkeit enthalten. Zum Öffnen eines der ›Augen‹ durchbohren und den Kokossaft abgießen. Die Kokosnuß dann 10 Minuten in einen heißen Backofen legen, bis die Schale Risse bekommt. Durch Schlagen mit dem Nudelholz die Schale öffnen. Kokosnüsse schmekken gut in Salaten, insbesondere in frischen Obstsalaten. Geröstet kann man sie über Currygerichte streuen.

NÄHRWERT PRO 100 g: 3 g Eiweiß, 25 g Fett, 4 g Kohlenhydrate, 10 g Ballaststoffe, 0 mg Cholesterin, 1120 kJ (265 kcal)

LITSCHI

Litschis wachsen in Büscheln von 3–20 Früchten. Die reife Frucht hat eine tiefrote, lederartige Schale und klares, weißes Fruchtfleisch. Litschis müssen ausgereift geerntet werden, da sie nicht nachreifen. Beim Kauf feste Früchte ohne Risse auswählen. Überreife braune Früchte vermeiden. Litschis im Plastikbeutel im Kühlschrank aufbewahren. Am besten verzehrt man sie gleich nach dem Kauf. Sie schmecken süßsauer und können mit Speiseeis oder in einem Fruchtsalat, einem Salat mit gebratener Ente oder in pfannengerührten Gerichten genossen werden.

NÄHRWERT PRO 100 g: 0 g Eiweiß, 0 g Fett, 16 g Kohlenhydrate, 1,3 g Ballaststoffe, 0 mg Cholesterin, 290 kJ (70 kcal)

ANANAS

Eine der beliebtesten tropischen Früchte. Beim Kauf eine volle Ananas mit zartem, süßlichen Duft und festen, frischen Blättern auswählen. An einem kühlen Platz ohne direktes Sonnenlicht oder im Kühlschrank lagern. Angeschnittene Frucht zugedeckt im Kühlschrank aufbewahren. Für die Zubereitung die beiden Enden abschneiden und die Schale mit einem scharfen Messer entfernen. Die kleinen schwarzen ›Augen‹ herausschneiden. Den Strunk herauslösen und die Ananas in Scheiben oder in Stückchen geschnitten servieren. Köstlich schmeckt Ananas auch mit Minze oder mit Currygerichten, pfannengerührten Speisen oder zusammen mit gegrilltem Fleisch serviert. Pürierte Ananas eignet sich hervorragend für die Herstellung von Sorbets oder Fruchtpunsch.

NÄHRWERT PRO 100 g: 0 g Eiweiß, 0 g Fett, 10 g Kohlenhydrate, 2 g Ballaststoffe, 0 mg Cholesterin, 160 kJ (40 kcal)

Von links: *Mango, Ananas, Litschis, Papaya, Pawpaw, Kokosnuß*

TROPISCHE FRÜCHTE

GUAVE

Guaven haben eine dünne, gelblich-grüne Schale. Das weiche Fruchtfleisch kann weiß, gelb, rosa oder rot sein. Feste Früchte aussuchen, die einem leichten Druck am Stielende nachgeben. Guaven sind reich an Vitamin C und haben einen hohen Pektingehalt. Sie sind ideal für die Herstellung von Marmeladen. Geschält in Salate schneiden oder für Sorbets oder Säfte pürieren.

NÄHRWERT PRO 100 g: 1 g Eiweiß, 0 g Fett, 3 g Kohlenhydrate, 5 g Ballaststoffe, 0 mg Cholesterin, 100 kJ (25 kcal)

KARAMBOLA (STERNFRUCHT)

Je nach Sorte und Reifegrad reicht der Geschmack von zart und süß bis hin zu leicht säuerlich. Die dünne, wachsartige Schale ist bei einer reifen Frucht goldgelb und kann mitgegessen werden. Bei Zimmertemperatur reift die Sternfrucht in bis zu 3 Tagen – danach in den Kühlschrank legen. Die Enden abschneiden, braune Stellen entfernen und in Sternform schneiden. Als Dekoration zu Käse oder Obstsalaten servieren.

NÄHRWERT PRO 100 g: 1 g Eiweiß, 1 g Fett, 8 g Kohlenhydrate, 1 g Ballaststoffe, 0 mg Cholesterin, 150 kJ (35 kcal)

MANGOSTANE

Reife Mangostane haben eine harte, glänzende, rotviolett gefärbte Schale. Das weißlich-rosafarbene Fruchtfleisch ist in 4 oder 5 Segmente mit einigen kleinen schwarzen Samen unterteilt. Die Frucht hat ein süßes, leicht moschusartiges Aroma und schmeckt am besten leicht gekühlt. Beim Öffnen die Schale mit einem scharfen Messer rundherum einschneiden und dann abziehen. Fruchtfleisch in Segmente auftrennen und vor dem Genuß die Samen entfernen. In einem Fruchtsalat servieren oder für die Herstellung von Saft oder Eiscreme pürieren.

NÄHRWERT PRO 100 g: 1 g Eiweiß, 1 g Fett, 18 g Kohlenhydrate, 1 g Ballaststoffe, 0 mg Cholesterin, 320 kJ (75 kcal)

SAUERSACK

Sauersack ist auch als Stachelannone bekannt. Die Schale eines reifen Sauersacks ist zart gelbgrün und zwischen den ›Knötchen‹ beige. Feste Früchte kaufen, bei Zimmertemperatur nachreifen lassen und dann kühl aufbewah-

ren. Das weiße Fruchtfleisch ist süß und reich an Vitamin C, aber zuweilen ziemlich faserig. Halbieren, Samen entfernen (gelten als giftig) und das Fruchtfleisch mit einem Löffel herauslösen. Sehr gut geeignet zu Müsli oder zusammen mit Äpfeln als Strudelfüllung.

NÄHRWERT: Keine Nährwertanalyse vorhanden.

JACKFRUCHT

Jackfrüchte sind in ganz Asien beliebt, für unsere Gaumen hingegen ist das strenge Aroma zunächst merkwürdig. Die Frucht wiegt 5–6 kg und hat eine warzenartige, gelbbraune Schale. Normalerweise wird sie grün geerntet. Die reife Frucht luftdicht im Kühlschrank aufbewahren. Messer und Hände vor dem Öffnen einfetten, damit der Saft nicht daran kleben bleibt. Die Frucht halbieren und das Fruchtfleisch um den Samen herum entfernen. In Obstsalat oder gemixt mit Kokosmilch und braunem Zucker servieren. Unreif kann die Frucht als Gemüse gekocht werden.

NÄHRWERT PRO 100 g: 0 g Eiweiß, 0 g Fett, 17 g Kohlenhydrate, 3 g Ballaststoffe, 0 mg Cholesterin, 330 kJ (80 kcal)

LONGAN

Oft ›kleiner Bruder der Litschi‹ genannt. Das die braunen Samen umschließende, köstliche weiße Fruchtfleisch hat aber ein moschusartiges, weintraubenähnliches Aroma und ist süßlicher als das der Litschi. Früchte mit Stiel und einer hellbraunen, unbeschädigten Schale ohne Risse auswählen. Der Stiel darf nicht schimmeln. Abgeschält pur oder in einem Obstsalat verzehren.

NÄHRWERT PRO 100 g: 0 g Eiweiß, 0 g Fett, 15 g Kohlenhydrate, 5 g Ballaststoffe, 0 mg Cholesterin, 240 kJ (55 kcal)

RAMBUTAN

Die eierförmige Rambutan wächst in Büscheln und wird manchmal auch ›haarige Litschi‹ genannt, da ihre ledrige Schale von weichen, roten Haaren bedeckt ist. Je nach Sorte sind die reifen Früchte rot, gelb oder orange. Sie sollten eine leuchtende Farbe und frisch aussehende Haare haben. Sie enthalten einen einzigen Samen, der von weißem, süß-säuerlichem Fruchtfleisch umgeben ist. Für den Verzehr einfach halbieren und den Samen entfernen. Am besten pur oder in einem Obstsalat genießen.

NÄHRWERT PRO 100 g: 0 g Eiweiß, 0 g Fett, 16 g Kohlenhydrate, 4 g Ballaststoffe, 0 mg Cholesterin, 300 kJ (70 kcal)

Von links: *Guave, Karambola, Mangostane, Sauersack, Jackfrucht, Longan, Rambutan*

MILCHSPEISE MIT MÖHREN

Vorbereitungszeit: 5 Minuten
Gesamtkochzeit: 60 Minuten
Für 6 Personen

1 l Milch
240 g Möhren, geraspelt
40 g Sultaninen
125 g feiner Zucker
1/4 TL Zimt, gemahlen
1/4 TL Kardamom, gemahlen
80 ml Sahne
2 EL ungesalzene Pistazien, gehackt

1 Milch in eine große, gußeiserne Pfanne gießen und bei mittlerer Hitze unter Rühren aufkochen lassen. Die Hitze reduzieren und die Milch köcheln, bis sie auf die Hälfte reduziert ist. Dabei gelegentlich umrühren, damit sie nicht anbrennt.
2 Möhren und Sultaninen zufügen und weitere 15 Minuten kochen lassen.

Oben: *Milchspeise mit Möhren*
Rechts: *Sago-Milchspeise*

3 Zucker, Zimt, Kardamom und Sahne zugeben und unter Rühren mitkochen, bis sich der Zucker aufgelöst hat. Die Milchspeise warm und mit Pistazien bestreut in kleinen Schälchen servieren.

NÄHRWERT PRO PORTION: 5 g Eiweiß, 15 g Fett, 35 g Kohlenhydrate, 1 g Ballaststoffe, 40 mg Cholesterin, 1220 kJ (290 kcal)

SAGO-MILCHSPEISE

Vorbereitungszeit: 20 Minuten
(+ 1 Stunde Einweichen
+ 2 Stunden Kühlen)
Gesamtkochzeit: 20 Minuten
Für 6 Personen

195 g Sago
750 ml Wasser
185 g brauner Zucker
250 ml Wasser extra
250 ml Kokoscreme, gut gekühlt

1 Sago eine Stunde in Wasser einweichen. In eine Pfanne gießen, 2 EL Zucker zugeben und bei schwacher Hitze unter ständigem Rühren zum Kochen bringen. Die Hitze reduzieren und unter gelegentlichem Rühren 8 Minuten köcheln. Zugedeckt 2 bis 3 Minuten kochen, bis die Mischung dick und die Sagokörnchen leicht glasig sind.
2 6 feuchte Schälchen zu 125 ml je zur Hälfte mit der Sagomischung füllen. Für etwa 2 Stunden kühlen, bis diese fest ist.
3 Den restlichen Zucker mit dem zusätzlichen Wasser in einer kleinen Pfanne mischen. Unter

ständigem Rühren bei schwacher Hitze kochen, bis sich der Zucker auflöst. 5–7 Minuten köcheln, bis der Sirup eindickt. Vom Herd nehmen und kalt stellen. Die Sagospeise stürzen und mit etwas Zuckersirup und Kokoscreme gekrönt servieren.

NÄHRWERT PRO PORTION: 0 g Eiweiß, 10 g Fett, 60 g Kohlenhydrate, 0 g Ballaststoffe, 0 mg Cholesterin, 1325 kJ (315 kcal)

•

KOKOS-EISCREME

•

Vorbereitungszeit: 10 Minuten (+ ca. 3 Stunden Gefrierzeit)
Gesamtkochzeit: 15 Minuten
Für 6 Personen

440 ml Kokoscreme
375 ml Sahne
2 Eier
2 Eigelb
125 g feiner Zucker
1/4 TL Salz
1 TL Vanilleessenz
15 g Kokosflocken
zum Garnieren: frische Minze

•

1 Kokoscreme und Sahne in eine mittelgroße Pfanne gießen. Bei mittlerer Hitze für 2–3 Minuten umrühren, dabei nicht kochen. Vom Herd nehmen, zudecken und warm stellen.
2 Eier, Eigelb, Zucker, Salz und Vanilleessenz in eine große, hitzebeständige Schüssel geben. Mit dem elektrischen Rührgerät 2–3 Minuten schaumig schlagen, bis eine dicke Masse entsteht.
3 Die Schüssel in ein Wasserbad stellen und weiterschlagen, dabei nach und nach die warme Kokosmasse zugeben, etwa 60 ml auf einmal. Es dauert ca. 10 Minuten, bis die Kokosmasse untergerührt und die Eiercreme eingedickt ist. Die Mischung sollte die Konsistenz einer dünnen Creme haben und leicht den Rücken eines Löffels überziehen. Nicht kochen, da sie sonst gerinnt.
4 Die Masse in eine kalte Schüssel umfüllen, zudecken und zur Seite stellen. Während des Kühlens gelegentlich umrühren. Abgekühlt in eine flache Keksdose füllen, zudecken und ca. 1 1/2 Stunden oder bis sie halbgefroren ist, einfrieren.
5 Die Eiscreme rasch in eine Küchenmaschine füllen und 30 Sekunden zu einer glatten Masse verarbeiten. Dann wieder in die Blechdose oder in einen Plastikbehälter geben, zudecken und vollständig einfrieren.
6 Die Kokosflocken auf einem Backblech ausbreiten und langsam bei 150 °C (Gas: Stufe 2) für etwa 10 Minuten goldbraun rösten. Dabei das Backblech gelegentlich rütteln. Die Kokosflocken vom Blech nehmen, damit sie nicht anbrennen, und kalt stellen. Die Eiscreme portionieren, Kokosflocken darüber streuen und mit der Minze garnieren.
HINWEIS: Die Eiscreme vor dem Servieren 10–15 Minuten bei Zimmertemperatur stehen lassen, damit sie etwas weicher wird.

NÄHRWERT PRO PORTION: 5 g Eiweiß, 45 g Fett, 25 g Kohlenhydrate, 0 g Ballaststoffe, 205 mg Cholesterin, 2160 kJ (515 kcal)

Oben: *Kokos-Eiscreme*

PANDANUSBLÄTTER
Diese langen, flachen, duftenden Blätter verleihen in Thailand, Sri Lanka, Malaysia und Indonesien sowohl pikanten als auch süßen Speisen Farbe und ein charakteristisches Aroma. Vor der Zugabe zum Gericht teilweise in Streifen oder Abschnitte schneiden – das Aroma wird dann besser freigesetzt – und wieder zusammenbinden. Ein kleiner Streifen kann beim Kochen von Reis zugegeben werden. In einigen asiatischen Lebensmittelgeschäften werden frische oder tiefgefrorene Pandanusblätter gehandelt, getrocknet sind sie leichter erhältlich.

Folgende Seite: *Mango-Eiscreme* (oben), *schwarzer Klebreis*

MANGO-EISCREME

Vorbereitungszeit: 20 Minuten (+ ca. 3 Stunden Gefrierzeit)
Gesamtkochzeit: Keine
Für 6 Personen

400 g frisches Mangofruchtfleisch
125 g feiner Zucker
3 EL Mango- oder Aprikosennektar
250 ml Sahne
Mangoscheiben extra (nach Belieben)

1 Mangos in einer Küchenmaschine geschmeidig rühren. Das Mangopüree in eine Schüssel umfüllen und Zucker und Nektar zufügen. Rühren, bis sich der Zucker aufgelöst hat.
2 Sahne in einer kleinen Schüssel steif schlagen, bis sich kleine Spitzen bilden, dann vorsichtig unter die Mangomasse ziehen.
3 Die Mischung in eine flache Keksdose füllen, zudecken und etwa 1 1/2 Stunden halb gefrieren lassen. Danach rasch in eine Küchenmaschine geben und 30 Sekunden zu einer glatten Masse verarbeiten. In die Dose oder einen Plastikbehälter zurückfüllen, zudecken und vollständig gefrieren lassen. Die Eiscreme ca. 15 Minuten vor dem Servieren aus dem Eisfach nehmen, damit sie etwas weicher wird. Kugeln ausstechen und nach Belieben mit frischen Mangoscheiben garnieren.
HINWEIS: Frische Mangos können durch tiefgekühlte oder Dosenmangos ersetzt werden, falls frische Mangos nicht erhältlich sind.

NÄHRWERT PRO PORTION: 4 g Eiweiß, 20 g Fett, 60 g Kohlenhydrate, 4 g Ballaststoffe, 55 mg Cholesterin, 1710 kJ (405 kcal)

SCHWARZER KLEBREIS

Vorbereitungszeit: 10 Minuten (+ 8 Stunden Einweichen)
Gesamtkochzeit: 40 Minuten
Für 6–8 Personen

400 g schwarzer Reis
1 l kaltes Wasser
500 ml Kokosmilch
90 g geriebener Palmzucker oder brauner Zucker
3 EL feiner Zucker
3 frische Pandanusblätter, in Streifen geschnitten und verknotet
3 EL Kokoscreme
3 EL Maiscreme

1 Reis in einer Glas- oder Keramikschale mit ausreichend Wasser bedecken. Mindestens 8 Stunden oder über Nacht einweichen. Den Reis abgießen und mit dem Wasser in eine mittelgroße Pfanne geben. Langsam aufkochen, häufig rühren und etwa 20 Minuten köcheln, bis der Reis weich ist. Abgießen.
2 In einer großen gußeisernen Pfanne die Kokosmilch fast zum Kochen bringen. Palmzucker, Zucker und Pandanusblätter zufügen und rühren, bis sich der Zucker aufgelöst hat. Den Reis zugeben und für 3–4 Minuten rühren, aber nicht kochen.
3 Den Herd ausschalten, die Pfanne zudecken und 15 Minuten ruhen lassen, damit sich das Aroma entfaltet. Die Pandanusblätter entfernen. Warm mit Kokoscreme und Maiscreme servieren.

NÄHRWERT PRO PORTION (8): 5 g Eiweiß, 15 g Fett, 60 g Kohlenhydrate, 0 g Ballaststoffe, 0 mg Cholesterin, 1630 kJ (390 kcal)

MANDELGELEE

Vorbereitungszeit: 5 Minuten (+ 60 Minuten Kühlen)
Gesamtkochzeit: 5 Minuten
Für 4–6 Personen

500 ml kaltes Wasser
90 g feiner Zucker
2 TL Agar-Agar
170 ml Kondensmilch
1/2 TL Mandelessenz
3 frische Mandarinen, geschält und zerteilt, oder 300 g frische Kirschen, entkernt und gekühlt

1 Wasser und Zucker in eine kleine Pfanne gießen. Agar-Agar-Pulver einstreuen. Die Mixtur zum Kochen bringen und 1 Minute köcheln lassen. Die Pfanne vom Herd nehmen und Kondensmilch und Mandelessenz zugeben.
2 Die Mischung in einer flachen Pfanne fest werden lassen. Mindestens 1 Stunde kalt stellen.
3 Das Gelee in Würfelform schneiden und mit Früchten servieren.
HINWEIS: Agar-Agar wirkt ähnlich wie Gelatine, wird aber auch ohne Kühlung fest. Falls nicht erhältlich, 3 TL Gelatine in 125 ml kaltem Wasser einweichen. Die Gelatinemischung in das Zuckerwasser rühren, zum Kochen bringen, dann gleich vom Herd nehmen. Wie oben geschildert weiterverarbeiten, doch 5 Stunden oder mehr kalt stellen.

NÄHRWERT PRO PORTION (6): 2 g Eiweiß, 2 g Fett, 20 g Kohlenhydrate, 1 g Ballaststoffe, 10 mg Cholesterin, 450 kJ (105 kcal)

Oben: *Süße Wan-Tans*

SÜSSE WAN-TANS

•

Vorbereitungszeit: 15 Minuten
Gesamtkochzeit: 20 Minuten
Ergibt 30 Stück

☆☆

125 g Datteln, entkernt und gehackt
2 Bananen, kleingeschnitten
45 g Mandelblättchen, leicht zerstoßen
1/2 TL Zimt, gemahlen
60 Wan-Tan-Hüllen
Öl zum Fritieren
zum Bestäuben: Puderzucker

•

1 Datteln, Bananen, Mandeln und Zimt vermengen. 2 TL der Fruchtmasse in der Mitte einer Wan-Tan-Hülle plazieren und die Ecken leicht mit Wasser befeuchten. Eine zweite Hülle so darauf setzen, daß eine Sternform entsteht. Auf ein mit Backpapier ausgelegtes Backblech legen. Darauf achten, daß die Wan-Tans nicht aneinanderkleben.
2 Öl in einer Pfanne mäßig erhitzen. Wan-Tans portionsweise 2 Minuten in der Pfanne goldfarben fritieren. Auf Papiertüchern abtropfen lassen. Vor dem Servieren leicht mit Puderzucker bestäuben.

NÄHRWERT PRO WAN-TAN: 3 g Eiweiß, 5 g Fett, 15 g Kohlenhydrate, 2 g Ballaststoffe, 0 mg Cholesterin, 500 kJ (120 kcal)

EIERTÖRTCHEN

•

Vorbereitungszeit: 30 Minuten
(+ 15 Minuten Ruhezeit)
Gesamtkochzeit: 15 Minuten
Ergibt 18 Törtchen

Äußerer Teig
165 g Mehl
2 EL Puderzucker
80 ml Wasser
2 EL Öl

•

Innerer Teig
125 g Weizenmehl
100 g Schmalz

•

Eiercreme
80 ml Wasser
60 g feiner Zucker
2 Eier

1 Äußerer Teig: Mehl und Puderzucker in eine Schüssel sieben. In der Mitte eine Mulde bilden. Das mit dem Öl vermischte Wasser hineingießen. Mit einem Messer zu einem rauhen Teig vermengen. (Bei sehr trockenem Mehl etwas Wasser zufügen.) Auf eine leicht bemehlte Fläche

EIERTÖRTCHEN

Teigschichten falten, die kurzen Enden des äußeren Teigs überlappen sich dabei.

Den Teig in eine Richtung zu einem langen Rechteck ausrollen, bis er nur noch halb so dick ist.

Mit einer gezackten Form Teigkreise ausstechen, diese dann vorsichtig in die Pastetenförmchen legen.

Jede Teigform zu zwei Dritteln mit der Eiercreme füllen.

stürzen und zu einem glatten Teig verarbeiten. Zugedeckt 15 Minuten beiseite stellen.

2 Innerer Teig: Mehl in eine mittelgroße Schüssel sieben. Mit den Fingerspitzen das Schmalz in das Mehl arbeiten, bis es die Form grober Brotkrumen annimmt. Den Teig zu einer Kugel zusammendrücken und zugedeckt 15 Minuten beiseite stellen.

3 Den äußeren Teig auf einer leicht bemehlten Fläche zu einem ca. 10 x 20 cm großen Rechteck ausrollen. Auf einer ebenfalls bemehlten Fläche den inneren Teig zu einem kleineren Rechteck ausrollen (etwa ein Drittel der Größe des äußeren Teigs). Den inneren Teig auf die Mitte des äußeren legen. Den äußeren über den inneren Teig so falten, daß sich die kurzen Seiten überlappen und der innere Teig eingeschlossen ist. Die Ecken zusammendrücken und verschließen.

4 Auf einer leicht bemehlten Fläche den Teig in eine Richtung zu einem langen Rechteck ausrollen, bis er nur noch halb so dick ist. Um 90° drehen, so daß die langen Seiten horizontal liegen. Den Teig in drei Schichten falten, dabei zunächst das linke Ende umlegen und dann das rechte Ende darüber falten. In eine Frischhaltefolie gewikkelt 30 Minuten in den Kühlschrank stellen.

5 Den Ofen auf 210 °C (Gas: Stufe 6–7) vorheizen. 2 flache 12er Pastetenförmchen mit zerlassener Butter oder Öl einpinseln.

6 Eiermasse: Wasser und Zucker in einer Pfanne ohne Aufkochen rühren, bis sich der Zucker auflöst. Zum Kochen bringen und ohne Rühren 1 Minute köcheln lassen. Die Mischung 5 Minuten abkühlen lassen. Die Eier in einer Schüssel mit einer Gabel leicht schlagen. Den Zuckersirup unterrühren, so daß er sich gerade mit den Eiern verbindet. In ein Kännchen seihen.

7 Den Teig mit einem offenen Ende nach vorne auf eine leicht bemehlte Fläche legen. Ein etwa 2,5 mm dickes Rechteck ausrollen. Mit einem gezackten 7-cm-Förmchen Teigkreise ausstechen und in die vorbereiteten Pastetenförmchen legen. Jede Teigform zu zwei Dritteln mit der Eiercreme füllen. Etwa 15 Minuten backen, bis die Eiermasse fest wird. Sie darf nicht zu lange im Ofen bleiben.

8 Die Eiertörtchen vor der Entnahme 3 Minuten ruhen lassen. Mit einem flachen Messer an den Seiten der Törtchen entlangfahren. Sie lösen sich dann leichter. Auf einem Drahtgitter abkühlen und kalt oder warm servieren.

NÄHRWERT PRO TÖRTCHEN: 2 g Eiweiß, 10 g Fett, 15 g Kohlenhydrate, 1 g Ballaststoffe, 30 mg Cholesterin, 625 kJ (150 kcal)

Oben: *Eiertörtchen*

REGISTER

Kursiv gedruckte Seitenzahlen verweisen auf Abbildungen.
Fett gedruckte Seitenzahlen verweisen auf Randspalten.

A

B

C

D

E

F

G

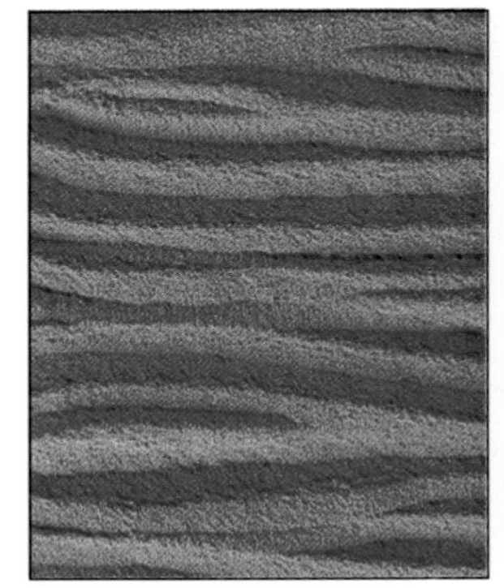

K

L

M

N

O

P

R

T

U

V

Z

DANKSAGUNG

FOTOS: Jon Bader, Paul Clarke, Joe Filshie, Andrew Furlong, Chris Jones, Ray Joyce, Andre Martin, Luis Martin, Reg Morrison, Andrew Payne, Peter Scott

•

FOODSTYLING: Wendy Berecry, Amanda Cooper, Georgina Dolling, Carolyn Fienberg, Mary Harris, Donna Hay, Di Kirby, Vicki Liley, Rosemary Mellish, Lucy Mortenson, Tracey Port, Suzi Smith

•

FACHLICHE MITWIRKUNG: Myles Beaufort, Wendy Brodhurst, Rebecca Clancy, Michelle Earl, Jo Forrest, Susan Geraghty, Wendy Goggin, Donna Hay, Tatjana Lakajev, Michelle Lawton, Voula Mantzouridis, Melanie McDermott, Kerrie Mullins, Anna Paola Boyd, Tracey Port, Kerrie Ray, Jo Richardson, Tracy Rutherford, Maria Sampsonis, Stephanie Souvilis, Dimitra Stais, Alison Turner, Jody Vassallo

•

REZEPTE: Wendy Berecry, Wendy Brodhurst, Kerrie Carr, Laurine Croasdale, Jane Croswell-Jones, Michelle Earl, Wendy Goggin, Ken Gomes, Barbara Lowery, Rachael Mackie, Voula Mantzouridis, Rosemary Mellish, Sally Parker, Jacki Passmore, Jennene Plummer, Tracey Port, Jo Richardson, Tracy Rutherford, Maria Sampsonis, Christine Sheppard, Deborah Solomon, Dimitra Stais, Beverly Sutherland-Smith, Jody Vassallo

•

Der Verlag dankt folgenden Institutionen für die fotografische Ausstattung des Buches: *Corso De Fiori*, Shop 216, Sky Garden, Sydney; *Bamix*, Shop 205A, Westfield, Chatswood, NSW; *House*, 249 King Street, Newtown, NSW; *East India Co*, Shop 5R, Glasshouse, Sydney; *The Bay Tree*, 40 Holdsworth Street, Woollarah, NSW; *Wedgwood*; *Accoutrement*, Queens Court, Queen Street, Woollarah, NSW.